W9-BSZ-697

Hermann Broch
Kommentierte Werkausgabe

Herausgegeben von
Paul Michael Lützeler

Band 13/1

Parallel zur
Kommentierten Werkausgabe
in den suhrkamp taschenbüchern
erscheint, in limitierter Auflage,
die vorliegende textidentische
Leinenausgabe.

Hermann Broch
Briefe 1 (1913-1938)

Dokumente und Kommentare
zu Leben und Werk

Suhrkamp

Erste Auflage 1981

Satz: LibroSatz, Kriftel
Druck: Nomos Verlagsgesellschaft, Baden-Baden
Printed in Germany

Inhalt

Briefe

1913-1929

1. An Ludwig von Ficker[1]

Teesdorf
Post Tattendorf
N. Ö. 22. Jänner 1913

Hochgeehrter Herr,
ich danke Ihnen für Ihre freundlichen Zeilen sowie für die Übersendung des Clichees[2], das ich beigefaltet in etwas rektifizierter Form retourniere. Es war wohl auf der ersten Skizze nicht recht ersichtlich, daß sich die Begriffskreise[3] nicht tangieren, sondern etwas schneiden sollen, da, insbesondere so große, Begriffe eine vollkommen abgrenzende Definition nicht zulassen und auf Zwischengebiete Rücksicht genommen werden muß. – Die gezeichnete Mittelachse ist für den vorliegenden Zweck nicht notwendig, doch erscheint sie mir als ein interessantes Symbol für die Sprache, die sich linear durch die mehrdimensionalen Begriffskomplexe legt und diese in radizierter Form temporär nacheinander aufzeigt. (Ähnliches in dem Aufsatz über das »Wort« im letzten Brennerheft dargestellt!)[4]

Den avisierten Korrekturen sehe ich entgegen und verbleibe inzwischen

hochachtungsvoll
ergebenst
Hermann Broch
[GW 10]

1 Ludwig von Ficker (1880-1967), Begründer und Herausgeber der Kulturzeitschrift *Der Brenner,* Innsbruck 1910-1954. Mit Unterbrechungen erschien die Zeitschrift ab 1915 als *Brenner-Jahrbuch.* Broch wurde durch Anzeigen in der *Fackel* von Karl Kraus auf den *Brenner* aufmerksam.

2 Zu Brochs Aufsatz »Philistrosität, Realismus, Idealismus der Kunst«, in: *Der Brenner,* III/9 (1. 2. 1913), S. 399-415. Jetzt in: KW 9/1, S. 13-29. Es geht um das Schaubild S. 21.

3 KW 9/1, S. 21.

4 Franz Baumgartner, »Vom Wort und den Symbolen«, in: *Der Brenner,* III/8 (15. 1. 1913), S. 325-342.

2. An Ludwig von Ficker

Teesdorf
Post Tattendorf
N. Ö. 26. Februar [1913]

Sehr geehrter Herr v. Ficker,
es geht mir wider den Strich, nach der Ruhe und Klarheit der Dallagoschen[1] »Gegenüberstellung«[2] nochmals das Thema aufzunehmen und Haarspalterei zu treiben. Aber ein »Wehren« verpflichtet zur Rechtfertigung.

Ich empfing von der Novelle Manns[3] den Eindruck eines Protestes. Die Dallagosche Kritik sagte (enttäuscht, unwillig): »Philister«, die Novelle will – so glaube ich zu hören – antworten: »Nein, ein Künstler«. Durch die Gegenüberstellung der Zitate suchte ich meinen Eindruck zu legitimieren. Sätze wie (sie sind durch die Zitierung wahrlich nicht entwurzelt!): »So ist ihm das Herkömmliche ... Leitstern« und »Etwas Amtlich-Erzieherisches trat mit der Zeit in G. A. ein, etc. ...«; ferner: »der wahrhaft schöpferische Mensch gehört nicht der Gesellschaft an«[4] und die *innerliche Gemäßheit* der Adelsverleihung erscheinen mir scharf gegeneinander gerichtet und sagen mir auch jetzt noch, daß hier zwei das Entgegengesetzte gesagt und auch gemeint haben.

Dieser Gegensatz war mir auffallend, konnte nicht umgangen werden, war mir aber nicht wesentlich. Denn es ist – meinem Denken nach – für das Problem belanglos, daß das supponierte Vorhaben Manns, auf philiströser Basis einen schöpferischen Charakter aufzubauen, künstlerisch gelungen ist. Ich sagte: »Der Verdacht liegt nahe, daß der von D. gesetzte Antagonismus nicht besteht«, und so mußte mir ein Streit, der sich im Rahmen dieses Antagonismus befindet, nichtssagend sein. Ich glaubte also *nicht* »darzutun, daß das, was bei D. für Philister, bei M. für den Künstler gilt«[5]. Ich wußte eben, daß es für beide gilt, wußte aber auch, daß gerade das Gegenteil der Fall sein könnte und fühlte, daß sich der Disput um etwas Unhaltbares, etwas Schwankendes drehe, sah, daß er Prämissen enthielt, die sich in der Entwicklung verändern, daß hier Vieldeutiges versteckt sei (Abschüttlung des Denkens) und manches, das seine Bedeutung mit seiner Intensität wechselt (Gesellschaft). Es ist dies etwas summarisch ausgedrückt, aber durchaus in der Abhandlung und in der »Gegenüberstellung« aufzufinden. So mußte ich zur Kritik kommen, fand bei Mann die »angewandte Philosophie«[6], bei Dallago – vielleicht durch zu enge Auffassung (gerade der Vordersatz »Freude u. Schmerz etc. . . .« schien mir die zusammenfassende Verallgemeinerung des Nachsatzes zu erlauben) – den sogenannten »Denkfehler«[7] und kam, im Gegensatz, zu dem mir Wesentlichen: zur Präzisierung der Stelle des Kunstwerkes (und seines philiströsen Gegenpoles) innerhalb des kantschen, philosophischen Denkens. (Es entspricht dies auch der Entstehung der Abhandlung – als zufälliges Beispiel zu älterer theoretischer Arbeit.) Meine »Zumutung und Forderung« ist wahrlich nicht Aburteilen des Kant-Laien durch den Kant-Kenner; ich lerne Kant erst kennen und erfahren. Wem es aber Wunder ist, daß $2 \times 2 = 4$ *wahr* ist, der braucht Kant und dem kann er Hilfe sein in jedem Problem. – Dallago braucht ihn nicht, denn ihm – so verstehe ich ihn – verdichtet sich Ahnen zu Urteilen, Gefühl zu Realität, zur Wahrheit. Unsereiner, durch eine gewisse Kärglichkeit des Denkens in die Mathematik geführt, verlangt Erschöpfendes, Ausfüllung der Grenzen. Es stehen sich die Urteile gegenüber: »ich weiß, daß es so ist«, und »es ist so, *wenn* . . .«, und innerhalb dieses Wenns ist mathematisch Erschöpfendes zu geben. Zu ihren letzten Ausläufern Mystik gegen Kabbala – und dann sich vereinigend. Wie sich ja (auch bei mir) schließlich die vielen Begriffskreise in einen einzigen vereinen: einen inneren Horizont, in dessen Mittelpunkt das Ich steht.

Eine Veröffentlichung dieser Zeilen halte ich für unnötig, da sie nichts wesentlich Neues bringen. Hingegen bitte ich, sie Carl Dallago zu übermitteln.

Es wäre noch ein Druckfehler zu berichtigen, der auch in der »Gegenüberstellung« Sinnstörendes verursacht hat: ». . . gewiß ist, daß die . . . Gründlichkeit des Jünglings Sicherheit bedeutet . . .«: statt Sicherheit hätte *Seichtheit*[8] zu stehen. Der Fehler befindet sich in der Abhandlung Seite 401, 4. Absatz, 6. Zeile; in der »Gegenüberstellung« Seite 445, 2. Absatz, 9. Zeile.

Ich bitte Sie, mich Dallago zu empfehlen und begrüße Sie hochachtungsvoll.

Ergebenst
Hermann Broch
[BrA]

1 Brochs Studie »Philistrosität, Realismus, Idealismus der Kunst« stellte eine Kritik an dem Aufsatz Carl Dallagos »Philister« dar. Dallago (1869-1949) war mit Ludwig von Ficker befreundet und publizierte regelmäßig in den ersten Jahrgängen des *Brenner*. »Philister« erschien dort in drei Teilen: II/15 (1. 1. 1912), S. 495-505; II/16 (15. 1. 1912), S. 535-542 und II/17 (1. 2. 1912), S. 575-589. Im zweiten Teil greift Dallago Thomas Mann als Philister an (S. 535-537).
2 Dallago antwortete auf Brochs Kritik wiederum mit dem Aufsatz »Gegenüberstellung«, in: *Der Brenner,* III/10 (1912/13), S. 442-449.
3 Thomas Mann, *Der Tod in Venedig* (Berlin 1913).
4 Vgl. diese Zitate in KW 9/1, S. 15.
5 Broch bezieht sich auf einen Brief Ludwig von Fickers an ihn, der verloren gegangen ist.
6 Vgl. KW 9/1, S. 19.
7 Ibid, S. 16.
8 Ibid, S. 15.

3. An Ludwig von Ficker

Teesdorf
Post Tattendorf
N. Ö.

19. März 1913

Sehr geehrter Herr v. Ficker, ich danke Ihnen herzlich für Ihre Zeilen und die Übersendung des Briefes. Ich wäre Ihnen sehr verbunden, wenn Sie auch Dallago meinen Dank für sein freundliches Eingehen auf meine Darlegungen übermitteln würden; seinen Brief schließe ich hier bei. –

Mit gleicher Post sende ich die schon allzu lange angekündigte Abhandlung über Ornamentik. Die Fertigstellung hatte sich verzögert, da ich in der letzten Zeit nicht wohl war;

ich war auch genötigt, einen Teil der Arbeit zu diktieren, eine mir nicht gewohnte Methode, die sich, glaube ich, im Ausdruck bemerkbar macht. Jedenfalls möchte ich vor einer Veröffentlichung den Aufsatz nochmals daraufhin durchsehen. –

Bei der Zusammenstellung der ursprünglichen Notizen zeigte es sich, daß es nicht möglich war, sie so von der Hauptarbeit abzutrennen, wie es anfangs beabsichtigt war; – aus den Bemerkungen zur Ornamentik wurden so »Notizen zu einer systematischen Ästhetik«[1]. Umfassendes konnte natürlich damit nicht gegeben werden – so wurde die Betrachtung aller höheren Formen und Rhythmen (Harmonie etc.) ausgeschaltet, die Untersuchung auf die primärsten Grundbegriffe beschränkt. Die mathematischen Beispiele wurden für ein Laienpublikum gefaßt; über das Herumreden vom Unendlich-Kleinen wird jeder Mathematiker lächeln. Im letzten Absatz wird manches wegbleiben können; so wie man in den Bereich Karl Kraus[2] kommt, il faut s'éffacer. – Ich glaube jedoch, daß die Abhandlung, trotz ihrer auf das »Gleichgewicht« beschränkten Enge, das größere System der Hauptarbeit anzudeuten vermag. Sie kann allerdings auch den Eindruck der Einseitigkeit machen – jede von einem Punkte ausgehende Beleuchtung ist einseitig –, und ich möchte auch, falls sie für den »Brenner« taugen sollte, sie gemeinsam mit einigen Bemerkungen, die ich Ihnen dann noch übermitteln werde, über »Weltanschauung« im allgemeinen gedruckt wissen. Ob nun für den »Brenner« passend oder nicht, Sie würden mich zu Dank verpflichten, wenn Sie mir Ihre Meinung, an der mir gelegen ist, über die Arbeit mitteilen würden. Wenn Sie die Grundzüge der schon vielfach erwähnten »Hauptarbeit« interessieren, so teile ich sie Ihnen gerne mit. Inzwischen begrüße ich Sie als Ihr

ergebener Hermann Broch

Ich möchte noch erwähnen, daß ich das musikalische Beispiel durch ein anderes, eben so einfaches, zu ersetzen trachten werde. Ich habe nämlich mir das Rondomotiv[3] von irgendwo notiert, habe aber dabei die Autorschaft vergessen. Bei Publizierung aber dürfte beweisbare Authentizität (oder zumindest Zitierung) notwendig sein. –

Die Parallelismen zu Kandinsky sind zufällige. Ich lernte das Buch[4] K. erst im Jänner d. J. kennen.

[BrA]

1 KW 9/2, S. 11-35.
2 Ibid, S. 29.
3 Ibid, S. 25.
4 Wassily Kandinsky, *Über das Geistige in der Kunst* (München 1912). Vgl. KW 9/2, S. 30.

4. An Ludwig von Ficker

12. IV. 1913

Sehr geehrter Herr,
ich übermittelte Ihnen vor zirka drei Wochen eine Arbeit[1]. Bis jetzt ohne Nachricht von Ihnen, bitte ich um frdl. Verständigung, ob Sie die Sendung erhalten haben.

Sie hochachtungsvoll
begrüßend
ergebenst Hermann Broch

[BrA]

1 »Notizen zu einer systematischen Ästhetik«, KW 9/2, S. 11-35.

5. An Ludwig von Ficker

Teesdorf
Post Tattendorf
N. Ö. 18. Mai [1913]

Sehr geehrter Herr v. Ficker, ich bitte Sie vor allem meinerseits ob meines Drängens um Entschuldigung. Für Ihre freundlichen Zeilen vielen Dank. Ich bin mit Ihrer Entschließung vollkommen einverstanden – auch die Zeitschrift kann nur wertvoll sein, wenn sie, selbst sich dem Kunstwerk nähernd, der Einheitlichkeit einer Individualität unterworfen bleibt.

Doch möchte ich meritorisch zu Ihren Ausführungen bemerken: Sie sehen in den sogenannten Endergebnissen (Loos[1], Expressionismus) intuitives Erfassen der Kunstphänomene und scheinen alles andere als aufgepfropfte Verstandeskonstruktion zu nehmen. Mit der Voraussetzung der Intuition haben Sie wahrscheinlich Recht, doch scheint es mir, als dehne sie sich viel weiter – nämlich auf mein ganzes (auch das sog. verstandesmäßige) Denken – aus. Sehen, Empfinden (und was ist Intuition anderes!) ist Voraussetzung jedes Denkens (wenigstens als vorbildender Impuls), und was ich denke, ist wohl stets primär im Gefühl entstanden. Auch die mathematische Wahrheit ist nicht zu errechnen, sondern muß vorher gefühlt sein. – Ich kann die von Ihnen gezogene Grenze zwischen den »Endergebnissen« und dem »Weg«, der zu ihnen führt, nicht finden: der Weg zur Erkenntnis fällt mir mit der Erkenntnis selbst zusammen. Von Endergebnissen läßt sich da wohl überhaupt nicht sprechen – so wenig als man Früchte Endergebnisse des Baumes nennen kann.

Wohl aus dem gleichen Grunde lehne ich mich gegen die Schranke auf, die Sie zwischen künstlerischem und philosophischem Denken errichten, gegen Ihre Tendenz, die beiden so gebildeten Gruppen einander ausschließen zu lassen, eine durch die andere zu ersetzen und wehre mich gegen Ihre Auffassung, der mathematische Parallelismus sei immerhin »sicher interessant«. – Ich kann mir die Kategorie des »künstlerischen Denkens« überhaupt nicht recht vorstellen; ich kenne eigentlich nur »künstlerisches Schaffen«, die künstlerische Ekstase, die zur religiösen strebt. Wie mir auch der Ausdruck »religiöses Denken« unstatthaft vorkäme. Denken, wie ich es verstehe, ist *durchaus* Selbstbesinnung, damit zugleich Besinnung vor der Erscheinung, der Welt. Vielleicht ist diese Besonnenheit mit der von Ihnen gesetzten Kategorie des philosophischen Denkens zu decken – sie schließt mir jedenfalls den *gesamten* Denkprozeß ein, und ich glaube, daß sie ihrem Ursprung (dem Betrachten der Erscheinung) gemäß, das einzige Denken darstellt, das *betrachten* kann und Urteile abgeben darf. Das Urteil muß durchaus verständlich sein: das Künstlerische ist immer lyrisch und enthält stets einen »Rest von Unverständlichem«. Das Künstlerische entspricht der Idee, das Urteil dem Wort.

Daß das Künstlerische und Religiöse also unendlich tiefer sein kann als das Urteil, ist evident: Nirgends ist die Gefahr des Dogmatisch-Philiströsen, des Platt-Rationellen so groß, als im »Wissenschaftlichen«. Nichtsdestoweniger sehe ich in Ihrer Forderung, das Künstlerische auf das Urteil auszudehnen, eine Gefahr.

Ein Beispiel: Kandinskys Buch[2] gipfelt in Ausdrücken wie »Gesetz der inneren Notwendigkeit«, »Letzter abstrakter Ausdruck aller Kunst bleibt die Zahl«. Vermögen sie in dieser Form etwas zu sagen? Alles und nichts. Es ist bezeichnend, daß der Angriff eines Flachkopfes[3] nicht widerlegt, sondern mit einer Enquête beantwortet wurde. Und doch ist Kandinsky auf der Fährte einer echten Erkenntnis, – die allerdings (ein Zeichen ihres Wertes) von Kant in hellster Form vorgezeichnet erscheint. – Kandinskys Bedeutung: seine Kunst (die aber das Buch nicht gebraucht hätte). Und darum: das Urteil, die Theorie steht ganz außerhalb des Künstlerischen, wohl möglich unterhalb des Künstlerischen (obgleich auch hier eine – »kältere« – Ekstase von großer Intensität erreicht werden kann), und eine Verquickung mit dem Kunstwerk kann der Erkenntnis bloß zum Schaden gereichen. Es werden so die Halbwahrheiten, Heniden[4], Unklarheiten – die in der stetig wachsenden Massenproduktion von Essays, Kunstgeschwätz ihren Ausdruck finden. Der Betrachtende ist meist (aber manchmal nur im Augenblick des Betrachtens) kein Künstler: (kann es nicht sein, weil das Betrachten eben außerhalb des Schöpferischen liegt) man weise ihn also in seine Grenzen, fordere aber auch, was er in diesen Grenzen zu geben hat, nämlich Klarheit. – *Kunstwerk oder echte Erkenntniskritik!* aber keine Halbkunstwerke und keine Halberkenntnisse.

Wenn ich nochmals auf die »Notizen« zurückkomme: Klarheit ist ihnen gerade nicht nachzusagen. Das liegt aber an der (bereits szt. erwähnten) mangelhaften Diktion. Sie sind auch alles andere denn »zu wissenschaftlich«, viel eher zu locker, und das macht ebenfalls viel aus. Ich lege sie hier nochmals bei. Das Gesagte war nun aber kein Plaidoyer für ihre Aufnahme in den »Brenner«, doch würde ich mich freuen, wenn Sie das Manuskript als Zeichen meiner aufrichtigen Wertschätzung entgegennehmen wollten. – Eine Veröffentlichung an anderer Stelle ist nicht geplant, und ich bitte Sie auch, das Manuskript bis zum Erscheinen meiner größeren Arbeit Unberufenen nicht zu übergeben. Es ist dies wohl eine kleinliche Bitte, andererseits wohl auch eine Überschätzung meiner Arbeit, doch dürfte in den »Notizen« schon meine ganze Methode der Kritik zu erkennen sein. Und manchmal sind es neue Wege.

Noch eines. Wenn ich den Inhalt der »Notizen« auch jetzt nicht gerne im Besitz einer größeren Öffentlichkeit wissen möchte, so wäre ich Ihnen dankbar, wenn Sie dieselben Hr. Dallago, vorausgesetzt, daß er sich für sie interessieren könnte, übermitteln würden. Er war damals so gütig, auf den Inhalt meines Briefes einzugehen: die »Notizen« sind immerhin ein Beleg zu meinen Ansichten.

Sie hochachtungsvoll
begrüßend,
Ihr ergebener
Hermann Broch

[GW 10]

1 Brochs »Notizen zu einer systematischen Ästhetik« enthalten einen Angriff auf die Ornamenttheorie von Adolf Loos, wie sie aufgestellt wird in Loos' Buch *Ornament und Verbrechen* (1908). Loos gehörte wie Ludwig von Ficker zum Freundeskreis von Karl Kraus. Wahrscheinlich lehnte v. Ficker Brochs Studie aus Rücksicht auf Loos und Kraus ab.

2 Vgl. W. Kandinsky, *Über das Geistige in der Kunst*, a.a.O., S. 57.

3 Ludwig von Ficker hatte für Karl Kraus am 29. März 1913 einen Vortrag in München organisiert. In der Münchener Wochenschrift *Zeit im Bild* wurde über die Lesung kritisch berichtet. Ficker nahm die Kritik zum Anlaß einer Rundfrage über Karl Kraus. Die Antworten wurden publiziert in den Heften 18, 19 und 20 des *Brenner*-Jahrgangs von 1913. Brochs Antwort findet sich in: *Der Brenner*, III/18 (15. 6. 1913), S. 849-850; ferner in: KW 9/1, S. 32-33.

4 Den Begriff der Henide übernimmt Broch aus Otto Weiningers Buch *Geschlecht und Charakter* (Wien/Leipzig 1903), S. 126.

6. An Ludwig von Ficker

Teesdorf
Post Tattendorf
N. Ö. 11. Juni [1913]

Sehr geehrter Herr, Ihrem gütigen Wunsche gerne folgend, gebe ich mein Einverständnis zur Veröffentlichung[1]. Ich möchte jedoch, wenn irgend tunlich, das über Kraus *allein* Gesagte nicht von dem anderen trennen: es erscheint mir eben zu unzureichend. Hingegen glaube ich, daß die Bemerkung über das Kraus-*Publikum,* über das Verhältnis Künstler–Publikum berechtigt ist.

Ergebenen Gruß Hermann Broch
[BrA]

1 Brochs »Antwort auf eine Rundfrage über Karl Kraus«. Vgl. Fußnote 3 zum vorigen Brief.

7. An Ludwig von Ficker

Teesdorf
Post Tattendorf
N. Ö. 26. 10. [1913]

Sehr geehrter Herr,
sollten Sie beiliegendes Gedicht[1] in den »Brenner« aufnehmen wollen, so stelle ich es Ihnen gerne zur Verfügung.

Ihrer frdl. Nachricht entgegensehend, begrüße ich Sie hochachtungsvoll.

Ihr ergebener Hermann Broch
[BrA]

1 »Mathematisches Mysterium«, in: *Der Brenner,* IV/3 (1. 11. 1913), S. 136; Ferner in: KW 8, S. 13.

8. An Ludwig von Ficker

Teesdorf
Post Tattendorf
N. Ö. 9. 2. 14

Hochgeehrter Herr v. Ficker, das verblüffende Faktum, daß ein so miserabler Schund, wie die Weiningerschrift des Herrn Sturm[1], durch einen Dallago[2] angekündigt wurde, daß er sie mit seiner tief besonnenen eigenen Weiningerstudie[3] vergleichen konnte, hat mir den Gegensatz der sogenannten natürlichen Ethik zu einer »konstruktiv-architektonischen« nahe gebracht. Wenn es für Sie, resp. »Brenner«, Interesse hätte, so sende ich Ihnen einige Bemerkungen zu diesem allgemeinen Thema. Auf das speziellere, Weininger-Sturm, möchte ich nicht eingehen, da dies notgedrungen zu einer abermaligen kleinlichen Stellung gegen Dallago führen müßte. –

Ich sehe Ihrer Verständigung gerne entgegen und begrüße Sie hochachtungsvoll

Ihr ergebener Hermann Broch

[GW 10]

1 Bruno Sturm, Pseudonym für Burghard Breitner (1884-1956), Erzähler, Dramatiker, Essayist, Mediziner. Broch bezieht sich auf Sturms Buch *Gegen Weiniger. Ein Versuch zur Lösung des Moralproblems* (Wien, Leipzig 1912).

2 Carl Dallago, »Kleine Sämereien«, in: *Der Brenner,* IV/8 u. 9 (1. 2. 1914), S. 400-402. Brochs Kritik wurde wahrscheinlich herausgefordert besonders durch jene Stelle aus Sturms Buch, die Dallago zustimmend auf S. 401 zitiert: »Jede Handlung, die ein unangefochtenes und bleibendes Lustgefühl bewirkt, ist [. . .] moralisch gut. Jede ein persönliches Unlustgefühl nach sich ziehende Tat ist [. . .] moralisch schlecht.« Eine solche Auffassung ließ sich mit der Brochschen, an Kant orientierten Ethik nicht vereinbaren.

3 Carl Dallago, »Otto Weininger und sein Werk«, in: *Der Brenner,* III/5 (1912), S. 1 ff., S. 49 ff., S. 93 ff.

9. *An Ludwig von Ficker*

Teesdorf
Post Tattendorf
N. Ö.

31. 3. 14

Sehr geehrter Herr,
Ich konnte in der letzten Zeit nur wenig über mich verfügen und komme daher erst heute zur Beantwortung Ihrer letzten Zeilen, was Sie gütigst entschuldigen wollen. Von dem projektierten Aufsatz über »nat. u. arch. Ethik« stehe ich ab, da ich einsehe, daß meine jetzige Produktion – die sich (vielleicht im schlechten Sinne) immer mehr verwissenschaftlicht – für den »Brenner« nicht taugt. Ich lege statt dessen eine ältere Arbeit[1] bei; sie ist der Einleitung zu meiner, leider nur sehr langsam fortschreitenden, größeren Untersuchung entnommen und enthält im Grundriß so ziemlich alles, was ich zu dem Thema sagen wollte, auch meine Abneigung gegen Philosophasterei à la Sturm[2]. Der diesbezüglich speziellere, erst jetzt angefügte Schluß (S. 16) könnte wegbleiben. – Der bessere Zweck dieser eventuellen Publikation dürfte allerdings in ihrem Untertitel zu sehen sein. Meine Arbeit hat wohl, außer dem Thema, keinen näheren Zusammenhang mit dem schönen, wissensreichen Buche[3]; sie ist zwei Jahre alt, und das Buch habe ich leider – denn hätte ich sonst vieles was Kant betrifft wahrscheinlich anders angepackt – erst jetzt gelesen[4]. Nichtsdestoweniger aber, wenn auch meine Darstellung sich mit der Ch. nicht messen kann, und wenn auch das Stück, aus seinem Zusammenhang gerissen, vieles ungefestigt, anderes unvermittelt dythirambisch erscheinen läßt, so wird es doch manchen vermögen, sich mit dem großen Problem näher zu befassen und zu Ch. Buch zu greifen. Ich halte die Anzeige für umso angebrachter, als gerade jetzt im »Brenner« über die Mauthnerschen[5] Publikationen diskutiert[6] wurde und mit dem Chamberlainschen Kantbuch auf ein Werk von wirklich *philosophischer Kultur* hingewiesen wäre. Allerdings ein wenig post festum, da es 1905 erschienen ist. – Mit der Bitte um freundliche Retournierung des Manuskriptes *(auch nach allfälliger Drucklegung!)* – da ich es

wieder in seinen Zusammenhang einreihen möchte – verbleibe ich mit

hochachtungsvollem Gruß
Ihr ergebener
Hermann Broch

[Br A]

1 »Ethik. Unter Hinweis auf H. St. Chamberlains Buch *Immanuel Kant*«, in: *Der Brenner,* IV/14 (1. 5. 1914), S. 684-690; ferner in: KW 10/1, S. 243-249.

2 Vgl. Fußnote 1 zum vorherigen Brief.

3 Houston Stewart Chamberlain, *Immanuel Kant. Die Persönlichkeit als Einführung in sein Werk* (München 1905).

4 Das trifft nicht zu. Broch las das Buch bereits 1908. Vgl. seinen Brief an Franziska von Rothermann vom 25. 4. 1908, uv. YUL. Dort heißt es: »Heute Vormittags setzte ich mich mit einem Buch in den Garten (Chamberlain, Kant-Vorträge).« – Zur frühen Lektüre Brochs zählten auch Bücher von Hermann Hesse. In einem Brief an Franziska von Rothermann vom 13. 1. 1909, uv. YUL, liest man: »Gestern Abends las ich noch den Hesse aus. [. . .] Um auf den Hesse zurückzukommen: so berührt mich dieser gediegene, aber von allem möglichen beeinflußte Stil, ganz merkwürdig. Eher traurig machend. Eines ist mir bei ihm aber immer zuwider: eine gewisse Sehnsucht nach *eleganter* Schönheit oder ähnliches. Kann aber auch sein, daß dies falsch gesehen ist und meine innerliche Wuth, die sich gegen alles richtet, daran Schuld ist. Aggressiver Weltschmerz. [. . .] Mein Liebes, für das Buch noch allen Dank!« Um welchen Hesse-Band es sich gehandelt hat, ist schwer zu sagen. 1908 war *Unterm Rad* in der sechzehnten, und 1909 *Peter Camenzind* in der fünfzigsten Auflage erschienen.

5 Fritz Mauthner (1849-1923), österreichischer Journalist, Erzähler und Sprachphilosoph. Vgl. *Beiträge zu einer Kritik der Sprache,* (Stuttgart 1901-1903), 3 Bände.

6 Vgl. Carl Dallago, »Kleine Sämereien«, in: *Der Brenner,* IV/10 (15. 2. 1914) S. 466.

10. An Ludwig von Ficker

Teesdorf
Post Tattendorf
N. Ö. 11. 4. 14

Sehr geehrter Herr v. Ficker, ich freue mich, daß Sie die Abhandlung[1] soweit interessiert hat und danke Ihnen herzlich für Ihre Zeilen. Was die Form der Veröffentlichung anlangt, so halte ich die kleine Arbeit – insbesondere jetzt nach der Lektüre des Chamberlainschen Buches – nicht für bedeutend genug, um als selbständige Abhandlung zu fungieren. Als solche würde sie, glaube ich, den Eindruck erwecken, als wolle sie eine Würdigung Kants beabsichtigen, und daß sie dazu nicht ausreicht, ist evident. Die »Einleitung«, der sie entnommen ist, hatte den Zweck, das Wesen des Philosophischen kurz zu umgrenzen und so der Gesamtarbeit (die wesentlich mathematischen und logischen Inhaltes ist) die allgemeine Richtung zu geben. Für solches genügt mein kurzer Exkurs; hier aber, da er zum Hauptthema geworden ist, unterordne ich ihn gerne einem Werke, das wie das Ch[amberlains] die Materie weitaus erschöpfender beherrscht. Da ich aber selber Bedenken habe, mit neunjähriger Verspätung eine Buchanzeige zu bringen, dürfte es eventuell angebracht sein, vom Untertitel abzusehen und statt dessen in einer Fußnote das Nötige zu sagen. Beiliegend übermittle ich Ihnen den Entwurf zu dieser Fußnote und bitte Sie (für den Fall als Sie den Untertitel streichen wollen, was ich Ihrem Ermessen gerne anheimstelle), die im Aufsatz befindliche durch sie zu ersetzen. Im anderen Falle wollen Sie bloß den Passus Dallago-Weininger streichen. In Parenthese sei zu Ch[amberlain] noch bemerkt, daß das Kantbuch sehr gut ist; was seine eigene Philosophie betrifft, so stehen mir Begriffe wie »germanische Wissenschaft« und ähnliche, immer »dogmatische«, Späße, so durchdacht und geistreich sie auch sein mögen, ziemlich ferne.

Es wird wohl am besten sein, den angehefteten Schluß der Arbeit ganz wegzulassen. Er befaßt sich mit Hinblick auf das Hauptthema mit allzu nichtigen Angelegenheiten. Der Lockenkopf mit dem jugendlich-brausenden Pseudonym[2] –

in Otto Ernstschen[3] Personenverzeichnissen kommen diese Namen vor – dürfte im übrigen auch schon genügend vergessen worden sein, so daß ihm ein nochmaliger (wenn auch negativer) Hinweis nur unnötige Bedeutung geben würde. Ich möchte auch, wie bereits erwähnt, aus dieser Bagatelle keinen Gegensatz zu Dallago konstruieren, dessen merkwürdig-innerliche Urteilsfähigkeit in philosophischen Dingen über allem Zweifel ist (sein Auftreten gegen Will Scheller[4] und Philosophenbibliotheksunfug zeigt dies wieder). Was ihn in der leidigen Broschüre sympathisch berührt haben dürfte, wird wohl so eine Art Versuch gewesen sein, den man schließlich in ihr finden könnte, landschaftliche und philosophische Betrachtung zu verweben. Daß dieser Versuch vor seinem eigenen Werke bettelarm ist, übersieht er, mußte es wohl übersehen. – Es ist übrigens bezeichnend, daß D[allagos] Weltanschauung – soweit ich sie zu kennen glaube – auch durchaus als Philosophie der Einsamkeit (selbstverständlich nicht im körperlichen einsiedlerischen Sinne) genommen werden kann. –

In der Schrift befindet sich ein Passus, welcher sich gegen Husserl[5] wendet. Da ich mich im Laufe meiner Arbeit vielfach mit seinen wirklich bedeutenden scharfsinnigen Untersuchungen befassen mußte, hat die Stelle dort ihre Berechtigung. Hier aber, vereinzelt, dürfte sie ungerecht und anmaßend wirken. – Jedenfalls bitte ich um Zusendung des Bürstenabzuges, da sich wohl auch noch andere kleine Korrekturen nötig erweisen werden.

Mit freundlichen Ostergrüßen
bleibe ich Ihr ergebener
Hermann Broch

Fußnote[6]: Aufs nachdrücklichste sei hier auf ein schönes und wissenreiches Buch voll philosophischer Kultur hingewiesen: Chamberlain »Immanuel Kant – Die Persönlichkeit als Einführung in das Werk«. Es gelang Ch. (von seiner umfassenden Beherrschung des Stoffes abgesehen), durch seine lebendige Methode des Vergleichens gerade die »Grenzgedanken« Kants, wie er sie nennt, zu verdeutlichen und prägnantest zu fassen. So einigt er dessen antidogmatische Ethik in den – aus den Kritiken verständlichen – Worten »Subjekt, handle objektiv«[7] und zeigt in *weitaus eindringlicherer Weise als dieser kleine Aufsatz,* daß alle philosophische Spekulation, so sehr sie sich auf formalem und mathematischem Gebiet zu bewegen hat, doch durchaus Angelegenheit des *Menschlichen* und daher Ethik ist. – Hier ist aber auch der intuitiven Erfassung Kants durch Dallago zu gedenken: »Kant, der erste Immoralist«[8].

[GW 10]

1 Gemeint ist der »Ethik«-Aufsatz.
2 Gemeint ist Bruno Sturm.
3 Otto Ernst, eigentlich Otto Ernst Schmidt (1862-1926), deutscher Schriftsteller; schrieb Dramen im Stil des Naturalismus.
4 Will Scheller/Carl Dallago, »Nochmals die Bibliothek der Philosophen«, in: *Der Brenner,* IV/12 (15. 3. 1914), S. 560-564. Streitpunkt war eine populärphilosophische Reihe des Georg Müller Verlags in München, die von Scheller verteidigt wurde und deren Sinn Dallago in Frage stellte.
5 Vgl. KW 10/1, S. 247.
6 Ludwig von Ficker kürzte die Fußnote. Vgl. KW 10/1, S. 247.
7 H. St. Chamberlain, *Immanuel Kant,* a.a.O., S. 727.
8 Carl Dallago, *Das Buch der Unsicherheiten* (Leipzig 1911), S. 104.

11. An Ludwig von Ficker

Teesdorf
Post Tattendorf
N. Ö. 22. April 14

Sehr geehrter Herr v. Ficker, ich retourniere anbei die Korrekturbögen. Die Korrektur der Fußnote, welche nicht beigelegen ist, bitte ich Sie vorzunehmen, ebenso ihre endgültige Fassung festzusetzen. Ich sehe, daß Sie den Untertitel weggelassen haben[1]; die Arbeit ist mir *mit* ihm angemessener u. bescheidener vorgekommen – ich bitte, da nach Ihrem Gutdünken zu entscheiden. Auf Bogen Nr. 3 ist durch meine Korrekturen vielleicht einiges unleserlich geworden, ich lasse daher, um Irrtümer zu vermeiden, die betreffenden Sätze in ihrer jetzigen richtigen Fassung folgen.

Mit hochachtungsvollem Gruß
verbleibe ich
Ihr ergebener
Hermann Broch

Den Schluß, angefangen von »Daß gerade der Satiriker . . . etc.« bis zum Ende, möchte ich ganz weglassen[2], da er seinen bedeutenden Vorwurf (Verbindung von Satire u. Mystik) allzu flüchtig abtut. Auch könnte er den Eindruck erwecken, als wolle er eine *Reverenz à tout prix* vor Kraus sein.

»Kant wird hier durchaus zum *skeptischen Relativisten*, und man begreift nicht recht, daß ein scharfer Denker wie Husserl zwar nicht Kant selbst, aber doch solche Denkweise als »freche Skepsis« bezeichnen konnte. Die *Bescheidenheit, Resignation* vor einer transzendentalen, absoluten Wahrheit mußte zur Gesetzlichkeit einer höheren, individuellen Wahrheit werden (damit ist beileibe nicht sachliche Evidenz gemeint, jedoch dem Nietzscheschen Einwand von der inneren Schematisierung Raum genug gegeben) und zwar – gleich dem »Dinge« – in transzendentaler Idealität als ein limes: die Wahrhaftigkeit des Ichs, *das sich nicht selbst belügen kann.* Ehrlichkeit des Selbstbewußtseins – Anerkennung des idealen Denkgesetzes. Der Philosoph in diesem Sinne . . . etc.«[3]

[Br A]

1 Ludwig von Ficker ließ den Untertitel des »Ethik«-Aufsatzes als Fußnote drucken.
2 von Ficker ließ diesen Passus nicht streichen. Vgl. KW 10/1, S. 248.
3 Dieser Absatz erscheint im »Ethik«-Aufsatz. Vgl. KW 10/1, S. 247.

12. An Ludwig von Ficker

10. V. 14

Sehr geehrter Herr, ich habe Ihnen vor allem für Ihre beiden freundlichen Karten zu danken. Zu dem, nunmehr abgedruckten, Schlusse wäre noch zu bemerken, daß mit ihm der alte Gemeinplatz, Vergleich Kraus – Lichtenberg, nicht aufgewärmt sein soll. – Seite 686 Zeile 4-5 ist ein kleiner belangloser Fehler stehen geblieben; es sollte richtig heißen ». . . einen, und eben dogmatischen, Halt zu geben . . .«[1]

Da ich mich nicht als »Literaturhebamme« fühlen kann, bringe ich die Haeckerschen[2] Bemerkungen[3] nicht in Beziehung zu meiner vorjährigen Kritik[4] des »Tod i. V.« – Die Identität des Erscheinungsortes könnte allerdings ein solches Mißverständnis aufkommen lassen. – Indem ich Sie noch um frdl. gelegentliche Zusendung des Ethikmanuskriptes bitte, bleibe ich mit hochachtungsvollem Gruß Ihr ergebener

Hermann Broch

[Br A]

1 Im Text heißt es fälschlich ». . . einen, eben einen dogmatischen, Halt zu geben . . .«. Vgl. KW 10/1, S. 244.

2 Theodor Haecker (1879-1945), deutscher Kulturphilosoph. Er stellte seinerzeit im *Brenner* das Werk Kierkegaards vor.

3 Theodor Haecker, »Vorworte von Sören Kierkegaard. Vorbemerkung des Übersetzers«, in: *Der Brenner,* IV/14 u. 15 (1. 5. 1914), S. 666-670. Haecker nahm dort kritisch zu Thomas Manns *Tod in Venedig* Stellung.

4 »Philistrosität, Realismus, Idealismus der Kunst«.

13. An Ludwig von Ficker

[Mai 1914]

Hochgeehrter Herr v. Ficker, vielen Dank für Ihre frdl. Sendung und Ihr liebenswürdiges Anerbieten. Das Manuskript hat jedoch keineswegs so besonders gelitten und genügt mir vollkommen; eine Abschrift wäre daher wohl überflüssig. – Meine Bemerkung zu Haecker haben Sie hoffentlich als das, was sie ist, als (eher nebensächliche) Feststellung und nicht etwa als Verwahrung oder Vorwurf aufgefaßt. Einige der, von Ihnen wahrscheinlich gemeinten, Kritiken habe ich übrigens auch gesehen. Sie sind tatsächlich derart, daß man sich fast schämen könnte, für das gleiche Objekt eingetreten zu sein; ja man könnte bei solchen Gelegenheiten an seinem eigenen Geschmack irre werden. Meine Meinung vom »T. i. V.« als Kunstwerk müßte ich aber – trotzdem – durchaus aufrechthalten! Was hingegen T. M. seitdem veröffentlicht hat[1] (resp. mir bekannt geworden ist), scheint mir durchwegs wieder von unangenehmster Mittelmäßigkeit zu sein.

Mit ergebenen Grüßen
hochachtend Hermann Broch

[Br A]

1 1913 war *Tonio Kröger* und 1914 der Novellenband *Das Wunderkind* erschienen.

14. An Ludwig von Ficker

[1914]

Geehrter Herr v. Ficker, anbei ein Ausschnitt aus der Wiener »Arbeiterzeitung«, der Sie interessieren dürfte. Ich glaube es ist ein, diesmal roter, Grubenhund[1]. Sollte aber dieser Gipfel der Geschmacklosigkeit tatsächlich erreicht worden sein (dem Schauplatz näher, werden Sie es vielleicht erfahren haben), so wäre es für die Brüder Mann ein trauriges Symptom. Den übrigen beteiligten Herren ist die Sache schließlich zuzutrauen. – Haben Sie die kindische u. eifrige Gymnasiastenarbeit »Karl Kraus, Dalai Lama« von R. Müller[2] schon gesehen? – Mit ergebenen Grüßen

Ihr Hermann Broch

[Br A]

1 Sprichwörtlich für eine Publikation, mit der sich eine Zeitung bloßstellt.

2 Robert Müller, *Karl Kraus oder Dalai Lama, der dunkle Priester. Eine Nervenabtötung* (Wien: Heidrich, 1914).

15. An Ludwig von Ficker

Teesdorf, 7. VIII. 17

Sehr geehrter Herr v. Ficker, freundlichen Dank für Ihre Karte; ich freue mich sehr, Sie begrüßen zu dürfen. Sollte mir nichts dazwischen kommen, so fahre ich morgen mit dem Nachmittagszug nach Wien und bin (je nach Verspätung) gegen 7^h Abends bei Ihnen. Sollten Sie jedoch für diese Zeit ein anderes Programm haben, so bitte ich Sie, sich *nicht stören* zu lassen; eventuell lassen Sie im Spital vielleicht einen Zettel zurück (Portier oder Zimmerordonnanz), wo ich Sie etwa später treffen könnte. Inzwischen besten Gruß Ihres

erg. Hermann Broch

[Br A]

16. An Franz Blei

[Offener Brief, Wien, Dezember 1918]

Die Straße

Lieber Freund, daß ich damals vor der Volksmasse[1] die Flucht ergriff, geschah, Sie wissen es, aus Depression, aus Verzweiflung, nicht aus irgendwelcher sozialer Abneigung. (Ich bin mit jeder Art kommunistischer Wirtschaft[2] von vornherein einverstanden, wie sie einzurichten die Welt für gut findet. Keinerlei Besitz besitzt mich.) Die Verzweiflung blieb seit jenem Tage. Man könnte sagen, daß ich das Richtige, die Republiksbegeisterung jenes Tages nicht oder nicht richtig miterlebt habe. Aber das halte ich für gleichgültig. Ich bin, wie die meisten Menschen, von Massenpsychosen[3] sehr leicht beeinflußbar. Wenn 3000 Menschen die Wacht am Rhein singen, würgt es mich ebenso gerührt und erschüttert im Hals, wie wenn sie die Marseillaise sängen. Vielleicht ist es diese lächerliche Hingabe, die bei mir solch starkes Reagieren erfordert. Ich bin vollkommen überzeugt, daß die Masse »schön« ist und auf obgeschilderter Basis eine ungeheuere

Erschütterung geben kann. Wenn es mich trotzdem vor Ekel schüttelt, wenn es mir trotzdem in einer nicht zu schildernden Weise graust, so geschieht das, Sie kennen mich, nicht von einer albernen Ästhetisiererei aus, der die Masse stinkt, noch aus einer vulgär-platten Skepsis, der eben alles ein Schwindel ist. Daß es ein Schwindel ist, ist wohl nicht abzuleugnen, aber ganz Nebensache. Es ist vollkommen Nebensache, daß dieselbe Masse heute imperialistisch und morgen gegenteilig begeistert ist. Ja selbst das halte ich für Schwindel, daß die imperialistische Begeisterung die echtere ist, und daß der Freiheitstaumel von *jedem einzelnen* als ein »Ersatz« für den nationalistischen gefühlt wird, der jetzt in Prag oder in Paris tanzen macht. Und weil die Hohlheit und Verkrampfung – jeder Krampf ist Kraft ins Leere gestossen – des Freiheitsrufes so offenkundig ist, und weil die falsche Gemeinschaft, in die hier die Masse tritt, jedem einzelnen manifest ist, deswegen ist der Übergang von der hohl erregten Masse zum Zweckverband des Plünderns ungleich leichter zu vollziehen als von der national erregten Menge, die den Schimmer, eine leise Ahnung einer echten Gemeinschaft, der sprachlichen nämlich, in sich trägt.

Radikal genommen, ist jede Gemeinschaft eine menschliche Entartung. Ihr Werterlebnis beruht zum größten Teil auf jener billigen Ekstase des gemeinsamen Rhythmus, auf jener erkenntnislosen billigen Hilfe, von der beispielsweise das Christentum als Kult ganz erfüllt ist. Das gemeinsame Gebet steht jedem, dem das Gott-Erkennen wie jedes Erkennen eine Angelegenheit der stets brückenlosen und immer ohne Hilfe bleiben müssenden Person ist, auf unterer Stufe. Die Gemeinschaft ist kein Wertprinzip und darum gibt sie keine sittliche Basis ab. Weder die Werfelsche[4] Liebe zur Gemeinschaft noch sein Tun in ihr kommt mir irgendwie berechtigt vor. Der Fall vor uns, das Novemberereignis, ist noch dadurch erschwert, daß diese Masse gar keine Gemeinschaft besitzt.

Das Wesentliche der Gemeinschaft ist das gemeinsame metaphysische Wahrheitsgefühl und Verankerung der letzten Einsicht in einem Glauben. Daß das Wahrheitsgefühl eine Dogmatisierung der Ursachenreihen nach sich zieht, ist selbstverständlich und ist der tiefere Grund für das Widerliche der Gemeinschaft. Aber immerhin kann das gemeinsame Wahrheitsgefühl als menschlicher (nicht geistiger) Wert angesehen werden. Nun ist aber dieses gemeinsame Wahrheitsgefühl in der modernen Masse gar nicht vorhanden! Sie ist skeptisch und damit jüdisch![5] Sie ist zur Gemeinschaft nicht mehr *berechtigt!* Sie ist in der Lage, jeden beliebigen Inhalt zu dogmatisieren und darauf den psychologischen Nimbus einer Gemeinschaft sich zu geben – aber es bleibt bei dem Nimbus, da die letzte Evidenz fehlt. Deswegen ist es möglich, die gleiche Masse heute nationalistisch und morgen sozialistisch zu begeistern, wobei die nationalistische noch ein bißchen mehr Daseinsberechtigung hat, und zwar deshalb, weil die Gemeinschaft nur aus dem Seienden und damit auch Körperlichen heraus überhaupt möglich ist und aus der Bluts- und Sprachzusammengehörigkeit irgend ein Abklatsch metaphysischer Evidenz, wenn auch in Gestalt des gemeinsamen Grundirrtums, möglich ist. Wenn ein Vollbart die Wacht am Rhein singt, so ist das noch irgendwie adäquat; wenn aber derselbe Vollbart, und er ist derselbe, nach der Freiheit ruft, so wird die Idee der Freiheit so inhaltslos, so dreckig, so sehr die Forderung nach dem »Genuß« der Freiheit, daß es einem den Magen umkehrt. Ist ja doch selbst der christliche Kult mit »Genuß« durchsetzt!

Nun aber: dies alles könnte nicht genügen, um jenen Aufwand an Ekel, ja fast Haß zu berechtigen. Das Grauenvolle ist nämlich, daß die Dogmatisierung und Verhunzung der Idee *notwendig* ist! Daß das Wesen des Politischen darinnen liegt und daß das Politische notwendig ist aus dem Geiste dieser Zeit und dazu bestellt, ihre letzte Erniedrigung zu sein!

Der Begriff des Politischen deckt sich mit dem der Gerechtigkeit. Eine andere Politik als eine, die zur Gerechtigkeit strebt, gibt es nicht. Interessenpolitik ist nicht Politik, sondern einfach Geschäft, mehr oder weniger verhüllt. Das Resultat der Gerechtigkeit ist Freiheit. Das reine Politische ist nichts sonst als Idee und als solche von höchster Notwendigkeit und hat mit keiner körperlichen Verdunkelung etwas zu tun. Die reine Politik ist aus der Autonomie des Geistigen geboren, während die zeitlich frühere Zweckpolitik als Dienerin der seienden Gesellschaft gedient hat. Dem Wesen nicht nur des Politischen gemäß, sondern im Sinn jedes sittlichen Tuns muß das reine politische Wollen seine Realisierung in vernunftmäßiger, ästhetischer Formung finden. Reine Politik ist die zum formalen Gebilde gewordene reine sittliche Forderung. Diese Formgebung ist nur in der Welt des Körperlichen möglich und verlangt darum eine Dogmatisierung, und zwar eine viel direktere und ausschließlichere als die Forderung jeder Zweckpolitik, denn sie wendet sich aus ihrem Wesen direkt an den Menschen und mit einer Unmittelbarkeit so, wie sie eine frühere teleologische und theologische Politik, die mit vorgebauten Evidenzen zu tun hatte, gar nicht gekannt hat.

Daraus folgt, daß die reine Politik nicht nur Demokratie ist, sondern sich auch direkt an die Menschenmasse als solche als ihr einziges Formungsobjekt und zugleich als ihr einziges Movens wenden muß. Sie ist also auf ihre Dogmatisierung innerhalb des Massenaggregates von Mündern, Nasen, Bärten, Bäuchen angewiesen. Es gibt keinen anderen Weg für das Geistige, als den der absoluten Erniedrigung als leeres Massenschlagwort, und je höher und je reiner das sittliche Wollen ist, das sich im Politischen manifestiert, desto tiefer ist sein Sturz und seine Verluderung in der billigen Ekstase der Masse. Und weil diese Masse keine Gemeinschaft ist und das Geistige ein von außen hinein gehängtes dogmatisches Leitseil, deswegen tritt als letzte und furchtbarste Verhunzung die Verquickung mit dem Genuß hinzu: ein Menschenkörper ohne Glauben, wie der jüdische und heutige, kennt nur eine Vegetationsform, nämlich den körperlichen Sündenfall kat' exochen, den »Genuß«. Die Dogmatisierung des Sittlichen innerhalb der reinen Politik ist daher nur im Wege des Genusses[6] zu erreichen: es ergibt sich jene merkwürdige Verflechtung von Lohnkampf und politischer Freiheit, die der Marxismus inauguriert hat, und es ergibt sich jene stinkendste aller Genußsüchte, die dem freien Bürger zu eigen ist. Dogmatismus und Genuß sind die konstituierenden Bestandteile des Philisters und Bourgeois, und damit reiht sich der sozialdemokratische Arbeiter dort ein, wohin er seiner Ideologie nach gehört: als letzter Schwanz der Bourgeoisie und damit als letzter Imitator einer vergangenen Gemeinschaftskultur. Mit dem sozialdemokratischen

Arbeiter beginnt nicht eine neue, sondern kommt die alte Gemeinschaft in ihre letzte notwendige Schmach.

Damit aber steht man im Mittelpunkt des Grauens. Gleichwie es dieser Zeit vorbehalten war, alle Werte sukzessive erstarren und hypertrophieren zu lassen, so muß in notwendiger und nicht abwendbarer Folge nunmehr die Periode des absolut Politischen, d. h. nichts anderes, als die Periode der dogmatisierten Gerechtigkeit und damit Demokratie kommen. Und dieser Periode ist es vorbehalten, auch den letzten Wert, den der reinen Geistigkeit, auf nichts zu reduzieren. Nur die allerroheste Behauung des Geistigen und des Wortes ist noch möglich, denn es muß auf offener Straße vom Balkon der Masse zugeschrien werden. Die christliche Gemeinschaft hatte zu diesem Zweck noch die Kirchenpredigt, so dogmatisch auch diese noch sein mag. Die gemeinschaftslose Masse hat nur ein paar in die Straße gebrüllte Vokabeln, Silben von Vokabeln.

Politik ist das Unabwendbare schlechthin. In ihr wird, was sich am Wesen des praktischen Politikers zeigt, auch wenn er Eisner[7] heißt, das Allererbärmlichste in die Welt getragen. Sie ist die letzte und böseste Verflachung des Menschen. Das radikal Böse als notwendige Folge der Dogmatisierung des Sittlichen schlechthin. Kurzum die Hölle. Ich weiß, Sie, lieber Freund, werden sagen, dies sei notwendige Aufräumungsarbeit, um den Glauben vorzubereiten, ein Wiedererwachen des Wissens um die Verbundenheit aller Dinge im Metaphysischen. Vielleicht.

Ihr J. H. Br.

[FB, GW 10, GP, DP]

1 Gemeint sind die Geschehnisse vor dem Parlamentsgebäude in Wien, als dort am 12. 11. 1918 die Deutschösterreichische Republik ausgerufen wurde. Broch hatte eine erste – verlorengegangene – Fassung dieses Briefes an die österreichische Schriftstellerin Gina Kaus (geb. 1894) geschickt. Die überarbeitete Version adressierte Broch an seinen Freund Franz Blei (1871-1942), der sie in der *Rettung* veröffentlichte. Vgl. Gina Kaus, *Und was für ein Leben ... mit Liebe und Literatur, Theater und Film* (Hamburg: Knaus, 1979), S. 51-52.

2 Franz Blei, der Herausgeber der *Rettung,* hatte in der ersten

Nummer der Zeitschrift vom 6. 12. 1918 die Losung ausgegeben: »Es lebe der Kommunismus und die katholische Kirche!«. Blei verstand unter Kommunismus keine Staatsform im Sinne Lenins, sondern eine anti-etatistische Gemeinschaft.

3 Vgl. dazu Brochs zwischen 1939 und 1948 entstandene *Massenwahntheorie*, KW 12.

4 Wie Egon Erwin Kisch beteiligte sich Franz Werfel am 12. 11. 1918 an sog. revolutionären Aktionen der »Roten Garde«, wie etwa der Besetzung der *Neuen Freien Presse*.

5 Zu Brochs geschichtsphilosophischer Interpretation der jüdischen Religion vgl. *Die Schlafwandler*, KW 1, S. 580 ff.

6 Broch ist hier von Kant beeinflußt. Vgl. I. Kant, *Grundlegung zur Metaphysik der Sitten*.

7 Kurt Eisner (1867-1919), nach der Revolution von 1918 in München erster sozialistischer Ministerpräsident Bayerns.

17. An Ea von Allesch[1]

[Teesdorf, ca. Ende 1918]

Bei jedem Postkastl habe ich es mir überlegt, ob ich Ihren Brief aufgeben soll. Daß ich es nicht getan habe, war natürlich Ungeduld, Neugierde, vor allem aber wohl die Überlegung, daß ich nach der Unruhe der letzten zwei Tage mich nicht auf solche Spannungsfinessen, die hier wirklich der höhere Luxus wären, einzulassen habe. Wie ist dies aber jetzt? Sie sagen und schreiben, daß ich Ihren Brief nicht zur Kenntnis zu nehmen und nicht zu beantworten habe. Antworte ich nun nicht, so habe ich ihn doch zur Kenntnis genommen, antworte ich, so handle ich wider Wunsch und Befehl und habe ihn auf der anderen Seite zur Kenntnis genommen. Kurzum ein Krokodilschluß. Da ich aber nur antworten soll, wenn Sie mich fragen, was ich natürlich auch zur Kenntnis nehmen muß, ich aber gerne antworten möchte, so bitte ich den Mittelweg zu wählen und mich morgen zu fragen. Im übrigen sehe ich erst jetzt, wie arg die Unruhe der beiden Tage war, verdeutlicht man sie am Bilde der linearen Beziehung (man könnte dies so schön auf der schwarzen Tafel demonstrieren), so wird dies ganz selbstverständlich: nehmen Sie einer gespannten Saite den einen Klemmpunkt weg, ja lockern Sie sie nur ein wenig, so beginnt sie sich (augenscheinlich schmerzlich) zu krümmen – man kann diese Schmerzkurven sogar mit gewisser Einfachheit berechnen. Setzt man nun, wie wir gelernt haben, Beziehung und Ich-Sein gleich, so ist die unruhige Ich-Schmerzlichkeit mit wünschenswerter Präzision festgestellt. Von diesem Unsinn aber abgesehen, ist der subjektive Befund wirklich der einer sehr schmerzlichen Schlaffheit gewesen (was Sie übrigens nicht zu interessieren braucht, mich aber augenblicklich über alle Maßen interessiert), und ganz genau besehen, besteht der Zustand noch irgendwie fort. Jedenfalls ist es eine Unehrlichkeit, wenn auch eine unbewußte, gewesen, ihn auf Sorge um Sie umzudeuten. D. h. nicht einmal: denn er ist ja im Grunde *doch* Sorge um Sie. Aber, wie der Religionslehrer Werfels[2] sagt, in einem anderen Deutsch. Selbstverständlich besteht die erste Sorge auch, und ich möchte gerne, daß es Ihnen schon wieder gut ginge; außerdem ist es mir Nacht für Nacht, also auch jetzt, äußerst ungemütlich, Sie so allein zu wissen. Sie sollten es für diese Tage doch anders einrichten; es geht doch nicht an, daß Sie so ganz ohne Bedienung bleiben. Aber das kann ich Ihnen ja noch morgen sagen. Aber da alles, was ich Ihnen wirklich schreiben möchte, wie eine Antwort aussehen würde, wenn es auch keine wäre, so bin ich auf Banalitäten angewiesen.

Etwas noch zur Rationalisierung des Irrationalen: wirklich rationale Menschen, die es aber nicht gibt (mit Ausnahme von Ihnen vielleicht), sind auch absolut amüsante oder richtiger un-langweilige Menschen. Bei den anderen tritt unweigerlich der Augenblick ein, in dem sie sich rational nichts mehr zu sagen haben, d. h. an dem sie sich langweilen. Und da die Langweile zu den absoluten Unwerten des Menschen gehört, ja fast zum Radikal-Bösen (das hängt mit der Zeitgebundenheit des seienden Ichs zusammen), so bleibt ihnen nichts anderes übrig, als das Irrationale in seiner Ur-Form hinzuzunehmen: d. h. sie fallen sich aus Langweile in die Arme. Hieraus ist auch zu erklären, daß Graz eine lasterhafte Stadt ist.

Ich weiß nichts mehr zu schreiben und gehe daran, die Antwort an Sie zu denken.

Nachher will ich, soferne mir Zeit bleibt, noch ein bißchen arbeiten.

Denkraum

Jetzt dürfen Sie »Mätzchen« schimpfen. Sie bekommen heute ein Kouvert ohne Firma[3]. Denken Sie ein bißchen nett; ich brauche es (was zwar kein Grund wäre) H/B

[DÖL]

1 Emma Elisabeth Allesch von Allfest, geb. Täubele (1875-1953). Ea von Allesch stammte aus einer Wiener Arbeiterfamilie, lernte 1893 den Buchhändler Theodor Rudolf kennen, den sie wenig später heiratete, und mit dem sie in Leipzig lebte. 1902 trennte sie sich von Rudolf und kehrte nach Wien zurück. Hier begann ihre lebenslange Freundschaft mit Alfred Polgar. Um 1906 zog sie nach Berlin, wo sie als Modeschriftstellerin tätig war. 1914 kehrte sie wieder nach Wien zurück, wo sie bis in die zwanziger Jahre eine Rolle in Künstlerkreisen spielte. Um 1913 lernte sie ihren zweiten Mann, Johannes von Allesch Edlen von Allfest kennen, den sie 1914 heiratete. Ab 1919 lebte das Ehepaar getrennt. Durch Alfred Polgar lernte Broch 1918 Ea von Allesch kennen, die damals in der Peregringasse im neunten Bezirk Wiens wohnte. Broch richtete sich in ihrem Haus ein Zimmer ein, in dem er zeitweise – auch noch in den dreißiger Jahren – wohnte. Ea von Allesch bestärkte Broch in seinem Entschluß Schriftsteller zu werden.

2 Werfels Religionslehrer unterwies im jüdischen Glauben. Angespielt werden dürfte hier auf den Unterschied zwischen Deutsch und Jiddisch.

3 Gemeint ist die Adresse von Brochs »Spinnfabrik Teesdorf«.

18. An Ea von Allesch

[Teesdorf, ca. Ende 1918]

Endlich heute Abend kam Ihr Brief. Also Sie glauben nicht, daß man danach bangen kann und meinen, daß in solchem Halb-Pathos ein fast beleidigender Spaß steckt. In einem der ersten Briefe – wieviele schrieb ich Ihnen schon? – glaube ich gesagt zu haben, daß ich, soferne es einen Schimmer von Aufrichtigkeit überhaupt gibt, was natürlich mit dem plattesten Skeptizismus widerlegt werden kann, ich diesen Schimmer für mich zur Gänze beanspruche. Oder so ähnlich. Es kann sein, daß Sie meine Briefe im Grunde genommen bodenlos langweilen, und ich würde mich nicht wundern; tun sie es, merkwürdigerweise, aber nicht, so meine ich, daß es auf eine gewisse Ehrlichkeit zurückzuführen ist, mit der sie mitgeteilt werden. Dies gilt ganz allgemein; denn auch in meinen Arbeiten bemühe ich mich wenigstens: absolut ehrlich, d. h. kritisch und, wenn Sie wollen, also wissenschaftlich zu sein und mir über jedes Wort (das ist natürlich zuviel gesagt) irgendwie Rechenschaft zu geben. Kitsch dagegen ist absolut unaufrichtig[1] und daher absolut langweilig. Daß meine Briefe solcherart kaum Briefe sondern Seeschlangen und Wickelgamaschen sein müssen, wurde bereits einmal ausgeführt. Was nun die Aufrichtigkeit betrifft, so habe ich mich, bei Gott, nie über Sie lustig gemacht – selbst in Ansehung dessen, daß ich es eigentlich nicht für ein Kapitalverbrechen ansehen würde –, hingegen, und dies mehr als einmal, über mich selber. Das Halb-Pathos können Sie ruhig auf das gleiche Konto schreiben, denn ich bin mir, auch ohne rückbezügliches Fürwort, immer irgendwie komisch. Es mag sein, daß diese double personne, wie so oft, eine Krankheit ist – ist man aber in der Lage, sie objektiv betrachten zu können, so *ist* sie komisch, vollkommen davon abgesehen, ob sie krankhaften Ursprungs ist oder nicht, oder ob sie auf die Ur-Antinomie, mit der wir ja augenscheinlich doch noch immer nicht fertig sind, zurückzuführen ist. Auch Sie lachen, wenn einer niederplumpst, ohne Rücksicht darauf, warum er's tut, und daß es schmerzhaft sein kann. Aber ich fühle, daß sich mir das Thema ins Abstrakte verschiebt und will auf Ihren Brief und Ihre Logik antworten: es war mir keineswegs wichtig, daß Sie den Zettel lesen. Ich bin stehen geblieben, weil mir fürs erste ins Bewußtsein gekommen ist, daß ich vergessen habe, Ihnen etwas zu sagen (inhaltlich betraf es Ewalds[2] Vortrag am Donnerstag und Pichler[3] am Samstag, die sich für mich nicht werden vereinen lassen), daran erinnerte ich mich aber nicht, da ich paralytische Anwandlungen habe; im nächsten Augenblicke war mir aber klar, daß es mir gar nicht darauf angekommen ist, sondern, daß es einfach eine jener Regungen war, in denen man noch irgend etwas sagen will und über die Un-Begrifflichkeit des Gefühls eben stecken bleibt und stolpert. Hier möchte ich gerne *jetzt* etwas sagen, aber ich trau mich nicht, weil Sie sich sonst wieder lustig gemacht fühlen. Und da ich ein schwankender und hilfloser Mensch bin und mir der Zettel in den Weg gekommen ist, ergab sich das Mißverständnis. Sie aber sind ein Fanatiker der Deutlichkeit.

Was nun den Stil und den Inhalt des Zettels anlangt, so darf ich mich auf das über das Halb-Pathos gesagte berufen. Wollen Sie auch dies noch verdeutlicht haben, so meine ich, daß außer der aufgezeigten subjektiven Komponente auch eine *objektive* darin enthalten ist. Es wäre lächerlich zu behaupten, daß in dem Halb-Pathos kein ehrlicher Kern stecke: ich würde sonst lügen, wenn ich Ihnen sage, daß ich auf Ihren Brief sehr warte, lügen, daß ich über Ihr Kranksein unruhig bin, lügen, daß es mir eine aufrichtige Angst ist, Sie würden mich eines schönen Tages nicht mehr kennen. Ich finde aber, daß dies Dinge sind, die man nicht mit solcher Ernsthaftigkeit jemanden, und am allerwenigsten Ihnen, ins Gesicht sagen darf, denn sie enthalten eine ungeheure Portion Aufdringlichkeit. Hier gilt dasselbe als wie für die »Sorge«. Außerdem sind sie irrational, also beweislos, bedürfen also, objektiv genommen, der erhobenen Stimme, um Gewicht zu bekommen. Damit werden sie aber noch ungezogener. Von Rechtswegen sind sie also zu verschweigen; müssen sie aber schon geäußert werden, so sind sie nur unter dem komischen Aspekt zu dulden, und ich weiß nicht, ob das Pathos des »Ich liebe Dich« nicht auch nur unter diesem Aspekt *erträglich* werden würde.

So, und jetzt darf ich es Ihnen sagen, und Sie werden es jetzt hoffentlich glauben, daß ich unglücklich über Ihre Kopfweh bin und eigentlich wütend, daß Sie mir schreiben, obwohl ich mich *so* (unterstrichen und mit Betonung) darüber freue. – Ihr Brief ist nur zur Hälfte beantwortet, aber es ist schon wieder 1^h. Da ich noch nicht weiß, ob ich Mittwoch oder Donnerstag hinein komme, möchte ich Mittwoch, ich hoffe es ist Ihnen nicht unangenehm, Vormittag telephonieren. Sollten Sie *nicht* anwesend sein, und ich komme nach Wien, so schaue ich um 6^h zu Ihnen.

Andernfalls rufe ich eventuell Donnerstag nochmals an, resp. komme dann bestimmt am Abend vorbei. Ich schicke deswegen den Brief expreß. Denken Sie ein bißchen freundlich und nehmen Sie die Bitte nicht als Spaß. In Ergebenheit Ihr H/B

[DÖL]

1 Vgl. Brochs spätere Aufsätze über den Kitsch in KW 9/2.

2 Oskar Ewald, eigentlich Oskar Friedländer (geb. 1881), deutscher Philosoph, der u. a. über Nietzsche und Avenarius publizierte. Vgl. *Freidenkertum und Religion* (1928).

3 Hans Pichler (1882-1958), deutscher Philosoph. Das Verzeichnis von Brochs Wiener Bibliothek (YUL) enthält folgende Werke Pichlers: *Einführung in die Psychologie* (Leipzig: J. A. Barth, 1904); *Über die Arten des Seins* (Leipzig, Wien: W. Braumüller, 1906); *Über die Erkennbarkeit der Gegenstände* (Wien: W. Braumüller, 1909); *Über Christian Wolffs Ontologie* (Leipzig: Dürr, 1910); *Möglichkeit und Widerspruchslosigkeit* (Leipzig: J. A. Barth, 1912); *Zur Philosophie der Geschichte* (Tübingen: Mohr, 1922).

19. An Ea von Allesch

[Teesdorf, Sylvester 1918]

Also kein Brief ins Dunkle und Leere, sondern ein ordnungsgemäßer Neujahrsbrief. Nach Wien komme ich nicht, da ich mich wieder krank stelle. Meine letzte Teesdorfer Fahrt, 4 Stunden, ungeheizt, zerbrochene Fenster, Hilfszug umsteigen etc., berechtigt mich verkühlt zu sein, und ich akzeptiere diesen Sachverhalt de bon cœur. Es ist einfach herrlich still. Im Hause bin ich nahezu ganz allein, und ich träume nachtnächtlich E. A. Poe. Das ist natürlich weniger angenehm, aber dabei nicht einmal uninteressant. Ich habe die komischsten Neurosen in der Nacht. Gestern hörte ich ganz deutlich etwa durch eine halbe Stunde hindurch die Sturmglocken in allen Ortschaften läuten. Selbst die absolute Überzeugung der Halluzination kann dagegen nichts machen; es ist einfach eine doppelte Logik, die einem da aufgedrängt wird und hängt jedenfalls mit den Willenskomponenten des Logischen zusammen. Nichtsdestoweniger habe ich doch reichlich Angst, daß aus meiner halben eine komplette Narrheit werde, und weiters erschreckt mich die Überzeugung, daß ein richtiger Denker, also Kant, sicherlich nicht mit soviel neurotischer Apparatur ausgestattet war. Im übrigen habe ich Sie mit diesem Thema ja schon genug gelangweilt. Zu ergänzen wäre nur, daß sich meine Zweifel nicht nur auf die eigenen Fähigkeiten beziehen – denn daß selbst in dem Diltheyschmarrn[1] sehr prägnante Dinge stehen, hat sich mir jetzt bei der Lektüre einiger großer methodologischer Arbeiten bestätigt –, sondern überhaupt auf das moderne Philosophieren. Die Philosophie ist eine Wissenschaft geworden, die vor allem wissenschaftliche Beamte braucht; sie ist ein »Betrieb« wie jeder andere, in den man sich eigentlich nur einzuordnen hat, und selbst der Philosophiedirektor braucht eigentlich kein Geisteslicht zu sein. Wohin also mit dem Erkenntnisehrgeiz? Ich glaube, daß mit dem immerhin pathetischen Wort »Erkenntnis« überhaupt Schindluder getrieben wird; was die Philosophie – sagen wir Pichler, Ameseder[2] (ist das Ihrer?), selbst Meinong[3] etc. – hervorbringt, ist wirklich nur Akt-Erledigung, aber doch nicht Erkenntnis. Von Scheler[4] natürlich ganz zu schweigen. Und um selbst ein solcher Beamter zu werden, – denn dazu reicht es natürlich – soviel Aufwand und Neurose? Dafür die anderen in ihrer Völlerei und Sinnenlust beneiden? Natürlich ist ja auch schon der Neid verdächtig. Und dafür der Verzicht und die Unfähigkeit zum Kriegsgewinn? Es ziemt sich am Sylvester, mit einigem Sentiment zu konstatieren, daß Jugend und Krieg vorübergezogen sind, Mars und Venus also, und daß man sie sozusagen verträumt hat. Im übrigen habe ich das Gefühl, daß das nächste Jahr uns allen irgendwelche definitiven Entscheidungen bringen dürfte, was selbstverständlich Nonsens ist, da es ebenso banal verlaufen wird, wie alle vorhergehenden. Auch das muß rektifiziert werden, denn banal ist überhaupt nichts, und wenn man schon die Banalität begeht, von der »Welt« zu sprechen, so kann man nur konstatieren, daß es eigentlich doch nie langweilig ist. Irgendetwas gibt es immer. Meine Schreibmaschine habe ich vor den Ofen gerückt und friere doch. Allerdings habe ich etwas Fieber. Dieses unausgesetzte Bemühen um das Feuer hat für mich das (bekannte) Nebenresultat, daß ich stets fürchte, meine Manuskripte – welche Überschätzung ihrer Wichtigkeit natürlich – könnten verbrennen. Auch um meine Bücher wäre mir leid. So ganz unberechtigt ist diese Furcht auch nicht: meine Kohle *explodiert* nämlich, und wenn man aus dem Zimmer geht, so ist man über den Zustand des Ofens niemals sicher. Meine Sturmglockenhalluzination hat also ganz reelle Basis. Aber es ist wie gesagt immer irgend etwas Interessantes los, das auch stets das ihm gebührende Maß Komik involviert. Außerdem ist mir ein sehr schönes Sylvesterstück eingefallen, wie immer treppenwitzig, aber man kann es auch ein andermal spielen. Der Held wird ein ka-u-ka Offizier sein[5]. Ich habe natürlich viel größere Lust, diesen Blödsinn sowie den Hamlet[6] zu schreiben als wirklich zu arbeiten – es ist wie mit der Sinnenlust –, aber ich mache jetzt endlich die »Moderne«[7] endgültig fertig. Wie aber kann man etwas Philosophisches schreiben, wenn einem, soferne einem etwas endlich einfällt und man im Arbeiten ist, sofort die Vorstellung kommt »So, jetzt philosophier ich«. An der Groteskheit dieser Formel scheitert, eigentlich für jeden ernsthaften Menschen, jede ernsthafte philosophische Arbeit.

Ich denke, ich habe genug von mir gesprochen.

Hoffentlich waren Sie gestern in der Summa[8] und haben nicht etwa zu Hause gewartet. Schrecker[9] konnte ich von meiner Krankheit verständigen und hoffte, aus irgend einem Irrsinn heraus, daß er Ihnen das im Museum[10], wo weder Sie noch er waren, mitteilen würde. Donnerstag, längstens Freitag, hoffe ich Sie zu sehen.

Was soll ich Ihnen zu Neujahr wünschen? auf alles, was man Ihnen wünscht, würden Sie ja doch une moue machen. Also zusammenfassend alles Gute und dies mit der ganzen Leidenschaft, die Sie mir immer abstreiten möchten. Ihr H/B

Wegen der üblichen Neujahrsverspätungen geht diese Gratulation expreß.

[DÖL]

1 Gemeint sein könnte: Wilhelm Dilthey, *Dichterische Einbildungskraft und Wahnsinn* (Leipzig: Duncker & Humblot, 1886), ein Band, der sich in Brochs Wiener Bibliothek befand.
2 Rudolf Ameseder (1858-1891), österreichischer Mathematiker.
3 Alexius Meinong (1853-1920), deutscher Philosoph. Broch las Meinongs *Untersuchungen zur Werttheorie* (Graz 1894), ein Werk, das Broch in seiner Wiener Bibliothek hatte. Vgl. auch KW 10/2, S. 39, Fußnote 41.
4 Als Verfechter einer formalen Werttheorie sprach Broch sich gegen Max Schelers materiale Wertlehre aus. Vgl. KW 10/2, S. 39, Fußnote 41.
5 Dieses Stück ist nicht erhalten geblieben.
6 »Kommentar zu Hamlet«, KW 6, S. 278-286.
7 »Moderne« war der Arbeits- und Kurztitel Brochs für seine als Buch geplante Studie »Zur Erkenntnis dieser Zeit«, KW 10/2, S. 11-80. Die ursprüngliche Vorarbeit dazu trug den Titel »Ausdrucksformen der Moderne im Problem der historischen Epoche«.
8 Gemeint ist die Redaktion der von Franz Blei herausgegebenen Zeitschrift *Summa,* für die Broch damals einige Beiträge schrieb. Vgl KW 6, S. 11-23, KW 9/1, S. 34-40, S. 41-48, S. 337-344, KW 10/1, S. 115-130, KW 10/2, S. 23-40. Die Redaktion der *Summa* befand sich in einer Atelierwohnung des Palais Kranz in der Strudelhofgasse und wurde Franz Blei von der mit ihm befreundeten Gina Kaus zur Verfügung gestellt. Finanziert wurde die Zeitschrift von dem Wiener Industriellen Kranz, dem Adoptivvater von Gina Kaus. Vgl. Gina Kaus, *Und was für ein Leben . . .,* a.a.O., S. 46 ff.
9 Paul Schrecker (1889-1963), österreichischer Philosophiehistoriker, Freund Brochs. Vgl. KW 11, S. 23.
10 Gemeint ist das Café Museum in Wien.

20. An Ea von Allesch – Tagebuch in Briefen – (Auszüge)[1]

Samstag, 3. Juli [1920], 1^h^ Nacht.

[. . .] Seit 10^h^ arbeite ich. 3 Bogen zerrissen, weil mir, eben in dieser elenden Nacht, doch Einiges Gutes eingefallen ist. Augenblicklich stecke ich wieder: bin mir nicht klar, ob das Interesse[2] nur auf »Zusammenhänge« (resp. deren Störungen) gerichtet ist, oder geradezu auf »Kausalitätszusammenhänge«. Letzteres wäre mir unsympathisch, da ich die »Kausalität« für die »Methode« beanspruche. [. . .]

4. VII. 20.

[. . .] Wenn ich in der Arbeit zu dem log. u. theoret. Schluß komme: daß der Geschichtsschreiber nur das aufzuzeichnen hat, was dem zu beschreibenden Organismus (Staat, Kultur, Einzelperson) selber wertvoll war[3], so habe ich völlig Recht. [. . .] Denn jede Wertverleihung an irgend etwas Empirisches [. . .] muß notgedrungen Fiktion sein, weil es ja schließlich eben doch nicht »mein« Wert restlos sein kann. Deswegen wohl alle Traurigkeit aller landläufigen Liebe, aller Liebeslieder usf. Der erkenntnistheoretische Grund: die idealistische Einsamkeit. Und deswegen auch immer die Forderung des Zurück-Gebens, des Mit-Helfens an der Durchbrechung der Einsamkeit. [. . .] Was Spengler[4] anlangt, so läßt sich eigentlich nichts gegen ihn sagen: er hält eben das für Geschichtsphilosophie, was alle dafür halten. Und diese Meinung zu widerlegen bedarf es eben meines Buches. Ansonsten ist nur seine ignorante Präpotenz widerlich. [. . .] Abends Dr. Adler[5] als Gast. Habe ihm mein Buch erzählen müssen u. war dann so erregt u. verzweifelt über das Nichtfertig-werden, daß ich überhaupt nicht geschlafen habe. Außerdem habe ich Angst vor Indiskretionen. Dieselbe Angst habe ich übrigens heute,

6. VII. 20.

da ich durch die noch immer funktionierende E. G.-R.[6] eine Einladung zu einem »geschichtsphilosophischen Abend« bei Lukacz[7] bekommen habe. Da ich nun eben leider szt., wie ich schon erzählte, diesen Ungarn einiges zu dem Thema gesagt habe – allerdings weniger aus Eitelkeit als aus Opposition –, fürchte ich, daß das auf zu fruchtbaren Boden gefallen ist. Die bekannte fruchtbare ungarische schwarze Erde. Ich hätte Lust zur Kontrolle hinzugehen, allerdings besteht dann die Gefahr, daß ich gereizt werde, noch mehr zu sagen. Es ist zu dumm, wie jede geringfügige Un-Tugend, wie das bißchen Eitelkeit, das nicht einmal mehr Eitelkeit ist, höchstens Ungeduld, sich sofort an mir rächt. Was soll ich tun? Dagegen bin ich heute um [einen] entscheidenden Ruck vorwärts gekommen (jetzt um 12^h Nachts). Die Kausalitätsfrage ist völlig klar; ebenso die Sache mit dem »Interesse«. Welcher Ausdruck ist übrigens besser: »Interesse« oder »Intention«? Intention ist allgemeiner.

7. VII. 20.
Mittags Zeitung u. vom bolschewistischen Sieg gelesen. Ich behalte Recht: der Bolschewismus und Kaus[8] werden kommen u. ich werde meine Bücher niemals fertig schreiben. [. . .] 1^h Nacht. Es geht nicht mit der Arbeit. Schließlich habe ich das Eckstein-Buch[9] gelesen, damit ich es ihr zurückgeben kann; den Diltheyaufsatz »Über die Einbildungskraft des Dichters«[10]. Er ist tot-langweilig – auch objektiv gemeint – vor lauter Feinsinnigkeit. Dann habe ich beiliegende tiefgründige Kritik[11], angeregt durch Dilthey, geschrieben – da ich ein Rezensionsexemplar bekommen habe. Und schließlich habe ich – die schönste Beschäftigung der Welt – Bücher zum Binden vorbereitet[12]. Dabei habe ich in den Rahel-Briefwechsel hineingeschaut u. war irgendwie betroffen u. gerührt, weil die Briefe (von ihr, Varnhagen ist dagegen ein leerer Esel, also eher ich) in der Stil-Beweglichkeit u. Leichtigkeit so sehr an Dich erinnern. Trotzdem sie eine Jüdin war, was man übrigens merkt. Ich gebe das Buch nicht zum Binden (hoffentlich finde ich dazu noch die fehlenden 2 Bände), sondern bringe es Dir. Es ist sehr amüsant, weil so viel Alt-Wien u. Baden vorkommt. Manches übrigens, z. Bsp. Brief S. 171 über den Ausflug aufs Rauheneck, ist geradezu ausgezeichnet[13]. [. . .]

16. VII. 20.
[. . .]: jede Geschichtsschreibung schreibt das auf, was ihrem Objekt selber wertvoll sein müßte. (Leider habe ich diese sehr wichtige These den Ungarn[14] u. Dr. Adler gesagt!); eine Staatengeschichte, das für den betreffenden Staat – positiv oder negativ – Wertvolle, eine Biographie, das für die betreffende Person: immer so gesehen, als ob der betreffende historische Organismus diese Geschichte selber schriebe; d. h. es ist *seine* »Erinnerung« an *seine* Eindrücke. (Bei Staaten sehr handgreiflich in Grenzverschiebungen.) [. . .]

21. VII. 20.
[. . .] Heute nacht nicht schlafen können und Cohen Logik[15] gelesen: ich bin *unendlich* über all das hinaus, wobei diese Unendlichkeit doch nur ein *ganz* kleiner Schritt ist, aber, das weiß ich, doch etwas ganz Neues. [. . .]

23. VII. [1920].
[. . .] Hierauf im 3.ten Stock der Elektrischen[16] zu den republikanischen Hofmöbeln, zu denen mir gar nichts einfällt, außer, daß man mit ihnen wieder Schlösser einrichten u. von Herrschern bewohnen lassen sollte. Jede »öffentliche Sammlung« ist eigentlich ein Ärgernis; sie setzt eine Kunstgenuß-Fähigkeit u. noch überdies der Masse voraus. Alles, was mit »Genuß« zusammenhängt – u. bezeichnenderweise auch der sozialistische »Genosse« – ist ethisch absolut verwerflich. Der ästhetisierende Mensch verdient erschlagen zu werden. [. . .]

29. VII. 20.
[. . .] Dann das neue Heft der Kantstudien gelesen. Es ist erschreckend: sie haben eine eigene Rubrik »Geschichtsphilosophie«[17] eingelegt. Ich komme bestimmt zu spät: dann erschieße ich mich auch bestimmt. [. . .]

8. 8. 20.
[. . .] – seit gestern lese ich unausgesetzt Kantianer u. ähnliches. Aus jeder Zeile springt geradezu meine sogenannte Philosophie heraus, u. wenn sie noch nicht geschrieben ist, so ist das ein Wunder, das morgen nicht mehr wahr ist. *Ich bin überzeugt zu spät zu kommen,* umsomehr als ich noch eine Menge zuzulernen habe. [. . .]

10. VIII. 20.
[. . .] Denn das Tagebücherliche [. . .] ist ein absolutes Null an Beschäftigung. Schon daran sieht man die Gemeinheit dieses Lebens – obwohl das des Fachwissenschaftlers schließlich auch nicht anders aussieht. Ärger ist es, daß ich überall, da u. dort Anklänge meiner Ideen finde. Allerdings sieht Helenen[18] – aber es ist doch so. Die Sachen liegen in der Luft. Und ich *werde nicht fertig*. Nach 9h war ich zu müd – dann habe ich an

der Novelle[19] herumgetan, [. . .] u. dann habe ich, eben sehr entsetzt, Klages[20] »Mensch u. Erde« gelesen. Was dran ist, ist aus der warmen Empfehlung Bleis[21] zu entnehmen. Trotzdem sind Ähnlichkeiten. Schließlich habe ich Natorp[22] exzerpiert, um wenigstens etwas Ernsthaftes im Tag getan zu haben. [. . .] Ich bin dafür, [. . .] die Moderne Welt[23] an den Nagel zu hängen.

22. VIII. 20., d. h. 23.,
denn es ist schon der nächste Tag. [. . .]; mit der Arbeit bin ich zwar gerade jetzt in den letzten paar Stunden vorwärtsgekommen, – die Geschichte mit den »Entsprechungen« ist jetzt in Ordnung – aber dazwischen habe ich den Idioten Mehring[24] gelesen u. manches gefunden, *was eben in der Luft liegt* – ich weiß wirklich nicht, was ich tun werde, wenn ich jetzt mit der Arbeit zu spät komme. *Dabei habe ich noch so entsetzlich viel zu lernen.* [. . .]
Heute sehr spät aufgestanden, ins Büro bis 12^{h}, dann wieder exzerpiert, Nachmittags Baumgarten[25] gelesen – nicht schlecht – u. die beiliegende Kritik geschrieben. [. . .] Nach dem Nachtmahl hat mein Bruder[26] Schubert gespielt, um ihn auf Foxtrotts [sic!] umzuarbeiten. Er verdient es nicht besser: die ganze Wiener Operettenmusik ist bereits in ihm enthalten. Ich weiß auch, *was* schlecht an Schubert u. an der sog. leichten Musik (mit Ausnahme weniger) ist: es wird alles gesagt – die Konstruktion des »Gesamtzusammenhanges« des Seienden überhaupt – wie es bsplswse. bei Beethoven doch ist – ist nicht mehr möglich. Einzelurteil u. Wissenschaft. »Musikalisch« muß man allerdings nicht sein, um dies zu erkennen; überhaupt ist Musikalität eine prekäre Sache – Musik ist die einzige Kunst, in der Rezeptivität einen positiven Wert darstellen soll, was es natürlich nicht ist. [. . .]

30. 8. 20.
[. . .] Chassidim[27] gelesen, Bibel, etc. allerdings mit Zweck. [. . .]

2. 9. 20.
[. . .] Nur Abends den langweiligen Liebert[28] gelesen u. mich geärgert habe, daß seine ganze Schreiberei immerhin auch

Ähnlichkeit mit meiner hat, u. trotzdem oder eben deswegen ein Gewäsch ist. [. . .] Habe jetzt wieder [. . .] Liebert gelesen u. bin mir sehr brüderlich platt mit meinem eigenen Philosophieren vorgekommen. [. . .]

3. 9. 20.
[. . .] – Heute früh glaube ich die endgültige Formel für den Begriff und [die] Aufgabe der »Philosophien der Empirien«[29] gefunden zu haben. Ob sie sich bewähren wird, ist noch die Frage. [. . .]

12. 9. 20.
[. . .] Bücher geordnet u. auch gelesen. Über die sogenannte Wissenschaft des Sozialismus geärgert: »die Revolution wird, das Proletariat hat, usf.«; diese Sentenzen zitiert einer vom anderen u. je öfter sie zitiert werden, desto mehr bekommen sie die Gestalt dogmatischer *Beweise*. Allerdings ist alles, was dagegen gesagt wird – Treitschke[30] – ebenso idiotisch. Abends Natorp gelesen u. exzerpiert. [. . .]

22. 9. 20. Namenstag u. Mittwoch. 11^h
[. . .] Auf der Bahn habe ich folgendes Carmen[31] gemacht: [. . .] Schön ist es nicht, aber es reimt sich, ist sinnvoll u. schwer verständlich: lauter Dinge, die der echten Philosophie entsprechen. [. . .]

22. 10. 20.
[. . .] Es ist übrigens auch mit meiner Philosophie so: ich *weiß* viel mehr, als ich sagen kann. Was wahrscheinlich überhaupt der natürliche Zustand des Denkens ist, denn ich bin überzeugt, daß die Summe aller Wahrheiten immer »gewußt« war, und daß alle sogenannte »Entwicklung« eben nur langsame Auswicklung des ewig Gewußten ist. Und bin außerdem überzeugt, daß es nur eine einzige Aufgabe auf der Welt gibt: eben diese Auswicklung so weit als möglich zu bewirken, u. daß *jeder* Wert sich sozusagen als Nebenprodukt aus dieser Bemühung ergeben hat u. ergeben muß. Deswegen auch die *absolute* Verächtlichkeit u. hassenswürdigste Schmutzigkeit (das einzig haßbare) der in Dogmatismen, Phrasen, »Stimmungen« stets haftenden *Dummheit*. Wenn

ich behaupte, nicht gescheit zu sein, so meine ich damit immer diese u. meine Denkfaulheit. Das *Erstarrte* ist merkwürdigerweise für das Organische unreinlich, weil es eben dem Wesen des Organismus-Sein widerspricht. [. . .] De facto existierte u. existiert für mich nur das *Ich* u. dies nicht infolge eines philosophischen Dogmatismus, sondern erst von diesem Punkt, diesem sozusagen Erlebnis angefangen, *konnte* ich erst philosophieren. Das, was Du Frivolität nennst und das »Begehren der Liebe« ist sicherlich auch aus diesem durchaus philosophischen Erleben entsprungen. Für jeden! Deswegen steht auch der sogenannt Frivole *unbedingt* höher wie jeder Daseins-Anbeter u. deswegen auch die absolute Wesensverwandtschaft von Frivolität, Humor und Nicht-Dummheit. Frivolität wird *erst dann dumm* u. schmutzig, wenn sie *dogmatisch* u. damit zum Selbstzweck wird. Beispiel Blei, der die gewiß philosophischen Wurzeln seines Habitus – daher auch seine unzweifelhafte Witzigkeit – einfach vergessen hat u. ins Empirische zurückgewendet ist. Auch das Verhältnis des ethischen zum ästhetischen Menschen ist an Blei zu demonstrieren: *jetzt* ist er ästhetisch, obwohl er es seiner Anlage nach nicht notwendig gehabt hat. Der ästhetische Mensch, d. i. der das Leben und alles übrige zelebriert, ist, man kann es nicht anders ausdrücken, das Schwein schlechthin, kurzum das Dogmatische, für dessen Hinwegräumung der Bolschewismus als endgültiger Schluß eben notwendig ist. Daß die Zweiteilung, die in einer solchgefaßten Frivolität liegt, die Speisung des »Lebens« aus zwei getrennt gehaltenen Quellen, eine sogenannte »Unreinlichkeit« trotzdem bleibt, ist nicht zu verkennen. Wer dem Empirischen so gegenübersteht, hat es eben überhaupt wegzustellen, u. wenn alle jene Jahre für mich irgendwie unfruchtbar waren, so ist das auf diesen Kompromiß wahrscheinlich zurückzuführen. Trotzdem ist in der frivolen Dualität, wie gesagt, immer noch mehr Reinlichkeit als in der empirischen Bejahung schlechthin u. sicherlich dann auch mehr als in der empirischen Verneinung, die ja dasselbe ausdrückt, also in der Kasteiung. [. . .]

25. 10. 20

[. . .] Gestern Abend noch gearbeitet – es geht wieder gottlob

– u. außerdem die zwei Kritiken weltreif[32] gemacht; sie sind übrigens ganz gut vertretbar. [. . .] Im Polgarbuch[33] ist ein Glücksklee für Dich. [. . .]

4. XI. 20.
[. . .] – wenn ich aus irgend einem Grunde glaube, philosophieren zu können, so darf ich dies sicherlich auf das »idealistische Erleben« stützen, das ich schon mit 8 Jahren gehabt habe – ob ich deswegen wirklich philosophieren *kann,* ist die Frage, aber jedenfalls ist die Grundeinstellung etwas sehr evident »Richtiges«, weil sich von ihr aus zwingend die Aufhebung alles Dogmatischen ergibt und der Widerstand gegen die Gräuel, daß irgend ein Begriff mit irgend einer Wirklichkeit je übereinstimmend im vorhinein gegeben sein könne. Das ist kein Relativismus, denn dieser ist erst recht dogmatisch. Hieraus ergibt sich: daß jedes Wesen, das seine oder der Welt Gegebenheit u. seine eigene zweibeinige Funktionalität »ernst«, also dogmatisch als vorgegebenen »menschlichen« Wert nimmt, ausgerottet werden müßte, daß man dies aber nicht tun darf, da niemand auf der Welt, ich am allerwenigsten, existiert, der nicht ebenso zweibeinig wäre (Schmid[34] ausgenommen) u. der das Recht hätte, ein »Ich«, das noch im Niedrigsten, also in allen steckt, zu beleidigen u. zu vergewaltigen, wobei sich – da das »Ich« niemals habhaft zu machen ist – diese Vergewaltigung auf die empirische Funktion der Individuen nur beziehen kann. Des weiteren ergibt sich – dies ist schon ganz Kantisch –, daß man auch sein eigenes »Ich«, d. h. seine eigenen Funktionen von keinem anderen Individuum, aber auch nicht durch sich selber beleidigen lassen darf. M. a. W.: Ethik mit der Forderung, daß die objektive Arbeit der einzige Wert ist. – [. . .]

12. 11. 20.
[. . .] Heute Nacht habe ich, was selbstverständlich ist, nur etappenweise geschlafen, hingegen ein schlechtes Gedicht[35] gemacht, d. h. zu meiner Entschuldigung, es hat sich gemacht: [. . .] Es gefällt mir nicht; irgendwie ist es »pappig«, aber ich lasse nichts unter den Tisch fallen. [. . .]

[DÖL, YUL]

1 Etwa ein halbes Jahr lang, vom 3. Juli 1920 bis zum 9. Januar 1921, schickte Broch fast täglich einen Brief an Ea von Allesch, in dem er tagebuchartig über seine Arbeiten berichtete. Dieses Tagebuch in Briefen befindet sich versiegelt in DÖL. Eine Kopie davon ist in YUL deponiert. Die hier abgedruckten Auszüge wurden mit Erlaubnis der Broch-Erben H. F. Broch de Rothermann und AnneMarie M. G. Broch zur Publikation freigegeben.

2 Broch arbeitete damals an der als Buch geplanten Studie »Theorie der Geschichtsschreibung und der Geschichtsphilosophie«, KW 10/2, S. 94-155. Vgl. besonders die Kapitel »Das empirische und das philosophische Interesse«, KW 10/2, S. 119 ff. und den Abschnitt »Das historische Interesse«, KW 10/2, S. 139 ff.

3 Vgl. KW 10/2, S. 144.

4 Gemeint sein dürfte der erste, 1918 erschienene Band von Oswald Spenglers Hauptwerk *Der Untergang des Abendlandes* mit dem Titel »Gestalt und Wirklichkeit«.

5 Broch kannte den austromarxistischen Soziologen Max Adler (1873-1937) persönlich und war mit dem Psychologen Alfred Adler (1870-1937) befreundet. Hier ist Alfred Adler gemeint, der damals Brochs Sohn tiefenpsychologisch behandelte.

6 Edit Rényi-Gyömröi (geb. 1896), ungarische Schriftstellerin und Psychologin. 1914 heiratete sie in Budapest den Ingenieur Erwin Rényi, von dem sie 1918 geschieden wurde. Unter dem Namen Edit Rényi publizierte sie Gedichte auf Ungarisch. Broch übersetzte 1918 zwei ihrer Gedichte und veröffentlichte sie in der *Aktion*. Vgl. KW 8, S. 75-79. Bereits 1915 hatte Broch Edit Rényi kennengelernt. Nach der gescheiterten Räterepublik in Ungarn floh Edit Rényi aus Budapest nach Wien gemeinsam mit Freunden wie Georg Lukács, Karl Mannheim und Béla Balázs. In den zwanziger Jahren studierte sie Psychologie in Berlin, emigrierte 1940 nach Colombo/Ceylon, wo sie an der dortigen Universität einen Doktorgrad in Religionsgeschichte erwarb. 1943 heiratete sie E. F. C. Ludowyk. Unter dem Namen Edith Ludowyk-Gyömröi lebt sie heute in England. Sie war als Psychoanalytikerin lange Jahre tätig in der Londoner Anna Freud Clinic in Hampstead.

7 Georg Lukács (1885-1971), ungarischer Philosoph und Literaturtheoretiker. Bei Edit Rényi lernte Broch Lukács und Karl Mannheim kennen.

8 Gemeint ist der Schüler Alfred Adlers , Otto Kaus (1891-1945), österreichischer Essayist und Psychologe, über dessen Dostojewski-Buch Broch 1916 in der *Aktion* eine kleine Rezension publizierte. Vgl. KW 10/1, S. 250-251. Otto Kaus war verheiratet mit Gina Kaus, einer gemeinsamen Freundin Ea von Alleschs

und Brochs. Otto Kaus sympathisierte seinerzeit mit dem russischen Bolschewismus. Wahrscheinlich ist »Bolschewismus und Kaus« ein Wortspiel mit der Konnotation »Bolschewismus und Chaos«. Vgl. Gina Kaus, *Und was für ein Leben* . . ., a.a.O., S. 80 ff.

9 Gemeint sein dürfte das Buch von Prentice Mulford, *Das Ende des Unfugs* (München: A. Langen, 1919), das in der Übersetzung von Bertha Eckstein-Dičner – Pseud. Sir Galahad – (1874-1948) erschienen war. Broch schrieb damals eine Rezension über das Buch für die *Moderne Welt*. Vgl. KW 9/1, S. 353.

10 Wilhelm Dilthey, »Die Einbildungskraft des Dichers. Bausteine für eine Poetik« (1887), in: W. D., *Gesammelte Schriften*, Bd. VI (Stuttgart: Teubner, 1958), S. 103-228.

11 Es handelt sich um eine der zahlreichen Rezensionen, die Broch 1920 anonym für die *Moderne Welt* schrieb. Vgl. KW 9/1, S. 344-378, und KW 9/2, S. 270-277. Es waren Gefälligkeitsarbeiten, die Broch für Ea von Allesch erledigte.

12 Broch ließ fast alle broschierten und kartonierten Bücher für seine Bibliothek in Leinen oder Leder binden, und zwar bei dem Buchbinder Kleiber im Wiener elften Bezirk (Nähe Aspangbahnhof). Broch verwandte viel Sorgfalt auf den Entwurf und die Vorbereitung dieser Einbände.

13 *Briefwechsel zwischen Varnhagen und Rahel. Aus dem Nachlaß Varnhagen's von Ense*, Vierter Band (Leipzig: Brockhaus, 1875), S. 171 ff. – Die Burgruine Rauheneck in der Nähe von Baden bei Wien (im Helenental) war seit seiner frühen Jugend ein beliebtes Ausflugsziel Brochs.

14 Georg Lukács und Karl Mannheim. Vgl. die Fußnoten 6 und 7.

15 Hermann Cohen, »Logik der reinen Erkenntnis«, Teil I von *System der Philosophie* (Berlin: B. Cassirer, 1902).

16 Die Verwaltung der Wiener Städtischen Elektrischen Straßenbahnen befand sich damals in einem Trakt der Wiener Hofburg und hatte im dritten Stock des Verwaltungsgebäudes eine Ausstellung mit Möbeln aus der Hofburg veranstaltet.

17 Die *Kant-Studien* hatten seit dem Band 23 (1918) ihren Teil »Besprechungen« nach Gebieten gegliedert, wovon eines »Geschichtsphilosophie« überschrieben war. Unter dieser Sparte publizierte Broch im Band 27 (1922) seine Rezension über die beiden Bücher von Max Adler. Vgl. KW 10/1, S. 264-267.

18 Anspielung auf einen Witz, nach dem eine gewisse Helene einerseits ihrer Mutter, andererseits ihrem Vater, ferner auch ihrem Onkel etc. ähnelt. Die Pointe besteht darin, daß jene Helene eigentlich anders heißt und mit den betreffenden Personen auch nicht verwandt ist.

19 »Ophelia«, KW 6, S. 24-36.
20 Ludwig Klages (1872-1956), *Mensch und Erde* (1920).
21 Broch schätzte Blei als Feuilletonisten, nicht aber als Philosophen. Die Bemerkung ist eher abschätzig gemeint, wie aus dem Kontext zu entnehmen ist. Vgl. auch Brochs Aufsatz über Blei in KW 9/1, S. 53-58.
22 Paul Natorp (1854-1924), deutscher Philosoph des Neukantianismus. Bei dem Natorp-Buch, das Broch damals exzerpierte, könnte es sich handeln um das Werk *Die logischen Grundlagen der exakten Wissenschaften* (Leipzig: Teubner, 1910), das sich in Brochs Wiener Bibliothek befand.
23 Broch verlor die Lust am Rezensieren der zeitgenössischen belletristischen Literatur, wie er sie in der *Modernen Welt* publizierte. Vgl. Fußnote 11.
24 G. von Mehring, *Die philosophisch-kritischen Grundsätze der Selbstvollendung oder die Geschichtsphilosophie* (Stuttgart: Cotta, 1877). Dieser Band befand sich in Brochs Wiener Bibliothek. G. v. Mehring war ein deutscher Theologe und Philosoph des 19. Jahrhunderts.
25 Franz Ferdinand Baumgarten (1880-1927), Schweizer Literaturhistoriker. Broch rezensierte damals Baumgartens Buch *Das Werk Conrad Ferdinand Meyers. Renaissance-Empfinden und -Stilkunst* (München: G. Müller, 1920) für die *Moderne Welt*. Vgl. KW 9/1, S. 357-358.
26 Friedrich Josef Broch (geb. 17. 12. 1889 in Wien-Rudolfsheim, gest. am 6. 10. 1967 in Cambridge/Mass., USA.)
27 Chassidim (hebr. »der Fromme«). Chassidim nannten sich die Mitglieder einer mystisch-kabbalistischen Sekte des Israel Baal Schem, der, um 1740 zu Miedziboz in Podolien geboren, als Prophet und Wundertäter auftrat und bald als Heiliger verehrt wurde.
28 Vgl. Brochs für die *Prager Presse* geschriebene Rezension über zwei Bücher von Arthur Liebert in KW 10/1, S. 257-263.
29 Vgl. das Kapitel »Philosophie und Empirie« in KW 10/2, S. 111 ff.
30 Heinrich von Treitschke (1834-1896), deutscher Historiker. Vgl. seine Schriften *Der Sozialismus und seine Gönner* (Berlin 1875) und *Der Sozialismus und der Meuchelmord* (Berlin 1878).
31 »Namenstag«, KW 8, S. 118.
32 Es handelt sich um zwei Rezensionen für die *Moderne Welt*. Vgl. Fußnote 11.
33 Gemeint ist wahrscheinlich das Buch von Alfred Polgar *Kleine Zeit* (Berlin: Gurlitt, 1919), das Broch für die *Moderne Welt* rezensiert hatte. Vgl. KW 9/1, S. 345-346.

34 Schmid war offensichtlich ein gemeinsamer Bekannter Ea von Alleschs und Brochs. Scherzhafte Anspielung darauf, daß jener Schmid einbeinig war.

35 »Und immer später wird die Nacht . . .«, KW 8, S. 20.

21. An H. F. Broch de Rothermann[1]

Sanatorium Esplanade
Karlsbad
Alte Wiese

Karlsbad[2], am 1. September 1922

Lieber Burschi, sei für Deinen langen Brief herzlich bedankt. Ich freue mich sehr, daß Du so viel schöne Sachen zu sehen bekommst u. beneide Dich fast um die Mozart-Opern[3]. Du kommst jetzt in das Alter, in dem Dir [die] Welt immer weiter werden wird: jeden Tag wirst Du neue merkwürdige u. erstaunliche Dinge schauen u. Du wirst nichts anderes zu tun haben, als die Augen offen zu behalten. Das ist überhaupt das Wichtigste: daß man seine Augen offen behält u. sie sich nicht von eventuellen kleinen Widerwärtigkeiten abblenden läßt. Es ist auch das einzige Mittel, sich nie zu »langweilen«. Großmama schreibt, daß Du oft über Langweile klagst, u. ich gestehe, daß ich das einfach nicht verstehe. Wenn Du schon keine andere Beschäftigung hast, so kannst Du doch den Führer von Salzburg lesen u. nachsehen, was u. ob Du alles gesehen hast. Hinterher kommt man immer darauf, daß man Vieles versäumt hat. Und sollte in dem Führer nichts Wissenswertes mehr darin stehen, so bitte Großmama, daß sie Dir in Salzburg eventuell einen ausführlicheren kaufe. – Und noch etwas: vergiß niemals, daß Dir die Großmama ein großes Opfer bringt, indem sie sich mit Dir abplagt – Du weißt, daß sie körperlich nicht viel aushält, der Schonung bedarf u. trotzdem immer für Dich auf den Beinen ist. Wenn Du also Ehre im Leibe hast, so erkennst Du das an u. sekierst die Großmama nicht.

Was schließlich Traiskirchen[4] anlangt, so rückst Du selbstverständlich normal ein – sollten sich Deine Befürchtungen bewahrheiten (was ich – aber auch Du! – nicht hoffen), so ist immer Zeit, sich umzusehen. Die Frage Deines *ungebrochenen* Studienganges ist viel zu ernst, als daß man sie überstürzt u. frivol behandeln dürfte. – Sag der Großmama, daß es mir recht gut geht, umarme Sie in meiner Stellvertretung, grüße Dr. Mulatier[5] u. sei selber herzlich gegrüßt.

Dein P.

Warst Du schon im Salzburger Museum? *Sehr* interessant – alte Instrumente etc.

[YUL]

1 Hermann Friedrich Broch de Rothermann (geb. 4. 10. 1910 in Wien), Sohn Hermann Brochs und Franziska Brochs, geb. von Rothermann. Mit Hilfe seines Vaters emigrierte er 1941 in die USA. Er arbeitet in New York als Simultandolmetscher.
2 Broch weilte zur Kur in Karlsbad, um eine Magenkrankheit zu kurieren.
3 Brochs Sohn hielt sich in Salzburg bei seiner Großmutter Johanna Broch auf, wo sie wegen einiger Unpäßlichkeiten im Sanatorium Parsch behandelt wurde.
4 Ortschaft südlich von Wien, wo Brochs Sohn von 1920 bis 1923 die »Bundeserziehungsanstalt für Fortgeschrittene und besonders Begabte« besuchte, ein Internat, das bis 1918 eine Offizierskadettenanstalt gewesen war.
5 Dr. Ernst Mulatier war Arzt in Teesdorf und mit der Familie Broch befreundet. Er stammte ursprünglich aus Frankreich.

22. An Joseph Broch[1]

Hotel Schirmer
Cassel 8. 10. 24

Lieber Vater,
ich danke Dir u. Langer[2] für Eure lieben Zeilen u. habe selbstredend den Geburtstag meines Sohnes nicht vergessen; dafür hat er auch schon selbst gesorgt, u. es war dies mit ein Grund, warum ich bis Sonntag geblieben bin. Ich habe ihn also am Sonntag zum letzten Mal besucht – der Abschied ist

ihm ein wenig schwer geworden, weil er sich ja doch noch etwas fremd fühlt, aber ich glaube, daß er dort sehr gerne bleiben wird. Die Anstalt[3] ist ein Musterinstitut an Korrektheit etc., u. die Buben werden gehalten wie die Araberhengste. Also ganz nach seinem Geschmack.

Von Rouen bin ich nach *Lille,* wo ich mir ein paar französische Spinnereien angeschaut habe. Es war ganz interessant. Von dort nach *Elberfeld.* Unser Vertreter ist dort erstklassig; die Kundschaft besteht aus lieben Leuten, teilweise patrizierhaft, klagt aber über elendes Geschäft. Die deutschen Spinner verkaufen zirka 5-8 cts. unter unseren Preisen, merkwürdigerweise aber auch z. Bsp. L. Mahler, Prag, von dem ich mit eigenen Augen einen Kontrakt vom 3. Oktober gesehen habe, in welchem er 5000 kg 12/2 franko unverzollt Elberfeld mit 79½ cts. verkauft hat. Für prompte Ware kann man etwas bessere Preise bekommen, wenn man 3-Monatsakzepte nimmt (höchstens 10% Diskont), da die Leute sehr geldknapp sind.

Heute traf ich in *Cassel* [ein]. Verlor viel Zeit, weil Feigenspan eine Panne hatte u. um einige Stunden verspätet hier eintraf. Da stellte sich nun heraus, daß er vom 29. September von Euch Preise bekommen hat, die der hiesigen Marktlage [nicht] entsprechen. Das Geschäft geht hier nicht schlecht u. man könnte große Quanten absetzen. Bei der Divergenz der Preise war aber nichts zu wollen. Ich habe mich daher entschlossen, morgen Früh nach Berlin abzureisen u. vor allem die Klärung der Preisfrage abzuwarten, da hier sonst alles zwecklos wäre. Feigenspan, ein rühriger Gent (zumindest Feigenspan junior), will sodann mit mir Hannover, Hildesheim u. ganz Thüringen machen; ein Programm von 3 Tagen. Ich bin bis Sonntag jedenfalls [in] *Berlin, Hotel Adlon.* Fahre ich – bei Preiskonvenienz – mit Feigenspan, so fahre ich Sonntag [nach] Hannover, wenn nicht, so besuche ich Sonntag die Mutter in Dresden.

Vorderhand heißt also Deutschland nicht viel – daß ich die Kundschaft kennen lerne, hat natürlich seinen Wert.

In Holland soll das Geschäft gut gehen; ich konnte mich aber nicht entschließen hinzufahren, da man ohne Vertreter ganz hilflos ist u. zumindest in so kurzer Zeit nichts ausrichtet.

Viele Grüße an alle, u. Du
selbst sei umarmt
von Deinem alten Hermann

[BMT, YUL]

1 Joseph Broch (geb. 12. 1. 1852 in Proßnitz/Mähren, gest. 14. 10. 1933 in Teesdorf bei Wien), Vater Hermann Brochs. Er war das jüngste von vierzehn Kindern einer armen jüdischen Familie aus Mähren. Mit zwölf Jahren ging er nach Wien und machte Karriere als Kaufmann in der Textilbranche. Am 25. 10. 1885 heiratete er Johanna Schnabel. Etwa zehn Jahre später erwarb er die Teesdorfer Weberei und Bleicherei in Teesdorf bei Wien.

2 Ignaz Langer, Prokurist und Verkaufsleiter der Teesdorfer Fabrik.

3 Broch befand sich auf einer Geschäftsreise. Vorher hatte er seinen dreizehnjährigen Sohn ins Collège de Normandie in Clères bei Rouen/Frankreich gebracht. Broch de Rothermann besuchte das Collège de Normandie von 1924 bis 1928.

23. An Johanna Broch[1]

Spinnfabrik Teesdorf

Wien, 25. X. 24
I., Gonzagagasse 7

Liebste Johanna, erstens gratuliere ich Dir zu Deinem Hochzeitstag[2], obwohl ich Deinen damaligen Schritt noch immer nicht verstehe, zweitens danke ich Dir für Deinen lieben Brief und drittens bitte ich zur Kenntnis zu nehmen, daß der von Dir gedachte Zug Dresden[3] um 11.44 Vormittag verläßt, (während ich mit dem Abendzug gefahren bin, welcher aber nicht zu empfehlen ist, da [Du] Schlafwagen erst ab Prag bekommst.) Die Reise ist eine Kleinigkeit; im übrigen wird Dich wahrscheinlich Fritz[4] abholen. Sollte er nicht kommen, so bitte nur zu beachten, daß in Tetschen[5] die Verzollung im Zollamt stattfindet, was aber eine Kleinigkeit ist. Es kommt ein Träger ins Coupé, der Dir die Sachen zum Zollamt bringt. Wenn Du Deine direkte Fahrkarte nach Wien vorweisest, so werden die Sachen kaum angeschaut, weil die Tschechen dann gar kein Interesse daran haben. Die österreichische Zollrevision wird im Zuge vorgenommen. Wenn Dich in Dresden jemand zur Bahn bringt, Dir Dein Gepäck aufgibt, brauchst Du überhaupt keinen Reisegefährten; es ist ganz unverständlich, daß man sich davor fürchten kann, und ich werde Dich auch höhnen wie mein Sohn. Was Trinkgelder anlangt, so bekommt der deutsche Träger zirka 1 M bis 1½ M, die tschechischen Träger 2 cK. Im Speisewagen ähnlich.

Mein Sohn ist ein widerliches Ungeheuer. Mir ist sein Brief, mit seinen »Na« und »halt«, so unsympathisch, daß ich nicht umhin kann, ihm einige Grobheiten zu schreiben.

Von Teesdorf kann ich Dir nicht viel berichten. Ich war nur zwei kurze Tage dort und hatte so viel zu tun, daß ich nichts sehen konnte. Montag bin ich wieder draußen und werde den Äpfelauftrag ausführen.

Ansonsten habe ich hier schon ein regelmäßiges, wenn auch nicht sehr erfreuliches Leben aufgenommen. Vater habe ich von meiner Wohnung[6] Mitteilung gemacht, und er hat sich gar nicht aufgeregt, war vielmehr überraschend lieb und nett. Nur Geld gibt er ungern her.

An die Lala habe ich geschrieben, was sie Dir wahrscheinlich gesagt haben dürfte; vergiß nicht ihr die Pfeife zu geben. Und grüße überhaupt die Bondys[7] von mir, weil es nette Leute sind.

Mir tut es leid, daß er wieder jammert, aber ich meine, daß Du deswegen den Aufenthalt nicht vorzeitig abbrechen sollst. Zu Hause ist es nämlich immer noch schlechter als in der Fremde, und das Leben dort, wo Du, wie mein Sohn schreibt, »alles hast, was Dein Herz begehrt«, wird Dir schließlich doch nützen. Also lieber ein paar Tage länger als kürzer.

Wenn Du aber nichts änderst, ist Fritz wahrscheinlich am 2. dort.

Sei sehr umarmt von Deinem alten H.

[YUL]

1 Johanna Broch, geb. Schnabel (geb. 18. 7. 1863 in Fünfhaus bei Wien, gest. 28. 12. 1942 im Konzentrationslager Theresienstadt).
2 Joseph und Johanna Broch hatten am 25. 10. 1885 in Wien-Rudolfsheim geheiratet.
3 Johanna Broch weilte damals zur Kur in Heinrich Lahmanns Sanatorium auf dem Weißen Hirschen bei Dresden
4 Hermann Brochs Bruder Friedrich Joseph Broch.
5 Stadt in Böhmen an der Bahnlinie Dresden-Wien.
6 Es handelte sich dabei um die Dreizimmerwohnung im neunten Bezirk Wiens, Peregringasse 1, die Hermann Broch für Ea von Allesch eingerichtet hatte, und in der er damals meistens wohnte.
7 Nicht ermittelt.

24. An H. F. Broch de Rothermann

Spinnfabrik »Teesdorf« Wien, 17. Jänner 1925
I., Gonzagagasse 7

Mein lieber Alter, heute endlich ist Dein erster Brief (Nr. 14) eingelaufen. Hätte mir Leroux[1] nicht bereits vor 5 Tagen geschrieben, ich wäre schon um Dich besorgt gewesen. Auch Dein etwas spärlicher Glückwunsch an Großpapa[2] ist erst heute gekommen. Du hättest doch den Großeltern wenigstens für Deinen Aufenthalt in ihrem Hause hier danken können. Wenn Du an Großmutter schreibst, so hole dies nach.

Mir tut es nur leid, daß dieser Aufenthalt nicht erfreulicher [?] verlaufen ist. Ich will Dir keine langen Predigten halten, überzeugt, daß sie Dich ja doch nur langweilen würden. Immerhin meine ich, daß Du jetzt aus der Entfernung auch schon klarer sehen wirst und Dir vieles in Deinem eigenen Benehmen von dort aus unerklärlich erscheinen wird. Wenn Du hier bist, siehst Du den Wald vor lauter Wünschen nicht und siehst vor allem nicht, daß Du hier von einer Liebe umgeben bist, wie Du sie auf der ganzen Welt nicht wiederfinden wirst. Momentan liegt sie Dir wahrscheinlich stagelgrün auf; manchmal aber wirst Du doch das Gefühl haben, daß hier Deine natürliche Heimat ist und dieses Gefühl wird, je älter Du wirst, immer stärker in Dir werden. Schließlich ist ja die Familie doch die einzige menschliche Gemeinschaft, die nicht nur auf Zufall aufgebaut ist.

Im vorliegenden Fall und für den Augenblick ist es nur schade, daß ich mich nicht trauen kann, Dich zu Ostern herkommen zu lassen, weil ich eine Wiederholung dieser Szenen den Großeltern nicht zumuten darf.

Über Deine Reisefähigkeiten bin ich nach Deiner letzten Leistung natürlich wesentlich beruhigter. Du schreibst nur wenig Details; warst Du allein im Coupé? etc. Alles in allem hast Du ja sicherlich einen guten, praktischen Verstand, und meine Beschimpfung (die übrigens keine war) und die Dich augenscheinlich beleidigt hat, schränke ich demgemäß ein: Du bist in praktischen Dingen kein kleiner, dummer Lausbub mehr, hingegen aber wohl in Dingen Deiner Wünsche, Deines Benehmens und in Sachen des menschlichen Zusammenlebens überhaupt. Aber auch das wird sich, so meine ich zuversichtlich, in Kürze geben.

Hier gibt es, wie Du Dir denken kannst, nichts wesentlich Neues. Ich bin nach wie vor mit Sorgen und Arbeit überhäuft und bin nichtsdestoweniger mit dem Leben nicht unzufrieden, da ich den sicheren Glauben besitze, daß dies alles einen tieferen Sinn und Zweck hat, und daß das leider so kurze Leben der Mühe wert ist, gelebt und erarbeitet zu werden.

Die von Dir gewünschten Sachen gehen Dienstag ab. Wegen Spanisch schreibe ich an Dedet[3], fürchte aber, daß der Eintritt mitten im Schuljahr schwer möglich sein wird.

Schreib mir bald wieder. Herzlichst Dein P.

[YUL]

1 Henri Leroux war Mathematikprofessor am Collège de Normandie und gleichzeitig Vorsteher eines der beiden Internatshäuser des Collège, dem »Tilleuls«, dem Broch de Rothermann angehörte.

2 Brochs Vater, Joseph Broch, hatte am 12. 1. 1925 seinen 73. Geburtstag gefeiert. Brochs Sohn hatte die Weihnachtsferien bei seinen Großeltern in Wien (Gonzagagasse7) verbracht.

3 Louis Dedet war der langjährige Direktor des Collège de Normandie. Broch schrieb an Dedet mit der Bitte um die Erlaubnis, daß sein Sohn Spanisch als zweite Wahlsprache belegen dürfe. Eigentlich war Deutsch als zweite Wahlsprache vorgeschrieben, doch war das ohnehin Broch de Rothermanns Muttersprache.

25. An H. F. Broch de Rothermann

25. Jänner 1925

Lieber Alter, ich habe schon lange nichts direkt von Dir gehört. Hingegen habe ich von Mama Deine 18 weltschmerzlichen Karten bekommen. Daß Du Mama diese Städteansichten geschickt hast, war eine nette Idee von Dir, und sie hat sich auch sehr damit gefreut. Hingegen war sie über Deine Grabesgedanken entsetzt. So ein unglücklicher Mensch, der den ganzen Tag ans Essen denkt, muß auch ein Mutterherz zu Tränen rühren. Ich war etwas weniger entsetzt, obwohl ich Deine Unglücks- und Vergänglichkeitsgedanken kenne und sie Dir sogar glaube. Aber ich sehe darin, daß Du, wie es sich auch gehört, beginnst, über den Sinn und den Wert des Lebens nachzudenken. Auf den ersten Anhieb schaut es wirklich so aus, als ob die ganze Angelegenheit etwas höchst Sinnloses wäre: eine solche Philosopie oder richtiger Unphilosophie ist aber die des dummen Kerls schlechthin. Man wird nicht so billig mit den Problemen des Lebens fertig, einfach, indem man sagt, daß es sich ohnehin nicht verlohne. Die Frage, warum man auf der Welt ist, welchen Zweck dies alles haben könne, steht am *Beginne* alles Nachdenkens über die Welt, und ich freue mich daher – trotz Deines Unglückes –, daß Du also nachzudenken beginnst. Heute erzähle ich Dir nicht noch mehr darüber: wenn Du etwas wissen willst, so kannst Du mich aber immer fragen, und ich werde Dir gerne antworten.

Für heute etwas Wichtigeres, ja für mich *Hochwichtiges:* ich suche einen Teil meiner Mengenlehre, jenes Mathematikbuches, das ich mit Onkel Willy[1] studiere, und heute sagt mir das Stubenmädchen Anna, daß sie sie wahrscheinlich zu Deinen Schulbüchern gepackt hat. Wenn Du es hast, mußt Du es ja sofort erkennen: es ist ein halbes Buch, etwa auf Seite 220 beginnend. Bitte telegraphiere mir sofort, ob Du es hast oder nicht. Und schicke es bejahenden Falles unverzüglich express-rekommandiert ab.

Alles Gute, P.

Übrigens: Weltschmerz und Grabgesang ist ja schön; aber

am Anfang, in der Mitte und am Ende wird er, wenn einem gar nichts anderes einfällt, etwas langweilig.

[YUL]

1 Willy Hofmann war damals Mathematikdozent an der Wiener Technischen Hochschule. Hofmann, der etwa so alt war wie Broch, kam regelmäßig nach Teesdorf, um dort gemeinsam mit Broch mathematische Studien zu betreiben.

26. An Joseph Broch

Spinnfabrik »Teesdorf« Wien, 5. 2. 1925
I., Gonzagagasse 7

[. . .] Ich will Dich also nur auf ein paar Tatsachen aufmerksam machen: die Tatsache des Todes und der scheinbaren Nutzlosigkeit des Daseins ist Dir selber aufgefallen. Diese Tatsache ergibt sich, wenn man den Menschen sozusagen ›von außen‹ betrachtet, als ein Wesen, das geboren und gestorben wird, mit einem Wort, als das zweibeinige Tier, das er von außen gesehen tatsächlich auch ist, und das allen Zufällen der Welt und des Sterbens ausgesetzt ist. Demgegenüber aber steht die Ansicht »von innen«, die nicht minder, ja noch viel mehr! unumstößliche Tatsache ist, daß Dir nämlich alles Erleben nur durch Dein eigenes Denken zum Bewußtsein kommt, daß alles, was Du erlebst, was Du siehst, was Du fühlst, inklusive Deiner eigenen Zweibeinigkeit nur und ausschließlich in Deinem eigenen Denken enthalten ist. Du bist in dieser Ansicht nicht mehr der zufällig geborene Mensch, sondern das alleinige und einzige Ich, das im Mittelpunkt des Weltenraumes steht, bist kein Körper, der ja auch nur in Deinem Denken ist, sondern einfach das »Denkende«.

Für dieses Ich nun, das Du einsam und alleinig bist, das also mit dem, was als »Mensch« herumläuft, durchaus nicht identisch ist, kann man natürlich nicht ohneweiteres von der Notwendigkeit des Todes sprechen, weil sich ja der Tod nur auf den körperlichen Menschen als Erfahrungstatsache ergibt [sic!]. Das Ich-Bewußtsein aber ist vorhanden: es hat zwar einmal in der Zeit begonnen, doch nichts ist für es beweiskräftig, daß es auch einmal endigen müsse. In diesem höchst wundervollen Ich-Bewußtsein liegt der logische Rückhalt eines jeden Unsterblichkeitsglaubens, der ja in jeder Religion enthalten ist. Religionen sind also nicht bloßer Aberglaube, sondern sie sind auf einer unzweifelhaften Tatsache des Bewußtsein gegründet. [. . .] Würde das Ich vom Körperlichen losgelöst sein und faktisch die gesamte Wirklichkeit nicht nur als Traum, sondern wirklich als Wirklichkeit erkennen können, so hätte es das Bewußtsein eines Gottes und müßte als solcher unsterblich sein. Das ist natürlich unmöglich: jeder Schritt in der Erkenntnisarbeit aber führt zu diesem Ziel, und das unerhörte Glücksgefühl, das man empfindet, wenn man einmal selbst eine kleine neue Erkenntnis gefunden hat, beweist, wie richtig diese Anschauung ist. Ich bin fest überzeugt, daß ein stetes Arbeiten um die Erkenntnis der Welt[1] am Schluß des Lebens nicht verloren geht, nicht nur, weil man der Welt eine neue Erkenntnis gebracht hat, die unverloren bleibt, sondern weil sich das Ich eine Annäherung an die Unsterblichkeit erkämpft hat. Alle jene Männer, welche für die Erkenntnis wirklich etwas geleistet haben, alle großen Philosophen und Religionsstifter, die ja auch nichts anderes sind als Philosophen, sind angstlos und ohne Lebensverzweiflung vor dem Tode gestanden. [. . .]

Es ist nun weiters eine unumstößliche Wahrheit, daß das Ich nur diejenigen Dinge als absolut wahr und wirklich, also nicht als bloßen Traum nur akzeptiert, wenn sie als ›logisch‹ erscheinen. Die Aufgabe, die dem Ich damit gestellt ist, heißt nun, sich die Welt logisch zu gestalten, d. h. die Gesetzlichkeit des Weltgeschehens festzustellen. Denn logisch geht es nur dort zu, wo ein Naturgesetz vorhanden ist. Nur die wissenschaftlich angeschaute Welt ist logisch und einleuchtend und ›wirklich‹, alles andere ist eine Traumwelt, für die der Wind von einem Winddämon geblasen wird. [. . .]

[BMT]

1 1925 nahm Broch erneut sein Studium an der Philosophischen Fakultät der Universität Wien auf und studierte dort bis 1930 Philosophie, Mathematik und theoretische Physik.

27. An H. F. Broch de Rothermann

Spinnfabrik »Teesdorf« Wien, 6. 2. 25
I., Gonzagagasse 7

Mein lieber Alter, ich bin zwar mißtrauisch gegen Dich wie die Adele gegen die ungeladene Kinderpistole, allerdings mit mehr Berechtigung, aber Du hast mir mit Deinem Brief Freude gemacht. Ich beantworte ihn von rückwärts, also zuerst Philosophie:

Im allgemeinen bin ich allerdings der Ansicht, daß man Philosophie nicht lehren kann, sondern daß man es jedem und seinem konsequenten, harten Nachdenken überlassen muß, mit den Weltfragen fertig zu werden, aber ein paar Richtlinien will ich Dir zeigen.

Daß das Leben angesichts des Todes sinnlos erscheint, ist eine unbestreitbare Tatsache. Es ist nur die Frage, ob man ihr eine eben so unumstößliche, richtiger eine solche von noch mehr Gewicht entgegenhalten kann.

Es ist nun auffallend, daß die meisten Menschen das Leben als einen positiven Wert empfinden und sich von der scheinbaren Zwecklosigkeit nicht beirren lassen. Noch auffallender aber ist es, daß alle Werte, welche von den Menschen angestrebt werden, irgendwie mit der Ewigkeit, also mit der Aufhebung des Todes zusammenhängen: die Freude an der Natur, die nicht umsonst die »ewige Natur« genannt, die Freude am Kunstwerk, welches übrigens auch eine die Jahrhunderte überdauernde Geltung besitzt, vor allem aber die Freude an der Erkenntnis, an der Auffindung jeder neuen »ewigen Wahrheit«, die so ewig sein soll wie 2 × 2 = 4, alle diese echten Freuden rühren daher, daß der Mensch in ihnen einen Hauch des Ewigen und auch seiner eigenen, eventuellen Ewigkeit zu verspüren glaubt. Auch Du, wenn Du jetzt nach dem Weg fragst, den Du gehen sollst, wärest, soweit die Frage nicht nur eine schöne rhetorische Wendung ist, ungleich zufriedener und glücklicher, wenn Du die große Wahrheit über das Lebensrätsel in Händen hättest.

Ich könnte Dir natürlich noch viele andere Beispiele anführen, um Dir zu zeigen, wie das Wertvolle mit dem Ewigen zusammenhängt; etwa daß die Hochhaltung der eigenen Familie, die Hochhaltung des eigenen Namens, dessen Fortdauer über die Generationen hinaus verbürgen soll, daß die Liebe von Vater zum Sohn und umgekehrt (ein großer Teil der chinesischen Religion gründet sich darauf!) diesem Ewigkeitsgedanken Rechnung trägt. Oder um ganz im Realen zu bleiben: der Diamant ist das wertvollste Material, weil es das zeitüberdauerndste ist.

Beispiele sind aber noch keine Beweise und wir brauchen ein Faktum, das ebenso unangreifbar ist wie das Faktum des Todes. Nun ist das Faktum des Todes nur dann unangreifbar vorhanden, wenn man den Menschen als zweibeiniges Wesen anschaut, das geboren worden ist und demzufolge auch sterben muß, weil alle Tiere sterben. Man sieht also den Menschen damit sozusagen von außen an.

Hier setzt nun unsere zweite Tatsache an, die noch viel, viel mehr Gewicht hat als jene. Denn Deine eigene Lebendigkeit, Dein Mensch-Sein, Dein Erleben ist ja doch nur in Deinem Denken gegeben. Du stehst mit Deinem Denken ganz einsam und einzig im Mittelpunkt Deines Erlebens, und wenn Du Dich selbst, also jetzt sozusagen von innen heraus, also anschaust, so bist Du nicht mehr im landläufigen Sinne ein Mensch, also im vorhinein sterblich, sondern einfach ein denkendes Ich und sonst nichts. Diese Tatsache ist natürlich noch viel feststehender als die des Todes, denn auch alles Sterben, das Du um Dich siehst, ist nur Inhalt Deines Denkens.

Nun kommen wir aber zum Wesentlichen: das Leben wäre für das Ich ein bloßer Traum und wäre wie ein Traum, wie Du richtig sagst, zweck- und wertlos, wenn es keine »ewigen Wahrheiten«, keine »ewigen Werte« oder wie die Philosophie sagt, nichts »Absolutes« gäbe. Da Dein Ich aber völlig einsam ist, so muß es sich diese schönen Dinge selber schaffen: und der Menschengeist hat dies auch tatsächlich getan. Denn alle Wahrheit, die man erlebt, alle Schönheit, jeder Wert, kurzum alle »Wirklichkeit« ist vom Geiste selbst erschaffen worden. Daß sich die Gestirne in elliptischen Bahnen bewegen, ist Wirklichkeit, sie aber zu finden, richtiger, sie zu *er*finden, dazu bedurfte es des Geistes Keplers. Ja selbst um die Schönheit der Natur zu erkennen, geschweige denn sie nachzubilden, bedurfte es tausendjähriger Geistesarbeit.

Es ist also Aufgabe des Ichs, soferne es sich (und eben aus Todesangst) nach der absoluten Wahrheit und dem absoluten Wert sehnt, sich seine Wirklichkeit stets neu zu erschaffen und immer mehr zu erweitern. Das Endgültige über die Welt und das Leben wird der menschliche Geist natürlich nie erfassen, denn »alles wissen, hieße Gott sein«[1]. Aber das Beglückende an aller wertschaffender Arbeit liegt eben darin, daß man sich diesem letzten Ziel überhaupt annähern kann und darf. Schon das Lernen als solches ist ein Teil dieses Glückes, weil es den Raum der Wirklichkeit immer mehr für das lernende Ich ausdehnt; wenn es Dir aber einmal beschieden sein soll, sei es auf wissenschaftlichem, sei es auf künstlerischem oder auf sonst einem Gebiet eigene, produktive, wertschaffende Arbeit zu verrichten, wirklich etwas Neues zu schaffen, so wirst Du eine Freude erleben, eine Freudigkeit, die es Dir einleuchtend machen wird, daß der Todesgedanke, ja mehr noch, daß der Tod, wenn auch nicht völlig, so doch annähernd zu überwinden ist. Wenn die großen Religionsstifter immer die Unsterblichkeitslehre gepredigt haben, so waren sie durchaus keine Trotteln: sie selbst als Philosophen im höchsten Sinne haben sich ihre persönliche Unsterblichkeit von innen geschaffen. Damit ist selbstredend nicht gesagt, daß sie als Engerln mit Harfen oder Klavieren im Himmel herumfliegen, auch nicht, daß sie als Geister auf der Welt vagabundieren und durch Tischrücken zum Guten-Tag-sagen zu verlocken sind, sondern daß der Mensch, als Ich genommen, also nur von innen heraus gesehen, für sich als Ich den Tod überwinden kann.

Ich weiß nicht, ob Dir nicht dies alles zu schwer ist, und ob ich Dir nicht schon zu viel gesagt habe. Aber Du kannst ja rückfragen. Immerhin, wenn Du über all dies nachdenkst und ernsthaft nachdenkst, so wirst Du Deinen Weg nicht verfehlen. Das Wichtigste für Dich ist wohl, daß Du alle Möglichkeiten offen hast und eine solche Ausbildung bekommst, daß Du Dein ferneres Leben nach jeder Richtung hin lenken kannst. Deswegen dränge ich ja so darauf, daß Du wissenschaftlich womöglich ebenso vorbereitet wirst wie sportlich und in den praktischen Fächern, wie Sprachen etc. Deswegen möchte ich auch nicht, daß Du Dein Zeichnen ganz auf den Nagel hängst.

Der Brief ist schrecklich lang geworden; ich schreibe Dir morgen wieder. Heute habe ich keine Zeit mehr. Großpapa ist ziemlich ernst erkrankt, Dr. Langer auf einer Geschäftsreise, und Du kannst Dir denken, wie ich jetzt doppelt angehängt bin. Auch Großmama hat mit der Pflege furchtbar viel zu tun; sie und Großpapa lassen Dich aber herzlich grüßen. Dein Brief war natürlich reservat; auch Mama habe ich ihn nicht gezeigt. Übrigens habe ich ihr auch nichts von Deiner Verwundung[2] gesagt, damit sie sich nicht beunruhige.

Also Schluß und morgen Fortsetzung. P.

[YUL]

1 Anspielung auf Genesis (1. Buch Moses) 3,5.
2 Broch de Rothermann hatte einen kleinen Unfall beim Reiten erlitten.

28. An H. F. Broch de Rothermann

Spinnfabrik »Teesdorf« Wien, 16. 3. 25
I., Gonzagagasse 7

Lieber Burschi, soeben erhalte ich Dein Nr. 9[1]. Ich bedauere vor allem feststellen zu müssen, daß ich mich 1 Stunde mit dem Lesen plagen mußte, weil Du einfach wie ein Schwein schreibst. Du weißt, daß Du nicht Kalligraphie treiben mußt, aber eine gewisse äußere Form ist notwendig, wie überall im Verkehr von Mensch zu Mensch und im Besonderen von Sohn zu Eltern. Außerdem zeigt Deine Schrift, daß Du Deine Füllfeder wie ein Holzhauer malträtierst, es also kein Wunder ist, wenn sie sich, da sie sich aus Verzweiflung nicht anders zu helfen weiß, spragelt. Hieraus folgt, daß das sogenannte Unrecht von Leroux wegen Kratzen der Feder jedenfalls Ausfluß einer höheren und göttlichen Gerechtigkeit gewesen ist, und daß Du beim voraussichtlich baldigen Absterben dieser Feder nicht auf eine neue wirst rechnen dürfen. Schließlich sind Deine Unterschrifts- und sonstigen Schlingen nach wie vor scheußlich. Zu den einzelnen Fragen:

Ostern. Über die Unmöglichkeit Deiner Wiener Reise

habe ich Dir ja sofort nach dem Weihnachtsfiasko geschrieben. Ich will die Sache nicht wieder zur Sprache bringen und werde einfach – obwohl es mir sowohl in Zeit als in Geld eine Belastung ist – wahrscheinlich Dich dort aufsuchen. Es ist auch möglich, daß ich eventuell Onkel Fritz hinschicke. Auf die vollen Ferien kannst Du natürlich nicht rechnen. Ich meine zwar, daß Du Dich irrst, denn vom 3. bis zum 27. können die Ferien unmöglich dauern. Es erscheint mir eher möglich, daß es vom 7. bis zum 23. heißen soll. Auch dies wäre lange genug und jedenfalls zu lang für mich, da ich mich auch nicht für 16 Tage vom Hause absentieren kann. Auf jeden Fall also wirst Du ein paar Tage später aus- und ein paar Tage früher einrücken müssen. Ich weiß, daß Du darob ein großes Geschrei erheben wirst, bitte Dich aber zu bedenken, daß Du ebenso gut in Traiskirchen sitzen könntest und bitte Dich ferner, auf die Opfer und Mühen, die mir die Sache macht, einmal wirklich de grand coeur Rücksicht zu nehmen. Ich weiß, daß Du ein Mensch bist, der nicht leicht und nicht gerne auf irgend etwas verzichtet: trotzdem möchte ich einmal von Dir sehen, daß Du einem einmal freiwillig, ohne mit der Nase darauf gestoßen zu werden, einen Verzicht anbieten würdest. Speziell wenn Du siehst, daß Du es dem anderen damit erleichterst. Wie sagt die Großmama immer auf Dich? »Du erleichterst einem gar nichts!« Glaube mir, daß darin mehr Grund zu allen Zerwürfnissen und allem Ungemach steckt als in allem anderen!!!

Mathematik. Leroux hat mir eine genaue Aufstellung Eures Studienplanes gemacht. Ich bin erstaunt, daß Ihr noch nicht weiter seid und überzeugt, daß Dir das alles nicht die geringsten Schwierigkeiten machen dürfte. In Traiskirchen wärest Du jetzt schon viel weiter. Nach Leroux habt Ihr jetzt
1. das Rechnen mit Trinomen, die doch prinzipiell das Nämliche wie Binome sind und genau so behandelt werden. Also Aufgaben für Säuglinge.
2. quadratische Gleichungen resp. Ungleichungen, bei welchen zu untersuchen ist, ob sie reelle oder irreelle, resp. im ersten Falle, ob sie positives oder negatives Vorzeichen haben. Wenn Du hier irgendeine Schwierigkeit siehst, so schicke mir ein oder das andere der Beispiele, die Ihr jetzt behandelt unter gleichzeitiger Angabe des Punktes, wo Dein

blödes Unverständnis einsetzt. Ich denke, daß ich Dir die Sache schon werde erklären können.
3. In der Geometrie habt Ihr Ähnlichkeiten, die natürlich alle auf Dreiecksähnlichkeiten zurückgehen, die Ihr in Traiskirchen bereits in der dritten Klasse gemacht habt. Wo steckt es also hier? Ich habe Leroux geschrieben, daß Du unbedingt, wenn es nicht anders geht, ein paar Privatstunden nehmen mußt, damit die Lücken ausgefüllt werden. Ich lege nach wie vor den größten Wert auf die Mathematik, die nach wie vor den Mittelpunkt alles menschlichen Wissens bleibt, und Dein ganzer Studiengang wäre ein zweckloses Unternehmen, wenn Du durch Jahre Lücken mitschleppen würdest, die sich naturgemäß immer mehr vergrößern müssen. Wenn Du die stillen Ferialtage dazu verwenden würdest, die Du in der Anstalt bist, so wäre damit ein dauernder Gewinn für die Zukunft gegeben.

Osterwünsche. Ein Mensch, der immer Wünsche hat, ist kein guter Mensch (dazu gehört auch das Kapitel des Nicht-Verzichten-Könnens). Und ein Mensch, der nicht gut ist, ist dumm. Und ein dummer Mensch kann niemals glücklich sein, weil er keinen Lebenswert finden kann. Hieraus könnte sich wieder eine Philosophie entwickeln, zu der ich aber heute keine Zeit habe, vielmehr bloß betrübt konstatieren kann, daß Du jede Gelegenheit wahrnimmst, um Wunschzettel zu präsentieren. Ich frage mich nur: wo ist die Gegenleistung! würdest Du es mir, wie gesagt, »leicht machen«, so würde ich Dir natürlich viel lieber noch Deine Wünsche erfüllen. Bedenke zum Beispiel überdies, was man durch eine entfallende Reise ersparen und wie viel man Dir davon zukommen lassen könnte. Du mußt mir schon anfangen rechnen zu helfen. Wir haben es nicht gar so dick, und wenn Du schon eine Erziehung als Araberhengst genießest, so mußt Du auch Hochleistungen eines solchen Hengstes zeigen. Was nun die speziellen Wünsche anlangt, so verspreche ich Dir aus gesagten Gründen noch nicht die Erfüllung, bin aber natürlich auch der Ansicht, daß man die Sachen besser in Frankreich einkauft. Z. Beispiel

Rad. Ich weiß nicht, ob Dedet es gerne sieht, wenn man mit Dienern solche Geschäfte, de tels trafiques macht. Weiters, ob der Mann auch etwas Reelles, Anständiges besorgt. Sonst wäre dagegen nichts einzuwenden.

Uhr. Daß ausgerechnet bei Dir nichts ganz bleiben soll, ist bemerkenswert. Ich habe noch immer meine Buben-Uhr, und sie geht so gut wie am ersten Tag. Jedenfalls ist eine Uhr eine Sache für ganz große Gelegenheiten.

Golfschläger. Bitte erkundige Dich bei Williams nach dem Preis.

Bücher. Erscheinen mir sehr erwachsen, wenn sie auch zum Teil ausgezeichnet sind.

250 Frcs. Der Rest des Reisegeldes ist doch nicht ein Spezialgeschenk wie Du es aufzufassen beliebst. Es ist dies einer jener Punkte, wo Du mir eben schon zu rechnen helfen sollst. Es ist an und für sich schon ein Geschenk, wenn ich sie für Deine Privatwünsche verwenden will; aber ein Teil des Rades wäre damit z. B. schon gedeckt. – Was Radio anlangt, so tut es Dir auch wahrscheinlich ein Detektor. Noch ein Racket ist mir unverständlich. Was ist mit den Teesdorfer Rackets?

Mappe. Vollkommen einverstanden.

Wesely war bei Cook in Neapel[2]. Ein Brief von mir ist aber als »unbestellbar« zurückgekommen. Vielleicht hat er schon seine ägyptischen und indischen Projekte ausgeführt.

Labouchère[3] ist natürlich sehr reizend, wenn er Dich zu Autofahrten einladen will, wogegen natürlich nichts einzuwenden, sondern vielmehr zu danken ist. Wenn er nach Wien kommt, so bitte ich um seinen Anruf. Bitte richte ihm mit meinen besten Empfehlungen und meinem Dank aus, daß es mir ein besonderes Vergnügen sein wird, ihn kennenzulernen und ihm in Wien zur Verfügung stehen zu dürfen.

Ich erwarte noch genaue Nachricht über den Beginn der Ferien!!!

Herzlichst P.

[YUL]

1 Brochs Sohn numerierte damals die Briefe an seinen Vater.

2 Fred Wesely war Broch de Rothermanns Hauslehrer von 1918 bis 1920. Mitte der zwanziger Jahre arbeitete Wesely bei der englischen Baumwoll-Großhandelsfirma Thomas Cook & Sons, die in Neapel eine Niederlassung hatte.

3 Ernest und Charles Labouchère waren Mitschüler Broch de Rothermanns im Collège de Normandie, ersterer in seiner Klasse,

Charles eine Klasse darunter. Sie waren die Enkel von John Whitney Hoff, dem Mitbegründer des Shell-Konzerns. Die Labouchères waren Holländer und Besitzer von Privatbanken in Den Haag und London. Diese außerordentlich reiche Familie besaß in Frankreich mehrere Schlösser, eines bei Paris in der Seine-et-Oise, ein anderes in Peyrieu/Ain. Brochs Sohn wurde in den Ferien verschiedentlich dorthin eingeladen, und er bat seinen Vater, daß Ernest Labouchère nach Teesdorf bzw. Wien zurückeingeladen werde.

29. An H. F. Broch de Rothermann

26. 3. 25

Lieber Hermann,
auf Grund Deines Briefes haben die Großeltern zugestimmt, daß Du die Ferien hier verleben darfst; insbesondere Großmama hat sehr für Dich gebeten.

Ich war von Deinem Brief nicht allzu gerührt, weil ich Dich zu gut kenne, aber ich will es *glauben,* daß Du Dich nach Hause freust u. es Dir hauptsächlich darauf ankommt, uns wieder zu sehen.

Daß wir, und ich besonders, uns *sehr* auf Dich freuen, brauche ich Dir nicht eigens zu sagen. Wir werden sehr schöne Ferien haben, wenn Du nur das Deinige dazu tust; dazu muß ich allerdings meine Bedingungen stellen: Gehorsam gegen die Großeltern, trotzdem liebenswürdiges u. *aufmerksames* Benehmen, Tempo im Aufstehen, Anziehen u. Waschen, Mathematikstunden (soferne ich sie als notwendig erachten sollte) genau einhalten, (Latein wirst Du vielleicht mit mir lesen können!) u. vor allem: Dir klar zu sein, *daß Du nicht unausgesetzt Wünsche äußern u. Genüsse heischen darfst* u. trotzdem zufrieden u. freudig sein kannst. Wenn Dir das nicht klar ist, dann sind meine ganzen philosophischen Vorträge für die Katz.

Was die Reise anlangt, so bringe vor allem diejenigen Sommer- u. Frühjahrskleider mit, welche *reparaturbedürftig* sind. Selbstverständlich auch außer dem Reiseanzug Deinen guten Anzug. Weiters kannst Du jene Wintersachen mitbringen, welche Du nicht mehr benützen kannst. Wenn Du Wintersachen hast, welche ohne oder nur mit kleiner Veränderung nächstes Jahr weiterverwendet werden können, so erkundige Dich, ob sie im Collège übersommern dürfen; in diesem Fall sollst Du sie natürlich dort lassen. Dasselbe gilt für Bücher etc.!! Sollten die Sachen, die Du mitbringst, den großen Koffer nicht ausfüllen, so wird Dir Dedet in Rouen einen Handkoffer kaufen lassen. *Keinesfalls bringe wieder Überflüssiges mit!!* also keine nutzlosen Bücher, Spiele etc.!!

Ich bin heute in großer Eile. Morgen weiteres!

Herzlich P.

[YUL]

30. An H. F. Broch de Rothermann

Spinnfabrik »Teesdorf« Wien, 13. Februar 1926
I., Gonzagagasse 7

Mein geliebter Bub, endlich nach Tagen ununterbrochener Arbeit und Aufregungen komme ich dazu, Dir ein paar Zeilen schreiben zu können. Die Sorgen werden immer größer, die Zeit immer krisenhafter, und ich sehe eigentlich bloß Katastrophen im Anzug. Nicht nur was uns in Wien anlangt, sondern eigentlich für ganz Europa. Nach dem dreißigjährigen Krieg hat sich Deutschland durch 100 Jahre, Polen eigentlich überhaupt nie mehr erholen können: all dies ist in wesentlich verschärftem Maßstab wiedergekehrt und gilt für ganz Europa, Frankreich nicht ausgenommen. Hätte ich genügend Geld, so würde ich trachten, Dir in Amerika eine Existenz einmal zu schaffen, denn ich fürchte sehr, daß es hier immer schwerer wird. Wie schwer es ist und eigentlich recht hoffnungslos, spüre ich ja selbst am besten: seit Jahren erwarte ich ruhigere Zeiten, um endlich meine Arbeiten und mein Buch abschließen zu können. Statt dessen wird es immer ärger; meine Zeit ist bis zum Rand mit Sorge und Arbeit gefüllt, und wenn ich Nachts Wissenschaft treibe, so reibe ich mich vollends auf.

Ich schreibe Dir dies nicht, um von meinem Sohn bemitleidet zu werden, sondern um Dich auf den Ernst der äußeren Situation aufmerksam zu machen, deshalb vor allem, weil wir ja mehr oder weniger vor Deiner sogenannten Berufswahl stehen. Ich will, daß Du für den berühmten Lebenskampf so gut als nur irgend möglich ausgerüstet seiest, denn ich weiß, daß dies unter allen Umständen notwendig sein wird. Nur ganz erstklassige Menschen werden oben bleiben; alles andere wird proletarisiert und in Kulturlosigkeit gestoßen.

Was immer Du aber auch später beginnen wirst, es sind Dir Sprachen eines der wichtigsten Mittel, um Dich behaupten zu können. Deshalb aber auch will ich schon jetzt ein gewisses Programm zusammenstellen: bleibst Du nächstes Jahr in Clères, so mußt Du über den Sommer unter allen Umständen nach England. Und zwar gibt es da keinerlei Einwände, sondern es ist ein einfaches Muß, weil es sich von selbst versteht, daß Du in Clères niemals perfekt Englisch lernst. Kommst Du dagegen im Herbst definitiv nach England, so kannst Du den Sommer noch in Teesdorf verbringen. Um nun hier eine Entscheidung treffen zu können, insbesondere aber auch, um meine Anfragen bei den englischen Lehranstalten danach einrichten zu können, bitte ich Dich, mir zu schreiben, was Du Dir ernstlich über Deine Zukunft denkst. Ich werde Dir Deinen künftigen Studiengang selbstverständlich so einrichten, daß Du nicht streng auf ein einziges Ziel gerichtet wirst, sondern daß Dir eine spätere Umsattlung immer möglich sein wird. Aber immerhin möchte ich wissen, was, abgesehen von Autolack, Deine Hauptinteressen sind und was Dir soweit Freude macht (abgesehen von Nichtstun), daß Du Dich immer damit beschäftigen könntest.

Wenn Du L.[1] zu Ostern nicht haben willst, so werde ich ihn schon so einladen, daß er nicht unbedingt annehmen wird; einfach etwas weniger warm. Sollte sich aber Ernest ernestlich und ernstlich auf die Reise freuen, so möchte ich es ihm andererseits auch gerade nicht gerne versalzen. Also schreibe mir bitte darüber.

Ich wundere mich übrigens, daß Du Deine Korrespondenz so einrichtest, daß Brief bloß auf Gegenbrief folgt und daß Du, kann ich Dir einmal nicht schreiben, Dich prompt ausschweigst. Wäre dem so, so wäre dem eine Frechheit. Ich hoffe aber, daß dem so nicht, sondern bloß Zufall ist und hoffe bald von Dir zu hören.

Herzlich P.

[YUL]

1 Vgl. Brief vom 16. 3. 1925, Fußnote 3. Angesichts des allzu großen Unterschieds in den finanziellen Verhältnissen und im ganzen Lebensstil war Broch an einer Einladung Ernest Labouchères nach Teesdorf nicht allzu viel gelegen.

31. An Joseph und Johanna Broch

Hotel de l'Université
Paris 29. 10. 27

Liebe Eltern,
Ihr habt mir mit Euren Briefen eine besondere Freude gemacht. Zu beantworten habe ich nur:
1.) Hermann ist ein Gemisch von Kindischkeit und Erwachsenheit, Ernst u. Vergnügungssucht, d. h. also von Trottelei u. Gescheitheit. Der Ernst unserer Lage geht ihm völlig ein, er *möchte* es aber immer wieder vergessen, u. es ist manchmal geradezu rührend, wie er sich an gelegentliche optimistische Aussprüche von mir klammert. In der Schule war man mit seiner Arbeit während des Oktobers sehr zufrieden; damit ist aber noch nicht gesagt, daß die Prüfung glücken muß. Das Resultat werden wir am 2ten erfahren. Auf alle Fälle habe ich seine weiteren Studien so eingeteilt, daß das Resultat der Prüfung den Studiengang nicht aufhält.

Fraglich ist nur, ob ich ihm nicht allzuviel aufgepackt habe.

Von Clères ist natürlich keine Rede mehr – nicht nur wegen der Kosten, sondern auch, weil es ein verlorenes Jahr wäre. Damit hat er sich selbstverständlich abgefunden.
2.) Die Reise nach Deutschland mache ich über speziellen Wunsch F. Wolfs u. Freudenbergs[1]; *ich* habe abgeraten – sie

meinen aber, daß man mit der Kundschaft im Kontakt bleiben soll. Auch gut.
3.) Die Angelegenheit Baierl[2] liegt mir natürlich im Magen. Mir tut es leid, daß sie nicht vor meiner eiligen Abreise erledigt werden konnte. Andererseits: je länger er draußen bleibt, desto weniger Recht hat er, sich zu beklagen u. irgendwelche Forderungen zu stellen.
4.) Die Überweisung durch die Tannwalder wird pünktlich am 1ten vorgenommen werden.
5.) Welche Unannehmlichkeiten u. Sorgen befürchtet ihr? bitte um Details. Hier erreichen mich ja Briefe kaum mehr. Gegen Ende der Woche bin ich in Kassel, Hotel Schirmer.
6.) Bitte fragt Othmar[3], ob er Geld braucht – ich glaube nicht, weil er ja Korn verkaufen soll. Eventuell bitte gebt ihm das Nötige. Von Tannwald[4] bekommt Ihr ja S 2000.-, so daß es wohl möglich sein wird.

Ansonsten habe ich nur zu berichten, daß ich in einer Sparsamkeitspanik lebe, die mir allerdings nicht viel hilft.

Der einzige Gewinn dieser Reise (abgesehen von ihrem Zweck, den Buben auf den Weg zu bringen)[5] ist meine Bekanntschaft mit den französischen Universitätskreisen, in denen ich überall sehr gut aufgenommen wurde.

Seid innigst umarmt von Euerem Hermann

[YUL]

1 Wolf und Freudenberg waren die Inhaber der Firma Lederer & Wolf. Die Firma besaß Spinnereien und Webereien sowie eine Maschinenfabrik in Tannwald/Tschechoslowakei. Brochs Firma, die Spinnerei und Weberei in Teesdorf mit den angeschlossenen stillgelegten Betrieben in Tattendorf und Günselsdorf wurde 1927 nach einjähriger Verhandlungszeit an Lederer & Wolf verkauft. Der Verkaufserlös betrug US-$ 100 000, wovon $ 20 000 an Brochs Bruder Friedrich Joseph gingen. Außerdem erhielten Brochs Eltern eine Pension und Wohnungsanrecht in Teesdorf, sowie gewisse Servitude wie einen Zweispänner mit Kutscher. Lederer & Wolf gingen 1931 Konkurs, und Felix Wolf erschoß sich in seinem Wiener Palais in der Prinz-Eugen-Straße 30.

2 Karl Baierl war Verwalter auf einem kleinen Gut in Teesdorf, das Broch gehörte. Anfang der Zwanziger Jahre hatte Broch dieses heruntergewirtschaftete Gut von einem ursprünglich aus Ostpreußen stammenden Baron Bülow übernommen. Mit Bülow war

Broch eng befreundet; er half ihm zuweilen finanziell und bei der Verwaltung seines Gutes. Broch übernahm das Gut gegen die Schulden und setzte dem Ehepaar Bülow eine kleine Pension aus, mit der es sich nach Wien in eine Wohnung am Morzinplatz zurückzog. Der Verwalter Baierl machte sich der Unterschlagung schuldig und wurde 1927 entlassen. Broch verkaufte das Gut gemeinsam mit der Fabrik.

3 Nicht identifiziert.

4 Gemeint ist die in Tannwald sich befindende Firma Lederer & Wolf, die an Brochs Eltern eine Pension zahlte.

5 Broch hatte mit seinem Sohn, teilweise begleitet von Ea von Allesch, eine Reise durch Süddeutschland und die Schweiz bis nach Paris unternommen und seinen Sohn anschließend ins Collège de Normandie gebracht.

32. An H. F. Broch de Rothermann

Spinnfabrik »Teesdorf« Wien, 5. März 1928
I., Rudolfsplatz 13 A

Mein sißer Bursch,
vor allem habe ich richtigzustellen, daß diese »Phonétique du chant« oder wie das Buch heißt, nicht von Tante Allesch, sondern von des Jureks Tante, also Frau Kreisberg[1], gewünscht wird, welche augenblicklich mit ihrem Gesang und einer Konzerttournée Italien erobert.

Den Lapp[2] schicke ich Dir erst heute, weil ich mir ihn noch durchschauen wollte. Eigentlich habe ich zu scharf darauf geschimpft: die Grundzüge der Husserlschen Logik sind sehr klar erfaßt und auch zum großen Teil richtig kritisiert. Aus diesem Grunde ist das Buch unbedingt lesenswert. Die Teile über Rickert und Vaihinger habe ich bloß überflogen. Auch hier erscheint mir die Charakterisierung der Grundprinzipien klar und daher als Einführung höchst belehrend. Daß der Mann so dogmatisch und als braver Schüler völlig in den Fiktionalismus seines Lehrers Vaihinger einmündet, ist natürlich weniger intelligent. Denn es ist klar, daß mit dem Wort »Fiktion« noch gar nichts gesagt ist. Für viele methodische Haltungen, z. B. in der Rechtswissenschaft (etwa die

Fiktion der »juristischen Person«) etc. etc., können selbstverständlich durch die Einführung eines solchen neuen Terminus gewisse methodologische Zusammenhänge aufgedeckt und strengere logische Unterscheidungen getroffen werden. Der Weisheit letzter Schluß ist aber das »als ob« nicht, und der Grundfehler Vaihingers[3] ist es, daß er das gewiß brauchbare methodologische Hilfsmittel zum Stein der Weisen erhoben hat. Das ist beiläufig so, wie wenn ein Physiker meinte, daß die Atome tatsächlich die letzten Bausteine der Materie wären. Im übrigen kannst Du über diese Parallelität nachdenken: die Physik, die zu immer feineren Aufbaupartikeln der Materie gelangen muß, einerseits, die Logik und Erkenntnistheorie, die die Wahrheitsevidenz immer weiter hinausschieben muß, andererseits. Wobei links und rechts der Weg durch methodologische Erwägungen zwingend vorgezeichnet ist.

Anbei auch das Kassabuch. Selbstverständlich muß es mit Bleistift geführt werden.

Empfehle mich den Charliat[4]. Ich bin *sehr* froh, daß Du Dich dort wohl fühlst. Monatsgeld ist abgegangen.

Servus u. gute Wünsche
H.

Lege Dir ein Büchel an, in welchem Du alle Bücher, die Dir genannt werden, einschreibst, resp. jene, die Du Dir zum Lesen vormerkst. Am besten Du gibst zu jedem ein Schlagwort: »Religionsphilosophie«, »Nationalökonomie«, »Logik« etc, etc. – Ich mache es ebenso.

[YUL]

1 Die Lieder- und Konzertsängerin Bertha Kreisberg war mit Broch befreundet. Ihr Mann Ignaz Kreisberg, Inhaber der Firma »Austria-Benzin AG«, besaß Erdölquellen in Galizien. Die Kreisbergs wohnten im Salm-Palais im dritten Bezirk Wiens. Broch de Rothermann arbeitete 1933 für einige Monate als Privatsekretär Kreisbergs.

2 Adolf Lapp (geb. 1888), deutscher Philosoph. Vgl. A. L., *Die Wahrheit. Ein erkenntnistheoretischer Versuch, orientiert an Rickert, Husserl und an Vaihingers ›Philosophie des als-ob‹* (Stuttgart: Spemann, 1913).

3 Hans Vaihinger, *Die Philosophie des Als ob* (Berlin: Reuther & Reichard, 1913[2]).
4 Im Juni 1928 war Broch de Rothermann beim zweiten Teil des Baccalauréats im Collège de Normandie durchgefallen und mußte diesen im September 1928 wiederholen. Charliat war Professor an einem Pariser Gymnasium und erteilte Broch de Rothermann im Sommer 1928 Nachhilfeunterricht. Im September bestand Broch de Rothermann sein Baccalauréat und trat in die Haute École des Sciences Politiques, Section Financière, in Paris ein, wo er drei Semester studierte.

33. An Frank Thiess[1]

Wien, 12. September 1929

Verehrter, lieber Herr Doktor,
Nehmen Sie besonderen Dank für Ihre Zeilen und Ihren so freundschaftlichen Rat. Ob der Huguenau dem Diederichsausschreiben[2], das mich natürlich brennend interessiert, genügen kann, vermag ich wohl nicht zu ermessen. Die Vorschrift »organischer Aufbau anstelle psychologischer Zerfaserung« ist mir nicht ganz klar, da die irrationale Welterkenntnis, die die kognitive Aufgabe aller ernsthaften Schriftstellerei ist, doch nur durchs Seelische führen kann. Der Bereich des Dichterischen wird ja durch die rationale Wissenschaft immer mehr eingeschränkt[3]: unantastbar bleibt bloß der lyrisch-psychologische Rest des Irrationalen, und wenn es da eine Sachlichkeit oder »neue Sachlichkeit« gibt, so ist es doch nur die des Affektiven, das das Geschehen bestimmt und gleichzeitig widerspiegelt. Dieser – für mich auch stark innerlichen – Forderung habe ich mich mit meiner Arbeit zu genügen bemüht; im übrigen kennen Sie ja aus dem Huguenau die Form, mit der ich dies anstrebe. [. . .]

Es ist möglich, daß ich in der zweiten Oktoberhälfte nach Berlin komme, und ich würde mich natürlich ganz besonders freuen, Sie dann sehen zu dürfen. Wenn mein Manuskript abgeschrieben ist, schicke ich es Ihnen aber vorher nach Berlin. Es versteht sich, daß das Buch nicht mehr »Huguenau« heißen kann; es wird dies bloß der Titel des dritten

Teiles sein. Am liebsten würde ich es einfach »Historischer Roman« nennen[4], wenn es buchhändlerisch nicht zu abstrakt wäre. Aber dies festzulegen hat ja noch Zeit; vielleicht können wir doch in Berlin darüber reden.

Mein Urlaub war wunderschön, leider bloß zu kurz. Ich bin sehr ungerne nach Wien zurückgekommen. Samstag fahre ich zum mathematischen Kongreß[5] nach Prag; eine Orgie unglücklicher Liebe. [. . .]

Nochmals wärmsten Dank und herzliche Grüße

Ihres sehr ergebenen
H. Broch

[GW 8, MSC]

1 Frank Thiess (1890-1977), deutscher Schriftsteller. Broch lernte Thiess 1928 in Wien im Hause von Ignaz und Bertha Kreisberg kennen. Vgl F. T., *Freiheit bis Mitternacht* (Wien, Hamburg: Zsolnay, 1965), S. 370 f. Zur Freundschaft zwischen Broch und Thiess vgl. ferner: F. T., *Jahre des Unheils. Fragmente erlebter Geschichte* (Wien, Hamburg: Zsolnay, 1972), S. 64 f. Vgl. auch Brochs »Erklärung« zu Frank Thiess in KW 9/1, S. 403-404. Im Frühjahr 1938 – nach Brochs Haftentlassung, aber vor seiner Emigration nach England – schickte Thiess das Manuskript von Brochs Roman *Die Verzauberung* (Fragment der 2. Fassung) an Edwin und Willa Muir in St. Andrews in Schottland. Vgl. *Selected Letters by Edwin Muir* (London: Hogarth, 1974), Brief vom 17. 5. 1938 an Sydney Schiff (= Stephen Hudson), S. 99.

2 Zur Entstehung der *Schlafwandler-Trilogie* vgl. die »Anmerkungen des Herausgebers« in KW 1, S. 739-760.
Die erste Romanfassung seiner Trilogie *Die Schlafwandler* schickte Broch ein zu dem vom Eugen Diederichs-Verlag in Jena veranstalteten Roman-Preisausschreiben. Der Preis belief sich auf RM 10 000,–. Angezeigt wurde das Preisausschreiben im *Börsenblatt* Nr. 79 (6. 4. 1929), S. 379. Es hieß dort u. a.: »Der Verlag bezweckt damit, daß unsere heutige Dichtergeneration aus innerer Verbundenheit mit der Gegenwart wieder am organischen Aufbau mithelfe und an Stelle psychologischer Zerfaserung zur Deutung des Lebens und so zur Gestaltung der Wirklichkeit komme.« Preisrichter waren neben Frank Thiess Lulu von Strauß und Torney, Paul Fechter und Alfons Paquet. Am 8. 7. 1930 teilte das *Börsenblatt,* Nr. 155, (S. 639 f.) das Ergebnis des Preisausschreibens mit. Der Preis ging an Karl Haensel für dessen Roman *Zwiemann* (Jena: Diederichs, 1930). Es heißt dort: »In engerer

Wahl standen außerdem die Romane von Hermann Broch, *Die Schlafwandler*, Martina Wied, *Das Asyl zum obdachlosen Geist* und Otto Gmelin, *Das neue Reich*«.

3 Vgl. dazu Brochs literaturtheoretische Aufsätze aus den dreißiger Jahren in KW 9/2 und KW 10/1.

4 Der Titel »Die Schlafwandler« stand damals noch nicht fest.

5 Zwischen 1925 und 1930 studierte Broch u. a. Mathematik an der Universität Wien.

1930

34. An Frank Thiess

Wien, 6. April 1930

Mit stets neuer freudiger Überraschung, lieber verehrter Doktor Thiess, oder richtiger, mit großer Rührung sehe ich in jedem Ihrer Briefe, wie Sie sich zu mir und zu meinem Buche stellen und welch eingehendes Verständnis Sie ihm gewidmet haben. Sie haben auch ganz recht, daß im Teil II[1] eine Menge Staudämme aufgerichtet sind, ebenso daß das Nebeninventar mit Symbolcharakteren behaftet worden ist (die dem Leser kaum eingehen, weil er einfach darüber hinwegliest). Daß Sie dies alles bemerkt haben, ist für mich geradezu beglückend, und den leisen Vorwurf, der in Ihre Bemerkung eingeflossen ist, glaube ich entkräften zu können: der Mittelteil wurde absichtlich gestaut, um seinen architektonischen Platz zwischen dem aufsteigenden ersten und dem rasch abfallenden dritten Teil[2] zu fixieren; ebenso ist innerhalb des zweiten Teiles selber die Retardierung von solchen architektonischen Motiven bestimmt. Ich glaube, daß eine völlig durchgeführte und geglückte Architektonik – selbstverständlich ein unerreichbarer Idealfall –, eine Architektonik, die sich nicht nur auf die Handlung und Reflexion beziehen darf, sondern auch die ganze Stimmungslage und den ganzen Stil (bis herab zu jedem Wort und zu jedem Requisit in seiner Symbolbedeutung) zu umfassen hätte, daß eine solche absolute Einheit der Architektur jene Plausibilität und Überzeugungskraft des Kunstwerks darstellt, aus der dann seine innere Logizität entspringt. Was ich an Joyce[3] bewundere, ist seine weitgehende Annäherung an diesen von mir geforderten Idealzustand u. zw. in einer Fülle und Breite und Tiefe des Irrationalen, wie ich es bis dahin nicht erlebt habe. Natürlich weiß ich, daß der Weg, den ich zum Kunstwerk suche und den Joyce mit aller Dezision gegangen ist, nicht der einzige ist, der zum Ziel führt, und daß es auch andere Möglichkeiten gibt, um die Einheit und das Irrationale zu erfassen [. . .], aber für mich ist, wahrscheinlich infolge meiner mathematisch-konstruktivistischen Anlage, ein anderer Weg kaum gangbar. Dabei bin ich mir vollkommen im klaren, wie weit ich von meinem Ziel entfernt bin und bin auch vollkommen überzeugt, daß jene Strecken, die Sie schonend als »verzwickt« bezeichnen, als Symptome jener Mangelhaftigkeit zu werten sind. Dies aber ist auch die Gefahr, die Joyce für mich bedeutet: seit ich den Ulysses gelesen habe, stocke ich mit der Arbeit an einem zweiten Roman, den ich bereits angelegt hatte, weil ich eben eine Parallelität der Bestrebungen und einen zu großen Abstand in den Ausführungsmöglichkeiten sehe. Das ist natürlich nur eine Projektion, denn das Schreiben ist, wie Sie wissen, irgendwie doch eine Notwendigkeit, und der heroische Verzicht ist nicht so leicht zu leisten. Vor allem muß ich eben das Phänomen Joyce erst verdauen.

Joyce erscheint mir aber auch wichtig zum Problem des »Lesers«, das Sie aufwerfen. Der Ulysses ist ein vollkommen unliebenswürdiges Buch, das auf den Leser überhaupt keine Rücksicht nimmt und ihm womöglich auf jeder Seite ins Gesicht schlägt. Das ist natürlich hier kein épater le bourgeois, könnte aber recht gut als Zeugenschaft für die landläufige Ansicht verwendet werden, daß das Kunstwerk allein vom dargestellten Objekt bestimmt zu werden hat. Dennoch scheinen Sie mir auch im theoretischen Sinne recht zu haben, wenn Sie den »Leser« berücksichtigt haben wollen: denn in jedem Kunstwerk steckt auch die platonische Idee der »Wirkung« – natürlich nicht aufs Reale bezogen, sondern eben intentional-platonisch –, und Unverständlichkeit a priori wäre demnach ein ethischer Defekt; es ist eine Art Parallele zum idealen Beschauer[4], der als Argument in die Relativitätstheorie eingegangen ist (damit auch beweisend, daß es keine isolierten geistigen Erscheinungen gibt, und daß das, was auf einem Gebiet, z. B. Physik gilt, auf anderem Wege auch in der Ästhetik und überall anderswo gefunden werden muß).

Schwerer lösbar als alles Theoretische ist aber auch hier das Praktische: welche Verständnisqualitäten darf man von dem gedachten platonischen Publikum noch verlangen? Es ist dies keineswegs eindeutig zu beantworten; Joyce stellt ganz hohe, Hamsun verhältnismäßig sehr geringe Ansprüche an sein Publikum. Es gehört auch hier irgendwie Genie dazu, ja die Lösung der Frage ist vielleicht sogar mit eine der Definanten des Genies, sein sozialer Bestandteil sozusagen. Dazu bin ich überzeugt, daß man mit »Konzessionen an den

Leser« überhaupt nichts machen kann. Für mich ein entsetzlich schweres Problem, denn mich schriftstellerisch und wissenschaftlich auszudrücken, ist mir ja doch Lebensnotwendigkeit, eine Notwendigkeit, die ich zwanzig Jahre unterdrückt habe. Aber ich kann es mir nicht leisten, einen Luxusberuf auszuüben – dazu sind die Verantwortungen und die Lasten, die ich zu tragen habe, zu groß –, und deshalb ist die Verkäuflichkeit dieses Romans, ist die Möglichkeit, mich als Schriftsteller durchzusetzen, für mich von so übergroßer und beängstigender Wichtigkeit. Deshalb aber ist mir auch Ihre Hilfe so besonders wertvoll: es handelt sich ja wirklich um einen Neuaufbau meines Lebens – dahinter das drohende Gespenst der notwendigen Rückkehr in eine industrielle Stellung.

Verzeihen Sie also, lieber verehrter Herr Doktor, daß ich Sie noch mit dem praktischen Kleinkram belästige. Von Fischer[5] haben Sie schon durch Sandor[6] gehört; er hat mir nun auch geschrieben, regt an, Teil II und III einfach zu supprimieren und statt dessen den »Pasenow«, offenbar als eine Art Familienroman fortzusetzen. Also eine Maximalkonzession an Verleger und Publikum, an die ich vorderhand nicht denken will. Dagegen schicke ich das Manuskript an Kiepenheuer[7]. Soll ich ihm auch einen methodologischen Prospekt[8] schicken? Bei Kiepenheuer ist vielleicht die Gefahr vorhanden, daß ihm das Buch zu umfangreich sein wird; soviel ich weiß, hat er bisher bloß kurze Romane gebracht; möglich, daß ihm das Buch auch zu »psychologisch« ist, und daß dies dort als avant-guerre empfunden wird. Darüber ist man sich ja selbst nie im klaren; man glaubt, dem Heute anzugehören und ist unbemerkt doch schon ins Gestern geraten. Formatgemäß würden sich Engelhorn[9] und Zsolnay[10] wohl eher eignen, aber ich bin mit Ihnen völlig einverstanden, dies vorderhand zurückzulassen. Eine gewisse Neigung hätte ich zum Rhein-Verlag[11], einfach deswegen, weil mein schriftstellerisches Über-Ich Joyce dort erschienen ist[12].

Ich schreibe an Kiepenheuer, daß er sich mit der Lektüre möglichst beeilen möge und Ihnen das Manuskript nach Steinhude senden soll, so daß Sie es zu Ostern dort haben. Mit dem Schluß des Esch werden Sie einverstanden sein; er ist, glaube ich, das Gelungenste an diesem zweiten Teile. Für die Rücksendung des Manuskripts danke ich Ihrer verehrten

Gattin besonders, ebenso dafür, daß sie mein Buch gelesen und so wohlwollend gelesen hat. Bitte übermitteln Sie ihr auch herzliche Wünsche zu einer baldigen vollständigen Genesung; ich bin aufrichtig bestürzt, daß Sie in diesem Winter von so viel Ungemach verfolgt worden sind. Hoffentlich erholen Sie sich jetzt; im Tessin muß es um diese Zeit schon herrlich sein [. . .]

Ihr aufrichtiger ergebener
H. Broch

[GW 8, MSC]

1 *1903. Esch oder die Anarchie.*

2 Der dritte Trilogieteil *1918. Huguenau oder die Sachlichkeit* hatte in der ersten Romanfassung nur einen Umfang von 151 Schreibmaschinenseiten; der erste Teil dieser Fassung war 230 und der zweite 283 Seiten umfangreich.

3 Vgl. Brochs 1932 entstandene Studie »James Joyce und die Gegenwart«, KW 9/1, S. 63-94.

4 Broch spielt hier eher auf ein zentrales Problem der Quantentheorie als der Relativitätstheorie an.

5 Broch hatte das Typoskript der ersten Romanfassung seiner Trilogie an den S. Fischer Verlag in Berlin geschickt. Gottfried Bermann Fischer hatte am 27. 3. 1930 (YUL) Broch einen abschlägigen Bescheid erteilt.

6 Árpád Sandor war ein mit Broch, Thiess und Bermann Fischer befreundeter ungarischer Pianist, der in Berlin wohnte.

7 Auch vom Gustav Kiepenheuer Verlag in Berlin wurde Brochs *Schlafwandler*-Manuskript nicht zur Publikation angenommen.

8 Vgl. »Der Roman *Die Schlafwandler*«, in: KW 1, S. 719-722.

9 Im Stuttgarter Verlag Engelhorn war Frank Thiess' Romantetralogie *Jugend* (1924-1931) erschienen.

10 Paul Zsolnay Verlag, Wien. Frank Thiess war Autor dieses Verlages, mit dem er einen Generalvertrag abgeschlossen hatte. Broch schickte das *Schlafwandler*-Manuskript nicht an Zsolnay.

11 Die mit Broch befreundete C. G. Jung-Schülerin Jolande Jacobi hatte Broch auf den Rhein-Verlag aufmerksam gemacht. Dessen Inhaber und Direktor, Daniel Brody, kannte sie seit ihrer Jugendzeit in Budapest. Daniel Brody hatte den Rhein-Verlag erst ein Jahr zuvor, 1929, gekauft.

12 James Joyce' Roman *Ulysses* war – übersetzt von Georg Goyert – 1927 erstmals in deutscher Sprache im Rhein-Verlag erschienen. Die 1930 im gleichen Verlag publizierte zweibändige Ausgabe hatte Broch Anfang 1930 gelesen.

35. An Georg Heinrich Meyer[1]

Wien, 10. April 1930

Sehr geehrter Herr Meyer,
Herr Ernst Schwenk[2] hatte die Freundlichkeit, Ihnen meinen Roman »Die Schlafwandler« zu avisieren. Das Manuskript ist vorgestern abgegangen. Herr Schwenk legt mir auch nahe, Ihnen die methodologischen Grundlagen[3] meines Buches auseinanderzusetzen. Ich will dies gerne versuchen, natürlich mit dem Vorbehalt, der dem (über sein Werk theoretisierenden) Autor immer bleiben muß: daß nämlich dieses als Gestaltung sich allen theoretischen Formulierungen immer wieder entzieht und deshalb unbefangen und ohne Kommentar wie jeder andere Roman gelesen werden soll. Die Theorie kann daher nur eine Seite des methodologischen Aufbaus klären, allerdings jene, die mir persönlich die wichtigste ist. (Es versteht sich, daß ich sie hier bloß in großen, schematischen Zügen entwickeln kann.) [. . .][4]

Ich würde mich sehr freuen, wenn es mir gelungen wäre, Ihnen von den ideologischen Einstellungen, die mich beim Schreiben des Buches geleitet haben, wenigstens einige plausibel zu machen; für ihre Berechtigung allerdings wird, so hoffe ich, der Roman das überzeugendere Argument sein. [. . .]

[GW 8, BB, MSC]

1 Georg Heinrich Meyer (1868-1931), deutscher Verleger (Verlag Georg Heinrich Meyer in Leipzig, Verlag Meyer & Jessen in Berlin) und Verlagslektor bzw. -direktor (u. a. bei Kurt Wolff in Leipzig). Meyer leitete den Rhein-Verlag seit 1929 gemeinsam mit Daniel Brody.

2 Ernst Polak-Schwenk (1886-1947), eigentlich Ernst Polak. Polak war Mitarbeiter der *Literarischen Welt* und publizierte dort unter dem Namen Schwenk, dem Mädchennamen seiner Mutter. Er gehörte dem Prager Kreis an und hatte während der zwanziger Jahre – gemeinsam mit Broch – bei Moritz Schlick an der Universität Wien die Philosophie des Neupositivismus studiert. Auf Anregung ihrer gemeinsamen Bekannten Jolande Jacobi schickte Ernst Polak das *Schlafwandler*-Manuskript an den Rhein-Verlag in München.

3 »Problemkreis, Inhalt, Methode der *Schlafwandler*«, KW 1, S. 723-725.

4 Es folgt hier Brochs Kommentar. Vgl. Fußnote 3.

36. An den Rhein-Verlag

Wien, 12. April 1930

Nehmen Sie besten Dank für Ihre so freundlichen Zeilen; sie haben sich mit meinem gestrigen Brief[1] an Ihren geehrten Herrn G. H. Meyer gekreuzt.

Ich habe das Empfinden, daß meine Bestrebungen mit den Tendenzen Ihres Verlages übereinstimmen und würde mich auch deshalb besonders freuen, wenn Sie sich mit den »Schlafwandlern« befreunden würden. Ich komme auch gerne nach München, falls Sie darüber mündlich sprechen wollen; die Wochen vor und nach den Osterfeiertagen würden mir für diese Reise ohnehin gut passen.

Inzwischen die besten
Empfehlungen Ihres
hochachtungsvoll
ergebenen
Hermann Broch

[GW 8, BB]

1 Gemeint ist Brochs Brief vom 10. 4. 1930.

37. An Georg Heinrich Meyer

Wien, 29. Mai 1930

Hochverehrter lieber Herr Meyer,
da Sie mit so unbehaglichen Ahnungen in Ihre Schicksalstadt Wien gekommen sind, möchte ich mich vergewissern, wie Sie heimgelangt sind. Ich hatte Sie noch abends im Hotel angerufen, Sie aber leider nicht mehr erreicht. Ich hoffe also, daß alles gut vonstatten gegangen ist, und daß Sie bald und mit besseren Gefühlen wieder herkommen und zu begrüßen sein werden. Ich war von Ihrem und Dr. Brodys Besuch aufrichtig erfreut, freue mich der erzielten Verständigung und darauf, Sie in Kürze in München zu sehen. Dr. Brody möge mir bloß rechtzeitig seine Abänderungsanträge schicken. Ich bitte Sie, verehrter Herr Meyer, ihm meine besten Empfeh-

lungen zu übermitteln und mit meinem auch Ernst Schwenks[1] Grüße entgegen zu nehmen. [. . .]

[GW 8, BB]

1 Ernst Polak hatte an der Unterredung Brochs mit Meyer und Brody in Wien teilgenommen.

38. An Daniel Brody[1]

Wien, 7. Juni 1930

Lieber, verehrter Herr Dr. Brody,
schönen Dank für Ihren so freundlichen Brief und für Ihre Anregungen. Ich bin mit vielem durchaus einverstanden und überdies in voller Arbeit. Vor allem: die Gestalt Bertrands wird im ersten Band etwas schärfer beleuchtet, so daß gewisse charakteristische Eigentümlichkeiten plastischer heraustreten werden. Diese Wesenszüge werden dann im zweiten Band in ein wenig schiefer und verzerrter Projektion, also mit dem notwendigen traumhaften Bruch wieder erscheinen (so daß also auch der flüchtige Leser die Identität nicht übersehen kann) und werden dann schließlich in unbewußter Imitation teils von Pasenow, teils von Esch und im letzten Erbderivate von Huguenau übernommen und so in den dritten Teil hinübergerettet. Dieser Vorgang ist ja auch schon in der jetzigen Fassung angedeutet; es liegt aber auch in meiner ursprünglichen Absicht, dies klarer zu machen, und Sie haben mich darin noch bestärkt. Die zentrale Stellung Bertrands für alle drei Teile wird dadurch wesentlich klarer werden. (Ursprünglich wollte ich den Roman auch »Bertrand« nennen, halte aber den jetzigen Titel buchhändlerisch für besser.)

Hingegen halte ich die Vertiefung der Ruzena-Identität für nicht wesensnotwendig. Wohin das Schicksal dieser kleinen Hure führt, ist ja schon im ersten Teil mit ziemlicher mathematischer Exaktheit errechnet. Die Episode bei der Ringkämpferei ist sozusagen bloß die Probe aufs Exempel, soll nicht mehr sein, darf nicht mehr sein, da sonst eine Figur in den Vordergrund verschoben wird, die mit dem in sich abgeschlossenen Teil II eigentlich nichts zu tun hat. Vielleicht läßt sich die Identität noch mit einem oder dem anderen Wort chargieren; mehr möchte ich aber dafür nicht tun.

Mit der »Prostitution« und mit der Elisabeth könnten Sie recht haben. Bei den Gesprächen Bertrand-Elisabeth hat es sich mir darum gehandelt, die Abgeschlossenheit der Fontane-Stimmung zu durchbrechen, das Fenster zu den folgenden Teilen aufzumachen, zu zeigen, daß Bertrand hier ein Fremder ist, und daß sein Schicksal erst abrollen muß, dies alles aber in der Geschlossenheit des »Pasenow« unterzubringen. Die Herausführung der beiden Gespräche aus der »naturalistischen Romantik«, ihre Hinführung ins Sachliche und Abstrakte war also sowohl von architektonisch-formalen Motiven als von solchen der Charakterzeichnung bestimmt (das läuft ja immer ineinander); aber es sind zweifelsohne die »inneren Grenzpunkte« der Erzählung, und die Dinge liegen in beiden Gesprächen sowohl formal als inhaltlich an der Kippe. Ich habe mich mit diesen beiden Kapiteln sehr geplagt und bin überzeugt, daß hier noch einiges zu machen ist; es ist also schon möglich, daß auch die Prostitution noch fallen muß.

Überhaupt zeigt es sich, daß noch allerlei Fassadenreparaturen neben der Ausmerzung der Schreibmaschinenfehler vorzunehmen sind. Nach ein paar Wochen Ruhe kommt alles Mögliche zum Vorschein. Ich muß mich also sehr daran halten, um bis zu meiner Münchner Fahrt möglichst weit mit den Reparaturen und Abänderungen zu kommen; ich werde auch trachten, den Termin meiner Schweizer Reise tunlichst hinauszuschieben und bitte Sie bloß, mir inzwischen Ihre Bemerkungen zum III. Teil zu schreiben, damit wir dann in München ein möglichst komplettes Material vorliegen haben. [. . .]

[GW 8, BB, MSC]

1 Daniel Brody (1883-1969), Verleger. Brody wurde geboren in Budapest als Sohn des Rechtsanwaltes und Budapester Stadtrates Samuel Brody. 1907 erwarb Daniel Brody den Titel eines Dr. jur. an der Universität Budapest. Von seinem Onkel Siegmund Brody

erbte er ein Zeitungsunternehmen *(Neues Pester Journal)* und ein Druckhaus. Nach der Revolution von 1918 ging Brody mit seiner Familie nach Deutschland. Sein Schwiegervater Árpád Spitz hatte eine beträchtliche Beteiligung am Kurt Wolff Verlag in Leipzig erworben, und dort trat Brody 1920 als kaufmännischer Direktor ein. In Georg Heinrich Meyer fand Brody dann einen Mentor und Freund. 1929 erwarb Brody den Rhein-Verlag, weil dieser die Rechte an den deutschsprachigen Ausgaben der Werke von James Joyce besaß. Im Rhein-Verlag erschien Brochs *Schlafwandler-Trilogie* (München, Zürich 1930-1932) und seine *Gesammelten Werke* in zehn Bänden (Zürich 1953-1961). Vgl. auch: Daniel Brody, »Mein Freund und Autor Hermann Broch«, in: *Forum* (Wien) 8/89 (Mai 1961), S. 179-181.

39. An den Rhein-Verlag

Wien, 24. Juni 1930

[. . .] Zu der Bemerkung Golls[1]: das Heraustreten des Autors ist ein ebenso legitimes Kunstmittel wie seine Verborgenheit; es muß bloß wie alles Technische dem Architektonischen untergeordnet werden. Hier gibt es keine Regeln, auch wenn sie von Flaubert aufgestellt sind. Überall, wo die Darstellungstechnik mit zum Inhalt des Dargestellten wird, muß natürlich die werkende Hand mit zum Vorschein kommen, vide ganze Kapitel im Ulysses, Gide, etc. (eine Erscheinung, die sicherlich und, wie ich glaube, auch nachweisbar zur Denkstruktur unserer Zeit gehört). Bei den Schlafwandlern wird das Technische mit der zunehmenden Versachlichung des Inhaltes immer mehr bloßgelegt, und es versteht sich daher, daß man im III. Teil die Stimme des Autors am deutlichsten hört; im I. Teil geschieht dies bloß im allerletzten Satz, der damit zur Vorbereitung und als Überleitung zum Kommenden dient.

Die Purifizierungsarbeit geht langsam, aber gründlich vorwärts. Der »Pasenow« ist fertig und, bis auf weiteres, erscheint er mir stilistisch sehr befriedigend. Nach vielem Nachdenken und allerlei Versuchen bin ich hier zu dem Ergebnis gelangt, daß man die Gestalt Bertrands nicht weiter

»verfleischlichen« darf. Auch dies ist eine Vorbereitung des Kommenden: daß diese Gestalt, obwohl sie noch normal, allerdings mit einer kleinen Wendung zum Abstrakten, agiert und redet, nirgends im eigentlichen Sinne »beschrieben« wird. Ich habe mich also darauf beschränkt, kleine Vertiefungen und Rektifikationen anzubringen und verschiebe die weitere Verdeutlichung auf den »Esch«. [. . .]

[GW 8, BB, MSC]

1 Yvan Goll (1891-1950), deutsch-französischer Schriftsteller. Goll war in den zwanziger Jahren Lektor des Rhein-Verlags gewesen und arbeitete zeitweise als Agent dieser Firma in Paris. Nachdem Brody 1929 den Verlag übernommen hatte, stand Goll in keinem festen Arbeitsverhältnis zum Rhein-Verlag, doch nahm er als freier Mitarbeiter weiterhin Lektoratsarbeiten wahr. Goll bemühte sich zu Anfang der dreißiger Jahre vergeblich, einen französischen Verlag für die Übersetzung der *Schlafwandler* zu interessieren. – Goll hatte sich in einem Brief an Daniel Brody bei seiner Kritik an Broch auf Flaubert berufen, der gefordert habe, daß der Autor im Roman zurückstehen solle und nicht selbst das Wort ergreifen dürfe.

40. An Daisy Brody[1]

Wien, 16. Juli 1930

Hochverehrte gnädige Frau,
die an den Anfang gestellte Anrede ist, wie wir festgestellt haben, konventionell; der Dank, der jetzt folgt, ist es nicht, ist sogar, unter Anwendung eines Plagiates, »innerlich«. Daß ich den Schlafwandlern die gute Stunde in Ihrem Haus[2] verdanke, rechne ich ihnen als ersten Erfolg an, als bestes Omen für die Zukunft. Und um die Wiederholung zu erzwingen, wird wohl nichts anderes übrig bleiben, als weiter Romane zu schreiben, trotz Joyce. Ich glaube sogar – mir ist dies auf der Heimreise klar geworden, im Anschluß an unser Gespräch am Sonntag Nachmittag; ich verdanke es also Ihnen! –, daß es gehen wird. Denn was ich anstrebe und was

in den Schlafwandlern erst angedeutet ist, ist ja doch etwas, das nicht in der Richtung Joyce liegt (etwas, das mir im Schrecken über Joyce abhanden gekommen war), nämlich der *»erkenntnistheoretische Roman«* statt des psychologischen, d. h. der Roman, in dem hinter die psychologische Motivation auf erkenntnistheoretische Grundhaltungen und auf die eigentliche Wertlogik und Wertplausibilität zurückgegangen wird, genau so wie es die Aufgabe der Philosophie gewesen ist, sich vom Psychologismus frei zu machen. Gelingt so etwas, so könnte man (bei aller gebotenen Einschränkung) immerhin von einer neuen Form des Literarischen sprechen. – Wie ich ein wenig Luft habe, schicke ich Ihnen ein paar Kapitel dieses künftigen Buches. Vorderhand das Motto, das den Inhalt umreißt (verzeihen Sie, daß es gereimt ist):

Fühl ich das Staunen? staunt mein Ich?
Von welcher Grenze kommst Du her,
Gedanke, tiefstes Ungefähr!
Im Todesraume schwebe ich,
Schreiend und ewig, Ahasver –[3]

Gemeint die Angst, die aus der Spalte zwischen dem »ich denke« und dem »es denkt« immer hervorbricht, die »philosophische Angst«, die sich letzten Endes doch nur im platonischen »ich denke« beruhigen kann – das Logische im Ethischen. Aber darüber weiter zu schreiben, würde zu weit führen. Jedenfalls wird es ein Buch sein, das die von Dr. Brody verlangte »Moral« sehr sichtbar machen wird, obwohl man wahrscheinlich auch für dieses Buch das grauslige Motto Heraklits setzen könnte (für keines gilt es so sehr wie für den Ulysses): »Am Dreck verrecken«. [. . .]

[GW 8, MSC]

1 Daisy Brody, geb. Spitz (geb. 1889 in Wien), Tochter des Industriellen Árpád Spitz. Sie wuchs in Budapest auf und heiratete dort 1909 Daniel Brody. Daisy Brody übersetzte u. a. Werke von Sinclair Lewis und Arnold Bennet ins Deutsche.

2 Broch hatte die Brodys in den Tagen nach dem 8. 7. 1930 in ihrem Haus in der Königinstraße 35 in München besucht.

3 Brochs Gedicht »Fluch des Relativen« aus seinem Zyklus »Vier Sonette über das metaphysische Problem der Wirklichkeitser-

kenntnis« von 1915 beginnt mit diesen Zeilen. Die Verse gingen – leicht variiert – ein in das »Ahasver«-Gedicht des dritten Teils der *Schlafwandler*. Vgl. KW 1, S. 527; ferner KW 8, S. 15.

41. An den Rhein-Verlag

Wien, 19. Juli 1930

Sehr geehrte Herren,
besten Dank für Ihre beiden freundlichen Briefe. Der »Pasenow« ist mit den letzten Feilungen nach Winterthur abgegangen[1]. Die von Dr. Brody vorgeschlagenen Verdeutlichungen der Pasenowschen Skrupeln ob des eindeutigen Vorlebens Ruzenas sind eingearbeitet worden. Ich hoffe, daß an diesem Band nicht mehr viel zu reparieren sein wird. Kopie meiner Verständigung an die Druckerei lege ich bei.

Ebenso lege ich Kopie meines Briefes an Krell[2] bei, dem ich zur Ergänzung Ihrer Sendung den zweiten und dritten Band, allerdings unkorrigiert, geschickt habe. Ich habe mich inzwischen auch mit Dr. Benedikt[3] in Verbindung gesetzt, dem ich Montag ein Gesamtexemplar zukommen lassen werde. Benedikt selber werde ich voraussichtlich im Laufe der nächsten Woche sprechen. Natürlich kommt für die »Neue Freie Presse« bloß der erste Teil in Frage, und am vorteilhaftesten wäre es wohl, wenn man Ihrem Vorschlag gemäß jeden der drei Teile bei einer andern Zeitung placieren könnte.

Es wird Sie interessieren, daß ich heute bei Braumüller[4] war und von Herrn Fischer[5] [. . .] beschworen wurde, Sie mögen die Propaganda für das Buch ja nicht mit der Joyce-Propaganda verkuppeln [sic], da alle Buchhändler unangenehme Differenzen mit ihren Kunden wegen Joyce hätten: wäre der Ulysses nicht unter Subskription abgegeben worden, so wäre den Buchhändlern das Buch von $^{9}/_{10}$ der Käufer als unlesbar zurückgegeben worden. Er behauptet nun, daß die Parallelstellung der Schlafwandler mit dem Ulysses ihnen im vorhinein das Odium der Unlesbarkeit anheften würde. Auch vor der Dreibändigkeit warnt er, da das Publikum angeblich erfahrungsgemäß bei der Wahl zwischen ein- und mehrbändigen Ausgaben stets die einbändige bevorzuge. [. . .] *Ich* halte beide Einwürfe *nicht* für stichhaltig, besonders da mir persönlich die Parallelstellung mit Joyce so ehrend ist, daß ich sogar dafür Opfer bringen würde. Aber ich möchte gerne *Ihre* Meinung darüber hören.

Über Dr. Brodys Wunsch gebe ich Ihnen anbei eine kurze Notiz[6] über den ethischen Aufbau der Schlafwandler. Ich lege auch ein Résumé[7] bei, das ich seinerzeit für S. Fischer geschrieben habe und das mir jetzt Dr. Bermann[8] retournierte; auch daraus werden Sie einiges über den moralischen Sachverhalt entnehmen können. [. . .]

[GW 8, BB, MSC]

1 Es handelt sich um die zweite Romanfassung des *Pasenow*, die Broch am 19. 7. 1930 an die Buchdruckerei Winterthur AG in Winterthur/Schweiz geschickt hatte.

2 Max Krell (1887-1962), deutscher Schriftsteller. Er arbeitete als Lektor im Berliner Ullstein Verlag. Brody hatte Broch am 15. 7. 1930 gebeten, den *Pasenow* an Krell zu schicken und anzufragen, ob *Die Schlafwandler* zum Vorabdruck in der *Vossischen Zeitung* angenommen werden könnten. Diese Anfrage blieb erfolglos.

3 Ernst Martin Benedikt (Pseud. Erich Major) (geb. 1882), österreichischer Schriftsteller, Sohn des Herausgebers der *Neuen Freien Presse* Moritz Benedikt. Von 1920 bis 1936 war er Chefredakteur der *Neuen Freien Presse*. Auch bei dieser Zeitung bemühte Broch sich vergeblich um einen Vorabdruck seiner Trilogie.

4 Wilhelm Braumüller und Sohn, Buchhandlung und Antiquariat in Wien; heute Wilhelm Braumüller, Universitäts-Verlagsbuchhandlung GmbH.

5 Heinrich Fischer arbeitete vorübergehend in der Buchhandlung Braumüller als Angestellter, war aber auch Mitinhaber der Buchhandlung Berger und Fischer in Wien.

6 »Ethische Konstruktion in den *Schlafwandlern*«, KW 1, S. 726-727.

7 »Der Roman *Die Schlafwandler*«, KW 1, S. 719-722.

8 Gottfried Bermann Fischer (geb. 1897), deutscher Verleger. Er übernahm 1928 als Schwiegersohn von Samuel Fischer die Leitung des S. Fischer Verlags in Berlin.

42. An Daisy Brody

Wien, 26. Juli 1930

Zwar überzeugt, daß Sie, verehrteste gnädige Frau, mir den verspäteten Dank nicht böse auslegen werden, muß ich erklären, daß die Post die Änderung meiner Adresse[1] noch nicht wußte, die Sendungen zu meinen Eltern aufs Land schickte, so daß ich erst vorgestern, zugleich mit Ihrem langen Drei-Tage-Brief, Geschenk und Über-Geschenk – den Hölderlin und den ersten Brief – erhielt. Sie sagen mir so ungeheuer gute Dinge, so viel Optimistisches und Aufmunterndes, daß es »mir die Red' verschlagt« und ich wirklich kaum denken kann. Optimismus kann man ja immer nur von anderen und von außen beziehen – inneren Optimismus gibt es ja nicht, wäre absichtliches Hinwegschwindeln über die Gebundenheit und Unerreichbarkeit aller Ziele – und deshalb braucht man es so sehr, sozusagen als Narkotikum.

Allerdings: der Joyce-Ausschnitt ist ein gutes Gegengewicht (anbei mit vielem Dank retour) gegen allen unberechtigten Optimismus: die paar zitierten Stellen sind von so unsagbarer Schönheit, daß man den Mann erschlagen müßte, um selber weiter schreiben zu können. Es wäre dazu auch noch etwas Theoretisches zu sagen: hinter dem Psychologischen steht wohl das Erkenntnistheoretische, und darüber läßt sich rational und erkennend nicht hinausgehen. Im Irrationalen und Produktiven aber stehen hinter der erkenntnistheoretischen Plausibilität noch weitere Schichten, Schicht um Schicht voller Mythos, und *dort* ist Joyce schon angelangt. [. . .]

[GW 8]

1 Broch war von der Gonzagagasse 7 im ersten Bezirk Wiens umgezogen zur Liechtensteinstraße 23 im neunten Bezirk, wo er bei seiner Freundin Anja Herzog wohnte, die für Broch die Typoskripte der *Schlafwandler* erstellte.

43. An Daniel Brody

Wien, 27. Juli 1930

Lieber verehrter Herr Dr. Brody,

[. . .] Daß Sie meine beiden Résumés brauchen können, freut mich. Auch hiezu noch eine kleine Bemerkung: wir haben ja in München allerlei über das Mystische gesprochen, und ich habe die Meinung vertreten, daß das Mystische (das weitgehend mit dem absolut Ethischen zu identifizieren ist) eine durchaus rationale Basis haben muß, wenn es als »echt« gelten soll. Echte Mystik ist daher stets auf dem rationalen Boden religiöser Logik und Plausibilität entstanden. Daß diese Basis jetzt fehlt, macht die Wendung zum Mystischen, die sich in der modernen Philosophie immer häufiger findet (Heidegger, in kleinerem Format Ewald etc.) so unbehaglich. Dieses sterile Zurückgreifen ins Mystische, vielleicht am deutlichsten bei den russischen Philosophen der Vorkriegsepoche sichtbar, so sichtbar, wie die russische Jugend um 1905 sich tatsächlich (und in der Literatur) ins Erotisch-Mystische flüchtete, gehört zum notwendigen, erkenntnistheoretisch bedingten Ablauf der Geistesgeschichte, und dafür sind auch Pasenow und Esch die Repräsentanten. Würde der Roman in Rußland spielen, so hätte man solche Strebungen (wozu natürlich eine genaue naturalistische Kenntnis Rußlands gehört hätte) viel krasser herausarbeiten können. Ebenso zeigt die russische Revolution kraß und eindeutig den notwendig siegreichen Gegenschlag, für den Huguenau bloß das verkleinerte und in eine andere Umwelt versetzte Abbild ist, wie ja auch für den Typus Huguenau, wenn auch nicht für Huguenau selber, der Weg zur neuen Mystik angedeutet ist, den man, wie ich glaube, auch innerhalb des Bolschewismus schon erkennen kann. Revolutionen werden von der passiven, amoralischen Masse getragen; Sieger ist sie dabei bloß äußerlich. Der eigentliche Sieg liegt in der neuen Ethik, die rational im Werden ist. [. . .]

[GW 8, BB]

44. An Max Krell

Wien, I., Gonzagagasse 7
2. August 1930

Sehr geehrter Herr Dr. Krell,
[. . .] Ich danke Ihnen sehr für die Aufmerksamkeit, die Sie den Schlafwandlern gewidmet haben. Sie haben gewiß recht, daß der zweite und dritte Teil für das Zeitungspublikum weniger geeignet sind. Eine Umarbeitung des Romans aus diesem Grunde halte ich aber nicht für opportun. Nicht nur, weil ich mit diesem Buche Ziele verfolge, die außerhalb des herkömmlichen Romans liegen, sondern auch weil das Buch in seiner jetzigen Fassung sich bereits im Druck befindet und doch nicht zwei verschiedene Lesarten publiziert werden können. Eine Lösung wäre vielleicht noch möglich: nämlich die rein meditativen Kapitel im Zeitungsabdruck einfach auszulassen. Ich würde dies nicht für unmöglich halten, da die Handlung im zweiten und dritten Teil ziemlich viel Spannungselemente enthält, die auch den Zeitungsleser fesseln könnten. Ich kann Ihnen natürlich die Kapitel angeben, die m. E. im Zeitungsabdruck ausgelassen werden könnten, und bitte Sie, mich gegebenen Falles zu verständigen.

Sollten Sie diese Lösung nicht für gangbar halten, so käme bloß Teil I, der übrigens eine in sich abgeschlossene Erzählung darstellt, für den Abdruck in Betracht. Ich würde mich natürlich sehr freuen, wenn Sie, sei es so oder so, zu einer positiven Entscheidung gelangen würden, danke Ihnen nochmals für die freundlichen Worte, die Sie für meine Produktion hatten und bin indessen in aufrichtiger Wertschätzung

Ihr sehr ergebener
H. Broch

[YUL]

45. An Daniel Brody

Wien, 31. August 1930

Lieber Herr Doktor Brody,

[...] Im »Pasenow« gibt es, worauf ich bereits im voraus aufmerksam machte, ziemlich viele Fahnenkorrekturen. Hingegen ist der Esch, der bereits in Winterthur ist, derart durchgearbeitet, daß es außer Druckfehlern kaum etwas zu berichtigen geben wird. Jetzt bin ich beim Huguenau, und da möchte ich Sie einiges fragen: Sie werden sich erinnern, daß der Huguenau mit einer allerdings leichten Parallele zum Odysseus eingeleitet wird[1], und daß die Odyssee-Analogie auch einigemale im Laufe der Begebenheit wieder angedeutet wird. Halten Sie es für notwendig, dies mit Rücksicht auf den Ulysses zu entfernen? Weiters stehe ich vor dem Problem, ob der Huguenau nicht etwa doch um 20 Seiten bereichert werden soll, besonders da der Esch nun auch etwas stärker geworden ist und die Disproportion doch ziemlich groß ist. Der Band wurde ja auch aus diesem Grunde früher »Epilog« genannt. Diese Bereicherung könnte durch die Einführung einer neuen Person, ich denke dabei etwa an eine Pflegetochter Eschs, erzielt werden, eine Figur, die ich leicht zum Zielpunkt der verschiedenen psychischen Tendenzen (fortgeführt aus den beiden ersten Bänden) ausgestalten könnte. Natürlich brauche ich für diese Arbeit etwa drei Wochen, aber ich glaube nicht, daß der Esch früher gedruckt werden wird. [...]

[GW 8, BB, MSC]

1 Vgl. »Huguenau«, KW 6, S. 37.

46. An Daniel Brody

Wien, 16. September 1930

Lieber verehrtester Doktor Brody,
Sie hatten meinen Vorschlag der geteilten Erscheinungstermine so postwendend akzeptiert gehabt, daß ich voller Skrupel war, Ihnen meine Laienmeinung aufoktroyiert zu haben. Es war Mißtrauen gegen Ihr Entgegenkommen und Ihre Liebenswürdigkeit. Daraus ergab sich die Besprechung mit Sachsel[1]. Aber Ihre Gründe sind zwingend, und ich bin mit allem einverstanden. Auch mit dem vorgeschickten Pasenow. Nur möchte ich es sehr gerne doch sehen, daß die beiden anderen noch vor Weihnachten folgten. Das geht ja auch Ihrer Rechnung gemäß aus: der Esch wird mit Ausnahme von Druckfehlern keinerlei Fahnenkorrekturen ergeben (ich wundere mich, daß wir noch keine Fahnen aus Winterthur haben), und den Huguenau arbeite ich mit Doppelschicht.

Die baldige Nachfolge der beiden Bände erscheint mir auch wegen der Kritik geboten: die Besprechungen sollen ja schon mit dem Pasenow herauskommen, sollen aber das ganze Werk umfassen; allzusehr können sie wohl nicht vorauslaufen. Nun zur Kritik selbst: Schwenk kennt wohl den Roman am besten, weiß viel von meinen Intentionen und besitzt sicherlich auch das fundierteste und weitestgespannte Bild der literarischen Weltlage – er wird also sehr sachgemäß den logischen Ort aufweisen, auf den die Schlafwandler gehören. All dies ist mir sehr wichtig, und ich möchte daher eine Besprechung Schwenks nicht missen. Eine andere Frage ist, ob sie gerade in der L. W.[2] erscheinen soll oder anderswo. Thiess wird ganz anders schreiben, weit weniger »wissenschaftlich«, bestimmt viel wärmer und lebendiger, und meiner Ansicht nach viel wirksamer für das Publikum und die Werbung. Nun ist die L. W. keine Publikumszeitung, sondern ein esoterisches Geflügelzüchterfachblatt, und die Werbekraft Tiess' verpufft vielleicht ein wenig vor diesem Parkett von Literaten. Andererseits ist sein Angebot so nett und wahrhaft freundschaftlich, daß man ihn nicht vor den Kopf stoßen darf. Bevor ich ihm also schreibe, müssen wir uns über die Frage schlüssig werden. Am wirkungsvollsten wäre es wohl, wenn Thiess in ein paar Tageszeitungen Feuilletons über das Buch unterbringen könnte, (nicht nur Kritiken im Literaturteil, den niemand liest). Dann blieben für Schwenk die L. W. und der Querschnitt.

Nun aber eine wichtige Sache zum Problem der Rezensionen: der Waschzettel. Ein einfacher Waschzettel (für den ich Ihnen nächster Tage den Entwurf schicke) genügt meines Erachtens nicht für die Rezensenten. Sie hatten nun doch die Absicht, eine entsprechende Information zu verfassen, haben dazu die »Ethische Konstruktion« abverlangt, und ich glaube, daß man auch Thiess und Wirz[3] ein solches Exposé zumitteln müßte. (Material haben Sie ja genug hiefür: meinen ersten Brief vom Mai, das Bermann-Exposé, die ethische Konstruktion und schließlich den Nachtrag über das Mystische vom 27. Juli). Werden Sie also dieses Résumé schreiben? Im Interesse des Huguenau wäre ich sehr froh, wenn Sie mir diese Arbeit abnehmen würden. Außerdem machen Sie es sicherlich besser als ich. (N. B.: ohne Ihnen Vorschriften machen zu wollen, meine ich, daß eine Andeutung über die Stelle dieses Buches zum neuen englischen Roman, also zu Joyce, unbedingt in die Information hineingehört; [. . .] auch im Interesse des Rhein-Verlages!). [. . .]

[GW 8, BB]

1 Hans Sachsel, seinerzeit Inhaber und Leiter der Buchhandlung Braumüller in Wien.

2 *Die Literarische Welt*. Vgl. Frank Thiess, »Hermann Broch: Esch oder die Anarchie«, in: *Die Literarische Welt* (25. 9. 1931). Ernst Polak veröffentlichte keine Rezension über *Die Schlafwandler*. In der Zeitschrift *Der Querschnitt* publizierte Franz Blei die beiden Besprechungen: »Hermann Broch: Pasenow«, 11/3 (März 1931), S. 213 und »Die Sachlichkeit«, 13/4 (April 1933), S. 301.

3 Otto Wirz (1877-1946), deutsch-schweizerischer Erzähler. Frank Thiess hatte Brody auf Otto Wirz hingewiesen. Wie Broch war Wirz ursprünglich Ingenieur, und wie dieser entschloß er sich erst spät zum Schriftstellerberuf. Seinen ersten Roman *Gewalten eines Toren* veröffentlichte er 1923 in Stuttgart bei J. Engelhorn.

47. An Daisy Brody

27. September 1930

Tausend Dank, verehrteste gnädige Frau, für Ihre Zeilen: ich hatte schon solch schlechtes Gewissen, nicht nur Ihnen, sondern auch mir gegenüber. Ich habe mir das Schreiben an Sie für einen ruhigeren Tag aufgespart; das soll man nie tun, besonders wenn man indessen langsam zu Nichts reduziert wird und bald nichts mehr übrig bleiben wird: so sehr fressen mich die Schlafwandler (gemeinsam mit allerlei äußerem Ungemach) auf. Aber über die Widrigkeit des Empirischen will ich nicht jammern. Und von den Schlafwandlern lasse ich mich ganz gerne auffressen; sie verdienen es, denn sie sind – das sehe ich jetzt bei der Korrekturarbeit – doch ein gutes Buch. Ich wollte bloß, ich hätte noch ein Jahr Zeit, um sie völlig blank zu polieren (für mich, kaum für den Leser, der es ja doch nicht merkt). Wenn Sie es noch nicht getan haben, so machen Sie mir bitte die Freude und lesen Sie die »Ethische Konstruktion« (samt Nachtrag über das Mystische), die ich Dr. Brody geschickt habe.

Jetzt habe ich mich derart in den Huguenau[1] hineingelebt, daß ich einen Roman von 300 Seiten daraus machen könnte. Ich muß unaufhörlich bremsen, daß es nicht zuviel wird. Aber ich hoffe, daß er recht anständig aussehen wird, und daß Sie einverstanden sein werden.

Mein Bruder schrieb mir von der lieben Aufnahme, die er bei Ihnen gefunden hat (tief unglücklich, daß er im Reiseanzug erscheinen mußte). Warum meinen Sie, daß ich ihm ein Blaustrumpfbild mitgegeben hätte? Aber richtig ist es, daß wir eine gemeinsame Stimme haben, die wir abwechselnd benützen. Im übrigen habe ich ihn beneidet, daß er in Ihrem Erker[2] sitzen durfte – aber ich hoffe, daß ich es in vier Wochen werde nachholen können und dürfen.

Haben Sie schon den neuen Dos Passos[3] gelesen? Kein Joyce, aber virtuos.

Ich hätte noch eine Menge zu schreiben, lieber zu sagen, – aber das muß jetzt eben hinter dem Huguenau zurückstehen. Von Zeit zu Zeit schaue ich in den Hellingrath[4] – aber auch davon später. [. . .]

[GW 8, MSC]

1 Broch begann damals mit der zweiten Romanfassung des *Huguenau.*
2 Das Haus der Brodys in München besaß einen Erker, in dem sich das Studierzimmer Daisy Brodys befand.
3 John Dos Passos, *The 42nd Parallel* (1930).
4 Norbert von Hellingrath (1888-1916), deutscher Literarhistoriker. Vgl. N. v. Hellingrath, *Hölderlin. Zwei Vorträge* (München: H. Bruckmann, 1921). Offenbar hatte Daisy Brody dieses Buch Broch geschenkt. Vgl. auch Brochs Brief vom 26. 7. 1930. Vielleicht hatte Daisy Brody aber auch einen Band der von Hellingrath edierten Hölderlin-Ausgabe an Broch geschickt. Vgl. *Friedrich Hölderlin. Sämtliche Werke. Historisch-kritische Ausgabe,* unter Mitarbeit von Friedrich Seebass besorgt durch Norbert v. Hellingrath (München, Leipzig: G. Müller, 1913-1923).

48. An den Rhein-Verlag

Wien, 5. Oktober 1930

Lieber Herr Dr. Brody, lieber verehrter Herr Meyer,
ich habe Ihnen für Ihre Briefe vom 22. und 26. September zu danken und Sie wegen meines hochstaplerischen Telegramms[1] von Donnerstag um Entschuldigung zu bitten. Aber der Pasenow erwies sich im letzten Augenblick als so heimtückisch, und die Drohung Herrn Meyers, daß ich am umbrochenen Abzug nichts mehr ändern dürfe, ist mir so in die Glieder gefahren, daß ich noch drei Tage Flaubert-Arbeit an das Buch verwenden mußte. Ich glaube, daß sich die Arbeit gelohnt hat: die letzten stilistischen Unreinheiten sind ausgeputzt und manches konnte noch vertieft werden (was mit Hinblick auf den erweiterten Huguenau notwendig geworden war). Ich bin natürlich mit Zusätzen möglichst sparsam vorgegangen, und im übrigen habe ich mir geschworen, das Buch nicht mehr anzuschauen. Bloß die neuen Korrekturen sind nach dem Umbruch noch auf Druckfehler hin zu prüfen. Ich bitte Sie also, bei der Druckerei zu veranlassen, daß mir diese korrigierten Fahnen wieder mit den Revisionsbögen retourniert werden, dies umsomehr, als die Zeit nicht langte, die neuen Korrekturen in ein zweites Exemplar zu übertragen. Es sind also Unikate.

Beim Esch wird alles viel einfacher gehen. Erstens habe ich jetzt Korrekturroutine bekommen, und es werden weder stilistische, noch Druckfehler wie diesmal stehen bleiben, zweitens ist das Manuskript besser vorgearbeitet, und drittens weiß ich schon, welche Zusätze noch für den Huguenau hier vorbereitet werden müssen. Den Esch werden Sie also in etwa einer Woche in einem Zustand bekommen, daß er eigentlich gleich umbrochen werden könnte. – Mit dem Huguenau, der jetzt durch diese Korrekturen zurückgeblieben ist, wird es dann natürlich seine Zeit brauchen. Aber die Druckerei wird ja ohnehin nicht nachkommen, und da Sie sich auch schon für das sukzessive Erscheinen entschieden haben, so hat es wenig auf sich. Ich meine also, daß Pasenow und Esch gemeinsam Anfang November draußen sein könnten, während der Huguenau Anfang Dezember, jedenfalls aber vor Weihnachten erscheinen sollte.

Ich habe alle Hoffnung, daß wir mit dem Buch und auch mit seinem parzellierten Erscheinen zu einem Erfolg kommen werden. Ich habe jetzt doch wieder einige Distanz dazu gewonnen und bin recht überzeugt, daß die drei Romane auf einem Niveau stehen, das sie doch über das allermeiste in Deutschland Geschriebene hinaushebt, (das sage ich ohne Verliebtheit ins eigene Werk, sondern im Gegenteil mit aller notwendigen Skepsis gegen die eigene Leistung); aber über die literarische Qualität hinaus hoffe ich – und das ist ja für den Erfolg das Wichtigere –, daß die Erzählungen auch im gewöhnlichen Sinn »spannend« sind. [. . .]

Zum Erfolg nun die Propaganda: ich bin mit jeder Propaganda einverstanden, die mich [an] Joyce koppelt. Den Svevo[2] habe ich mir auf Grund Ihres Briefes angeschaut: er ist sicherlich ein gutes Buch, ein endgültiges Urteil konnte ich mir noch nicht bilden, habe bloß den vorläufigen Eindruck, daß der Roman das nicht besitzt, was das Wesentliche bei Joyce ist, was ich (im gebührenden Abstand) gleichfalls angestrebt und zum Teil immerhin verwirklicht habe, nämlich die *architektonische Vielstimmigkeit*. Es ist dies selbstverständlich bloß ein Schlagwort, wenn auch eines mit Hintergrund, ein Schlagwort, das man zwar für eine gemeinsame Propaganda Ulysses-Schlafwandler ausnützen kann, das aber nichts gegen eine solche Schlafwandler-Cosini besagt.

Aber in Propagandadingen brauche ich Ihnen nichts dreinzureden; das verstehen Sie besser als ich. Hingegen bitte ich Sie, keine Gemeinsamkeit zwischen Svevo und mir auf Grund des Österreichertums zu statuieren; Svevo hat den Vorteil, trotzdem als Italiener zu gelten, während ich unweigerlich in Schönherr-[3], bestenfalls Hofmannsthalnähe gerückt wäre. Und das [ist] weder für mich noch für den Rhein-Verlag günstig. Machen Sie also doch das projektierte »Trio« lieber als Irisch-Deutsch-Italienisch auf. Und sehr neugierig bin ich schon auf Dr. Brodys Waschzettel und ethische Konstruktion. Was aber die architektonische Vielstimmigkeit anlangt, so warte ich schon sehr auf den Joyce-Kommentar. [. . .]

[GW 8, BB, MSC]

1 Broch hatte am 2. 10. 1930 telegraphiert: »pasenow abgeht morgen gruesse = broch«.
2 Italo Svevo (Pseud. für Ettore Schmitz) (1861-1928), italienischer Schriftsteller. Der Rhein-Verlag hatte Svevos Roman *Zeno Cosini* auf Empfehlung von Joyce 1928 in sein Verlagsprogramm aufgenommen.
3 Karl Schönherr (1867-1943), österreichischer Schriftsteller, dichtete zum Teil in Tiroler Mundart.

49. An Frank Thiess

Wien, 9. Oktober 1930

Liebster verehrtester Herr Dr. Thiess,
Ihre lieben Zeilen (an die Peregringasse adressiert und daher etwas verspätet eingelangt) kreuzten sich mit meinem Brief. Sie sind ein wahrer Schutzengel der Schlafwandler. Denn soeben erhielt ich einen Prospektentwurf des Verlages, zwar ausgezeichnet von Preetorius[1] entworfen, aber textlich, trotz aller verlegerischen Vehemenz, mit dem Mangel behaftet, daß ihm eben das fehlt, was wir jetzt durch Sie als wahres Gottesgeschenk in Händen haben: der Hinweis auf die Stimme eines bedeutenden Kritikers, der sich für das Werk

einsetzt[2]. Ich schicke den Text Ihrer Voranzeige an den Verlag und hoffe sehr, daß er noch entsprechend verwertet werden kann. Wie sehr ich wieder von Ihrem Wohlwollen und Ihrer freundschaftlichen Obsorge gerührt bin, brauche ich Ihnen wohl nicht mehr zu sagen, könnte es auch gar nicht.

Was Sie zur Frage der Literarischen Welt sagen, hebt die Einwände meines letzten Briefes zum allergrößten Teil auf: ich bin von der Ansicht ausgegangen, daß die Wirkungsmöglichkeit der L. W. auf das bücherkaufende Publikum verhältnismäßig gering sei (bitte sagen Sie das nicht Willy Haas[3]), und daß es dem Publikum ziemlich gleichgültig ist, was im esoterischen Kreis des Literarischen vor sich geht. [. . .] Aus Ihren Zeilen aber geht hervor, daß Sie mit dem Publikum der L. W. sehr wohl rechnen, und in diesem Falle ist der Leitartikel von Ihnen natürlich eine wichtige Sache. Gewichtig auch durch Ihren Namen. Ob der Aufsatz Ernst Schwenks für einen Leitartikel in Frage käme, bezweifele ich: er hat die Absicht, eine Abhandlung über die Beziehung zwischen der Romanmethodik der Schlafwandler und der der neuen Engländer unter Berücksichtigung der erkenntnistheoretischen Hintergründe zu schreiben. Sicherlich etwas, das interessant zu werden verspricht und mich freuen würde – denn Schwenk ist ein sehr gescheiter Kopf –, dennoch etwas, das mit dem von mir aufgeworfenen Problem eigentlich nichts zu tun hat, weil es sich für mich nicht um die Entscheidung »Frank Thiess-Schwenk« handelt, sondern lediglich darum, ob die L. W. für Ihre Stimme das wünschenswerteste Podium sei.

Daß ich das Problem so sehr unter dem Gesichtswinkel der Publikumswirkung und damit des Buchabsatzes aufgestellt hatte, diese sehr kommune ökonomische Betrachtungsweise müssen Sie verzeihen: bei der stets zunehmenden Finanzunsicherheit, von der wir erfaßt werden, droht der schriftstellerische Erwerb zu einem wichtigen Faktor meiner realen Existenz zu werden. Weitgehend scheint mir ja, wie gesagt, das Problem durch Ihre Ausführungen bereits entschieden: die letzte Entscheidung (und darin ist mein Brief nicht aufgehoben) müssen aber Sie und Ihre bessere Einsicht treffen. Und die Bequemlichkeit dieses Standpunktes müssen Sie gleichfalls verzeihen, umsomehr als Sie mir immer wieder vor Augen führen, wie richtig Sie die Dinge beurteilen.

Ich freue mich von ganzem Herzen, daß Ihnen der Pasenow noch immer gefällt, und mir tut es nur leid, daß Sie nicht die letzte Fassung in Händen haben, in der ja doch noch allerlei purifiziert worden ist. [. . .]

[GW 8]

1 Emil Preetorius (1883-1973), Mitbegründer der Münchner Schule für Illustration und Buchgewerbe; seit 1927 Professor an der Bayrischen Akademie der Schönen Künste in München. Er entwarf die Schutzumschläge der im Rhein-Verlag erschienenen Ausgabe des *Ulysses* und der *Schlafwandler*.
2 Thiess' Rezension in der *Literarischen Welt* (siehe Brief vom 16. 9. 1930, Fußnote 2) wurde auf der Rückseite des Schutzumschlags der Ausgabe des *Pasenow* zitiert.
3 Willy Haas (1891-1973), deutscher Literaturkritiker. Er gründete 1925 zusammen mit Ernst Rowohlt in Berlin die Wochenzeitung *Die Literarische Welt*, deren Herausgeber er bis 1933 war.

50. An Georg Heinrich Meyer

[Wien, 15. Oktober 1930]

Vielen Dank, verehrter lieber Herr Meyer, für Ihre Karte. Wenn Sie zu den Namen Gide, Joyce, Huxley auch noch Lawrence oder Proust anfügen wollen, so sei es Ihrer Entscheidung überlassen. [. . .] Es handelt sich mir selbstverständlich nicht darum, alles zusammen zu tragen, was gut und teuer ist und gut klingt, sondern lediglich die Aufmerksamkeit von »Ramuz«[1] abzulenken. Zu dem ich eben keine Verwandtschaft entdecken kann. [. . .]

[GW 8, BB]

1 Charles Ferdinand Ramuz (1878-1947), Schweizer Schriftsteller französischer Sprache. Das Hauptthema seiner Romane ist das Leben der Bauern seiner waadtländischen Heimat. G. H. Meyer hatte Broch Ramuz' Roman *Das große Grauen in den Bergen*, deutsch von Werner Joh. Guggenheim (Leipzig, Stuttgart: Union, 1927) zur Lektüre zugeschickt.

51. An Georg Heinrich Meyer

Wien, 17. Oktober 1930

Hochgeehrter lieber Herr G. H. Meyer,
herzlichen Dank für Ihre Briefe v. 14. und 16. ds., herzlichen Dank für Ihre Bemühungen im Interesse der Schlafwandler. Es wird schon alles gut gehen. Und seien Sie nicht böse, daß ich Ihnen bei der Inseratenformulierung dreingeredet habe. Aber da ich die Sache nicht mit den Augen des Fachmannes, der Sie sind, sondern mit denen des bücherkaufenden Publikums, *das ich war,* anschaue, so kann vielleicht solche Stimme aus dem Volke nicht schaden. Auch jetzt möchte ich noch etwas bemerken: alle Namen anzuführen, Joyce, Gide, Proust, Huxley, Lawrence, Powys[1], erscheint mir etwas viel und kann den Leser verwirren, umsomehr als es zum Teil heterogene Erscheinungen sind. Ich habe die Namen bloß zur Auswahl geliefert (eine wirkliche Verwandtschaft fühle ich ja bloß zu Joyce und Gide), während die Formulierung Ihnen überlassen bleibt. Sie werden es schon richtig machen.

Den Ramuz habe ich übrigens zu Ende gelesen. Sie haben recht, es ist ein gutes Buch, wenn auch ganz außerhalb unserer »westlichen« Linie liegend. [. . .]

[GW 8, BB]

1 John Cowper Powys (1872-1963), englisch-walisischer Dichter. Broch kannte Powys' 1929 (bzw. auf Deutsch 1930) in drei Bänden erschienenen Roman *Wolf Solent*.

52. Telegramm an den Rhein-Verlag

Wien, 24. Oktober 1930

habe zur auffüllung der seiten 169 und 170 ein neues kapitel[1] angefügt grüße = broch

[GW 8, BB]

1 Vgl. KW 1, S. 113 ff. (»Der Diener Peter . . .«).

53. An Daniel Brody

Wien, 27. Oktober 1930

Lieber Herr Dr. Brody,

[...] Also anbei der Rest des Pasenow. Ich wiederhole: erschrecken Sie nicht über die Korrekturen, sie sind alle genau ausgezählt, auch die scheinbar größeren etwa auf S. 175 oder S. 193; die Auswechslungsarbeit ist also für den Setzer keinesfalls bedeutend. Bloß die letzte Seite (jetzt 272) muß frisch gesetzt werden. Die Einschaltungen waren dort unbedingt notwendig. Der Anfang von Teil IV rutscht nun automatisch auf die nächste (rechte) Seite, und auch das ist in Ordnung.

Ihr Au-Ruf hat mich erschüttert, aber ich kann nichts dafür. Am 20. erhielt ich die letzten Bogen, und am 22. habe ich bei Ihnen angefragt, was man mit der ominösen Seite 170 anfangen könnte, hatte also bestimmt damit gerechnet, noch von Ihnen Antwort zu erhalten, ehe die Sache zur Druckerei kommt. Aber das Malheur kann ja dort nicht sehr groß sein. Ich habe also jetzt ein Kapitel dazugedichtet, welches natürlich gleichfalls beiliegt. Aus künstlerischen Gründen ist mir das Kapitel sehr willkommen, da ich die Gestalt der Elisabeth etwas vertiefen konnte, buchtechnisch geht es ausgezeichnet aus: allerdings wäre es zu kurz geraten, wenn ich mich auf S. 169/70 beschränkt hätte; ich habe es also auf zwei weitere Seiten ausgedehnt, so daß es also auf Seite 172 unten endet. Teil III. beginnt mithin auf S. 173, und das ganze Buch hat nun 2 Seiten mehr. (Teil IV. steht also auf S. 274.) Das neue Kapitel hat 109 Zeilen zu je 48 Buchstaben, ist auch im Manuskript so geschrieben. Zur Verfügung sind (unter Einrechnung von zwei freien Zeilen vor diesem Kapitel) 111 Zeilen, so daß also der Drucker unbedingt auskommen sollte. Sollte dies wider Erwarten nicht geschehen, so könnten einzelne, im Manuskript rot eingeklammerte Worte ausgelassen werden. Aber womöglich bitte nicht!

Leider wird ja jetzt noch eine Revision der neuen Korrekturen nötig sein. Lieber wäre es mir, wenn Sie das besorgten, denn ich fürchte, daß mich die Korrekturleidenschaft nochmals packen könnte (umsomehr als ich von den jetzigen Ausbesserungen jede einzelne vertreten kann), aber ich werde mich bezähmen; Sie können mir also die Korrektur ruhig zuschicken; *ich* werde sie einfach nicht anschauen, sondern Fräulein Herzog wird es bestens besorgen.

Mit dem Esch steht es so, daß ich ihn bereits nahezu fertig hatte, als der umbrochene Pasenow eintraf. Aus Schreck habe ich einesteils ihn zugunsten des Pasenow liegen lassen, andersteils aber die korrigierten Bogen zurückgehalten, da ich sie nun nochmals durchgehen will, um nicht wieder im umbrochenen Exemplar solche Überraschungen zu erleben. Ich meine, daß Sie mit diesem Vorgang einverstanden sein werden und schicke Ihnen also die Esch-Korrekturen in ein paar Tagen nach München.

Ein kleiner Nachtrag zu den Pasenowbogen, die schon in Winterthur sind: auf S. 85, Zeile 8 von unten, heißt es zweimal »ist aus«. Da dies von Ruzena gesprochen wird, heißt es dialektrichtig »is aus«. Keine bedeutende und wichtige Angelegenheit, aber wenn Sie die beiden t noch herausbekommen, soll es recht sein.

Damit Sie mir auf meine Korrekturen nicht allzu sehr schimpfen, schauen Sie sich an, was bei Schlamperei herauskommt. Bei Gläser[1], dem neuen Roman »Frieden«, S. 25, steht neben allerlei anderem Herrlichen folgender herrlichster Satz:

»Sein Schwanz trug kahle und räudige Flecken, er setzte sich in Galopp, als er uns um die Ecke biegen sah, weil er einen Knochen hatte.«

Sie können diese Obszönität, die man sich gar nicht vorstellen kann in all ihrer Wüstheit, selber nachlesen. Und im neuen Feuchtwanger[2], in den ich auch en passant geschaut habe, geschieht gleichfalls manch Merkwürdiges. [. . .]

[GW 8, BB, MSC]

1 Ernst Glaeser (Pseud. für Anton Ditschler) (1902-1963), deutscher Schriftsteller. Vgl. E. G., *Frieden* (Berlin: Kiepenheuer, 1930).
2 Lion Feuchtwanger, *Erfolg* (Berlin: Kiepenheuer, 1930).

54. An H. F. Broch de Rothermann

27. Oktober 30

Lieber Hermann, Dein Brief datiert v. 18. traf am 21. hier ein und mich einesteils in einer Grippe, andererseits in schwerster, dringendster Arbeit. Ich konnte also bloß fürs erste nur Krafft[1] telephonieren und habe mit ihm handeln müssen, daß er mir die S 100.– für Dich freigibt. Am 1. bekommst Du S 250.–, und ich werde sie Dir wunschgemäß gleich in Dinar umwechseln[2]. Deine Wünsche äußerst Du stets im allerletzten Augenblick, dann aber in um so dringenderer Form und bist dann enttäuscht und beleidigt, wenn nicht alles auf den Tag eintrifft. Es war unter diesen Umständen ganz unmöglich, sofort zu Kreisberg zu rennen. Trotz meines Zeitmangels war ich aber nun vorgestern dort, und heute oder morgen gehe ich nochmals hin, um die Expedition vorzunehmen.

Der erste Band der Schlafwandler ist endlich definitiv fertig geworden. Mit den beiden andern Bänden werde ich noch intensivst bei 14 bis 16-stündiger Arbeitszeit 4 Wochen zu tun haben. Das ist natürlich jetzt das Allerwichtigste, und wenn ich die dringendsten geschäftlichen Unterhaltungen noch einschiebe, so bleibt natürlich überhaupt keine Zeit. Augenblicklich ist also das Umsehen für eine Stellung für Dich eine kaum tragbare Zeitbelastung, die außerdem nicht sehr vielversprechend ist, da ja jede in Betracht kommende Stelle mit einer Vorstellung Deinerseits verbunden wäre. Auf alle Fälle werde ich mich aber im Ministerium wegen der Fliegerei erkundigen. Ich halte es zwar nicht für den erstrebenswertesten Beruf, umso weniger, als ich von der zeichnerisch-karikaturistischen Begabung und Deinen sonstigen Talenten viel halte. Ich meine z. B., daß Dir der Journalismus viele Möglichkeiten gäbe, besonders da er auch einen Zugang zum Karikaturistischen einerseits, zu Film und Theater andererseits darstellen kann. Die Sun-Sache[3] lasse ich nicht aus dem Auge; hingegen ist mit Kanada nichts, wie Du aus beiliegenden Briefen entnehmen kannst.

Auf die mir versprochenen illustrierten Novellen[4] warte ich noch immer. Schicke sie doch vorerst unillustriert. Kannst Du schon etwas Italienisch[5]?

Sonst kann ich Dir nicht viel erzählen. Geschäftlich ist die Lage noch immer unverändert und unsicher. Fritz ist zurückgekehrt, hat seine Patente halb schon verkauft; hoffentlich wird etwas daraus.

Für heute alles Gute und sei herzlich gegrüßt.

Hermann

[YUL]

1 Ludwig Krafft (bzw. Krafft-Kennedy) (1887-1964), Wiener Rechtsanwalt der Familie Broch und Testamentvollstrecker Joseph Brochs. Nach dem Tode Hermann Brochs betreute der dann in New York tätige Anwalt die Hinterlassenschaft des Dichters.

2 Durch Fred Wesely (vgl. Brief vom 16. 3. 1925, Fußnote 2), der damals für Thomas Cook & Sons in Kairo tätig war, hatte Broch de Rothermann Kontakt zu der Baumwollhandelsfirma Heß aufgenommen, die eine Niederlassung in Alexandria/Ägypten unterhielt. 1931 ging Broch de Rothermann für drei Monate nach Alexandrien, um dort als Volontär bei der Firma Heß zu arbeiten. Bei dieser Gelegenheit lernte er auch Rudolf Heß, den Sohn des Firmeninhabers und späteren Stellvertreter Hitlers, kennen.

3 Broch de Rothermann war damals mit dem Engländer John Higgins befreundet, mit dem ihn vor allem ein gemeinsames Interesse am Tennisspiel verband. Higgins war Petroleum-Ingenieur und besaß ein Patent auf eine neuartige Zähluhr für Benzinpumpen, das er gemeinsam mit Broch de Rothermann an die Sun Oil Co. verkaufen wollte. Broch de Rothermann bat seinen Vater, sich bei Ignaz Kreisberg, der an die Sun Oil Erdöl verkaufte, für das Patent zu verwenden. Aus dem Projekt wurde allerdings nichts. (Vgl. auch den Brief vom 5. 3. 1928, Fußnote 1.)

4 Broch de Rothermann übersetzte und illustrierte nebenbei Novellen, die er allerdings nicht publizierte.

5 Broch de Rothermann hielt sich häufig in Italien auf. 1931 verbrachte er dort neun Monate. Er war damals mit der Italienerin (halbe Österreicherin) Traudl Attems verlobt.

55. An Daniel Brody

Wien, 31. Oktober 1930

Mein lieber verehrter Doctor Brody,
in Ihrer Mahnung an mich, nicht nervös zu werden, schwebt

unverkennbar und silberhell der Ton Ihrer eigenen Nervosität und Ungeduld. Ich begreife und teile sie (trotz Ihrer Mahnung), furchtbar ungeduldig, das Buch endlich heraus zu bekommen. Aber einige Fakten: die Esch-Fahnen tragen den Stempel 28. September und sind am 30. September hier angelangt. Die Arbeit an ihnen war am 15. Oktober schon ziemlich fertig, als der unglückselige Pasenow dazwischen kam, weiters Ihr Wunsch, die Traumkapitel zu verzuckern. Ich *mußte* den Esch also liegen lassen, um nur vorerst den Pasenow (dessen Tücken ich ja ahnte) fertig zu machen. Ich habe hiezu knapp eine Woche gebraucht (die letzten Pasenowbogen tragen den Stempel 18. Oktober, sind also am 20. gekommen und am 27. sind sie nach München gereist), und das ist mit Hinblick auf das neue Kapitel ganz rasch gearbeitet gewesen. Ich schreibe dies nicht, um Ihnen meinen Fleiß vor Augen zu führen, wohl aber um mich selbst zu beruhigen, daß ich an der verhältnismäßig langsamen Entwicklung nicht schuldtragend bin, sondern daß es eben in der Sache selbst, in deren Technik liegt. – Jetzt bin ich mit Hochdruck wieder beim Esch und den leidigen Traumkapiteln, hoffe sehr in ganz wenigen Tagen damit fertig zu sein. Natürlich könnte ich Ihnen schon die erste Hälfte des Esch schicken, aber vielleicht ergeben die Neufassungen in den Traumkapiteln einige Änderungen im Vorhergehenden.

Technisch: der Esch langt in einem Zustand ein, daß er sofort umbrochen werden kann. Ich bin auch ziemlich sicher, daß dann im Umbruch keine Änderungen mehr vorkommen werden (wenn auch durch das veränderte optische Bild manches erst deutlich wird). Ich glaube also mit aller Verantwortung sagen zu können, daß Sie dann *sofort* den Umbruch vornehmen sollen und sich gleichzeitig ausrechnen, ob die Kapitel alle links unten endigen, rechts oben beginnen. Sollte es nicht so einzuteilen sein, so müßten Sie mir das Exemplar umgehend retournieren, damit ich die notwendigen Streichungen resp. Zudichtungen machen kann. Keinesfalls darf es wieder so wie beim Pasenow ergehen.

Pasenow anlangend, ein Vorschlag zur Güte: Sie lassen sich also die Fahnen samt meinem Korrekturexemplar nach München kommen und werden die Revision vornehmen. Sehr einverstanden. Aber lassen Sie mir außerdem auch noch ein Exemplar nach Wien schicken. Ich habe eine Parie des Korrekturexemplars hier, so daß ich auch meinerseits, resp. Fräulein Herzogs-seits[1], eine Revision vornehmen kann. Vier Augen sehen mehr als zwei, und sechs mehr als vier. Und außerdem können Fräulein [Herzog] und ich die neuen Texte auswendig, so daß wir eventuelle Fehler leichter entdecken. Ich verspreche Ihnen, daß keine neuen Abänderungen gemacht oder vorgeschlagen werden. Und außerdem sind Sie befugt, das Buch ohne Rücksicht auf meine Revision zur Fertigstellung zu geben, falls Sie nicht innerhalb 48 Stunden meinen Revisionsbericht haben. Damit habe ich mir wohl die Hände genügend gebunden. Ich möchte bloß, daß keine Fehler stehen bleiben. [. . .]

[GW 8, BB, MSC]

1 Anja (Anna) Herzog (1900–1980). Sie war von Rumänien nach Wien gekommen, wo Broch sie 1927 kennenlernte. Während der Entstehung der *Schlafwandler* half sie Broch bei der Erstellung der Typoskripte. 1938 emigrierte sie über Frankreich nach Mexiko.

56. An Daniel Brody

Wien, 4. November 1930

Lieber verehrter Doctor Brody,
nein, der Himmel war nicht getrübt und soll sich auch nicht trüben. Und was da gebosselt und gefeilt wurde, ist – das sehe ich jetzt an den eben eingelangten Fahnen – im Interesse des Buches geschehen. Ich bin jetzt mit dem Pasenow durchaus zufrieden; er ist ein sehr gutes Buch geworden. Ich habe alle Zuversicht, daß wir damit einen Erfolg haben werden.

Also schönen Dank für die Übersendung des Pasenow. Ich bin sofort darüber gegangen, schicke eben die ersten 7 Bogen nach Winterthur, wohin ich lt. beiliegender Kopie schreibe, resp. telegraphiert habe. Ich habe in den neuen Korrekturen ein paar Kleinigkeiten gefunden, die sich zum Teil wahrscheinlich mit Ihren Revisionen decken werden. Es sind aber nur Kleinigkeiten. Natürlich sollen sie womöglich berücksichtigt werden. Der Rest geht sodann morgen gleichfalls nach Winterthur.

Übermorgen erhalten Sie die erste Hälfte des Esch. Ich bin sehr froh, daß Sie sofort den Umbruch besorgen. Ich hoffe sehr, daß es dann hier nicht mehr viel zu korrigieren geben wird; es ist jetzt schon weitgehend alles purifiziert, so daß wohl nur mehr die Frage der Kapitelenden eventuell auftauchen wird. Nur die Traumstücke machen mir noch Kopfzerbrechen, aber irgendwie werde ich Ihrem Wunsch entgegenkommen können. [. . .]

[GW 8, BB]

57. An Daniel Brody

Wien, 6. November 1930

Lieber Doctor Brody,
ich habe mich gefreut, heute Ihre Stimme gehört zu haben. Dank für Ihre Karte. Wie ich Ihnen sagte, habe ich in einem Baedeker der 90er Jahre Dahlem bereits als Villenkolonie angeführt gefunden. Bei der rapiden Entwicklung Berlins ist es natürlich, daß im Jahre 1888 dort nichts als Gras war. Aber jedenfalls ist das Malheur kein sehr großes. [. . .]

[GW 8, BB]

58. An den Rhein-Verlag

Wien, 8. November 1930

Lieber Herr Doctor Brody, lieber Herr Meyer,
anbei der erste Teil des Esch zum Umbruch. Bitte vergessen Sie nicht, daß er links unten, also auf gerader Seitenzahl, enden soll. Und wenn es nicht ausgeht, so schreiben Sie mir bitte gleich, damit ich das Kapitel durch ein paar Zeilen ergänzen kann.

Sie bekommen jetzt jeden Tag einen Teil, so daß das Buch in drei Tagen ausgeliefert ist.

Mit dem Pasenow geht jetzt hoffentlich alles glatt vonstatten. Lassen Sie mir ihn aber bitte ja nicht mehr schicken. Ich möchte ihn mein ganzes (hoffentlich) langes Leben nicht mehr wiedersehen. [. . .]

[GW 8, BB, MSC]

59. An Daniel Brody

Wien, 16. November 1930

Lieber Doctor Brody,
anbei Fortsetzung bis S. 355, d. i. bis zu den Träumen, die nach wie vor das schwierigste Problem sind. Ich hoffe aber, die richtige Lösung zu haben, mit der auch Sie einverstanden sein werden (Sie als Verleger), und daß ich sie morgen oder übermorgen abschicken werde. Leider war ich in den letzten Tagen wieder einmal sehr gehandicapt, da die geschäftlichen Sorgen, von denen ich Ihnen anläßlich Ihres letzten Besuches sprach, in ein akutes Stadium getreten sind. Aber auch darüber wird man jetzt hinwegkommen.

Vielen Dank für Ihre Zeilen. Wenn die M 2.85-Bücher tatsächlich den Markt so überschwemmen, ist es eigentlich ein rechtes Glück, daß die Schlafwandler in drei getrennten und billigeren Büchern statt als teueres Gesamtwerk erscheinen. Und ebenso bin ich glücklich, daß ich durch diese Teilung die Korrekturen nicht überhetzen muß. Ich habe jetzt den neuen Musil[1] bekommen; die 12 Jahre Arbeit und Feilung haben das Buch zu einer wirklichen Leistung gemacht; es steht turmhoch über all den Geschwind-Romanen. [. . .]

Schließlich noch zur Vermeidung eines Dahlem-Westends[2]: sind die Titel »Zolloberrevident« und »Oberaufseher«[3] im deutschen Zoll- resp. Gefängnisdienst normiert? es muß doch auch in Deutschland so wie bei uns einen Amtschematismus geben, in dem man nachschlagen kann. [. . .]

[GW 8, BB, MSC]

1 Robert Musil, *Der Mann ohne Eigenschaften,* Band 1 (Berlin: Rowohlt, 1930).
2 Vgl. Brief vom 6. 11. 1930. Statt »Dahlem« wurde bei der letzten Korrektur des *Pasenow* »Westend« eingesetzt.
3 In der letzten Fassung des *Esch* trägt Balthasar Korn den Titel eines »Zollinspektors«.

60. An H. F. Broch de Rothermann

13. 12. 30

Lieber Hermann, endlich kommt Dein Brief. Ich bin schlechterdings entsetzt, daß Du Dir so lange Zeit läßt, denn aus Weselys Schreiben geht doch klar und deutlich hervor, daß *jetzt* die Aufnahmstermine in Ägypten sind[1]. Du hättest also eigentlich schon auf dem Weg, und zwar dem allerdirektesten, sein müssen, und wenn Du nach Deinem Programm in etwa 1 Monat beritten in Kairo einziehst, so fürchte ich sehr, daß Dir die schönsten Breeches nicht zu einem Posten verhelfen werden.

Du darfst nicht vergessen, daß die Weltkrise ein Land nach dem andern erfaßt. Alles was man tun kann, ist ihr voranzueilen, jene Insel zu finden, die sie noch nicht erreicht hat, damit man sich dort halbwegs ein Dach zimmert, unter dem man sitzen kann, wenn sie kommt.

An dem Beispiel L. & W.[2] kannst Du sehen, wie die jetzige Zeit Vermögen von *Pfund*-Millionen einfach wegrasiert. Es gibt überhaupt keine sichere Vermögensanlage mehr. Bis vor kurzem glaubte man, daß Grund und Boden unangreifbar wären: innerhalb dreier Monate sind die Bodenpreise in Mitteleuropa auf ein Drittel gefallen. Die Hälfte des aristokratischen Großgrundbesitzes ist in der letzten Zeit verarmt, eigentlich an den Bettelstab gebracht. Dabei *wissen* sie es zum großen Teil selber nicht, denn sie haben ja noch Verpachtungsverträge etc. und werden erst in ein paar Jahren erkennen, daß sie längst Bettler geworden sind. *Schein-Inseln innerhalb eines bereits im vollen Gang befindlichen Weltbolschewismus.* Daß dieser noch nicht politische, sondern bloß ökonomische Formen angenommen hat, ist vollständig gleichgültig. Im übrigen wird die ökonomische Struktur die politische notwendig entsprechend verändern.

Du kannst sagen, daß es ein Unglück ist, in einer solchen Zeit geboren zu sein. Nun kann man sich die Zeit nicht aussuchen, und eine jede hat ihre Schattenseiten. Man muß nur schauen, aus ihr the best of it zu machen. Keinesfalls kann man aber dies, wenn man die Augen vor den Tatsachen verschließt. Tatsachen sind aber immer stärker, und sie rächen sich für ihre Ignorierung in der grausamsten Weise (L. & W.). Nebenbei aber gibt einem eine derart tatsachenreiche, wahrhaft revolutionäre Zeit, abgesehen davon, daß sie interessanter als jede andere ist, eine Mannigfaltigkeit von Chancen, wie sie früher nie bestanden haben. Allerdings: mit Ideen, daß man kein outcast sein kann, daß man nicht III. Kl. fahren *kann,* daß man seine Faulheit als eine Gottgegebenheit ansieht, sich bei seinem »nicht glücklichen Charakter« befriedigt, mit derartigen Anschauungen segelt man prächtig in den Untergang hinein. Ich möchte auch nicht, daß Du mir solche Sachen schreibst, denn Du machst mir damit jede Unterhaltung und jedwede Verständigung mit Dir unmöglich.

Ich will Dir nicht predigen. Aber aus Deinem Brief habe ich den Eindruck eines Menschen, der sich mit allen Kräften an jene oberwähnte Schein-Insel klammern will, der sich daher auch immer an Leute anschließt, die mit ihm diesen gleichen Traum träumen wollen: eine Atmosphäre, die von der der Pension Karolina gar nicht so weit entfernt ist, wie Du vielleicht denkst. Und im vorliegenden Fall: ein Mensch, den man bei einem Schiffbruch einen Rettungsgürtel hinhält, und der antwortet, daß er erst seine Bridgepartie zu Ende spielen, sodann sich einen Kapitänsanzug anziehen muß, bevor er ins Rettungsboot steigt.

Ich behaupte nicht, daß Kairo das einzige Rettungsboot ist. Und absolut seetüchtig ist überhaupt kein Rettungsboot. Aber Du hast schon sehr viele Boote versäumt, und eines nach dem anderen stößt ab. Praktisch gesprochen: etwas *muß* jetzt geschehen und muß mit aller Energie durchgeführt werden. Daß unter den obwaltenden Umständen für Experimente immer weniger Geld zur Verfügung steht, liegt auf der

Hand. Was Kairo anlangt, so setze ich dieses Experiment bloß mit Mühe gegen Krafft, Fritz etc. durch. Du kannst Dir vorstellen, *wie* schwierig dies ist, wenn Wesely schreibt, daß man mit £ 12.- auskommt, während Du über Information einer Engländerin von der Schein-Insel gleich das Doppelte verlangst. Nichtsdestoweniger soll Deinem Wunsche entsprochen werden: ich werde erstens trachten, Dir II. Kl. zu zahlen (bitte aber jetzt postwendend Information), weiters werde ich Dir für den ersten Monat Kairo £ 25.-, für den zweiten £ 20.-, für den dritten £ 15.- und für den Rest des Jahres £ 10.- geben können, (vorausgesetzt, daß keine neuen Katastrophen eintreten, was hoffentlich nicht der Fall ist). Über das hinaus ist aber absolut nichts mehr aufzutreiben. Weihnachten hast Du reichlich voreskomptiert: mehr als das beil. Pfund kannst Du leider nicht bekommen. Was die Sachen anlangt, so drücken mich alle Zusendungspesen (die österreichische Frachtrate Deines Koffers konnte ich hier zahlen, für die jugoslavische war dies unmöglich). Trotzdem sollst Du Deine Sachen bekommen, wenn Du einmal definitiv installiert bist. Aber Verzögerungen der Abreise wegen nicht eingetroffener Sachen können jetzt nicht mehr riskiert werden. Von Onkel Fritz werde ich vielleicht Breeches etc. bekommen, wohl aber erst dann, wenn ich seinen ungeheueren Zorn, daß er für ein Nichtstuerleben aufzukommen hat, durch den Hinweis auf gegenteilige Tatsachen besänftigen werde können.

Ich hoffe, daß die gegenteiligen Tatsachen bald zur Wirklichkeit werden.

Also jetzt bitte postwendenden Bescheid an deinen getreuen

Hermann

Als Weihnachtsgeschenk der Großeltern dtto. £ 1.-.- beiliegend, insgesamt also £ 2.-.-.

Pasenow kriegst du nächster Tage! Falls Du nach Kairo gehst, kriegst Du als Weihnachtskindl von Frl. Herzog einen Ägyptenbaedeker. –

[YUL]

1 Vgl. Brief vom 27. 10. 1930 an H. F. Broch de Rothermann, Fußnote 2.
2 Lederer & Wolf. Vgl. Brief vom 29. 10. 1927, Fußnote 1.

61. An Daniel Brody

Wien, 21. Dezember 1930

Lieber verehrter Freund Dr. Brody,
auf Ihren und Herrn G. H. Meyers strengen Brief vorerst eine Feststellung, die alles Gewölk, das zwischen uns aufzusteigen droht, zerteilen soll: ich habe im Juli den Fehler begangen, meine Manuskripte für absolut druckreif zu halten, um später bei den Fahnen die Entdeckung zu machen, daß ich leider ein absolut optischer Mensch bin, der erst im Druckbild einen genauen Überblick über die Reparaturnotwendigkeiten gewann. So weit mea culpa. Ich weiß, daß Ihnen daraus erhöhte Druckkosten erwachsen sind, und wenn Sie in Ansehung dieses Punktes mit mir eine Vereinbarung treffen wollen, so werden wir, da wir beide fair und loyal denken, uns über diesen geschäftlichen Punkt sehr rasch verständigt haben. Hingegen habe ich wegen meiner Korrekturen durchaus kein schlechtes Gewissen: die Schlafwandler sind, dessen bin ich mir vollkommen bewußt, ein durchaus bedeutsames Buch, und alles, was sachlich für sie geschehen ist und geschieht, liegt in unserem beiderseitigen Interesse. Die Reputation des Rhein-Verlags ist auf dem absoluten Kunstwerk Ulysses begründet; die Schlafwandler müssen dieses Niveau halten: sonst wäre ich nie zu Ihnen gekommen, wenn ich nicht diesen Ehrgeiz gehabt hätte. Es ist dies ein Punkt, hinter den alle geschäftlichen Interessen in den Hintergrund zu treten haben, und ich glaube, daß Sie wie Herr Meyer mir da völlig beistimmen. Geschäftlich ist überdies die Lage ja so, daß sich seit dem Vorjahre die Chancen des Bücherverkaufes wohl um die Hälfte reduziert haben: ein Kunstwerk wie der Ulysses, und wie es die Schlafwandler sein sollen, kann diese Krise auf die Dauer durchhalten (es ist hier wie in jeder Industrie: Qualitätsware ist noch am ehesten

befähigt, Krisen zu überstehen), während Durchschnittsware nur verlustbringend sein kann. Zudem bin ich der Ansicht, daß es unter den obwaltenden Umständen ein gewisser Vorteil ist, mit [einem] M 6.-Buch, statt mit einem solchen von M 18.- auf dem Markt zu sein (ganz abgesehen davon, daß es technisch wahrscheinlich überhaupt unmöglich war oder nur mit der ärgsten Hetzerei, alle drei Bände innerhalb 8 Wochen herauszubringen). Ich glaube, daß wir the best of it gemacht haben, obwohl mir die Sukzessiv-Teilung aus artistischen Gründen nicht sympathisch war. [. . .]

Also nochmals alles Gute. Ich drücke Ihnen die Hand als Ihr ergebener

Hermann Broch

[GW 8, BB]

62. An Stefan Zweig

Wien, 22. 12. 30

Lieber verehrter Herr Dr. Zweig,
zu den unbeweisbaren telepathischen Tatsachen gehört es, daß ich Ihnen eben schreiben wollte, als Ihr so lieber Brief eintraf. Und ich wollte Ihnen nicht nur gute Weihnachten wünschen, sondern auch fragen, ob Sie im Jänner in Salzburg sein werden, da ich um diese Zeit wahrscheinlich wieder Brody dort treffen soll. Außerdem möchte ich die Widmung in dem Buch[1], das Ihnen sehr gehört, nachtragen.

Zu Ihren wertvollen Einwendungen – in der Hoffnung auf ein baldiges mündliches Gespräch – nur ein vorläufiger Gegeneinwand: wie wenig liebenswerte Protagonisten gibt es von Homer bis Dostojewski! und nun gar in einer so unliebenswerten Welt, wie es die heutige imerhin ist! Aber für heute möchte ich nur Sie wie [die] gnädige Frau bitten, alle guten Wünsche für ein hoffentlich liebenswerteres neues Jahr entgegenzunehmen, zugleich mit sehr herzlichen Grüßen Ihres aufrichtigen

Hermann Broch

[SZ A]

1 Broch hatte Stefan Zweig den *Pasenow* zuschicken lassen.

1931

63. An den Rhein-Verlag

Wien, 14. Jänner 1931

Liebe Freunde,
[. . .] Ernsthaft gesprochen, habe ich Ihnen aber vor allem für Ihre diversen freundschaftlichen Briefe und Karten zu danken. Ich hätte mir keinen verständnisvolleren Verleger wünschen können. Dies konstatieren zu können, macht mir stets aufs neue alleraufrichtigste Freude. Und seien Sie versichert, daß ich meinerseits alles Verständnis für Ihre Sorge aufbringe, leider sogar zu viel, denn es ist meiner Arbeit eigentlich oft nicht förderlich, wenn ich wegen der Erscheinungstermine in eine Panik gerate. Ich beginne dann zu schludern, mit dem Resultat, daß ich am nächsten Tage die Arbeit des vorhergehenden frisch machen muß. Kein Vorwurf für Sie!! es ergibt sich eben aus den Verhältnissen.

Mit dem Esch also sind wir aber glücklich über den Berg. Er ist zur Gänze in Winterthur, und die laufende Revision macht mir kein Kopfzerbrechen mehr. Und wenn Sie es gerne hören: die Arbeit hat sich verlohnt, der Esch ist ein Roman ganz großen Stiles geworden – selbstverständlich von ganz anderem Schwergewicht als der Pasenow – und wenn es auch kein Ulysses ist (soviel Objektivität, dies zu beurteilen, besitze ich schon), so steht er doch um eine gute Spanne höher als alles, was so in Deutschland in den letzten Jahren erschienen ist. Aus diesem Buch muß man etwas machen können, und ich habe die zuversichtliche Hoffnung, daß Sie wie ich mit dem Enderfolg sehr zufrieden sein werden, trotz der Wirtschaftskrise.

Nun zum Huguenau. Ich bin mit allem, was Sie sagen, vollständig einverstanden. Geschäftlich-juristisch wäre nur dazu zu sagen, daß Sie das Buch in seiner alten Fassung erworben haben, daß das Manuskript bei Ihnen liegt, und daß es Ihnen immerhin freisteht, besonders wenn der Erscheinungstermin von so integraler Bedeutung ist, das Manuskript auch in seiner jetzigen Form zum Drucke zu befördern. Oder das jetzige Zwischenstadium mit den eingeschobenen vier neuen Kapiteln zu diesem Zwecke zu verlangen. Diese kommerzielle Entscheidungspflicht schiebe ich von mir ab und Ihnen zu, wohl wissend, daß dies Rhetorik ist, und daß ich den Kopf ruhig in diesen kommerziellen Löwenrachen stecken darf: von mir aus gesehen ist es ja doch so, daß ich die [. . .] volle Überzeugung des Gelingens habe, und daß ich dieses Ziel ohne Rücksicht auf den Erscheinungstermin erreichen will. Mit dem Nebengedanken, daß dies letzten Endes auch die geschäftlich vorteilhafteste Lösung sein muß. Notgedrungen, weil das 100%-ige sich schließlich noch immer als das Beste erweist. Ich bin nun schon an der Arbeit (obwohl ich keine Ruhepause, dafür aber die jetzt hier übliche unangenehme Grippe hatte) und bleibe mit aller Intensität dabei. Wenn alles gut geht, kann ich 10 Seiten Manuskript pro Tag fertigstellen. Aber trotz aller industrieller Schulung ist Dichten kaum als Arbeit am laufenden Band zu bewältigen. Ich kann Ihnen wohl exorbitanten Fleiß versprechen, weiters eine gewisse Zuversicht, daß ich es durchdrücken werde, aber ich kann keinen Wechsel ausstellen. [. . .]

[GW 8, BB, MSC]

64. An Daniel Brody

Wien, 29. Jänner 1931

Lieber Doctor Brody,
[. . .] Den Ausschnitt der D. A. Z.[1] (14. 1.) mit der Rezension Fechter[2] darf ich mir wohl behalten? ich möchte ihn Thiess schicken. Man könnte zu so einer Kritik sagen, daß sie die eines ernsthaften Menschen sei, der in bestimmten Idealen und Convenues lebt und selbstverständlich von deren Verletzung tief gekränkt ist, so daß er zu dem absurden Schluß kommt, märkische Aristokraten stünden außerhalb einer psychologisch-metaphysischen Betrachtungsmöglichkeit. Man könnte ferner sagen, daß zu den Idealen eines solchen Mannes ein bestimmtes Bild des Dichterischen gehört, und daß er notgedrungen alle neuen Formen als »Literatur« abtun will. Ja, das könnte man dazu sagen. Aber vorsichtshalber habe ich in ein Buch von Fechter[3] hineingeschaut, und da erübrigt sich, überhaupt etwas zu sagen. Dann weiß man, daß es ihm

bloß darauf ankam, seinem Freunde Thiess eines auszuwischen. – Ausgesprochen erbaulich ist aber nachgerade schon die Fontane-Walze, denn zu meiner Schande muß ich beschwören, daß ich niemals Fontane gelesen habe; immerhin kann man das Phänomen als Zeichen eines historischen Einfühlungsvermögens werten, das Fechter eben bei mir so sehr vermißt.

Hingegen zeigt die Fechter-Kritik doch etwas Wesentliches: das Buch segelt jetzt unter falscher Flagge! es ist nämlich nicht die Vorgeschichte des Krieges! die Geistesentwicklung, in deren Ablauf der Krieg steht, ist ja viel breiter, die Kriegskatastrophe ist in ihr nur ein Nebenmotiv, ein Nebensymptom, denn das Wesentliche der drei Bücher liegt ja im Durchbruch des Irrationalen, liegt in der ethischen Problematik, liegt in der Auflösung der alten Werthaltungen, kurzum in alldem, was ich in den verschiedenen Briefen an Sie, Exposés etc. umrissen habe. Ich weiß nun nicht, ob wir nicht auf den neuen Schutzumschlägen schon diesen Flaggenwechsel vornehmen sollen, oder zumindest die zweite Flagge aufziehen. Für die Amerikaner war ja diese Aufmachung ausgezeichnet. Jetzt aber haben wir freie Hand, und es wird sonst immer wieder Leute geben (s. Frankfurter[4]), die mit vorgefaßter Meinung, ja mit Widerspruch vor begonnener Lektüre, an das Buch herangehen. Dazu gehört auch der Satz: »Das Buch, von der ganzen Welt erwartet«. [. . .]

[GW 8, BB]

1 Paul Fechter, »Pasenow oder die Romantik«, in: *Deutsche Allgemeine Zeitung* (Literarische Beilage) (14. 1. 1931).

2 Paul Fechter (1880-1958), deutscher Literaturhistoriker und -kritiker. Er war damals Redakteur der *Deutschen Allgemeinen Zeitung* in Berlin; nach 1933 Theaterkritiker und Kunstreferent der nationalsozialistischen Zeitschrift *Deutsche Zukunft*.

3 Paul Fechter, *Deutsche Dichtung der Gegenwart. Versuch einer Übersicht* (Leipzig: Reclam, 1929[2]). Auf Seite 41 f. heißt es dort: »Frank Thieß, die Menge der Unterhaltungserzähler [. . .] drängen ebenfalls heran, ohne daß man sie indessen mehr als streifen könnte.«

4 Anon. »Rhein-Verlag«, in: *Frankfurter Zeitung* (29. 2. 1931).

65. An den Rhein-Verlag

Wien, 2. März 1931

Liebe Freunde,
ich habe von Ihnen beiden eine ganze Menge Briefe unbeantwortet gelassen. Wahrlich nicht, weil ich für Ihr Händeringen kein Verständnis habe, sondern einfach – und das wird Ihnen nur lieb sein – aus bloßer Arbeitspanik.

Und obwohl es etwas überholt ist, muß ich es wiederholen: Ihre verlegerischen Sorgen gehen mir ebenso [nah] wie meine dichterischen. Ich kann aber kommerziell dazu nicht mehr tun, als mich selbst zu pönalisieren und meine materiellen Interessen hinter die künstlerischen zurücktreten zu lassen. Ich habe dies auch schon Dr. Brody in Wien gesagt und bin daher auch mit Ihren Dispositionen bezüglich des amerikanischen Honorars einverstanden.

Mehr aber kann ich für mein kaufmännisches Gewissen, mit dem ich durch 20 Jahre infiziert worden bin, nicht tun. Im Künstlerischen muß ich intransigent sein, und ich glaube, daß dies in unserem beidseitigen Interesse gelegen ist. Sie, lieber Herr G. H. Meyer, haben während einer langen Verlegerlaufbahn sicherlich eine große Narrenmenagerie in den Reihen Ihrer Autoren kennengelernt. Es gehört eben zum Dichterberuf, und ich hätte eigentlich nach 20 Jahren normalen und industriellen Lebens mir einiges Anrecht auf etwas Narrentum erworben. Trotzdem dürfen Sie die katastrophalen Esch-Korrekturen nicht unter diesem Gesichtswinkel anschauen. Der Esch ist ein ungeheuer kompliziertes Buch, und es war – wie ich jetzt erst hinterher sehe – kein Wunder, daß es in ihm noch immer offene Wunden gegeben hat. Und so grotesk es klingt: es war ein Wunder, das allerdings eine übermäßige Arbeitsintensität erfordert hat, ihn in diesen wenigen Wochen auf einen Stand zu bringen, daß ich jetzt beruhigt von ihm sagen kann, daß er an Haupt und Gliedern wahrhaft fertig und wahrhaft wohlgeraten ist. Dazu kam noch, daß er teilweise mit dem neugebauten Huguenau in Übereinstimmung gebracht werden mußte. Ich kann Ihnen Punkt für Punkt nachweisen, daß das, was geschehen ist, wohlgetan war.

Wir ziehen an dem gleichen Strick. Und ich kann Sie bei dieser Gelegenheit nur versichern, *muß* es neuerdings tun, daß ich Ihre Zugleistung nicht nur aufrichtig schätze, sondern auch überzeugt bin, keinen besseren Verleger mir wünschen zu können, als Sie es sind, sowohl menschlich als geschäftlich! Sie dagegen müssen sich vor Augen halten, daß wir zusammen auf allerserstes Niveau hinarbeiten und dürfen in dem Vertrauen zu mir nicht nachlassen, daß ich meinerseits mit aller Ernsthaftigkeit (und Beiseitelassen aller Schrullenhaftigkeit!) zu diesem gemeinsamen Ziel komme. Der Esch ist nun, soweit es von mir abgehangen hat, bei diesem Ziel. Er ist ein Buch von allem wünschenswerten Format geworden, überragt den Pasenow um ein Beträchtliches und in jeder Beziehung. Jetzt trachten Sie nur, daß die Buchdruckerei und die Einbinderei noch zeitgerecht fertig werden. Und dann soll's auch Erfolg von gleichem Format für uns alle werden. Aber wehe Ihnen, wenn Sie mir in der letzten Revision, die Sie mir nicht zugeschickt hatten, Druckfehler gelassen haben! [. . .]

[GW 8, BB]

66. An Daisy Brody

Wien, 5. März 1931

Ihre Zeilen aus Zürich, verehrte liebe gnädige Frau, liegen seit zwei Monaten auf meinem Schreibtisch. Als ständige Mahnung, mit den Büchern fertig zu werden. Denn ich habe es mir als Belohnung gesetzt, Ihnen nach Fertigstellung schreiben zu dürfen. Nun aber halte ich es nicht mehr aus, kann den Huguenau nicht mehr abwarten. Und ich habe auch eine gewisse Berechtigung zur Eskomptierung meiner Belohnung; der glücklich und endlich aus meiner Hand entlassene Esch ist nämlich ein Buch geworden, das sich sehen lassen kann. Und ich wünsche mir ferner dringend, daß Sie ihn in seiner umgewandelten Gestalt sehen mögen. Für wen denn sonst wäre alle Plage gewesen? Wenigstens für ein paar Menschen muß man doch schreiben können.

Hiezu ein Kommentar. Was ich mit dem Esch gewollt habe – die sozusagen erkenntnistheoretischen Gründe aufzeigen, die, aus dem Boden des Irrationalen (und in zweiter Linie erst Unbewußten) herauswachsend, zu den Ur-Ideen alles Religiösen, der Opferung, der Selbstopferung zur Wiedererlangung des Standes der Unschuld in der Welt führen –, diese religionsphilosophische Grundtendenz, die eigentlich das Philosophische an sich ist, erschien mir in den bisherigen Fassungen zu wenig unterstrichen. Wenn Sie wollen, ist es das Sektierertum mit seinen Verwirrungen, das am Anfang einer jeden Religionsbewegung steht und zu dem (als einem Ausgangspunkt) die Bewegung an ihrem Ende zerfallend zurückkehren muß, m. a. W.: die irrationalen Kräfte, die zur Religionsbildung führen und durch die Kirchlichkeit gebunden werden, werden am Ende der Bewegung wieder frei und entfesselt und nehmen mit gewissen Modifikationen die Formen des Beginns wieder an. Es lassen sich hiefür eine ganze Menge konkreter Beispiele anführen. Daß für dieses komplizierte Thema die Romanform nicht adäquat sei, ließe sich natürlich einwenden. Warum ich es trotzdem getan habe, warum ich es für notwendig halte, das Verständnis des Irrationalen aus dem Bereich der Systematik in den der irrationalen dichterischen Darstellung hinüberzuleiten, warum es also die Schlafwandler geworden sind, brauche ich nicht zu wiederholen. Hingegen aber habe ich im Zuge der Korrekturen gefunden, daß jener komplizierte (eigentlich einfache) Grundgedanke nicht genügend deutlich wurde: in der ursprünglichen Fassung kam er erst am Schluß mit jener Deutlichkeit zu Tage, die für den Durchschnittsleser sichtbar wird; die Vorkombination mußte der Leser allein leisten. Was Dr. Brody mit sehr gutem Publikumsinstinkt mir in Wien vorhielt: daß der Durchschnittsleser fragen wird, wie ein so einfacher Mensch wie der Esch auf so differenzierte Haltungen geraten könne, traf aufs Haar meine eigenen Bedenken. Nun konnte ich zur Exemplifizierung derartiger Haltungen bloß einen ganz einfachen Menschen wählen; genau so wie die Fischer am See Genezareth keine Intellektuellen waren, mußte ich diesen Menschen wählen (der folgerichtig im Huguenau zum Sektenprediger wird), weil die religiösen Urtriebe und Irrationalismen keine Intellektualisierung ihres Werdens und Realisierens vertragen. Aber ich mußte es deutlich machen, wie sie sich erst langsam anmelden, langsam und deutlich ins Bewußtsein treten, ehe sie abstrus (und dennoch für das Individuum zwingend) seine Lebensentscheidung herbeiführen. Dies nun, glaube ich, ist mir jetzt, soweit es der vorgegebene Rahmen des Buches erlaubt hat, endlich gelungen, und deshalb halte ich den Esch für ein gewichtiges Buch, das zwar kein Ulysses ist, dem man aber in Deutschland wenig an die Seite stellen kann. Aber deswegen will ich auch, daß *Sie* es nochmals anschauen. [. . .]

[GW 8, MSC]

67. An Daniel Brody

Wien, 9. März 1931

Lieber Freund Dr. Brody,
auf die Handschriftlichkeit Ihres *unerhört* freundschaftlich netten Briefes gehörte ein mindestens ebenso handschriftlicher Dank. Nehmen Sie die Maschine nicht als Maßstab meiner Gefühle, sondern bloß als Auto statt des feierlichen Pferdegespanns, mit dem ich vorfahren müßte, um Ihnen zu sagen, wie sehr mich Ihre Zeilen gefreut haben. Seien also Sie wie Herr Meyer, der mir vorgestern geschrieben hat, allerherzlichst bedankt. Wie ich zu Ihnen stehe, habe ich ja schon in meinem letzten Brief präzisiert; ich könnte es bloß feierlich wiederholen.

Innerhalb einer solchen Atmosphäre dürfen Sie mich auch ruhig kujonieren. Und meinen Sie ja nicht, daß ich's krumm nehme, wenn G. H. Meyer von Silbenstecherei spricht. In meinen Belangen vermag ich mich schon zu wehren; seien Sie dessen versichert. Ich möchte bloß eines nicht: daß Sie glauben, gute Miene zum bösen Spiel machen zu müssen. Es ist viel besser, Sie sagen Ihre Meinung. Und ich verdenke es Ihnen auch nicht, wenn Ihnen meine Korrekturarbeit nicht paßt. Ich bin keineswegs schuldbewußt, *daß* ich diese Umkrempelung der Bücher vorgenommen habe – was getan ist, ist in Ordnung! –, wohl aber, daß ich es nicht im Sommer vorausgesehen habe. Dazu kann ich nichts anderes machen, als mich selbst zu pönalisieren und das Pönale zu den übrigen finanziellen Verlusten dieses Jahres zu schreiben. (Sie dürfen übrigens nicht vergessen, daß ich im Herbst und Winter die vielleicht schwierigste Zeit meines kommerziellen Lebens zu überstehen gehabt habe, und daß dies für mein Arbeitstempo wahrlich nicht förderlich gewesen ist! Also auch hier eine force majeure!) Aber von dieser beidseitigen Enttäuschung abgesehen, können wir trotzdem ganz zufrieden sein: die Bücher haben das Niveau, das sie für den Rhein-Verlag und für mich haben sollen, haben müssen, und an Ihnen ist es jetzt trotz allem, den großen Erfolg damit zu inaugurieren. [. . .]

[GW 8, BB]

68. An Willa Muir[1]

Wien, 21. Mai 1931

Hochverehrte gnädige Frau,
da Sie die Schlafwandler übersetzen, darf ich Ihnen wohl deutsch schreiben, und ebenso bitte ich Sie zu entschuldigen, daß ich es mit der Maschine tue: beides beschleunigt das Verfahren und die Lesbarkeit.

Vor allem muß ich Ihnen aber für die so guten wohlwollenden Worte danken, die Sie für meine Schlafwandler haben, und mit denen Sie mir eine ganz besondere Freude bereitet haben. Dann aber muß ich Ihnen auch sagen, wie sehr ich mich freue, daß das Buch zu Ihnen gelangt ist, zu Ihnen, »der besten Übersetzerin aus dem Deutschen«, wie mir der Rhein-Verlag soeben schrieb. Sie können sich vorstellen, wie begierig ich bin, Ihre Übersetzung zu lesen.

Zu dem leidigen Götzzitat: Sie haben recht, daß es allen Deutschen geläufig ist, es ist sozusagen eine der wichtigsten deutschen Vokabeln, und die englische Sprache wäre arm, wenn sie keinen äquivalenten Ausdruck besäße. Bloß ist meine Schreibmaschine zu prüde, sie sträubt sich gegen die wörtliche Zitierung. Ich zitiere statt dessen den entsprechenden Passus aus Goethe, »Götz von Berlichingen«, III. Akt, Schluß der drittletzten Szene (auf Jaxthausen)

Götz: (antwortet) Mich ergeben! auf Gnad und Ungnad!
Mit wem redet ihr! bin ich ein Räuber!
Sag deinem Hauptmann: Vor Ihro kayserlichen
Majestät hab ich, wie immer, schuldigen Respekt. Er aber, sag's ihm, er kann mich . . .
(schmeißt das Fenster zu)

Den ominösen Satz hat auch der Goethe selber punktiert; im Ur-Götz allerdings, d. i. der ersten Fassung des Götz (unter dem Titel: »Geschichte Gottfriedens von Berlichingen«), ist der Passus in seiner vollen Schönheit zu lesen. Sollten Sie die Cottasche Jubiläumsausgabe von Goethe zur Hand haben, so finden Sie darin beide Fassungen, u. z. auf S. 82 und S. 202. In den englischen Goetheausgaben wird sich also wohl eine Übersetzung finden; falls es aber nichts Passendes gibt, so nehmen Sie bitte irgend einen starken Ausdruck der Verachtung – gar so wichtig ist die Stelle nicht.

Ich bin mit der Fertigstellung des dritten Bandes beschäftigt und glaube, Ihnen das Manuskript beiläufig zur gleichen Zeit zuschicken zu können, wenn Sie die Übersetzung des Esch beendigt haben werden, so daß Sie in Ihrer Arbeit keine Unterbrechung eintreten lassen müssen. Und ich hoffe sehr, daß Sie auch dieser dritte Band »Huguenau« interessieren wird, vielleicht auch in technischer und stilistischer Beziehung: denn jedes der drei Bücher bemüht sich, sowohl in der Darstellung als in der Sprache den Zeitgeist festzuhalten, der mit den Schlagworten Romantik-Anarchie-Sachlichkeit freilich bloß unzureichend charakterisiert ist. [. . .]

Bitte nehmen Sie, hochverehrte gnädige Frau, sowie Mr. Muir nochmaligen wärmsten Dank entgegen

Ihres respektvoll ergebenen
Hermann Broch

[GW 8, MSC]

1 Willa Muir (1890-1970), schottische Schriftstellerin und Übersetzerin. Gemeinsam mit ihrem Mann Edwin Muir (1887-1959) übersetzten sie Brochs *Schlafwandler: The Sleepwalkers* (London:

Secker; New York: Little, Brown, 1932). Vgl. *Selected Letters of Edwin Muir* (London: Hogarth, 1974). In seinem Brief an Sydney Schiff (= Stephen Hudson) vom 11. 4. 1931 erwähnt Edwin Muir die Übersetzungsarbeit an Brochs Schlafwandlern. Er äußert sich begeistert über Brochs Roman und betont, daß er seinetwegen die Übertragung von Kafkas *Der Prozeß* zurückgestellt habe.
Der Brief Willa Muirs an Broch (GW 8) lautet:

The Nook, Crowborough, Sussex, 14th May, 1931

Dear Herr Broch,
My husband and I are translating into English your trilogy »The Sleepwalkers« (which we admire more and more as we do it) and I write to ask you if you would be so good as to tell us exactly what is the Götzzitat referred to on page 1, and again on p. 104 of Esch? It is probably clear to all Germans what you intend – is it a particular saying from the Götz von Berlichingen? – but we simply do not know.

Pasenow we have already finished. I hope you can read English with pleasure (I am sure you know English) and that you will find pleasure in our translation. It is at once a challenge and an inspiration to have such a masterly work to translate.

Yours sincerely
Willa Muir

69. An Daniel Brody

Wien, 22. Mai 1931

Lieber Freund,
[. . .] Was den amerikanischen Fragebogen[1] anlangt: den Originaltext habe ich nicht mehr zur Hand, das Englische stammt nicht von mir, auch nicht von Frl. Herzog, sondern von einer Berufsübersetzerin, der ich den Text vorsichtshalber übergeben habe. Das hat man von der Vorsicht. Beiläufig ist darin gestanden: »Von Geburt Mathematiker und Wissenschaftler, von Schicksal Techniker und Industrieller, der Neigung nach Schriftsteller, war ich durch die exponierte industrielle Stellung lange zurückgehalten, zu meinem eigentlichen Beruf zurückzukehren etc. etc.« oder so ähnlich. Ich mache Ihnen nun den Vorschlag, den verballhornten

Text ausradieren zu lassen (was sehr leicht geht) oder sich einen zweiten Bogen kommen zu lassen und hineinzuschreiben, was Ihnen gefällt. Dichten Sie einmal auch, und dichten Sie mir die tollsten hobbies an, weiters, daß meine Ahnen anläßlich der großen Judenvertreibung im 13. Jahrh. von Spanien nach Holland auswanderten, und daß ich jetzt Dank der spanischen Revolution[2] in mein ursprüngliches spanisches Vaterland zurückkehren werde können. Das sind bloß Anregungen, und Ihrer Phantasie ist keine Grenze gesetzt. [. . .]

[GW 8, BB]

1 Ein Fragebogen, den der amerikanische Verlag Little, Brown durch den Rhein-Verlag an Broch gesandt hatte. In diesem Verlag erschien 1932 Brochs *Schlafwandler*-Trilogie in der englischen Übersetzung von Willa und Edwin Muir.

2 1930 brachte das Ende der Militärdiktatur Primo de Riveras: 1931 wurde in Spanien die Republik ausgerufen, und König Alfons XIII. ging ins Exil.

70. An Frank Thiess

Wien, 5. Juni 1931

Hochverehrter lieber Freund Dr. Thiess,
Haben Sie Dank für Ihre lieben Zeilen; ich hätte Ihnen schon längst inzwischen geschrieben, wenn ich einesteils gewußt hätte, in welchem Eck Europas Sie sind (Ihre letzte Nachricht war aus Gardone[1]), und wenn ich nicht andersteils bis über die Haare in der Arbeit stecken würde. Was das heißt, brauche ich Ihnen nicht zu erzählen. Doch ich hätte Ihnen geschrieben, hatte das starke Bedürfnis es zu tun, weil mir Ihr »Zentaur«[2] immer nachgelaufen ist und es auch noch weiter tut. Es handelt sich mir nicht darum, Ihnen über das Buch Elogen zu schreiben, und überdies würde ich dies nicht einmal wagen, denn ich weiß sehr genau (und der »Zentaur« bestätigt dieses Wissen), daß der Roman und das Romanschreiben durchaus nicht das Zentralproblem Ihres Lebens

ist, daß also die Bewunderung, die man dem Roman zollt, nicht das Wesentliche trifft, das auf einer Ebene höherer Wertwirklichkeit liegt, und für die Ihnen der Roman bloß Ausdrucksmittel und Symbol ist. [. . .]

Dieser »lebendige Platonismus« des Sehens und Darstellens, wie ich es nennen möchte, dieser Platonismus innerhalb einer positivistischen Welt, ist für mich außerordentlich beunruhigend, nicht nur, weil ich den Daseinssinn und Zweck des modernen Romans, also auch mein eigenes Ziel, darin sehe, sondern weil Sie es so unmerklich aus der breitesten Basis des Empirischen heraus entwickeln, weil es bei Ihnen wirklich lebendig ist. Oder um bei Ihrem Beispiel und dem Grundsymbol Ihres Buches zu bleiben: man merkt nicht, wann das Flugzeug das Empirische der Erde verläßt, es ist plötzlich in der idealistischen Sphäre, und plötzlich steht es wieder auf festem Erdgrund. Das ist, um noch weiter im Beispiel zu bleiben, »technische« Meisterschaft, u. zw. jene Grenze schon überfliegend, an der das Technische die Materie, aus der es gebildet ist, verläßt und sozusagen noumenal und damit zur platonischen Idee wird.

Vielleicht ist es Selbstüberhebung, wenn ich sage, daß das Buch weitgehend unverstanden bleiben muß, und daß ich das Bedürfnis habe, es an publikumssichtbarer Stelle zu interpretieren. Andererseits liegt hier eine kleine Schwierigkeit, weil Ihr Name auf jedem Schutzumschlag mit den Schlafwandlern verbunden ist; aber das möchte ich durch ein Pseudonym umgehen[3]. Puncto dieses Unverstandenseins besteht übrigens ein Problem: für mich besteht im »Zentaur« – das darf ich Ihnen wohl sagen – eine gewisse Unstimmigkeit, banalst ausgedrückt, eine Unstimmigkeit zwischen Form und Inhalt. Für mich nämlich schreit der revolutionäre Inhalt nach einer neuen Form – Sie aber haben die Form Ihrer früheren Romane zwar gelockert, dennoch bis zu einer gewissen Grenze beibehalten und Ihren Stoff hineingezwungen. Ich kann mir vorstellen, daß Sie es getan haben, um die Kontinuität zu den drei Vorgängern aufrechtzuerhalten und muß Ihnen auch recht geben, weil der eine vierte Band nicht das Ganze revolutionieren darf; das ist architektonisch wahrscheinlich sogar notwendig gewesen. Vielleicht ist es auch eine Konzession, um das Verständnis des Durchschnittslesers zu erzwingen, um ihn nicht noch mehr vor den Kopf zu stoßen. Doch ich habe die sehr bestimmte Vorstellung, daß Ihnen diese Form nicht mehr adäquat ist, daß die besondere Produktionsanstrengung, die Sie bei diesem Buch zweifelsohne hatten, auf die gewaltsame Einhaltung der zu engen Form zurückzuführen ist. Natürlich kann ich mir die neue Form, der Sie ganz unzweifelhaft zustreben, nicht vorstellen, sondern muß mit Spannung auf Ihr nächstes Buch warten, in dem sie sich realisieren wird. Wenn ich mir undeutlich darunter etwas vorstelle, so wäre es etwa die Methode, die Dos Passos [. . .] anwendet, diesen breiten und schillernden Querschnitt durch das Lebendige mit verkürztem Tempo, jedoch bei Ihnen zum Unterschied von Dos Passos herausgehoben aus dem Empirischen, mit einem abgebrauchten Wort gesagt, »durchgeistigt«. Aber das sind bloß vage Vorstellungen, bloß dadurch entstanden, daß ich mir die Frage vorlegte, wer neben dem amerikanischen Querschnitt des Dos Passos ein ähnliches europäisches Buch schreiben könnte, und keine andere Antwort als Ihren Namen wußte.

Was aber die Zersprengung der Form anlangt: ich hoffe sehr, daß Sie jetzt in Steinhude[4] Zeit für Joyce finden werden!

Ja, und ich bin bestürzt, daß der Esch nicht bei Ihnen eingelangt ist. Soweit man von einem ersten Exemplar reden kann, hatten Sie es zu bekommen, und tatsächlich hat auch Dr. Brody gemeldet, daß er es an Ihre Berliner Adresse geschickt hätte; das sind nun schon über 4 Wochen her. Ich schrieb ihm, er möge nun sofort ein Exemplar nach Steinhude schicken – die Widmung nehmen Sie vorderhand im Geiste entgegen; Sie wissen wie sehr es Ihnen gewidmet ist!

Sonst ist vom Esch bloß zu berichten, daß er von Fechter in gewohnter Weise, diesmal eine Nuance dümmer (Heinrich Mann-Nachahmung) verrissen worden ist, daß er aber hoffentlich doch auf ein paar Leute stoßen wird, die wissen, was ich damit meine. Der Verlag erhielt eine Einladung, ihn zum Schünemannpreis[5] einzureichen, Preisrichter Hinrichs[6], was meiner Ansicht nach eine Fechter-Wiederholung sein dürfte; ich weiß zwar nicht, wer Hinrichs ist, aber die Konkurrenzbedingung verlangt ein »lebensbejahendes« Buch. Im übrigen gilt jetzt alle Sorge und alle Arbeit dem Huguenau, der auf 300 Seiten angeschwollen ist, von Tag zu Tag komplizierter in seiner Architektonik wird und mir eigentlich Freude bereiten würde, wenn ich etwas mehr Zeit vor mir hätte. Aber mit diesem Aufsatz zum Jahrbuch[7] komme ich schon zurecht – darüber nächstens!

Ich würde Sie furchtbar gerne sehen. Aber heuer wird das wohl unmöglich sein. [...]

[GW 8]

1 Ort am westlichen Ufer des Garda-Sees in Nord-Italien.
2 Frank Thiess, *Der Zentaur* (Stuttgart: Engelhorn, 1931). Es handelte sich um den letzten Band der Romantetralogie *Jugend*. Die ersten drei Bände hießen: *Abschied vom Paradies* (1927), *Das Tor zur Welt* (1926), *Der Leibhaftige* (1924).
3 Broch schrieb keine Besprechung dieses Romans.
4 Wohnort von Frank Thiess.
5 Der Schünemann-Preis wurde vergeben von dem Norddeutschen Dichterkreis »Die Kogge«. Es handelte sich um einen Preis von RM 2000.–, der 1932 nicht verliehen wurde, da keines der vorgeschlagenen Werke dem Geschmack der Stiftung entsprach.
6 August Hinrichs (1879-1956), deutscher Schriftsteller; Verfasser volkstümlicher Literatur, fungierte für das Jahr 1932 als Preisrichter des Schünemann-Preises.
7 Hermann Broch, »Logik einer zerfallenen Welt«, in: Frank Thiess (Hrsg.), *Wiedergeburt der Liebe. Die unsichtbare Revolution* (Berlin: Zsolnay, 1931). S. 361-380. Ferner in KW 10/2, S. 156-172.

71. An Daniel Brody

Wien, 18. Juni 1931

Lieber Freund,
mir fehlen noch ein paar Seiten zum Huguenau, allerdings sehr schwierige. Ich kann Ihnen auch nicht ausführlich schreiben, weil ich mit der größten Intensität an der Fertigstellung bin. Das Buch ist, das ist nicht zuviel behauptet, in sehr vieler Beziehung ein Novum geworden, nicht nur gegenüber dem alten Huguenau, der kaum mehr vorhanden ist, sondern für den Roman überhaupt. Wie weit es geglückt ist, kann ich heute kaum sagen – ich stecke zu sehr darin.

Habe ich Glück und Konzentration, so kann ich Ihnen in ein paar Tagen Fertigstellung melden. Inzwischen wird schon eine Reinschrift für Willa Muir angefertigt. Auf genaue Terminversprechungen können wir uns leider nicht einlassen. Das tut mir weh, schon weil es Ihnen weh tut. Aber es ist noch der geringste Schaden in dieser greulichen Zeit. Sie haben keine Ahnung, wie es bei mir zugegangen ist seit unseren diversen Finanzkatastrophen. Aber ich will Sie nicht anjammern. [. . .]

[GW 8, BB, MSC]

72. An Willa Muir

Wien, I. Gonzagagasse 7 21. Juni 1931

Hochverehrte gnädige Frau,
daß ich auf Ihre liebenswürdigen Zeilen noch nicht geantwortet habe, verursacht mir allerschlechtestes Gewissen. Aber ich hatte gehofft, meiner Antwort gleich die erste Partie des Huguenau beischließen zu können.

Daß Sie allerdings mit solcher Intensität und Geschwindigkeit den Esch fertigstellen werden, das habe ich mir nicht vorstellen können, und ich muß Sie sehr um Entschuldigung bitten, wenn ich Sie jetzt noch ein paar Tage warten lassen muß. Die Verzögerung hat sich dadurch ergeben, daß die »Schlafwandler« ursprünglich als einbändiger Roman konstruiert waren (so wie sie jetzt im Englischen erscheinen), und daß darin der dritte Teil als kurzer Epilog behandelt war. Die Dreibändigkeit der deutschen Ausgabe machte nun eine Umkonstruktion dieser Architektonik notwendig – eine Umkonstruktion, die auch schon im Esch vorbereitet werden mußte – und Sie können sich vorstellen, daß dies eine sehr subtile und schwierige Arbeit gewesen ist. Nun bin ich aber so weit, und ich hoffe auch, daß sie geglückt ist. Nächste Woche ist die erste Hälfte auf dem Weg zu Ihnen.

Was Sie mir über den Esch schreiben, beglückt mich aufrichtig. Freilich, der Vergleich mit Joyce ist allzu schmeichelhaft; das muß ich ablehnen. Über mein Verhältnis zu Joyce kann ich bloß eines sagen: hätte ich den Ulysses gekannt, ehe ich die Schlafwandler geschrieben hatte, so wären diese ungeschrieben geblieben, da ich im Ulysses ein vollkommenes Realisat dessen sehe, was im Roman überhaupt ausdrückbar ist. Dasjenige, was mir bei meinen Büchern vorgeschwebt ist: »unter der Haut zu schreiben«, das finde ich bei Joyce restlos erfüllt, und ich bin überzeugt, daß die Literatur, so weit sie überhaupt Ausdruck des modernen Lebens bleiben wird, sich immer mehr und mehr unter den Joyceschen Einfluß begeben wird. Wie weit man sich daneben noch eigene Ausdrucksmittel schaffen kann, ist für jeden Schreibenden ein schweres Problem, wie weit es mir selbst geglückt ist, kann ich nicht ermessen, doch mit bestem Willen vermag ich nicht, so gerne ich es auch täte, meine Ausdrucksfähigkeit über die Joyces zu stellen. Immerhin, unter eben dieser Einschränkung gesagt, bildet der Huguenau in mancher Beziehung eine Möglichkeit neuer Ausdrucksformen, und ich bin über alle Maßen gespannt, was Sie, verehrte gnädige Frau, dazu sagen werden. Vor allem aber werde ich mich freuen, wenn ich Ihnen mein Buch über Joyce, das eine ziemlich weitgehende Theorie des Romans und eine Philosophie der Ausdrucksformen enthält, in die Hände werde legen dürfen. [. . .]

[GW 10, MSC]

73. An Daniel Brody

Wien, 22. Juni 1931

Haben Sie Dank, lieber Freund, für Ihre Trostesworte. Meine Panik hatte aber eine gewisse subjektive Berechtigung, als ich, resp. meine Familie, an den verschiedenen Bankkrachs unmittelbar interessiert war, und ich alle Mühe hatte, die Situation halbwegs zu retten. Zwar nicht die der Creditanstalt[1] als solche, aber unsere persönliche. Das ist nun halbwegs gelungen, zwar nicht restlos, aber immerhin. In diesem Zusammenhange: wissen Sie halbwegs anständig verzinsliche Schweizer Geldplacements? oder sonst irgendwie westliche? Ich erachte zwar die Sicherheitsdifferenzen innerhalb Europas für nicht allzu groß, aber da ich die Verantwortung für meine Eltern zu tragen habe, bringe ich lieber ein Sicherheitsventil mehr an.

Ohne Sie anjammern zu wollen, überlasse ich es Ihnen, sich vorzustellen, wie befruchtend diese Monate für eine produktive Arbeit gewesen sind. Daß der Huguenau trotzdem fertig wird, eigentlich schon fertig ist, schreibe ich mir auf die allerpositivste Haben-Seite, notabene er ein völlig neues Buch geworden ist. Ich bin außerordentlich gespannt, was Sie und die gnädige Frau dazu sagen werden. So sehr ich es auch gemildert habe, d. h. soweit ich es mildern durfte, ist es doch ein Novum der Romanform geworden. Ich hoffe sehr, daß wir damit Glück haben werden. [. . .]

[GW 8, BB]

1 Die im Mai 1931 veröffentlichte Jahresbilanz der Österreichischen Kreditanstalt – seinerzeit Österreichs größte Privatbank – wies einen Verlust von 140 Millionen Schilling aus, einen Betrag, der fast so hoch wie das Eigenkapital der Bank war.

74. An Daniel Brody

Wien, 18. Juli 1931

Hoffentlich, lieber Freund Brody, ist der Choc nicht gar zu arg: anbei tatsächlich der Huguenau! Vorsichtshalber schicke ich ohnehin bloß das erste Drittel.

Ich bin über alle Maßen gespannt, was Sie und die gnädige Frau dazu sagen werden.

Schweden![1] Skal! aber lassen Sie bitte diese 2000 Mark in Schwedenkronen (eventuell bei einer schwedischen Bank). Oder wird es in Schweden auch losgehen?

Bemerkung für die Druckerei: im allgemeinen wurden die Absätze durch Auslassung einer Zeile gekennzeichnet. Auf mancher Seite (wo lauter kurze Absätze sind) wurde dies aber unterlassen. Nichtsdestoweniger sind aber auch bei diesen Seiten die Absätze deutlich kenntlich.

Können Fahnen auf 31 Zeilen gedruckt werden? das wäre bei meiner Art des optischen Korrigierens eine große Erleichterung. Auf alle Fälle bitte ich um *mindestens drei* Korrekturparien (sind auch für Vorabdrucke in Zeitungen verwendbar).

Über den Mois[2] habe ich mich aufrichtig gefreut. Hoffentlich ist es die Ouverture für die französische Übersetzung. Anbei eine ganz gescheite Kritik aus der Wiener Zeitung[3].

Im übrigen stecke ich weiter in täglich fünfundzwanzigstündiger Arbeit. [. . .]

[GW 8, BB, MSC]

1 Im Juli 1931 hatte der Stockholmer Verlag Bonnier die Übersetzungs-und Publikationsrechte für Schweden am *Pasenow* für RM 2000,– erworben. Der Roman erschien 1932 unter dem Titel *Den romantiske Löjtnanten,* übersetzt von Torsten Nordström.

2 Wladimir Weidlé, »Les Somnambules: trente ans de la vie de l'Allemagne«, in: *Le Mois,* Nr. 3 (März 1931), S. 167-173.

3 Edwin Rollett, »Esch oder die Anarchie«, in: *Wiener Zeitung* (17. 7. 1931).

75. An Willa Muir

Wien I. Gonzagagasse 7 — 19. Juli 1931

Hochverehrte gnädige Frau,
Sie haben mir mit Ihren Zeilen eine so unerhörte Freude bereitet, daß ich Ihnen gar nicht genug danken kann. Nicht, weil Sie die Schlafwandler loben (obwohl so un-eitel keiner ist, daß er über Lob sich nicht freute), wohl aber, weil ich immer wieder sehe, daß Sie wissen, worauf es mir mit diesen Büchern ankam, und daß es mir also doch einigermaßen geglückt ist, die Absicht zum Ausdruck zu bringen.

Nichtsdestoweniger muß ich Ihnen, was Joyce anlangt, widersprechen. Ich bin ziemlich überzeugt, daß alles, was geistige Leistung ist, eine Funktion der Zeit darstellt. D. h.: es gibt eine überpersönliche, überindividuelle Logik der Tatsachen, und der Fortschritt der geistigen Leistungen ist eindeutig determiniert. Mit einem gewissen Spielraum von ein paar Jahren *mußte* die Lokomotive um etwa 1820, *mußte* das Automobil um 1890 erfunden werden. Ich sehe dies am deutlichsten in der Wissenschaft (im Grunde bin ich nämlich Mathematiker), und mit dem dichterischen Ausdruck ist es nicht anders. Was nun Joyce hier auszeichnet – und das ist gleichzeitig seine Tragik – ist der Umstand, daß er die innere Logik der Entwicklung um etwa 20 Jahre vorausgenommen hat, tragisch, weil er nach zwanzig Jahren die Gefahr läuft, als einfacher précurseur eingeschätzt zu werden, während der Erfolg dem Halbtalent zufällt. Dieses Vorausnehmen einer Entwicklung ist ja im Künstlerischen fast immer tragisch. Die Schlafwandler sind dagegen eine weit weniger tragische Angelegenheit: sie laufen der Entwicklung höchstens zwei Jahre voraus, haben also immerhin die Hoffnung, noch bei Lebzeiten ihres Autors zum Erfolg zu kommen.

Doch wie immer es auch sei, Sie bestärken mich (und dafür bin ich Ihnen so dankbar), daß hier auf dem richtigen Weg schlafgewandelt wird. Es steckt recht viel Arbeit in den Büchern, und ich bin immer mehr gespannt, was Sie zum Huguenau sagen werden, dessen Kontrapunktik (sowohl in sich, als gegenüber den beiden ersten Bänden) recht verwickelt ist und fast ein Wagnis darstellt. Ich schicke unter einem die Fortsetzung bis S. 117. Außerdem lege ich ein Blatt für kleine Abänderungen bis S. 50 bei. Ich hoffe, daß es deutlich ist, und bitte gleichzeitig um Entschuldigung – von nun an werden derartige nachträgliche Korrekturen nicht mehr vorkommen –.

Ich habe mir erlaubt, Ihnen ein Buch »Mann ohne Eigenschaften« meines Freundes Robert Musil zu senden. Ich muß dazu sagen, daß ich Musils Methode als abseitig empfinde – sie ist sozusagen das rationale Gegenstück zu Joyce und seiner Methode –, und daß ich wenig Perspektiven für die dichterische Ausdrucksmöglichkeit in Weiterverfolgung dieser Methode sehe. Ich könnte dies natürlich begründen. Aber es ist trotzdem ein *sehr bedeutendes* Buch, und ich glaube, daß es Sie interessieren dürfte. Ich würde Musil ein Bekanntwerden in England sehr wünschen, umsomehr als er es wirklich verdiente. [. . .]

[GW 10, MSC]

76. An Daisy Brody

Wien, 23. Juli 1931

Das war nun, verehrte gnädige Frau, eine unerwartete und rasche Belohnung für das erste Huguenaudrittel; ich freue mich so sehr mit Ihrem Brief. Und eigentlich möchte ich in diese Antwort all die vielen seit drei Monaten nicht geschriebenen Briefe hineinpressen – darf es aber nicht tun, denn der Huguenau liegt neben mir und scharrt mit den Füßen.

Nur kurz den üblichen Selbstkommentar, von dem Sie sich bei der Lektüre nicht beeinflußen lassen dürfen: im Huguenau ist eine neue Technik versucht, und ich habe den Eindruck (allerdings ist er mir noch zu nahe, um völlig klar zu sein), daß der Versuch gelungen ist. Das Buch besteht aus einer Reihe von Geschichten, die alle das gleiche Thema abwandeln, nämlich die Rückverweisung des Menschen auf die Einsamkeit – eine Rückverweisung, die durch den Zerfall der Werte bedingt ist – und die Aufzeigung der neuen produktiven Kräfte, die aus der Einsamkeit entspringen, wenn sie tatsächlich manifest geworden ist. Diese einzelnen Geschichten, untereinander teppichartig verwoben, geben jede für sich eine andere Bewußtseinslage wieder: sie steigen aus dem völlig Irrationalen (Geschichte des Heilsarmeemädchens) bis zur vollständigen Rationalität des Theoretischen (Zerfall der Werte). Zwischen diesen beiden Polen spielen die übrigen Geschichten auf gestaffelten Zwischenebenen der Rationalität. Auf diese Art wird die Sinngebung der Gesamttrilogie erzielt, und ebenso wird der methaphysisch-ethische Gehalt mit dem von Ihnen vermißten ethischen happy ending nun mit aller Deutlichkeit zum Ausdruck gebracht.

Ich bin mir ziemlich bewußt, daß das Buch damit ein Novum für den literarischen Ausdruck ist, sicherlich auch ein Wagnis. Ich habe mich zwar bemüht, das Revolutionäre zu verschleifen und für den Verleger eine »Normalität« zu erzielen, die von dem hoffentlich kaufenden Publikum noch geschluckt und kapiert wird, aber allzuweit darf man mit solchen Konzessionen nicht gehen. [. . .] Größer war die Schwierigkeit, das Buch so weit im Zaum zu halten, daß es nicht das Gesamtwerk sprengt (denn dazu hat es das Zeug in sich) und es so abzustimmen, daß es tatsächlich die Krönung der Trilogie ist, ohne die Vorgänger zu erdrücken. Dies wurde (hoffentlich) durch die ziemlich komplizierte Kontrapunktik zu den beiden anderen Büchern hin erreicht. Freilich habe ich das Gefühl, daß es mir noch besser gelungen wäre, wenn mir mein Verleger noch ein paar Monate Zeit gelassen hätte.

Immerhin, so weit wäre es überstanden, trotz der krisenhaften Monate, die zu aller Arbeitsintensität noch eine Menge äußere Abhaltungen und Sorgen brachten. Doch ich fühle mich schon über-über-urlaubsreif und mit der letzten Seite Huguenau hoffe ich wegfahren zu können. Daß ich dabei den Weg über München nehmen kann, ist die zweite Belohnung. Was haben Sie für Sommerpläne?

Vielen Dank für die Übersetzung. Ja, sie ist eine durchaus nette Frau, die Willa Muir, und daß sie den Kafka[1] übersetzt hat, macht sie besonders sympathisch. Nun muß man aber eine Photographie von ihr verlangen, um ihren Seherblick zu kontrollieren; ihren Roman[2] habe ich mittlerweile bestellt, doch an Kafka wird er nicht reichen: ich habe seit langem nichts so Schönes, so Weises, so Ausgeglichenes gelesen wie die »Chinesische Mauer«. Wenn Sie es noch nicht gelesen haben sollten, müssen Sie es sofort tun! (Wichtiger als Huguenau!) Immer wieder bedaure ich, daß der Rhein-Verlag den Kafka nicht übernommen hat.

Jetzt aber zurück zum Huguenau. Ich rechne bestimmt darauf, von Ihnen zu hören, wenn Sie ihn gelesen haben werden! wozu wäre es denn geschrieben? [. . .]

[GW 8, MSC]

1 Willa und Edwin Muir übersetzten folgende Werke Kafkas ins Englische: *The Castle, America, The Great Wall of China, The Penal Colony, The Trial.*

2 Willa Muir, *Imagined Corners* (London: Secker, 1931).

77. *An Daniel Brody*

Wien, 25. Juli 1931

Lieber Freund Dr. Brody,

[. . .] Bei dieser Gelegenheit eine vorderhand völlig inoffizielle und *diskreteste* Anfrage: die Ereignisse bei Rowohlt[1] veranlassen Musil, sich nach einem neuen Verleger umzusehen. Haben Sie dafür Interesse? In diesem Falle würde ich Musil einen Wink geben. (Vorderhand geschah noch nichts dergleichen.) Ich habe allerdings gegen den »Mann ohne Eigenschaften«, der zwar auf unseren Umschlägen prangt, mancherlei Einwände, aber er ist zweifelsohne ein Buch großen Formats. [. . .]

[GW 8]

1 Der Rowohlt Verlag in Berlin war seinerzeit in große finanzielle Schwierigkeiten geraten. Brody lehnte eine Übernahme der Werke Musils ab.

78. *An Daniel Brody*

29. Juli 1931

Lieber verehrter Freund Brody,

[. . .] Angelegenheit Musil[1] ist inzwischen offizialisiert worden, da er mir von seiner Unterredung mit René Spitz[2] erzählt hat. Ich muß Ihnen vor allem in finanzieller Hinsicht Recht geben. Ob es Ausspannen eines Autors von Rowohlt ist, kann ich nicht beurteilen; Musil befürchtet, daß Rowohlts Arrangement vielleicht nicht zustande kommt, so daß sein Vertrag automatisch hinfällig wird. (Für M. natürlich eine entsetzliche Situation.) Und bei der jetzigen Lage wäre das natürlich nicht ausgeschlossen. Ich kann bloß für M. hoffen, daß sich Rowohlt wieder aufrappelt. Im übrigen scheint tatsächlich der zweite 5000-er des »Manns« im Drucke zu sein; ich glaube nicht, daß M. flunkert. [. . .]

[GW 8, BB]

1 In einem Brief vom 28. 7. 1931 teilte Daniel Brody Broch mit, daß René Spitz in Berlin mit Musil über eine eventuelle Übernahme seines Werkes in den Rhein-Verlag gesprochen habe. Dabei zog Brody Musils Angaben in Zweifel, daß vom *Mann ohne Eigenschaften* bereits fünftausend Exemplare verkauft worden seien.
2 René A. Spitz (geb. 1887), Psychologe, Schwager Daniel Brodys. Während des gemeinsamen New Yorker Exils in den vierziger Jahren diskutierte Broch mit Spitz Aspekte seiner *Massenwahntheorie*. Vgl. KW 12, S. 582.

79. An Willa Muir

3. August 1931

Verwöhnen Sie mich nicht gar zu sehr, gnädige Frau!! Jeder Ihrer Briefe bringt mir eine ungeheure Freude, und zum Überfluß kriege ich auch jetzt noch Ihr Buch; eben ist es eingelangt. Doch es ist ganz richtig, daß Sie es »mit Zögern« geschickt haben: offenbar haben Sie gefühlt, daß es ein Attentat gegen den Huguenau ist, und daß Sie sich damit an allen künftigen Huguenau-Verzögerungen mitschuldig machen. So sehr ich Ihnen also auch danke und so herzlich ich es tue – Huguenau dankt Ihnen *nicht*.

Hingegen dankt er Ihnen sehr für die guten Worte und das wohlwollende Verständnis, das Sie neuerdings für ihn hatten. Ich brauche Ihnen nicht zu schildern, welch ehrliche Befriedigung dies ist – denn irgendwie ist mir dieses Kind doch ans Herz gewachsen. Und eigentlich möchte ich Ihnen sehr gerne etwas über die Aufbauprinzipien, sowohl der Gesamttrilogie als des Huguenaus, erzählen, will mir aber nicht den Spaß und die Freude verderben, daß Sie selber das entdecken, was ich wollte – solcherart »entdeckt« zu werden, ist ja doch die eigentlichste Freude für den Autor. Nur eines will ich sagen: es versteht sich, daß der »Zerfall« den (rationalen und intellektuellen) Schlüssel zum Gesamtaufbau darstellt, darüber hinaus ist er aber noch etwas anderes: nämlich der Grundriß einer – ich sage dies mit möglichster Objektivität und sicherlich ohne Selbstüberhebung, denn ich bin in dieser Materie ziemlich bewandert – der Grundriß einer *neuen* Geschichtsphilosophie. Man kann mir nun einwenden, daß eine solche im Roman nichts zu tun hätte, und dagegen habe ich zu sagen:

1. daß meines Dafürhaltens Geschichtsphilosophie und viele andere Belange infolge der Mathematisierung der eigentlichen Wissenschaft aus dem wissenschaftlichen Bereich auszuscheiden beginnen, daß dagegen – infolge des metaphysischen Bedürfnisses des Menschen – diese Belange anderswo untergebracht werden müssen und daß hiefür der neue Roman, die neue Romanform offenbar das künftige Gefäß werden wird. Es scheint so, und viele andere Gründe sprechen dafür, daß der Polyhistorismus, der bis jetzt das Reservat einer anscheinend wissenschaftlichen Philosophie gewesen ist, zur Domäne des Romans geworden ist;

2. die Polyhistorisierung des Romans macht allenthalben Fortschritte (Joyce, Gide, Th. Mann, in letzter Derivation Huxley). Aber diese Romanschreiber – mit Ausnahme Joyces – haben keinen rechten Begriff von der Wissenschaft: sie versuchen »Bildungselemente« im Roman unterzubringen; die Wissenschaft ist ihnen wie ein kristallener Block, von dem sie das eine oder das andere Stück abbrechen, um damit ihre Erzählung an zumeist ungeeignetem Ort zu garnieren oder einen Wissenschaftler als Romanfigur damit auszustatten. Auch mein Freund Musil, der allerdings den Vorzug besitzt, ein ausgezeichnet wissenschaftliches und trainiertes Denken zur Verfügung zu haben, ist von diesem Vorwurf nicht freizusprechen. Demgegenüber mache ich nun den Versuch, und das ist vor allem das »Wagnis«, von dem ich sprach, lebendige Wissenschaft, d. h. hier produktive Wissenschaft (mit der Einschränkung, daß sie m. E. nicht mehr als reine Wissenschaft gilt) im Roman unterzubringen, einesteils indem ich sie immanent in eine Handlung und in Figuren unterbringe, die mit »Bildung« nichts mehr zu tun haben, bei denen also die fürchterlichen Bildungsgespräche nicht geführt werden, anderseits indem ich sie nackt und geradeaus und eben nicht als Gesprächsfüllsel zum Ausdruck bringe. Daß der »Zerfall« mit dem Ich des »Heilsarmeemädchens« in einen gewissen Zusammenhang gebracht wurde, ist fast eine Konzession, legitimiert sich aber an der internen Architektonik aller drei Bücher, (darüber aber, wie gesagt, später einmal!).

3. Schließlich dazu etwas Autobiographisches: meine eigenen wissenschaftlichen Arbeiten konzentrieren sich auf mathematologische Untersuchungen; das erscheint mir für den gegebenen Augenblick als das Wichtigste und Fruchtbarste. Aber da ich auch nur ein Mensch bin und meine metaphysischen Bedürfnisse sich so wenig unterdrücken lassen wie die irgend eines anderen, und da ich leider nicht mehr jung genug bin, um auch für meine »unwissenschaftliche« Philosophie genügend Zeit vor mir zu haben – vielleicht, wenn ich sehr, sehr alt werde –, so hätte die Welt eine Ausbuchtung bekommen oder es wäre sonst irgendwas Schreckliches geschehen, wenn ich mich nicht endlich mit diesen Themen auseinander gesetzt hätte. So also mußte es auch von dieser Seite her zu dem Wagnis kommen.

Genug von mir erzählt, und verzeihen Sie diesen Erguß. Denn darüber habe ich das Wichtigste zu weit nach rückwärts geschoben: Mr. Muir für sein Vorhaben und seinen künftigen Essay[1] zu danken; natürlich bin ich davon begeistert, nicht nur weil es so ehrenvoll für mich ist, sondern auch weil die Schlafwandler sicherlich eine liebevolle Einführung benötigen, um sie einem Publikum zugänglich zu machen. Was Sie vom englischen Publikum schreiben, ist gewiß nicht schön, aber ich meine, daß Sie das kontinentale außerordentlich überschätzen, wenn Sie meinen, daß es anders wäre. Und im Grunde *darf* es gar nicht anders sein – es würde sonst meiner Geschichtsphilosophie widersprechen, und da will ich lieber, daß die Schlafwandler unverstanden blieben, als daß meine Theorie ins Wanken käme!! [. . .]

[GW 10, MSC]

1 Edwin Muir, »Hermann Broch: The Sleepwalkers«, in: *The Bookman* (N. Y.), 75/7 (Nov. 1932), S. 664-668.

80. An Daniel Brody

Wien, 4. August 1931

Lieber Freund,

[. . .] Zum »Zerfall der Werte«: er ist so gearbeitet, daß er, herausgehoben aus dem Ganzen, einen selbständigen Aufsatz darstellt (wie ja jede einzelne der durcheinanderlaufenden Geschichten in sich geschlossen ist!). Seine besondere Bedeutung hat er hier, da er ja die intellektuelle »Sachlichkeit« der Gesamttrilogie manifestiert – konstruktiv überdies derart, daß er zum Schluß alle Motive des Huguenaus in sich aufnimmt und damit den Roman beschließt. Ich glaube, daß es artistisch sehr gut geglückt ist und könnte Ihnen über die Konstruktivität hiezu noch allerlei erzählen. Aber darüber später; jetzt haben wir beide andere Sorgen. Nur etwas: eventuell könnte man den »Zerfall« in ein paar Exemplaren separat drucken und für Rezensenten als Einführung benützen. (Nebenbei und ohne Überheblichkeit gesagt, denn ich bin [in] der Materie recht gut beschlagen, repräsentiert der »Zerfall« den Grundriß einer völlig neuen Erkenntnistheorie der Geschichtsphilosophie, hoffentlich merkt's der Leser *nicht*). [. . .]

[GW 8, BB]

81. An Daniel Brody

Wien, 5. August 1931

[. . .] Was nun die Fremdworte im »Zerfall« anlangt, so werde ich sie in den Fahnen zu mildern trachten: mich stören sie nicht sonderlich, denn sie stehen im Dienste einer präzisen Diktion, die hier nötig ist. Daß das Buch durch den »Zerfall« ein Wagnis geworden ist, habe ich Ihnen bereits früher gesagt: nichtsdestoweniger bin ich der Ansicht, daß eben dieses Wagnis jetzt gewagt werden kann, gewagt werden soll, gewagt werden muß, *weil die Zeit dafür reif ist*. [. . .]

Warum aber ist die Zeit hiefür reif? Sie kennen meine

Theorie, daß der Roman und die neue Romanform die Aufgabe übernommen haben, jene Teile der Philosophie zu schlucken, die zwar metaphysischen Bedürfnissen entsprechen, dem derzeitigen Stande der Forschung aber gemäß heute als »unwissenschaftlich« oder, wie Wittgenstein sagt, als »mystisch« zu gelten haben[1]. *Die Zeit des polyhistorischen Romans ist angebrochen.* Es geht aber nicht an, daß man diesen Polyhistorismus in Gestalt »gebildeter« Reden im Buche unterbringt oder zu dieser Unterbringung Wissenschaftler als Romanhelden präferiert. Der Roman ist Dichtung, hat also mit den Ur-Moventien der Seele zu tun, und eine »gebildete« Gesellschaftsschicht zum Romanträger zu erheben, ist eine absolute Verkitschung. So sehr Gide, Musil, der Zauberberg, in letzer Derivation Huxley als Symptome des kommenden polyhistorischen Romans auch zu werten sind, so sehr finden Sie bei allen diesen die fürchterliche Einrichtung der »gebildeten« Rede, um den Polyhistorismus unterbringen zu können. Bei den meisten dieser Autoren steht die Wissenschaft, steht die Bildung wie ein kristallener Block neben ihrem eigentlichen Geschäft, und sie brechen einmal dieses Stückchen, ein andermal jenes Stückchen davon ab, um ihre Erzählung damit aufzuputzen. Musils Methode wird allerdings in gewissem Sinne wieder legitim – aber das führt zu weit; zu sagen ist bloß noch, daß der Polyhistorismus Joyces auf ein anderes Blatt gehört. Immerhin sehen Sie bei Joyce *im Gegensatz zu allen anderen!* die Tendenz, das Rational-Intellektuelle vom Psychischen abzutrennen, den Romanfluß aufzuheben und eine völlig andere Betrachtungsweise einzuschieben. Joyce hat mit dem Bildungs-Unwesen der anderen nichts zu tun – aber weder seine Methode, noch seine souveräne Virtuosität sind nachzuahmen, ganz einfach, weil es einmalig ist.

Nun meine Methode: so gerne ich sie mit Joyce vergliche, weiß ich meine Grenzen. Aber ich weiß auch, daß der »Zerfall« (den man freilich nicht alleine nehmen darf, vielmehr bildet er mit der Gesamtmethode des Huguenau ein Ganzes) einen wesentlichen und originalen Schritt zum polyhistorischen Roman darstellt. Über die Schichtenkonstruktion habe ich der gnädigen Frau schon geschrieben. Und nun wäre nur noch dazu zu sagen, daß das Wissenschaftliche eben nicht als Gesprächsfüllsel verwendet wird, sondern als oberste rationale Schicht mitschwimmt und mitschwingt. Es ist also ganz ausgeschlossen, den »Zerfall« anders einzugliedern, als es geschehen ist. Ganz abgesehen davon, daß er in fortlaufender Kontrapunktik zu der »Heilsarmee« komponiert ist und mit ihr auch in einem inhaltlichen Zusammenhang steht, so werden Sie auch bemerken, daß jedes dieser »wissenschaftlichen« Kapitel mit dem vorangehenden und den ihm nachfolgenden in einer Art kommentierenden Konnex gesetzt worden ist. Ebenso ist es mit der Stilfärbung, die im Huguenau wellenförmig auf- und abschwingt und dieser rationalen Wellenkämme unbedingt benötigt. (Wenn das soi-disant Wissenschaftliche noch irgendwo gemildert werden kann, so soll's trotzdem geschehen.) Und als Letztes: diese rationale Sinngebung des Ganzen, zusammen mit den vielen rein dichterischen Sinngebungen auf den anderen Schichten, schließt es aus, daß das »Wissenschaftliche« als kristallener Block *neben* dem Roman steht; es *entsteht* vielmehr fortlaufend aus dem Roman selber – und daß es überdies auch im quasi-wissenschaftlichen Sinne eine völlig neue Geschichtsphilosophie enthält, zeugt im besonderen (abgesehen davon, daß es womöglich vom Leser nicht gemerkt werden soll) von der Autochthonie des neuen Verfahrens. [...]

[GW 8, BB, MSC]

1 Vgl. Ludwig Wittgenstein, *Tractatus logico-philosophicus* (1921), 6,44-7.

82. An Willa Muir

Wien, 22. August 31

Gnädige Frau,
seit Ihrer reizenden Karte sind schon wieder 14 Tage ins Land gegangen, ist der Huguenau wieder viel zu langsam vorgerückt, diesmal bis S. 316, und diese Seiten liegen bei. Und ich hoffe und wünsche sehr, daß diese – entscheiden-

den – Kapitel für Sie recht aufregend wären. Kommentar gebe ich Ihnen gerne später, bis Sie Ihren eigenen Eindruck gehabt haben. Für mich ist's nach wie vor ein aufregendes Experiment, schon die Herstellung des Gleichgewichtes zwischen den theoretischen und den normalen, um nicht zu sagen praktischen Kapiteln ist ein Seiltanzen.

Zur Drucklegung: ich würde es für richtig halten, jedes Kapitel auf einer eigenen Seite beginnen zu lassen. Schon der Gedichte wegen, von denen ja jedes ein eigenes Kapitel darstellt, aber auch um die Unterkapitelchen (wie bei Kapitel 60) von den Hauptkapiteln zu unterscheiden. Weiters bitte ich die Kapitelüberschriften sowie die Regiebemerkungen etc. (in Kap. 59) kursiv setzen zu lassen. Ich habe diesmal die Kursivstellen rot unterstrichen.

Könnte man übrigens das Kap. 60 (Fest in der Stadthalle) nicht als Vorabdruck für irgend eine Zeitung oder ein literarisches Magazin verwenden? es ist auch für Normalleser verdaubar! [. . .]

[GW 10, MSC]

83. An Willa Muir

Wien, 7. Sept. 1931

Verehrteste gnädige Frau,
heute werden Sie, fürchte ich, sehr böse auf mich sein; ich verursache Ihnen zu allem anderen jetzt noch Mehrarbeit: Kap. 34 und 44 müssen nämlich gegen neue Fassungen ausgetauscht werden. Um den Romanleser intellektuell nicht zu sehr zu belasten, habe ich diese beiden Kapitel allzu feuilletonistisch und salopp aufgebaut – das war eine Fehlspekulation; sie sind dadurch nicht leichter geworden, belasten aber dafür mein wissenschaftliches Gewissen. Und da es gleichgültig ist, ob er es so oder so nicht versteht, habe ich jetzt doch mich zu einer reinlicheren und strafferen Formulierung entschlossen (soweit dies im Roman überhaupt möglich ist), und hier sind also diese beiden Kapitel mit der Bitte, die alten Fassungen zu vernichten. Leider ändert sich dadurch auch

die Gesamtpaginierung, und ich muß Sie auch bitten, die Umpaginierung vorzunehmen. Seien Sie mir nicht allzu böse!

Aber es gibt noch andere Korrekturen, auf die ich leider allzu spät gekommen bin:

Auf S. 232 (alte Paginierung) 2. Absatz dürfte das Wort »nachsagen« fehlen. Die Stelle heißt dort richtig: »nein, Herr Major, man kann mir nicht nachsagen, daß meine frühere Zeitungstätigkeit unanständiger gewesen ist als meine jetzige . . .«

S. 277 wurden in dem französischen Passus Huguenaus irrtümlich ein paar Worte ausgelassen. Die Stelle heißt: »ah, merde la sainte religion et les curés à faire des courbettes auprès de la guillotine . . .«

Schließlich gibt es in Kapitel 55 (Zerfall der Werte 7.) einige Korrekturen. Um sie nicht alle separat anzuführen, lege ich die vier in Betracht kommenden Manuskriptseiten bei, auf denen ich die Abänderungen *rot* eingetragen habe. Sie sind nicht sehr arg.

Meine letzte Sendung bis inkl. Kap. 61 (alte Paginierung letzte Seite 316) ist hoffentlich richtig eingelangt. Fortsetzung und Schluß folgen jetzt sehr bald. [. . .]

[GW 10, MSC]

84. An Daniel Brody

Wien, 23. September 1931

Lieber Freund Dr. Brody,

[. . .] Zum Zerfall: er macht Ihnen offenbar arges Kopfzerbrechen, d. h. verlegerisches Kopfzerbrechen. Und ich stimme Ihnen bei, daß er ein Wagnis ist, daß ein großer Teil der Leserschaft und der Kritik da streiken wird *müssen*. Ich zerbreche mir auch den Kopf genügend über dieses Problem. Doch ich komme immer wieder zu dem Schluß, daß die Erkenntnisbreite des Gesamtwerkes durch diese Kapitel eine Ausdehnung erfahren hat, wie sie in der Belletristik bisher (Joyce immer ausgenommen!) nicht vorhanden gewesen ist, und daß das Novum, das unzweifelhaft – sowohl inhaltlich als formal – damit gegeben ist, den äußeren Erfolg des Buches über das gewöhnliche Maß hinaus steigern könnte. Die Schlafwandler sind an und für sich keine Bahnhoflektüre, und wenn sie trotzdem zu einem geschäftlichen Erfolg werden sollen, so kann dies m. E. bloß durch die konsequente Verfolgung der entgegengesetzten Linie erfolgen, nur durch eine Konsequenz, die radikal bis ins Außergewöhnliche (richtiger Außer-Gewöhnte) führt, und vor dieser Radikalität darf man m. E. in einer Zeit nicht zurückschrecken, in der das Gewohnte von vornherein übersehen werden muß: wenn heute jemand Geld für ein Buch auslegen soll, so muß er für einen solchen Verzweiflungsakt auch einen heroischen Gegenwert bekommen. Alles in allem halte ich daher die verlegerischen Gewinstchancen des Zerfalls für größer als dessen Verlustchancen und komme solcherart zu der Konklusion, daß wir das Wagnis wagen und ihn belassen sollen wie er ist. [. . .]

[GW 8, BB, MSC]

85. *An Edwin Muir*[1]

Wien, 1. Oktober 1931

Dear Mr. Muir,
Ihr Brief hat mich sehr bestürzt, und die erste Frage: wie geht es der gnädigen Frau[2]? hätte schon vor vierzehn Tagen gestellt werden müssen. Und sie wäre natürlich auch gestellt worden, wenn ich, zwar nicht im operierten Zustand, wohl aber mit einer schweren Fieberattacke nicht selber gelegen wäre. Hier gibt es nämlich wieder eine inoffizielle Grippeepidemie, und in meinem überarbeiteten Zustand bin ich in einen sehr gründlichen unfreiwilligen Urlaub damit geraten. Verzeihen Sie also die so verspätete Antwort, ich kränke mich darüber ohnehin selber so sehr, besonders weil ich der gnädigen Frau zur Rekonvaleszenz das ganz herrliche nachgelassene Buch von Kafka (»Chinesische Mauer«, jetzt eben bei Kiepenheuer erschienen)[3] schicken wollte. Bitte schreiben Sie mir doch, ob es nicht schon zu spät ist, und ob Sie es nicht

schon haben – es würde mir solche Freude machen, es schicken zu dürfen, umsomehr als Sie, wie ich aus dem Secker-Prospekt sehe, das »Schloß« übersetzt haben und Kafka sicherlich ebensosehr wie ich lieben.

Im übrigen sind Sie sehr im Irrtum, wenn Sie mir Ängstlichkeit wegen der Übersetzung imputieren: wer das unnachahmliche Deutsch Kafkas zu übersetzen vermag, wer die »Imagined Corners« geschrieben hat, der kann auch die Schlafwandler übersetzen. Ich freue mich bloß darauf und bin ungeduldig, das ist bloß legitim, aber ich kann warten und muß warten.

Was nun die Drucklegung anlangt, so will der Rheinverlag die Kapitel fortlaufend drucken (also nicht jedes mit einer eigenen Seite beginnen lassen), da er die leeren Räume an den Kapitelenden fürchtet. Das ist eine gerechtfertigte Befürchtung. Wir sind also dabei verblieben, die Kapitel fortlaufend zu drucken und bloß ziemlich große Abstände (etwa 7-9 Zeilen) zwischen den Kapiteln als Abstand zu lassen; die Unterkapitel innerhalb eines Kapitels, z. B. beim »Fest in der Stadthalle« werden dann bloß durch einen Abstand von 2 Zeilen, eventuell mit einem zarten Sternchen voneinander getrennt. Wichtig ist bloß noch die Placierung der Gedichte: da sie »normale« Kapitel sind, müssen sie wie die anderen fortlaufend gedruckt werden – man muß aber dabei acht haben, daß so ein Gedicht nur mit ein paar Zeilen auf einer Seite beginnt oder endigt; es ist ohnehin unangenehm genug, daß die Gedichte nicht organisch geteilt werden können, sondern von des Druckers Gnaden abhängig sind. Doch Sie werden schon das Richtige treffen.

(N. B. mit den Blankversen bin ich natürlich vollkommen einverstanden!)

Beim Druck des Pasenow und des Esch sind bloß die epilogischen Kap. IV. zu berücksichtigen: bei der deutschen Ausgabe haben wir es so eingeteilt, daß diese kurzen Kapitel (übrigens, wie Sie bemerkt haben dürften, der Symmetrie halber auch die anderen Kapitelanfänge) auf die rechte Seite, d. h. auf ungerade Seitenzahl zu stehen kommen, da ja die Gefahr besteht, daß der Leser dieses kurze Kapitel übersieht, wenn er dafür eigens umblättern muß. Vielleicht ließe es sich im Englischen ähnlich bewerkstelligen.

Und nun zu Ihrer Frage: vor allem anbei eine Fortsetzung bis inkl. Kap. 72 (S. 381 ohne Berücksichtigung der erhöhten Seitenzahl, die sich durch die Auswechslung der kürzlich gesandten Kapitel ergibt) – und man sieht wohl auch jetzt schon, wohin die Handlung drängt: zum Zerfall des Bestehenden, zu jenem Zerfall, den wir schließlich täglich und stündlich erleben, und dessen Notwendigkeit man bloß hinnehmen kann. Nichtsdestoweniger – und dies ist mein innerlichstes credo – gibt es einen Silberstreif am Horizont, ist der Hauch des Absoluten unverloren und unverlierbar, und das Buch endigt mit dem Paulinischen Wort »Fürchte dich nicht! denn wir sind noch alle hier!!«[4]

Und nun haben Sie noch Dank für die viel zu guten Worte, die Sie immer wieder für die Schlafwandler finden, und schreiben Sie mir bitte, wie es um das Befinden der gnädigen Frau steht. Mit den allerbesten Genesungswünschen begrüße ich Sie, verehrter Mr. Muir, als Ihr

Hermann Broch

p. s. der Rheinverlag dachte daran, den »Zerfall« in Kursivdruck zu setzen. Mir war es nicht sympathisch, weil der Zerfall zum Buch gehört und nicht herausgehoben werden soll. Doch ich würde sehr gerne wissen, was Sie davon halten!

[GW 10]

1 Vgl. Brief vom 21. 5. 1931. Fußnote 1.
2 Willa Muir war damals erkrankt.
3 Franz Kafka, *Beim Bau der Chinesischen Mauer* (Berlin: Kiepenheuer, 1931).
4 Am Ende der *Schlafwandler* heißt es: »Tu dir kein Leid! denn wir sind alle noch hier!«. KW 1, S. 716. (Vgl. Apostelgeschichte 16, 28 im Neuen Testament.)

86. An Edwin Muir

Wien, 24. Oktober 1931

Dear Mr. Muir,
in aller Eile herzlichsten Dank für Ihre lieben Zeilen. Ich bin sehr glücklich, daß sich die gnädige Frau bereits am Wege der Genesung befindet, und sehr unglücklich, daß sie den neuen Kafka bereits besitzt. Ich wäre so sehr erfreut gewesen, wenn ich ihr und Ihnen dieses Wunderwerk (denn ein solches ist es) hätte übermitteln und vermitteln dürfen.

Nun vor allem aber Richtigstellung eines Mißverständnisses: ich bin ausgesprochen entzückt, wenn Sie den *»Zerfall«* in einer entsprechenden Zeitschrift unterbringen können[1]. Denn der »Zerfall« ist mir das weitaus wichtigste in den Schlafwandlern, und seine Publizität liegt mir sehr am Herzen. (Der Vorschlag des Biergartenfestes war ja bloß von Publikumsrücksichten diktiert.) Ich habe nur nicht sofort darüber geschrieben, weil ich Ihnen noch das wichtigste, nämlich das erkenntnistheoretische Kapitel des »Zerfalls« dazu geben wollte – was sich allerdings durch meine Krankheit bis heute verzögert hat.

Hier ist es nun (gleichzeitig als Fortsetzung des Manuskripts). Und es ist gleichzeitig ein guter Abschluß für die Separatpublizierung. Ich möchte nur dazu erwähnen, daß die Theorie der »Setzung der Setzung« für die Methodologie der Historie, aber darüber hinaus auch für die allgemeine Erkenntnistheorie ein Novum darstellt – soweit ich die philosophische Literatur überschauen kann. Ich überschätze diese Leistung gewiß nicht, aber da ich ein ganzes erkenntnistheoretisches Buch[2] vorbereitet habe, das zum Teil auf diesen Gedanken aufgebaut ist, resp. auf den Gedanken des Wertzerfalls und die Theorie der Renaissance, so begrüße ich es ganz aufrichtig, wenn jetzt schon der Weg in der Öffentlichkeit vorbereitet wird und bin Ihnen, verehrter Mr. Muir, ganz aufrichtig und von ganzem Herzen dankbar, wenn Sie mir hiezu Ihre wertvolle Hilfe schenken. Eines fehlt noch allerdings im »Zerfall«, nämlich das Kapitel über die Stellung des Irrationalen in seinem Verhältnis zu den Wertsystemen. Dieses Kapitel wird das Schlußkapitel des Huguenau und der Schlafwandler bilden. Es ist aber derart in die Romanhandlung verwoben, nimmt die ganze Handlung in sich auf, daß es sich für eine Separatpublikation nicht eignet. Ich meine aber, daß man für diese Publikation auf die Irrationalität verzichten kann.

Es wird Sie übrigens interessieren, daß Frank Thiess, dessen Zusammenhang mit den Schlafwandlern am Schutzumschlag des Pasenow sichtbar ist, und den ich nach dem Diederichs-Preisausschreiben kennenlernte, auf Grund der Theorie des Wertzerfalls ein Sammelwerk verschiedener Autoren herausgibt, die sich mit dem bürgerlichen Wertzerfall beschäftigen. (Die Herausgabe erfolgt gemeinsam mit Heinrich Mann.) Zu diesem Sammelbuch habe ich nun ein erkenntnistheoretisches Nachwort geschrieben, das in gedrängter Form den Inhalt des »Zerfalls« aus dem Huguenau umfaßt[3]. Ich schicke Ihnen nächster Tage das Manuskript. (Übrigens ist auch hier das Irrationalitätskapitel ausgelassen.) Natürlich könnte man auch diese gekürzte Fassung zur englischen Publikation bringen – lieber aber ist mir die Fassung, wie sie im Huguenau steht, außerdem ist die Übersetzungsarbeit hiefür schon geleistet.

Schließlich lege ich hier noch eine Separatseite bei. Der Anfang des Kap. 69 mußte ausgewechselt werden, und ich bitte Sie, diese Seite im Manuskript einzulegen und die alte zu vernichten, damit keine Verwechslung stattfinde. (Haben Sie übrigens szt. die beiden Auswechslungskapitel erhalten? Sie haben sie nicht bestätigt, aber es wird schon in Ordnung sein.)

Von mir darf ich Ihnen noch berichten, daß meine Attacke so ziemlich überwunden ist, daß ich aber noch immer mit den Nachwehen dieser außerordentlich heftigen Grippe zu tun habe – daher auch die kleine Verzögerung meiner heutigen Antwort und die Bitte, diese zu entschuldigen. Ich bin jedoch nun wieder in flotter Arbeit, und in wenigen Tagen erhalten Sie den definitiven Schluß des Huguenaus. Wie sich dieser nun doch zum Optimistischen wenden kann, sehen Sie bereits am Schluß des beiliegenden erkenntnistheoretischen Kapitels. [. . .]

[GW 10, MSC]

1 Hermann Broch, »Disintegration of Values«, übersetzt von Willa und Edwin Muir, in: *Criterion,* 11/45 (Juli 1932), S. 664-675. (Es handelt sich um die Kapitel 6 und 7 aus dem »Zerfall der Werte« in den *Schlafwandlern.*)
2 Vgl. KW 10/2, S. 207-299.
3 »Logik einer zerfallenden Welt«, KW 10/2, S. 156-172.

87. An Edwin Muir

Wien, 2. November 1931

Dear. Mr. Muir,
hoffentlich haben Sie meine letzte Sendung richtig erhalten. Heute bekommen Sie Kap. 74 bis 81, d. i. bis S. 439. Der Rest folgt in etwa einer Woche. Insgesamt sind es *88 Kapitel.*

Leider ist in Ihrem Manuskript bei den Namen eine kleine Verwirrung stehen geblieben, u. z. im Kap. 60 (Stadthalle).

Nämlich: die Frau des Apothekers heißt nicht Lieblein sondern *Paulsen,*
der Hauptmann Göbel schreibt sich richtig *v. Goebel,* und
der Kriegsfreiwillige Pelzer ist Doctor.
Es ist also abzuändern:
statt Lieblein richtig *Paulsen*
(S/291 Z 9 von oben – 10 von oben – 4 von unten – S/294 Z 3 von unten – 1 von unten – S/295 Z 5 von oben – S/296 Z 3 von oben – S/297 Z 8 von oben – S/303 Z 2 von oben)
statt Göbel richtig *v. Goebel*
(S/296 Z 7 von unten – 1 von unten)
schließlich soll es richtig heißen *Dr.* Ernst Pelzer, also bloß das *Dr.* einzuschalten auf S. 305 Zeile 6 von unten.

Ich hoffe, daß ich keine Stelle übersehen habe. Jedenfalls bitte ich ob des Verstoßes um Entschuldigung!

Ferner lege ich meinen Jahrbuch-Aufsatz bei, von dem ich Ihnen kürzlich gesprochen habe. Er heißt »Logik einer zerfallenden Welt« und enthält in gedrängter Form im wesentlichen das Gleiche wie der »Zerfall« im Roman. (Die Roman-Fassung ist mir, wie gesagt, lieber – die Zusammendrängung ist noch nicht Wissenschaftlichkeit, aber ich hatte vom Verlag nicht mehr Raum zur Verfügung.) Ich bin ganz außerordentlich begierig, ob Sie die eine oder die andere Fassung placieren können!

Wie geht es der gnädigen Frau? ich hoffe bald auf eine gute Nachricht! [. . .]

[GW 10]

88. An Daniel Brody

Wien, 11. November 1931

Lieber Freund,
in gewohnter Eile: Sie haben keine Verantwortung, und ich verstehe Ihren Verlegerstandpunkt, habe ihn, wie Sie wissen, immer verstanden. Ich verstehe ferner, daß vom Verlag aus gesehen die qualitativen und künstlerischen und gedanklichen und formalen Qualitäten eines Buches weniger bedeutsam als der Erscheinungstermin sind. [. . .]

Aber neben dem Verlag gibt es einen Dr. Brody und einen Hermann Broch, die beide das Buch gegen den Verlag verteidigen müssen. Daß dies, wie es im Huguenau heißt, ein »unsinniges weil ideales Vorgehen« ist, darüber bin ich mir auch klar. Aber Ihre große Kunst wird es sein müssen, das Sinnlose zum praktisch Sinnvollen zu machen: da beginnt erst Ihre Verantwortung.

Was innerhalb meiner autonomen Sphäre geschieht, ist sinnvoll. Und daß es sich um keine frivolen Verzögerungen handelt, das wissen Sie so gut wie ich. Was Sie tun, ist *in meinen eigenen Wunden wühlen,* was ich Ihnen vergönne, weil ich verstehe, daß Sie sich Luft machen müssen. Und wenn ich dagegen auf meine Leistung verweise – und es ist eine Leistung, ein Buch von 500 Seiten in einem halben Jahr fertig zu bringen! und was für ein Buch! (mit aller Bescheidenheit gesagt) – so ist dies für Sie ein Äquivalent. [. . .]

[GW 8, BB]

89. An Willa und Edwin Muir

Wien, 17. November 1931

Verehrteste gnädige Frau, lieber Mr. Muir,
kaum hatte ich Ihnen geschrieben, als Ihr Brief einlangte und – wie gewöhnlich, wie immer – alle mögliche Freude brachte. Vor allem freue ich mich aufrichtigst, daß Sie, gnädige Frau, jetzt wirklich wieder hergestellt sind. Und da die egoistischen Freuden die ehrlichsten sind, freue ich mich, daß Sie wieder beim Huguenau sind.

Und was nun diesen anlangt, so freut es mich immer wieder, daß Sie mit ihm einverstanden sind – und ich werde von Tag zu Tag auf Ihre Übersetzung, nicht zuletzt auf die der Gedichte, neugieriger. Und für den Criterion bin ich Ihnen *sehr* dankbar, nicht minder dafür, daß Bertrand Russell[1] die Bücher lesen soll. Allerdings: wäre er ein deutscher Professor, so wäre das gefährlich, denn für den wäre ich als Mathematiker und Logiker ein für allemal erledigt – ein Mensch, der Gedichte schreibt, ist als wissenschaftlicher Autor nicht ernst zu nehmen – glücklicherweise ist Russell kein deutscher Professor, und ich hoffe sehr, daß er einmal auch noch meine logischen Arbeiten lesen wird.

Nun habe ich bereits die deutschen Korrekturen von der Druckerei erhalten und habe, wie nicht anders zu erwarten gewesen, noch verschiedene notwendig werdende Fassadenreparaturen gefunden. Auch im »Zerfall« gibt es einige, und die sind mir besonders wichtig, weil sie der wissenschaftlichen Korrektheit dienen. (Immer mit der Reservatio, daß wir uns in einem Roman befinden.) Ich übersende also unter einem eine Partie der Korrekturbögen, soweit ich sie von der Druckerei habe, und habe die wesentlichen Ausbesserungen eingesetzt.

Die wichtigsten seien kurz angefügt:
Kap. 11 erhält einen *völlig neuen* Anfang.
Kap. 30 und 32 werden gegeneinander ausgetauscht, wodurch sich auch gewisse kleine textliche Änderungen ergeben;
in Kap. 34 (Zerfall) ein Absatz präziser gemacht;
in Kap. 37 (Gedichte) das Wort »Juden« durch »Wanderer« ersetzt;

in Kap. 55 (Zerfall) gleichfalls eine Präzisierung:
auch sonst gibt es verschiedene textliche Einschübe und Abänderungen, und wenn es Ihnen *halbwegs* möglich ist, so bitte ich sie zu berücksichtigen und mir ob dieser Nachtragsarbeit, die ich Ihnen da verursache, nicht böse zu sein. – Die Korrekturen sind im deutschen Drucker-Code ausgeführt, aber sie sind, glaube ich, ohne weiteres verständlich, auch wenn die englischen Drucker andere Zeichen verwenden sollten. Bei komplizierteren Stellen habe ich Erläuterungstext in Maschinenschrift beigelegt.

Die typographischen Vorschriften (Abstand der einzelnen Kapitel von einander etc.) bitte ich nicht zu beachten; sie wurden bloß irrtümlich auch in Ihr Korrekturexemplar übertragen. Ich möchte bloß bemerken, daß die Kapitelnummern *nicht* eingeklammert werden, weiters, daß wir zwischen den einzelnen Kapiteln größere Abstände einlegen, während die Unterkapitel innerhalb eines Hauptkapitels (z. B. in Kap. 34 oder 60) bloß durch schmale Abstände voneinander getrennt werden. Und schließlich, daß die Zeitungsartikel (z. B. Kap. 33) eine eigene Type »Zeitungsdruck« erhalten sollen. Im übrigen bin ich überzeugt, daß der englische Druck, Austeilung etc. wesentlich besser sein wird als der deutsche, weil man eben diese Sachen in England immer besser macht, und will daher keinerlei Vorschriften machen.

Ich lege nun den Opernschluß[2] bei (als solchen empfinde ich ihn, und so soll er auch sein –, opernhaft) bis inkl. S. 494. Es fehlt nun noch Kap. 87 (ein Sonett als Koda) und der große Epilog des Kap. 88, die ich in ein paar Tagen folgen lasse. [...]

[GW 10]

1 Bertrand Russell (1872-1970), englischer Philosoph und Mathematiker. In seinen philosophischen Schriften setzte Broch sich verschiedentlich mit Russell auseinander. Vgl. KW 10/1 + 2.

2 Das Kapitel 23 der Novellen-Fassung des *Huguenau* (Ur-Huguenau), welches dem Kapitel 85 der veröffentlichten Buchfassung entspricht, begann mit dem Satz: »Die nachfolgenden Szenen wurden ausschließlich zur Erfreuung des Lesers geschrieben.« Vgl. KW 6, S. 112.

90. An Willa Muir

Wien, 24. November 1931

Verehrteste gnädige Frau,
noch immer schäme ich mich meiner in Briefen und Telegrammen realisierten Angst-Orgie ob der verlorenen und wiedergefundenen Manuskriptseiten. Und nichts ist so grausam, als einen Menschen sich einsam schämen lassen; ich warte schon sehr auf eine Nachricht von Ihnen – und ungeheuer gespannt auf die Gedichtübersetzungen. Zu den Gedichten: das Einzelsonett (Kap. 87) hat eine übermäßig verlängerte erste Zeile. Das ist natürlich Absicht, taugt aber vielleicht nicht fürs Englische! Kürzung oder Verlängerung muß also Ihnen überlassen bleiben.

Und weiters nach Ihrem Ermessen: wenn Stellen für den englischen Zensor zu kraß aussehen sollten, so könnten sie zur Not gemildert werden, obwohl ich es nicht gerne täte. Weil eben alles, wenigstens nach meinem Gesetz, auf seinem richtigen Platz steht.

Heute nun erhalten Sie die restlichen Korrekturbögen. Es gibt wieder allerhand kleinere Korrekturen und Einschübe, die mir aber zum Teil sehr wichtig sind. Viel ist dazu nicht zu sagen; ich hoffe, daß die Ausbesserungen deutlich sind. Bitte nur nicht zu übersehen, daß die Kap. 75 und 76 gegeneinander ausgetauscht sind, wobei das (frühere) Kap. 76 entsprechend abgeändert wurde. Alles andere sind Details, aber, wie gesagt, nicht unwichtige Details, so der Einschub beim Stadtgartenfest oder die Einschübe bei den Hannakapiteln etc. etc.

Beim ersten Hannakapitel wurde übrigens ein Einschub vergessen. Nämlich auf Korrekturbogen 26 ist am Ende der Zeile 18 (von oben), nach Ersatz des Punktes durch einen Beistrich, der Nachsatz einzuschalten: *als könnte sie damit die Stunde erschnuppern.* Die betreffende Stelle lautet also folgendermaßen:

> ... wohl der frühe Morgenwind, und seine Kühle einzufangen, schnaubte sie ein wenig durch die Nase, als könnte sie damit die Stunde erschnuppern. Dann, geschlossenen Auges, griff sie links zum Neben- ...

Dies aber ist definitiv die *allerletzte* Korrektur. Und ich hoffe nur sehr, daß sie Ihnen nicht allzu arge Mühe bereitet.

Jetzt bleibt also nur noch das leider sehr verantwortungsbeladene Kap. 88, das aber, wie ich bestimmt hoffe, in ganz wenigen Tagen bei Ihnen sein wird. [...]

[GW 10]

91. An Daniel Brody

Wien, 17. Dezember 1931

Lieber Freund,
haben Sie Dank für Ihre besorgte Karte. Würden mir die Ereignisse Zeit zum schlechten Gewissen lassen, so hätte ich es vielleicht, allerdings bloß vielleicht; denn ich fühle mich einer force majeure ausgeliefert, bei der einem nichts übrig bleibt, als alle viere von sich zu strecken.

Was hier finanziell vor sich geht, wissen Sie, ebenso kennen Sie meine Situation meiner Familie gegenüber. Fazit, daß ich die letzten Wochen zum großen Teil in Bankbüros, bei Rechtsanwälten etc. verbracht habe. Dummerweise habe ich mich darauf versteift, trotzdem noch daneben den Huguenau fertig zu machen. Das Resultat war, daß ich nicht nur in eine irrsinnige Überarbeitung geraten bin, sondern überdies das ganze bereits fertige Kapitel nochmals schreiben mußte – ein Kapitel, das mit so viel Verantwortung beladen ist, wie dieses Schlußkapitel, darf nicht mit den Spuren der Verkrampfung und Überanstrengung behaftet bleiben.

Das richtigste wäre natürlich gewesen, diese ganze Atmosphäre zu fliehen, in Ihre geöffneten Arme und nach München zu fliehen. Und als ich Ihren letzten Brief erhielt, war ich nahe daran, es zu tun. Nun kam aber zu allem andern noch eine schwere Erkrankung meines Vaters hinzu, und alles übrige können Sie sich ausmalen. Augenblicklich ist eine gewisse Beruhigung eingetreten, mein Vater ist wieder aus dem Sanatorium entlassen, und geschäftlich heißt es abwarten.

Immerhin, die neue Niederschrift des Schlußkapitels ist beendet, und sie wird unter Ihrem Weihnachtsbaum liegen.

Von Ihnen erbitte ich mir als Weihnachtsgeschenk den bei Ihnen lagernden Umbruch. Sie können mir ihn ruhig anvertrauen; geändert wird nichts mehr, aber es wird die richtige Feiertagsbeschäftigung sein. Hingegen bitte ich Sie, das Schlußkapitel nun, wo wir Zeit haben, doch vorerst auf Fahnen drucken zu lassen. [. . .]

[GW 8, BB]

92. An Willa Muir

Wien, 22. Dez. 31

Ja, verehrte liebe gnädige Frau, ich brauche alle Ihre netten guten Trostesworte, das haben Sie richtig gespürt. Bitte noch! nämlich, ich habe den Epilog »verhaut« (wenn Sie wissen, was das heißt, – englisch weiß ich bloß failed dafür, aber das ist nicht ganz das richtige). Ob ich ihn wirklich und ehrlich verhaut habe, ob ich ihn ganz frisch schreiben müßte, kann ich für den Augenblick nicht einmal sagen; mir fehlt die Distanz dazu. Dieses letzte Kapitel, das nicht nur den »Zerfall« abschließt – das Absolute des Irrationalen, die Revolution als Durchbruch und Rechtfertigung des Irrationalen –, sondern auch alle Fäden des Buches nochmals aufnimmt und zum letzten Knoten verknüpft, ist derart mit Verantwortung beladen, daß die Entscheidung an und für sich schwierig genug ist und jeder Skrupel erlaubt wäre. Vorderhand liegt es fix und fertig hier, und wenn Sie es des Verlegers halber brauchen, so kann ich es, unter Hintansetzung aller Skrupel, einfach abschicken. Und vielleicht werde ich es auf jeden Fall tun, um Ihr Urteil zu hören. Irgendwo habe ich ja die Hoffnung, daß meine Unzufriedenheit nicht objektiv, sonder bloß subjektiv begründet ist.

Denn subjektiv geht es mir ziemlich miserabel. Ich will Sie nicht anjammern, aber da Sie sich nach meiner Biographie erkundigt haben, so kann ich es Ihnen sagen, weil es aus der Biographie entspringt: geboren, weil sich dies leider nicht vermeiden läßt, am 1. Nov. 1886, innerhalb eines kaufmännisch-industriellen Milieus, noch vor meiner Geburt zum

Spinner, Weber und Cottondrucker bestimmt (wehren konnte ich mich dagegen nicht), habe ich mit Rücksicht auf das Reichsvolksschulgesetz die normalen Schulen besucht, wo der Grund des weiteren Unglücks durch Erlernung des Lesens, Schreibens und Rechnens gelegt wurde. Denn nun wollte ich durchaus Professor für Mathematik werden. Aber nebenbei konnte ich mich der industriellen Vorbereitung nicht entziehen, hatte irgendwo den Ehrgeiz, alles zu vereinigen, und so verbrachte ich viele schlechte Jugendjahre in böhmischen, deutschen und elsässischen Fabriken, dann wieder an die Universität zurück, und ehe ich mich versah, hatte ich die Leitung der väterlichen Fabriken inne, und es war Krieg und Nachkrieg und Krisen, und ich stieg zu industriellen Würden auf, wurde das, was man einen Industriekapitän nennt und schien für mein ganzes Leben lang gefangen, umsomehr, als ich die Verantwortung für meine ganze Familie, inklusive meiner alten Eltern nunmehr langsam übernommen hatte. Es war kein leichtes Leben, da ich ja unausgesetzt mathematisch und philosophisch weiter gearbeitet habe – ausgeschlafen habe ich mich seit 15 Jahren sicherlich kein einziges Mal.

Im Jahre 1927 ist es mir gelungen, die Fabriken zu verkaufen, zum großen Entsetzen aller Beteiligten, dennoch zu ihrer aller Heil, da inzwischen nun die ganz schweren Krisen über Österreich hereingebrochen sind. In den letzten Wochen hat sich aber die finanzielle Lage wieder so verschärft, daß die ganze Situation meiner Familie, so gesichert sie auch geschienen hatte, wieder prekär geworden ist. So lebte wieder die ganze Verantwortung auf; ich verbrachte die letzten Wochen wieder in Bankbüros und bei Rechtsanwälten, es war wie in den ärgsten kommerziellen Zeiten, verschärft dadurch, daß mein achtzigjähriger Vater schwer krank geworden ist. Und dies der äußere Grund meiner schweren Überarbeitung und meines Mißtrauens dem Epilog gegenüber, der in dieser Zeit entstanden ist.

Aber: dies ist die gewünschte Biographie und kein Jammern. Und hätte ich nicht für so viel Leute die Verantwortung, so würde ich mich nicht einen Augenblick um die österreichische Krise kümmern, sondern einfach ruhig weiterarbeiten, überzeugt, daß ich »eben durchschlagen werde«

– eigentlich hätte ich dies zur Revanche auf Englisch zitieren müssen, aber ich kann nicht. Und dann glaube ich, hoffe ich, daß der Epilog doch nicht so verhaut ist.

Für heute genug von mir erzählt – es bleibt ohnehin nichts mehr Erzählenswertes in diesem Leben. Doch da Biographien illustriert zu sein pflegen, so nehmen Sie beiliegende Illustration nicht als Anmaßung; außerdem bin ich in Wirklichkeit viel schöner. [. . .]

[GW 10, MSC]

1932

93. An Daniel Brody

Wien, 19. Jänner 1932

Lieber Freund,
wenn ich über meine Erschöpfung hinwegkomme, so bin ich in ein paar Tagen bei Ihnen. Dank für Brief, Joycekommentar[1], Gollbrief. Über all dies mündlich.

Das Schlußkapitel hat nun ein Format, das man neben den Ulysses stellen kann. Besser kann ich von diesem eigenen Kind nicht sprechen. Aber ich glaube objektiv zu sein –, und wenn es nichts anderes ist, so ist die symphonische Arbeit, die darin steckt, reell (und geglückt). Fräulein Herzog ist mitten im Abschreiben.

Ich habe einen Joyce-Vortrag im Radio angekündigt. Eventuell muß ich aus diesem Grund meine Fahrt verschieben. Doch ist es bei unserer literarischen Radioleitung, die wohl den Namen Joyce zum ersten Male gehört hat, durchaus fraglich, ob der Vortrag überhaupt gebracht werden wird. Ganz abgesehen davon, daß sich die Herren ihr bereits fertiggestelltes Monatsprogramm nicht gerne umwerfen lassen. [. . .]

Fast hoffe ich, daß es mit dem Radiovortrag nichts werde[2]. Denn ich freue mich aufrichtigst, zu Ihnen zu kommen und bin ungeduldig. [. . .]

[GW 8, BB]

1 Stuart Gilbert, *Das Rätsel Ulysses. Eine Studie,* ins Deutsche übertragen von Georg Goyert (München, Zürich: Rhein-Verlag, 1932).

2 Broch hielt seinen Vortrag »James Joyce und die Gegenwart« aus Anlaß des 50. Geburtstages von Joyce am 22. 4. 1932 in der Volkshochschule Ottakring in Wien. Vgl. KW 9/2, S. 290.

94. An Daniel Brody

Wien, 28. Jänner 1932

Lieber Freund,
anbei der historische Augenblick der Übergabe! Nicht ganz nach dem Prinzip, wer rasch, der doppelt gibt, aber feierlich und historisch trotzdem.

Und feierlich ist auch dieser Schluß. Dies gehört mit zu den Gründen der Verzögerung. Denn es war die schwierige Entscheidung zu treffen, ob der Abschluß in völliger Nüchternheit, also rein aus dem »Wertzerfall« zu entwickeln war, oder ob man sich zu diesem großen Aufschwung entschließen soll. Ich habe mich nach vielerlei Versuchen dann doch auf diese (ursprüngliche) Fassung festgelegt, weil die Schlüsse der drei Bände eine architektonische Einheit bilden und in sich eine Steigerung von Band zu Band darstellen. Außerdem war die Wiederaufnahme der pathetischen Züge Bertrands und des pathetischen Wertzerfalls Nr. I notwendig. Und schließlich braucht der Leser nach soviel Kälte und Herzlosigkeit ein warmes und menschliches Klopfen auf die Schulter. Allerdings: diese beinahe symphonische Fülle, obwohl auch gegen die Dimension des Huguenau abgewogen, bezieht sich auf das Gesamtwerk, und deshalb wäre ich sehr dafür, die ungebundenen Exemplare nunmehr einbändig herauszubringen und nur eine beschränkte Anzahl der Exemplare des Huguenau separat zu binden.

Ich will Ihnen nicht weiter von den Schwierigkeiten dieses Schlusses erzählen, auch nicht, daß darin eine beinahe unlösbare, nun doch glücklich gelöste Aufgabe eingesenkt ist, und noch viel weniger sei von dem persönlichen Ungemach und meiner Überarbeitung die Rede. Das Ei ist gelegt, es ist gelungen, und alles soll den Kükenhoffnungen gelten. Denn jetzt ist es ein richtiges Osterei geworden. [. . .]

[GW 8, BB, MSC]

95. An Willa Muir

Wien, 1. Februar 1932

Sie kennen, verehrteste gnädige Frau, wohl die Geschichte von Fontenelle[1], der einen zögernden Bewunderer mit der Aufforderung »Louez toujours« Mut gemacht hat – mit einem louez toujours quittiere ich diese reizendsten Briefe, die ich je in meinem Leben erhalten habe, bereit, noch weitere ungemessene Quantitäten davon zu verschlucken, gleichgültig, ob sie mir gerechter- oder ungerechterweise eingeflößt werden. Und mit offenem Mund dasitzend, sage ich nicht einmal mehr Danke.

Doch dieser Undank, der keiner ist, hat seine besonderen Gründe. Ich habe, wie ich Ihnen schon angedeutet hatte, sehr qualvolle Wochen durchgemacht, die keineswegs nur auf die unvermeidliche Produktionsstörung des Schlusses zurückzuführen waren, sondern auch auf leider sehr reale äußere Gründe, Gründe, die zwar heute für die ganze Welt bestehen, aber in Österreich doch ihren ausgezeichneten logischen Ort gefunden haben. Dazu kam, mitbedingt von ihnen, eine entsetzliche Überarbeitung und Erschöpftheit, wie ich sie eigentlich bisher noch nicht gekannt hatte. Und so dürfen Sie nicht böse sein, daß ich mich auf Telegramme beschränkt habe – mein letzter Brief war schon ein richtiger Prothesenbrief –, und daß der Epilog so lange Zeit gebraucht hat.

Ich habe Ihnen die erste Fassung nicht geschickt, weil ich die endgültige allzu deutlich im Kopfe gehabt habe und selbst Ihre Zustimmung mich nicht dazu gebracht hätte, die mangelhafte Form zu belassen. Hiezu kommt, daß Sie, wie ich mich überzeugt habe, viel zu wohlwollend gegen mich sind! Hier ist aber nun endgültig die endgültige Fassung, definitiv, eisern, steinern, und ich bin, wie ich bereits telegraphierte, damit einverstanden und zufrieden, vielleicht *zu* zufrieden, weil ich ja notwendig all die Qual der letzten Monate als Positivum dazu addiere. Aber: Sie werden sicherlich erkennen, daß ich mir in diesem Epilog eine beinahe unlösbare Aufgabe gestellt habe – und daß sie halbwegs gelöst ist, darf ich mir aufs Habenkonto schreiben. Ich bin überaus begierig, was Sie dazu sagen werden.

Aber zu diesem Punkte gilt das louez toujours nicht! auch wenn ich Ihnen sage, daß ich Ihre Ahasver-Übersetzung herrlich finde! ganz herrlich, viel schöner als die deutsche Vor-Skizze! Ich glaube, daß ich die Schlafwandler aus dem Englischen ins Deutsche rückübersetzen werde, damit sie ein gutes Buch werden. Nur etwas dazu, kein Einwand, sondern eine Anfrage: ich habe sämtliche Gedichte über den Sonettleisten geschlagen (vielleicht eine Spielerei, aber ich habe mir dazu auch etwas gedacht), und diese Sonettform haben Sie beim Ahasver aufgelassen, offenbar aus sprachlichen Gründen – gibt es nun eine andere Möglichkeit, die sprachlich-metrische Einheit aller Gedichte in diesem Buch aufrecht zu erhalten? Ich bin mir ziemlich bewußt, daß das Kunststück der Aneinanderreihung von Sonetten, um eine neue Balladenform zu erhalten (schon im Deutschen schwierig) in einer anderen Sprache auf unüberwindliche Schwierigkeiten stoßen kann, und ich bitte Sie auch, sich über diesen Punkt nicht allzusehr den Kopf zu zerbrechen. Denn es ist ein formales Detail, das mit dem Wert und Unwert der Schlafwandler wenig zu tun hat.

Eigentlich wollte ich Ihnen heute noch die letzten Korrekturen schicken, die sich bei der Schlußkorrektur des Umbruchs ergeben haben. Aber ich bin nicht ganz fertig damit (im übrigen sind es bloß ganz wenige), und so lasse ich sie morgen folgen. Für heute nur noch eine längst fällige biographische Antwort: ich habe keinen »Doctor«, sondern habe Ihnen meine Maschineningenieurbildung, von der ich aber keinen Gebrauch mache, unterschlagen. Und im übrigen ist es ein schwerer Irrtum, mich mit dem »Ich« aus dem Heilsarmeemädchen zu identifizieren – mein Portrait, oder zumindest (Freudisch gesprochen) mein Über-Ich ist selbstverständlich Huguenau, der einzige dem es wirklich gut geht! noch lieber wäre ich allerdings Balthasar Korn, aber man darf seine Ideale nicht zu hoch stecken! [. . .]

[GW 10, MSC]

1 Bernard le Bovyer de Fontenelle (1657-1757), französischer Schriftsteller; Neffe Corneilles.

96. An Willa Muir

Wien, 10. Februar 1932

Hochverehrte gnädige Frau,
Sie warten natürlich auf die Fortsetzung des Briefes – aus den zwei Tagen sind wieder einmal acht geworden. Und immer wieder erlebt man die Rapidität des Alterns.

Diesmal hat es sich allerdings bloß darum gehandelt, ob man gewisse Motive aus dem Epilog nicht schon in die vorhergehenden Bücher hineinarbeiten müßte. Daß der Epilog zum großen Teil aus solchen Leitmotiven besteht, brauche ich ja nicht weiter zu erwähnen. Da aber die Schlafwandler mir allzufrüh vom Schreibtisch gewandelt sind, so hat der Epilog (unvermeidlich) manches in sich, dem ich längere Wurzeln gewünscht hätte.

Für die deutsche Ausgabe ist natürlich nichts mehr zu machen, es sei denn für eine umgearbeitete zweite Auflage[1]. Und die englische Ausgabe darf von der deutschen nicht allzusehr divergieren, und außerdem darf ich Ihnen nicht allzuviel Nachtragsarbeit verursachen. Ich habe über die Frage nachgedacht, habe Esch und Pasenow gelesen – dies die Verzögerung – und bin schließlich sehr bescheiden geworden. D. h., ich möchte, und auch dies nur, soweit es Ihnen noch möglich ist, bloß die Vokabel vom »Verlorenen Geschlecht« in den beiden ersten Bänden anbringen.

U. z. *in Esch.*
S. 256, Zeile 10/9 von unten, soll nun lauten:
. . . so sehr die Einsamkeit fürchtest. Wir sind ein verlorenes Geschlecht, auch ich kann bloß meinen Geschäften nachgehen.«
S. 260, Zeile 4/3 von unten, soll lauten:
. . . Einstigen. Vergebliches Hoffen, oftmals grundloser Hochmut. Verlorenes Geschlecht. So haben viele der Kolonisten, selbst
In Pasenow:
S. 250, ab Zeile 13 von unten soll es nun heißen:
. . . Bann zog: »Seien Sie versichert, lieber Pasenow, daß es sich zum Allerbesten wenden wird . . . zumindest für Sie.« Joachim wiederholte: »Ja, zum Besten . . .«, doch dann be-

griff er nicht: » . . . warum nur für mich?« Bertrand lächelte, und es mit einer ein wenig verächtlichen Handbewegung abtuend: »Nun, wir . . . wir sind ein verlorenes Geschlecht . . .«, gab aber keine weitere Erklärung, sondern fügte unvermittelt an: »Und wann wird geheiratet?«, so daß Joachim auf weiteres Fragen vergaß und sofort antwortete: ja, das hätte noch seine Wege; vor allem sei doch die Krankheit des Vaters . . .

Außerdem habe ich bei der Lektüre ein paar Schönheitsfehler gefunden, die ich aus bloßer Pedanterie hier anführe: Auf Seite 253, Zeile 1/3 von oben ist eine Unklarheit; richtig müßte es etwa so heißen:

. . . hieß es nicht auch hier: Klärung oder Tod? Er aber wollte beides und doch zugleich beides nicht. Der Vater hatte recht; er war ehrlos und wie dieser Bertrand, ein Freund, der doch kaum mehr Freund zu nennen war. Und das war trotzdem beinahe befriedigend, denn es mußte wohl auch in den Intentionen des Vaters liegen, daß man Bertrand nicht zur Hochzeit zu laden brauchte. Nichtsdestoweniger hörte er Bertrand ruhig an: »Noch . . .

Weiters habe ich gefunden, daß auf S. 161, Zeile 11 von unten ein Fragezeichen fehlt. Es heißt dort natürlich:

. . . unaufrichtiger als die anderen?«

Sehr wichtig ist dies alles selbstverständlich nicht. Aber wenn Sie es noch unterbringen können, so ist es mir natürlich lieber. Weiters lege ich nun noch hier 54 Stück Fahnen aus Huguenau bei, auf welchen in *rot* jene Ausbesserungen vorgenommen worden sind, die sich infolge des Epilogs noch als notwendig erwiesen haben. Zum Teil sind es bloß Bagatellen, zum Teil sind es ziemlich wichtige Dinge. Soweit es eben noch geht, bitte ich um Berücksichtigung. Und dann muß ich Sie bitten, mir entweder diese Fahnen oder die unkorrigierten aus Ihrem Exemplar bald wieder zu schicken, da ich wegen verschiedener Vorabdrucke mein Exemplar wieder komplettieren muß.

Ich bin tief unglücklich, daß ich Ihnen immer noch Nachtragsarbeit mache. Aber jetzt ist Schluß damit. Bloß die

Korrekturfahnen des Epilogs, die ich nächste Woche aus der Druckerei erhalte, müssen Sie noch über sich ergehen lassen. Und dann ist definitivster Schluß. Und das wird schön sein!

Richtig, noch etwas, wenn Sie es nicht schon bemerkt haben dürften: die Sonettballaden sind immer derart zusammengebunden, daß die jeweiligen 13/14 Zeilen den gleichen Reim haben. Aber plagen Sie sich um Gotteswillen nicht mit diesem Puzzle!!!!

Auf baldige Nachricht hoffend in respektvoller Dankbarkeit, respektvoller Ergebenheit, respektvoller Herzlichkeit, aufrichtigst Ihr [. . .]

[GW 10, MSC]

1 In KW 1 sind diese Änderungen berücksichtigt.

97. An Willa Muir

Wien, 21. Februar 1932

Hochverehrte gnädige Frau,
beinahe bin ich ein wenig um Sie besorgt, weil Sie so lange schweigen. Und außerdem mißt man die Zeiten der Briefbeantwortungen mit höchst ungleichem Maß: kaum hat man einen Brief geschrieben, ja eigentlich schon vorher, will man, mag man sich selber noch so viel Zeit damit gelassen haben, auch schon die Antwort bekommen. Und meine Ungeduld ist diesmal besonders groß, weil Sie ja das Schmerzenskind, den Epilog, in Händen haben, und ich nicht nur auf Ihr Urteil gespannt bin, sondern Einwände auch gerne noch in den Korrekturen berücksichtigt hätte.

Jetzt kann ich nur hoffen, daß Sie keine zu argen Einwände haben werden. Denn mit Rücksicht auf den Ostertermin, an dem der deutsche Huguenau erscheinen muß, konnte ich die Korrekturen nicht weiter hinausschieben. Und hier sind sie.

Nun habe ich noch einen letzten Nachtrag: der Rheinverlag fürchtet für den Absatz in Deutschland, wenn im Kap. 2, auf Seite 7, der Passus (erster Absatz):

... Belgische Bauern sind mißtrauische Kerle. Vier Jahre Krieg haben ihren Charakter nicht veredelt. Ihr Korn, ihre *Frauen und Töchter,* ihre Pferde und Kühe haben dran glauben müssen. Und wenn ...

stehen bleibt. Er fürchtet Aufwärmung der »Kriegslügen« und der »belgischen Greuel«, gegen die die deutsche Mentalität besonders empfindlich ist. Da nun der Passus nicht besonders wichtig ist, habe ich nachgegeben, und die »Frauen und Töchter« gegen »Kartoffel« eingetauscht, so daß es jetzt richtig heißt:

Ihr Korn, ihre Kartoffeln, ihre Pferde und Kühe ... Bitte dies unbedingt zu berücksichtigen, denn wenn in der englischen Ausgabe der alte Text, in der deutschen aber der neue stünde, wäre das politische Vergehen noch größer.

Jetzt, wo alles überstanden ist, beginne ich – zu meiner Belohnung – die »Corners« mit steigendem Entzücken, allerdings auch mit steigender Scham ob meines mangelhaften Englisch, zu lesen. Darüber nun bald mehr. Inzwischen mit vielen Grüßen an Mr. Muir, Ihnen, gnädige Frau, aufrichtig ergeben

Hermann Broch

[GW 10, MSC]

98. An Willa Muir

Wien, 23. Februar 1932

Hochverehrte gnädige Frau,
also war meine Besorgnis doch nicht ganz ungerechtfertigt. Aber ich bin froh, daß es bloß eine Grippe war und daß sie glücklich überstanden ist. Und haben Sie Dank, daß Sie mir sogleich geschrieben haben. Ja, und mit aller Überwindung der Eitelkeit bin ich ganz außerordentlich froh, daß Sie einmal etwas einzuwenden haben. Mit der Vollgepropftheit des Epilogs haben Sie natürlich Recht, und aus den Korrekturen werden Sie gesehen haben, daß ich mich bemüht habe, so weit zu streichen, als es nur halbwegs anging. Doch ließ sich nicht allzu viel machen. Denn allzu viele »Stückeln« muß dieser Epilog spielen:

1. muß er thematisch das Schlußkapitel von Pasenow und Esch zum dritten Male übersteigert wiederholen;

2. muß er die Linie: Bertrandgespräch in Pasenow, Traumkapitel in Esch (inkl. Alfons), Huguenau-Schützengraben, Wertzerfall-Einleitung, Ahasver-Gedicht, Symposium, zweite Hälfte der Heilsarmeegeschichte, zum Gipfel bringen – die Führung dieser etwas verwickelten Linie war vielleicht die schwierigste Aufgabe innerhalb der Schlafwandler (Erlösungsmotiv);

3. mußten innerhalb des Huguenaubandes

a. die verschiedenen Einzelgeschichten, die doch alle Abwandlungen und Zerspaltungen des gleichen Problems sind (Wertzerfall, Wertfreiheit, Vereinsamung des Ichs) wieder zur Einheit zusammengebunden werden;
b. der wissenschaftliche Inhalt des »Zerfalls der Werte« mit einer Theorie der Revolution zu Ende geführt werden;
c. das formale Problem, das sich um den Angelpunkt des Ahasvergedichts dreht, irgendwie architektonisch befriedigt werden.

Das sind bloß die Hauptpunkte. Wenn es mir gelungen ist, daß man diese Konstruktion heraus*fühlt* (mehr *dürfte* es nicht sein!), so wäre ich schon sehr zufrieden. Von all den Nebenmotiven, die in diesem Epilog noch mitspielten, will ich gar nicht reden. Jedenfalls war es so, daß ich – als ich an die Realisation meiner Aufgabe ging – vor deren Unlösbarkeit selber erschrocken bin und mich eigentlich wundere, daß [es] nun doch *halbwegs* geglückt ist. Aber es ist auch möglich, daß es nicht geglückt ist – vorderhand fehlt mir ja noch die Distanz dazu. [. . .]

[GW 10, MSC]

99. An das Ehepaar Brody

Wien, 12. März 1932

Liebe verehrte gnädige Frau, lieber Freund Brody,
in großer Geschwindigkeit Dank für Ihren reizenden Doppelbrief, haben Sie Dank hiefür, haben Sie Dank . . . doch da

des Dankes kein Ende wäre, kann ich bloß: eh schon wissen, sagen. Und weil man – ich perseveriere – bloß mathematisch oder durch die Tat beweisen kann, so werden Sie's noch viel gründlicher wissen, wenn ich plötzlich und überraschend wieder bei Ihnen auftauchen werde. Also reden Sie mir nicht zu intensiv zu; es braucht nicht viel.

Allerdings: ich bin bereits wieder in der Arbeit, und das ist immerhin ein Schutz für Sie gegen unvermutete Einbrüche. Als Vertriebener aus dem Paradies (wo aber war der Sündenfall?) zurückgekehrt in meine interne Misere und unter Berücksichtigung, daß Kasteiung, Misere und Plackerei die günstigsten Arbeitsbedingungen für den Dichter sind, habe ich mich noch gestern Nacht in den Donquijuanjotte[1] gestürzt und habe den Eindruck, daß ich es zusammenbringen werde.

Die Reise war, soweit sie Bamberg und Passau betraf, überaus erfreulich, [. . .] und auch Nürnberg wäre angegangen, da ich die Sache meines Bruders annehmbar ordnen konnte. Hingegen war ich von dem, was ich im Kreise der dortigen Ingenieure erlebte, aufs äußerste deprimiert: manches läßt sich freilich auf das herrliche Bier zurückführen, aber dieses Bier setzt sich unmittelbar in eine Mentalität um, die man zwar nicht uneuropäisch nennen kann, weil ja auch das Neandertal und Cro-Magnon in Europa lagen, deren Anti-Europäismus aber alles Arge für die Zukunft (und auch für die morgige Wahl)[2] erwarten läßt. Denn dies, eben diese Kreise, das *ist* Deutschland – man wundert sich geradezu, daß sich so was in menschlicher Sprache verständigt. Die einzige Hoffnung: daß der französische oder englische Bürger auch nicht anders ist – obwohl, vom Humanen aus gesehen, dies auch keine Hoffnung ist. Die andere Hoffnung, nämlich, daß es kein paradigmatisches, sondern bloß ein punktuelles Erlebnis war, ist leider sehr gering. – Verzeihen Sie, daß ich Ihnen so Unerfreuliches schreibe, aber ich bin allzusehr beeindruckt. [. . .]

Erfreulicher und für Deutschlands Zukunft wichtiger ist natürlich die Existenz des neuen Gymnasiasten[3]. Meine Glückwunsch-Originalkarte habe ich noch von Bamberg aus eingeschickt; vielleicht ist sie noch rechtzeitig eingelangt. Für heute nur noch Glückwünsche für die mit Recht stolzen

Eltern. Und mit aller Bescheidenheit muß ich die Verantwortung für den Münchner schönen Schnee ablehnen; denn wo ich war, gab es bloß Schnee- und Eisregen und Wind. Aber es war trotzdem schön.

Ach (ein Mensch, der Gedichte macht, darf Ach sagen), ach, waren es gute Tage und wie sehr beneide ich den Menschen, der vor vierzehn Tagen nach München abgereist ist[4], wie sehr bedaure ich den Heimgekehrten! [. . .]

[GW 8, BB]

1 *Filsmann-Roman.* Das Projekt blieb Fragment. Vgl. KW 6, S. 287-325.
2 Reichspräsidentenwahl in Deutschland am 13. 3. 1932, bei der Hindenburg wiedergewählt wurde, und ferner Hitler, Thälmann und Düsterberg kandidiert hatten.
3 Thomas Brody (geb. 1922), Sohn des Ehepaares Brody. Er kam damals in München aufs Gymnasium.
4 Broch hatte die Brodys in den ersten Märztagen in München besucht.

100. An Willa Muir

Wien, 19. März 1932

Um Gotteswillen!
verehrte, liebe gnädige Frau,
cessez de louer! oder als interne Goethefeier: die ich rief, die Geister, werd' ich nun nicht los[1]. Allerdings, wenn die Louanges in so charmanter Aufmachung gebracht werden (Sie wissen, daß Sie die leichtesten und charmantesten Briefe schreiben, die ich je gelesen habe), so schluckt man alles Lob, und kaum daß man sich schämt, freut man sich bloß.

Ja, ich freue mich. Unbändig. Weil Sie mit dem Epilog einverstanden sind. Also war die Qual jener zehn Wochen – so lange hat's nämlich gedauert – doch nicht ganz umsonst gewesen. Und viel mehr Freude kann man sich wohl von solchem Credo, das der Epilog im Grunde doch ist, nicht erwarten; Zustimmung dessen, den man hochschätzt, – mehr kann und darf man nicht verlangen. Alles andere ist recht gleichgültig, und auch, daß die Schlafwandler, wie Sie voraussehen, nicht nur in England, sondern auch – seien Sie darob beruhigt – überall anderwärts ein höchst unverstandenes Leben führen werden, ist, so erfreulich ein bestseller-tum auch wäre, höchst gleichgültig. Wir müssen uns ja darüber klar sein, daß die Zeit für den Schriftsteller vorüber ist, weil die Zeit eben mit Kunst nichts mehr zu tun hat (s. Zerfall der Werte), und man muß dieses Schicksal bejahen: lächerlich wäre es, es zu beklagen. Die radikale Konsequenz, die Joyce daraus gezogen hat, nämlich seine absolute Esoterik, ist durchaus bewundernswert. (NB.: ich habe mich bemüht, mich in Work in Progress[2] zurechtzufinden, aber es blieb bei einem fruchtlosen Bemühen – vielleicht aber ist mein blamables Englisch daran Schuld; ich plage mich ja auch mit den Corners, freilich mit wachsendem Genuß. Doch von Joyce habe ich bloß das allerdings wundervolle Kapitel Anna Livia[3] halbwegs verstanden!) Die radikalste Konsequenz, die daraus zu ziehen wäre, über Joyce hinaus: überhaupt nicht mehr schreiben, auch keine Philosophie mehr schreiben, sondern sich auf die Esoterik der Mathematik zurückzuziehen. Und im Grunde habe ich die größte Lust, dies zu tun.

Aber der Mensch ist zwiespältig. Und so freue ich mich ganz außerordentlich (Nebenfreude), daß Eliot[4] drucken will. Haben Sie und Mr. Muir allerherzlichsten Dank! Und weil der Mensch außerdem unersättlich ist, habe ich gleich verschiedene ähnliche Projekte: sollte man nicht ein paar der Gedichte in »Transition«[5] unterbringen? wäre die »Logik einer zerfallenden Welt« nicht für eine englische oder amerikanische Philosophie-Zeitschrift brauchbar? etwa »Mind«[6]? Aber ich will Sie damit nicht mit Mühen belasten! das ja nicht.

Ich habe ja ohnehin so schlechtes Gewisses Ihnen gegenüber. Mit meinen vielen nachträglichen Korrekturen. Und überdies habe ich jetzt in München – unsere Karte von dort (die Welt ist klein: der Rheinverleger Dr. Brody und Gattin sind Jugendfreunde Ihrer Freunde Ferand[7] in Laxenburg) haben Sie wohl erhalten –, in München also habe ich noch einiges in den Huguenau hineingeflickt. Ich habe Dr. Brody gebeten, Ihnen diese wenigen Ausbesserungen noch direkt bekanntzugeben; hoffentlich treffen sie noch zurecht ein. Von mir aus nur etwas Typographisches: im Epilog möchte ich den Absatz: »Denn Revolutionen sind Auflehnung des Bösen gegen das Böse ... Henker einer Welt wird, die sich selbst gerichtet hat« (Korrekturbogen 18/19), diesen wichtigsten Absatz für die Theorie der Revolution und ihrer Ethik, typographisch dadurch hervorheben, daß vor und nach diesem Absatz eine Zeile leer gelassen wird. Dadurch wird der lange Epilog für den Leser auch etwas gegliederter.

Und wie gerne käme ich nach England. Aber vorher muß ich an Hand der englischen Schlafwandler erst wieder richtig Englisch lernen, sonst schäme ich mich zu sehr. Kommen Sie gar nicht auf den Kontinent? in Deutschland sieht es allerdings jetzt schreckhaft häßlich aus, vielleicht noch häßlicher als bei uns – so gerne ich jetzt auch in München gewesen bin, ich bin dennoch von den äußeren Lebensumständen sehr deprimiert: es wickelt sich das europäische Schicksal dort symptomatischer und sichtbarer denn überall anderwärts ab. Nichtsdestoweniger, trotz aller Zukunftstrübe, muß man die Fiktion des ungestörten Bestandes der Welt aufrecht halten, und ich habe mit Dr. Brody – die Zwiespältigkeit steigert sich ins Vielspältige – das Erscheinen zweier neuer Bücher abgesprochen, ein philosophisches Buch[8] und einen Roman[9]. Und wenn ich wirklich jetzt auch noch mathematische Logik publizieren will, so ist mein Arbeitsprogramm überbesetzt. Für's erste halte ich jetzt hier zwei Vorträge über Joyce an der Volkshochschule[10], Versuch, das Esoterische ins Exoterische zu verwandeln, doch auch Versuch, eine Pflicht gegen Joyce zu erfüllen, dessen Namen man hier überhaupt nicht kennt.

Jetzt aber Schluß, sonst wird der Brief noch ein neuer Schlafwandlerband, und Sie schimpfen allzusehr. Es bleibt bloß der große Glückwunsch zum Abschluß der Arbeit übrig, Glückwünsch, Dank und alle weiteren guten Zukunftswünsche, Ihnen, gnädige Frau und Mr. Muir von Ihrem

Hermann Broch

[GW 10, MSC]

1 Vgl. Goethes Ballade »Der Zauberlehrling«.

2 »Work in Progress« war der ursprüngliche Titel von James Joyce' *Finnegans Wake*. 1928 erschien *Work in Progress* in Fort-

setzungen in der Pariser Zeitschrift *Transition*. Weitere Teile daraus wurden bei Faber & Faber, London, zwischen 1930 und 1936 publiziert. *Finnegans Wake* erschien dort erstmals vollständig 1939.

3 James Joyce, *Anna Livia Plurabelle. Fragment of ›Work in Progress‹* (London: Faber & Faber, 1930). Vgl. auch KW 9/1, S. 78 f.

4 T. S. Eliot war der Herausgeber der Zeitschrift *Criterion*, in der 1932 zwei Kapitel aus dem »Zerfall der Werte« erschienen. Vgl. Brief vom 24. 10. 1931, Fußnote 1.

5 Vgl. Fußnote 2. *Transition*, herausgegeben von Eugène Jolas (1894-1952), war eine Zeitschrift für avantgardistische und experimentelle Literatur. Sie erschien von 1927 bis 1938 in Paris. Eugène Jolas und seine Frau Maria übersetzten später Brochs Joyce-Studie ins Englische: »James Joyce and the Present Age«, in: *A James Joyce Yearbook* (Paris: Transition Press, 1949), S. 68-108.

6 *Mind. A Quarterly Review of Psychology and Philosophy*. Diese in London und Edinburgh erscheinende Vierteljahresschrift war 1876 begründet worden und wurde in den dreißiger Jahren von G. E. Moore herausgegeben. Broch publizierte nichts in *Mind*.

7 Ernst Ferand (1887-1972) und Emmy Ferand (geb. 1894) wohnten in Laxenburg bei Wien, wo Ernst Ferand als Musikwissenschaftler und -pädagoge Leiter der »Schule Hellerau« war. Ernst Ferand war der Verfasser des Werkes *Die Improvisation in der Musik* (Zürich: Rhein-Verlag, 1938). Von 1939 bis 1965 war Ernst Ferand Musikprofessor an der New School for Social Research in New York. Broch war mit den Ferands befreundet, wohnte in der ersten Jahreshälfte 1935 bei ihnen in Laxenburg und hielt auch während der Emigration in den USA den Kontakt mit ihnen aufrecht. Kennengelernt hatte Broch die Ferands im Hause des Ehepaares Eugenie und Hermann Schwarzwald in Wien.

8 Broch plante seit 1918, seine Wert- und Geschichtstheorie als Buch zu publizieren, doch realiserte sich dieses Vorhaben nicht. Vgl. KW 10/2, S. 11-203.

9 *Filsmann-Roman*.

10 Vgl. Brief vom 19. 1. 1932, Fußnote 2. Broch hielt nur einen Vortrag über Joyce.

101. An Frank Thiess

Wien, 6. April 1932

Lieber verehrter Freund Dr. Thiess,
Sie haben mich mit Ihren Zeilen so tief erfreut, daß ich Ihnen sofort antworten und danken muß. Ich wüßte nicht, wie ich Ihnen sonst diese Freude beweisen und dartun könnte. Sie haben mir bisher so viel Zustimmendes zu den Schlafwandlern gesagt, daß ich immer fürchtete, das Positive wäre zum großen Teil auf den Impuls Ihrer freundschaftlichen Gesinnung zurückzuführen. Es ist also alles andere als die süßsauere Phrase von der Dankbarkeit für Einwände, wenn ich Ihnen sage, daß ich Ihnen dankbar bin, nicht nur dafür, daß Sie sich so liebevoll mit dem Huguenau befaßt haben, sondern eben auch für Ihre Einwände.

Ich fürchte Sie zu langweilen, wenn ich Ihnen jetzt zu diesem Thema, dessen Sie wohl schon überdrüssig sein könnten, den Kopf voll rede. Aber was Sie sagen, greift so sehr in mein brennendstes Interesse. [. . .] Und wenn ich dabei manches wiederhole, was ich schon geäußert habe, so entschuldigen Sie bitte auch dies.

Vorauszuschicken ist, daß Sie natürlich recht haben, ganz einfach schon deshalb recht haben müssen, weil Sie der ideale Leser sind und ein Intellekt wie der Ihre recht haben muß. Und weil Sie der ideale Leser sind, gibt es etwas in Ihrem Brief, das mich schmerzlich berührt hat: nämlich, daß die gefühlsmäßige Spannung nicht durchhielt. Denn ich hatte die Hoffnung, daß der rein gefühlige, also romanhafte Inhalt des Huguenau noch stark genug sein würde, die rationalen Einschübe und Bremsungen zu überwinden, sie sozusagen mitzuschwemmen. Mir ist natürlich während des Schreibens die Gefahr einer rationalen Überwucherung aufgedämmert, und dem ursprünglichen Plan gemäß hätte der »Zerfall der Werte« einen viel geringeren Platz einnehmen sollen. Und daß manches im »Zerfall« so schwierig geworden ist, ist sicherlich auf mein Bestreben des Zusammendrängens und Kürzens zurückzuführen. Es ist ja doch eine ganze und vielfach neue Geschichtsphilosophie, die hier untergebracht zu werden hatte. Die Einbettung dieses Monstrums hätte natürlich einen Roman von 1200 und nicht 500 Seiten erfordert. Ich habe mich schließlich damit getröstet, daß die Gesamt-Schlafwandler dieses Format hätten, und daß die kommende einbändige Ausgabe jenen Mangel, den der Huguenau allein zweifelsohne besitzt, halbwegs aufheben würde.

Ebenso haben Sie vollkommen recht, daß das Experiment nicht wiederholt werden könne. Schon deshalb nicht, weil man nicht stets eine neue Geschichtsphilosophie parat hat, und weil es nicht angeht, einmal einen Roman um eine Geschichts-, ein andermal einen solchen um eine Natur- oder Rechtsphilosophie herum zu schreiben. Andererseits kennen Sie meine These von dem heutigen Zustand der Philosophie: die Philosophie als solche, soweit sie sich nicht mathematisiert, kann nichts mehr »beweisen« – wozu sie als »Wissenschaft« verpflichtet wäre – und in Einsicht dieses Tatbestandes hat sie sich auch auf die mathematischen Belange zurückgezogen. Der ungeheuere metaphysische Rest ist aber damit nicht aus der Welt geschafft, er ist vorhanden, seine Fragen und Probleme sind vorhanden, sind sogar drängender als eh und je, nur ihre Beweisbasis muß anderwärts gesucht werden – und die ist bloß im Irrationalen, im Dichterischen zu finden. Wenn es eine Aufgabe des Dichterischen gibt, und seit Goethe gibt es eben diese, so liegt sie in der Hebung jenes beweisenden mystischen Restes.

Ich weiß mich in dieser These mit Ihnen einig, obwohl sie scheinbar gegen Ihr Argument vom Kolumbusei »Hie Philosophie, hie Dichtung« verstößt. Denn was Sie selber anstreben, ich brauche bloß auf den Zentaur verweisen, ist *»Gesamterkenntnis«*, eben jene Goethesche Gesamterkenntnis.

Vollkommen einig bin ich auch mit Ihnen, daß das additive Verfahren, das ich für den Huguenau gewählt habe – oder zu dem ich mich mit Rücksicht auf den Programmpunkt »Sachlichkeit« stilgemäß verpflichtet habe – nur eine rationale Annäherung an jene irrationale Gesamterkenntnis darstellt. Und wenn ich eine Fortsetzung des im Huguenau eingeschlagenen Weges sehe und hoffe, so liegt sie in der Verwandlung der Addition in eine richtige Synthese: eine Einheit von rationaler Erkenntnis, Epik, Lyrik und noch vieler anderer Elemente des Ausdrucks zu schaffen, eine Einheit, von der jeder Satz gewissermaßen geschwängert sein soll. Ob eine derartige Synthese überhaupt durchführbar ist, oder ob sie notwendig zu einer Darstellungsform führt, wie sie Joyce (dem ja auch die Totalerkenntnis vorschwebt) für sich gefunden hat, wage ich heute noch nicht zu entscheiden. Aber ich muß Ihnen zustimmen: bloß das Irrationale, das Dichterische wirkt von Mensch zu Mensch, bloß dieses ist imstande, eine Seele zu öffnen, und deshalb ist auch hier der Boden für jene angestrebte hypothetische Synthese zu suchen.

Das Problem des Lesers, das Sie anschneiden, ist ja überhaupt ein Kapitel für sich. Wenn Sie auf die Möglichkeit hinweisen, das Kognitive am Ende in einer Art Nachwort zusammenzudrängen, so sehe ich darin nicht nur ein praktisches Hilfsmittel für die Selbstinterpretation [. . .], sondern auch ein durchaus aussichtsreiches und reizvolles Gestaltungsprinzip: Steigerung des Geschehens aus dem Unbewußten zum Bewußten, das solcherart am Schluß wie das Küken aus dem Ei springt. Und sicherlich hätte man ein derartiges Gestaltungsprinzip auch beim Huguenau anwenden können: man hätte den Zerfall der Werte eliminieren und ihn sozusagen als Supplementband den Schlafwandlern nachfolgen lassen können. Freilich hätte ich dann die ganze Kontrapunktik, auf die der Huguenau gebaut ist, aufgeben müssen. Denn in ihr – und dies ist ja das eigentlich künstlerische Experiment, das in dem Buche steckt – kam es mir darauf an, den Fluß des Geschehens in eine fortgesetzte Verbindung mit den rationalen Inseln zu bringen, genau so wie mit den lyrischen, m. a. W. das zu tun, was der Maurer Goedicke innerhalb seiner Seele tut; durch fortgesetzte Verstrebungen gegenseitige Stützungen des Gesamtgerüsts zu erreichen, das möglichst, eben wie bei Goedicke, zum Himmel reichen soll. Er allerdings benützt es auch, um herunterspucken zu können. Und vielleicht ist es eben diese kleine menschliche Vermessenheit, die sich schließlich rächt.

Aber nun will ich wirklich nicht mehr davon sprechen, weder von den Schlafwandlern, noch von dem, was mir an ihnen wichtig war – fast muß ich sagen »war«, denn schon versinken sie mir ins Vergessen. Und immer wieder bin ich glücklich, daß diese Bücher – als bleibender menschlicher Gewinn –, mögen sie und ihre Problematik selber unwichtig werden, mich zu Ihnen geführt haben. Ich bin Ihnen dankbar und freue mich auf den Tag, an dem Sie in Wien sein werden. Inzwischen aufrichtigst und herzlichst,

verehrungsvoll Ihr
H. Broch
[GW 8, MSC]

102. An Daniel Brody

Wien, 6. April 1932

[. . .] Nebenbei zum Erscheinungstermin des Huguenau: Thiess schreibt mir heute, neben vielem Überschwenglichem, das ich nicht zu wiederholen brauche, über die intellektuellen Schwierigkeiten des Huguenau und meint, daß man möglichst mit dem Buch auch gleich einen Kommentar, quasi als Nachtrag, herausgeben möge. Er stellt sich vor, daß ich das selber besorge, und tatsächlich habe ich ja schon seit vorigem Jahr einen Aufsatz: »Über die Aufgaben des neuen Romans«[1] (oder so ähnlich) vorbereitet, einen Aufsatz, den ich der Neuen Rundsch. geben wollte. Der Aufsatz wäre leicht auf 60-80 Seiten auszudehnen, könnte sich also als schmales Bändchen, aufgemacht wie die Schlafwandler, leicht an diese anschließen. Thiess glaubt, daß man mit so etwas den Herren Paul Fechter etc. von vornherein den Mund stopfen könne. Ich glaube dies nicht. Den Mund läßt sich keiner stopfen, und ich weiß auch nicht, ob eine derartige theoretische Manifestation am Schlusse eines Dichterwerkes diesem nicht als erstes den Vorwurf des undichterisch Konstruierten eintrüge. (Obwohl es jedem Maler und Musiker unbenommen bleibt, ihn sogar steigert, wenn er seinem Tun eine theoretische Standarte voranwehen läßt.) Jedenfalls aber ist es eine Anregung, die Sie sich einmal durch den Kopf gehen lassen müssen. [. . .]

Ferner habe ich Ihnen zu berichten, daß ich heute der Einladung Zsolnay Folge geleistet habe. Meritum: erstens wurde ich gefragt, ob ich mich an Sie fix gebunden hätte, ob ich ein neues Buch schon mit Ihnen abgeschlossen hätte, und dies habe ich einfach wahrheitsgemäß beantwortet, ich sei mit Ihnen so befreundet, daß wir a) keinen Vertrag brauchen, b) einen neuen Roman besprochen haben, in zweiter Linie einen Essay-Band, die eben auch ohne schriftliche Fixierung bei Ihnen erscheinen werden. [. . .]

[GW 8, BB, MSC]

1 Broch hatte am 6. 2. 1931 anläßlich einer *Esch*-Lesung als Einleitung einen kleinen Vortrag mit dem Titel »Über die Grundlagen des Romans *Die Schlafwandler*« in der Wiener Volkshochschule Ottakring gehalten. Vgl. KW 1, S. 728-737. Daraus dürfte die längere Studie »Das Unmittelbare in Philosophie und Dichtung« entstanden sein. Vgl. KW 10/1, S. 167-190, von der hier wahrscheinlich die Rede ist. In der *Neuen Rundschau* ist dieser Aufsatz nicht erschienen.

103. An Daisy Brody

Wien, 14. April 1932

Müßte ich den Männern in Ihrer Familie nicht unausgesetzt schreiben, ich hätte Ihnen natürlich schon längst gedankt, längst geantwortet. Das ist keine Entschuldigung, sondern – ich weiß – eine Verschärfung, denn seit wann geht Männerdienst vor Frauendienst? Aber als echte Entschuldigung mag gelten, daß mein Leben sich wieder einmal nicht kanalisieren läßt, und daß ich alle möglichen überflüssigen Energieanstrengungen machen muß, die freilich in diesem Zusammenhang nicht überflüssig, sondern leider notwendig sind, um halbwegs Ordnung zu halten. Natürlich hängt dies auch mit der Arbeit zusammen: wenn ich die Arbeit einigermaßen wieder in Schwung gebracht habe, kümmere ich mich ja nur zur Hälfte um das Äußerliche. Allerdings weiß man nie, wo das Primäre liegt.

Natürlich ist es höchste Zeit, daß die Arbeit mit aller Intensität wieder einsetze. Nächste Woche habe ich die Vorträge[1] und habe kaum was vorbereitet. Heute Nacht soll der Vollbetrieb aufgenommen werden, und deshalb muß ich

Ihnen rasch vorher noch sagen, daß ich selbstverständlich gar nicht leichtsinnig war, denn ob die Salome[2] in meiner Bibliothek steht (was sie seit zwanzig Jahren getan hat) oder in Ihrer, ist nicht nur nicht egal, sondern weit darüber hinaus ist die Übersiedelung für mich eine durchaus kostenlose Freude. Und Gratisfreuden muß man sich verschaffen. Leichtsinnig wäre es, es nicht zu tun.

Die zwei Istrianer Parmaveilchen[3] ruhen sentimental und dankbar im ersten Huguenau-Exemplar. Das ist augenblicklich meine einzige Beziehung zu diesem Buch, das mir plötzlich gleichgültig und fremd geworden ist. Das ist nicht Koketterie (eigentlich müßte ich *Ihnen* das wirklich nicht sagen), sondern ein unleugbares und vorhandenes Phänomen, das mir nicht einmal unangenehm ist. Unangenehm ist bloß die Vorstellung, daß es jedermann genau so ergehen müßte. Und beinahe erstaunt bin ich, wenn Sie jetzt von einer Beziehung zu den Gedichten[4] schreiben. (NB.: das Willa Muir-Gedicht ist für Ihre Handschriftensammlung bestimmt.) Und immer wieder taucht es beängstigend auf, daß alles Literarische, alles Dichterische völlig interesselos geworden ist, daß es keine Daseinsberechtigung mehr hat. Selbst Joyce nicht u. s. f. Bitte sagen Sie mir, daß es nicht so ist!!!, denn ich muß doch weiter arbeiten.

Sagen Sie es mir bitte bald. Oder sagen Sie mir etwas anderes. Denn jeder Brief von Ihnen ist ein Lichtblick in der etwas grauen Welt. [. . .]

[GW 8]

1 Vgl. Brief vom 19. 1. 1932, Fußnote 2.
2 Broch hatte Daisy Brody das Buch *Salomé* als Geschenk zugeschickt. Dabei handelte es sich wahrscheinlich um das 1893 erschienene Werk von Oscar Wilde, nach dem Richard Strauß 1905 seine gleichnamige Oper komponiert hatte.
3 Während einer Reise durch Norditalien (Istria, Parma), die die Brodys im April 1932 unternommen hatten, schickte Daisy Brody Broch offenbar zwei Veilchen nach Wien.
4. Vgl. die Gedichte im *Huguenau*-Teil der *Schlafwandler*.

104. An Willa Muir

Wien, 25. April 1932

[. . .] Ich spreche doch so schlecht englisch und habe die dringendste Pflicht, diesem Übelstand endlich abzuhelfen, sowohl um die Gedichte (und die Corners) richtig würdigen zu können, als um mich nicht zu sehr schämen zu müssen, wenn Sie hier sein werden[1]. Hätte ich schon meine englische Fibel, die Schlafwandlerübersetzung, so wäre natürlich alles gut. So bin ich ein schlecht präparierter, aber trotzdem erfreuter, ein hocherfreuter Schüler.

Letzten Freitag habe ich meinen Joyce-Vortrag gehalten; ich mache ihn jetzt druckfertig, und wenn Sie gestatten, schicke ich ihn Ihnen dann zu. Natürlich läßt sich in einem Vortrag kaum das Notwendigste andeuten; im Grunde handelt es sich ja um die Frage nach der Existenzberechtigung, nach der Existenzmöglichkeit des Romans und des Dichterischen überhaupt.

Zum Schluß noch die egoistische, aber verständliche und entschuldbare Frage nach dem Criterion. Hat sich Eliot schon für ein bestimmtes Stück entschieden? am liebsten würde ich den »Zerfall der Werte IX.«[2] sehen, trotzdem es eigentlich das schwierigste Kapitel ist. Doch es ist auch das gehaltvollste und neuartigste, und ich habe es auch formal gerne. [. . .]

[GW 10]

1 Willa und Edwin Muir besuchten Broch im Mai 1932 für drei Tage in Wien. Sie befanden sich auf der Rückreise vom Internationalen PEN-Kongreß in Budapest, an dem sie als Delegierte des schottischen PEN-Clubs teilgenommen hatten. Vgl. Willa Muir, *Belonging. A Memoir* (London: Hogarth, 1968), S. 157; *Selected Letters of Edwin Muir* (London: Hogarth, 1974), S. 78.

2 Vgl. Brief vom 24. 10. 1931, Fußnote 1.

105. An Willa Muir

Wien, 3. Mai 1932

[. . .] Was aber die Idee des Dr. Brody anlangt, so bloß in aller Eile, daß er von Ihnen bloß Ihre erste Anfrage wegen des Götzzitates[1] besitzt, hiezu meine Antwort, und daß ihm dies so viel Spaß macht, daß er diesen »Briefwechsel« in der Lit. Welt veröffentlichen wollte. [. . .]

Doch ich war gleich Ihnen gegen jede derartige Publizierung und habe ihm bloß anheimgestellt, unsere gesamte Korrespondenz nach unserem beidseitigen Tod, also sagen wir in 100 bis 200 Jahren herauszugeben. Vorausgesetzt, daß Sie damit einverstanden sind. Ihre Briefe werden bei mir vorzufinden sein, denn es versteht sich von selbst, daß ich die reizendsten Briefe, die ich je erhalten habe, aufhebe. Irgend etwas Nettes will man doch für sein Alter haben. [. . .]

[GW 10]

1 Vgl. Brief vom 21. 5. 1931, Fußnote 1. In der *Literarischen Welt* wurde der Briefwechsel nicht veröffentlicht.

106. An Daniel Brody

Wien, 11. Mai 1932

Lieber Freund,
unsere erste schwere Differenz ist ausgebrochen! Warum haben Sie mir die Biographie im Werbeheft[1] nicht früher gezeigt? Ich weiß ja warum: aus Hinterlist und Furcht, daß ich protestieren werde. Die Sache hat nämlich einen realen Hintergrund: in Wien gibt es nämlich einen Industrieverband der Schwerindustrie, zu dem ich bloß sehr lose Verbindungen hatte, und einen Arbeitgeberverband der Textilindustrie, dessen Vorstandsmitglied, nicht Vorstand, ich war. Und obwohl ich mit industriellen Ehrenstellen ansonsten reichlich gesegnet war, bin ich nun für einige, wenn auch nicht alle

Wiener ein Hochstapler. Ich habe das Gefühl, als stünde nun auf den Schlafwandlern »von Hermann Broch, Kommerzialrat« und überdies mit dem Beigeschmack, daß ich gar nicht Kommerzialrat bin, sondern es bloß sein möchte. Ich verstehe schon, daß Sie mit der Biographie ausdrücken wollten, daß es sich nicht um einen Arbeitslosen handelt, der faute de mieux zu schreiben begonnen hat, daß es sich um einen handelt, der aus der Sachlichkeit hervorgegangen ist, um einen, dem der Wind um die Nase, in allen Sätteln gerecht, geweht hat, aber ich hätte mich ganz allgemein mit Leiter eines großen Industriekonzerns begnügt, denn schon das Wörtchen »Textil« ist ominös und deutet auf den Sprung vom großen Kommerzialrat zur großen Erneuerung des Romans. Oh, ich könnte Ihnen noch viel Böses auf diese Biographie hin sagen, aber ich verkneife es, weil ich Sie schone. Doch als Kostprobe: kennen Sie die Geschichte von der Leichenrede, die einen Stich ins Komische hat? Ach, es bleibt mir nichts anderes übrig, als Sie fortan bis aufs Blut zu quälen, denn daß ich Sie dazu bringe, dieses Heft einzustampfen, wage ich ja doch nicht zu hoffen. [. . .]

[GW 8, BB]

1 Auf Seite 1 des Werbeheftes stand in der kurzen Biographie Brochs die Angabe »lange Zeit leitender Direktor eines Textilfabrikkonzerns, Vorstand des Industriellenverbandes etc.«

107. An Daniel Brody

Wien, 6. Juni 1932

Lieber Freund,
der spitzfindige Brief vom 4. d. ist samt Bielefeld[1] und Fechter[2] richtig eingelaufen. Ich revanchiere mich anbei mit einem Paul Stefan[3] aus der Stunde. Weiters ist zu melden, daß Hermann Hesse[4] hinterher offenbar das bekommen hat, was Herr Spitzer[5] moire nennt. Denn in der Dresdner, wo er anscheinend fortlaufend ein Tagebuch »Beim Malen« ver-

öffentlicht, hat er als Tagebuchnotiz einen sehr anständigen und ernsten Hinweis auf die Schlafwandler eingeschaltet. [. . .] Und im übrigen in diesem Zusammenhang: Sie scheinen meine schlechten Witze ernst zu nehmen, irgendetwas im Ton Ihrer Briefe deutet in diese Richtung. Also ein für allemal, lieber Freund Daniel Brody, ich liebe Sie, bin froh, daß ich bei Ihnen gelandet (sowohl 35 als 35A)[6], meine geschäftlichen Aggressionen sind bloß unter diesem Vorzeichen zu lesen, und auch der vielgeschmähte Prospekt ist ausgezeichnet. [. . .]

Demnach erkläre ich unsere Korrespondenz als nicht-spitzfindig, meine Beziehungen zu Ihnen als nicht-getrübt und als nicht-auffrischungsbedürftig. Trotzdem komme ich, wie die gnädige Frau sagt, zum »Antrittsbesuch« Anfang Juli[7]. Können Sie aber inzwischen keine Brücke zu T. M.[8] schlagen? ich habe nämlich ein Bedenken: T. M. hat sich den Esch in Wien bestellt, ich habe ihn samt Rosen für die Gattin ins Hotel geschickt, und weder er noch sie haben mit einem Wort gedankt. Natürlich haben sie meine Wiener Adresse nicht gehabt, aber den Rhein-Verlag kennt er doch. Also von rechtswegen müßte ich jetzt leicht gekränkt sein, eine neuerliche direkte Wendung zu ihm als Zudringlichkeit werten und schweigen. [. . .]

[GW 8, BB]

1 w. g., »Hermann Broch, Huguenau«, in: *Westfälische Neueste Nachrichten* (Bielefeld), (2. 6. 1932).
2 Paul Fechter, »Die Trilogie des Zusammenbruchs«, in: *Deutsche Allgemeine Zeitung* (1. 6. 1932).
3 Paul Stefan, »Neue Bücher: Die Schlafwandler«, in: *Die Stunde* (Mittagsausgabe des *Wiener Tag*), (6. 6. 1932).
4 Ende Mai hatte Hermann Hesse an Daniel Brody das Typoskript seiner Besprechung der *Schlafwandler* geschickt. Diese Rezension, die Broch nicht positiv genug fand, erschien am 15. 6. 1932 in der *Neuen Zürcher Zeitung* (Morgenausgabe). Hier bezieht Broch sich auf: Hermann Hesse, »Beim Malen«, in: *Dresdener Neueste Nachrichten* (29. 5. 1932). Dieses literaturkritische Tagebuch enthält einen positiven Hinweis auf Brochs *Schlafwandler*.
5 Adolf Spitzer war der Großvater Anja Herzogs. Moire: Jiddisch »mojre« (= Furcht, Bedenken).
6 Die Privatwohnung der Brodys in München hatte die Hausnummer 35 und der Verlag die Nr. 35 A Königinstraße.

7 In der ersten Juliwoche besuchte Broch die Brodys in München.
8 Durch Lothar Mohrenwitz, Leiter einer literarischen Agentur für Auslandsrechte in Zürich, hatte Broch die Verbindung zu Thomas Mann hergestellt. Mohrenwitz bat Mann, *Die Schlafwandler* dem amerikanischen »Book of the Month Club« zur Aufnahme zu empfehlen. Thomas Mann lehnte dies mit der Begründung ab, daß die Trilogie an den Leser des New Yorker Buchklubs zu hohe Anforderungen stelle. Vgl. Brief Thomas Manns vom 27. 5. 1932 an Mohrenwitz (YUL).

108. An Willa und Edwin Muir

Wien, 22. Juni 1932

Liebe und verehrte Mrs. und Mr. Muir,
daß ich Ihren lieben Doppelbrief, der sich mit meinem einfachen gekreuzt hat, nicht früher beantwortet habe, liegt nicht an meiner Faulheit, sondern an der Schwierigkeit der Edwin Muirschen Gedichte. Die Übersetzung[1] bloß eines von ihnen war eine harte und erfreuliche Plage, und ich bin so stolz auf deren Resultat, daß ich es sofort Ihnen zuschicke, ehe es noch in der Literarischen Welt erscheint, wohin ich es geschickt habe. Aber da ich außerdem dieser Lit. Welt auch noch einen Aufsatz[2] versprochen habe, eine alte Schuld, die ich mit der Einsendung des Gedichtes unbedingt gleichzeitig begleichen mußte, so ergab dies einen zweiten Grund zu meiner Verspätung. Und auch diesen kleinen Aufsatz lege ich zu meiner Exkulpation bei. Zu beiden wäre aber zu sagen:

Ad Gedicht, daß es außerordentlich schwierig war, den schwingenden Bilderreichtum des Originals auf einem adäquaten Raum im Deutschen unterzubringen. Das Deutsche ist wesentlich umständlicher. Die Verbindung des Visuellen der ersten mit dem Abstrakten der letzten Strophen, das im Original eben aus der Steigerung des Bildhaften entsteht, mußte ich mit intellektualisierteren Mitteln versuchen – ich weiß, daß dies nicht völlig gelungen ist – vielleicht werden Sie sehr unzufrieden sein, dann sagen Sie es bitte ganz aufrichtig, damit ich das Gedicht eventuell bei der Lit. Welt wieder zurückziehe oder umzuarbeiten versuche. (NB. daß ich mich möglichst getreu an die Versform gehalten habe, werden Sie bemerken):

ad Aufsatz aber ist zu sagen, daß er der erste in einer Reihe ist, die ich im Laufe des Sommers fertigstellen muß; ich habe nämlich für den Herbst eine Konzerttournée[3] abgeschlossen, in der ich zwar nicht singen, aber Vorträge halten werde (Brody hat dies für nötig erachtet, und ich habe unbedachterweise Ja gesagt). Für diese Vorträge sollen die Aufsätze die Unterlage abgeben. [. . .]

Brody wollte die Schlafwandler dem Book of the Month-Club in New York anbieten. Der deutsche Ratgeber und Vertrauensmann des Clubs ist Thomas Mann. Dieser schreibt nun (und ich muß sagen mit Recht), daß die Schlafwandler zu starke Ansprüche an den Book-Club-Leser stellen dürften, und er zögert daher, das Buch zu empfehlen. Ich halte ja auch die Sache nicht für sehr aussichtsreich – außerdem wird sie erst spruchreif, wenn die Übersetzung vorliegt –, aber es hängt so viel Geld daran, daß man nichts versäumen sollte. Also: haben Sie vielleicht irgend eine Verbindung zu der Leitung dieses Book Clubs? vielleicht gibt es doch einmal einen Glücksfall. [. . .]

Mit der englischen Reise ist ja leider vorderhand nichts. Und das ist ganz gut, denn ich habe in den letzten Wochen viel zu wenig gearbeitet. Jetzt fahre ich bald nach München zu Brody und dann will ich mich in irgend einem Alpenort[4] verstecken, unerreichbar für alle Geschäfte, unerreichbar für meine Familie – bloß für Sie erreichbar. [. . .]

[GW 10]

1 Edwin Muir, »Verwandlung« (= »The Threefold Place«), übersetzt von Hermann Broch, in: *Literarische Welt* 8/36-37 (2. 9. 1932), S. 5. Vgl. KW 8, S. 80-81.

2 Hermann Broch, »Leben ohne platonische Idee«, in: *Literarische Welt* 8/32 (5. 8. 1932), S. 1 und 4. Vgl. KW 10/1, S. 46-52.

3 Diese Vortragsreise kam nicht zustande.

4 Mitte Juli 1932 zog Broch um nach Gößl am Grundlsee/Salzkammergut, wo er bis gegen Ende September 1932 wohnte.

109. An Willa und Edwin Muir

Gößl am Grundlsee
Im Schachen Nr. 4
p. Adr. Mauskoth
Salzkammergut, Österreich 17. Juli 1932

[. . .] Dies war vorauszuschicken. Und nun kommt der Freudenausbruch. Denn die Übersetzung ist herrlich. Ich bin vollkommen froh damit und Ihnen vollkommen dankbar. Natürlich habe ich gewußt, daß es großartig sein wird, das hat ja schon der Ahasver und die Criterionprobe (ist übrigens dieses Heft noch nicht erschienen?) gezeigt, und der Kafka zeigt erst recht, was Sie für eine Einfühlungsgabe und welche Stilkraft Sie besitzen. Doch mag es auch ein Sakrileg sein, daß mir Broch wichtiger als Kafka ist, ich finde die Schlafwandler womöglich noch vollkommener ins neue Gewand geschlüpft als The Castle. Sie sind beide, Mrs. und Mr. Muir, sehr große Künstler, und den Schlafwandlern ist eine große Ehre widerfahren, daß sie zu Ihnen gelangt sind. Ich freue mich unbändig. [. . .]

Die letzten Monate waren in Wien für mich sehr und in jeder Beziehung verderblich, so sehr, daß ich mit der starken Hoffnung hergekommen bin, hier die mir höchst nötige Erholung und, was noch wichtiger ist, die nötige Arbeitsruhe zu verschaffen. Brody drängt (mit Recht) ungeheuer auf ein neues Buch, und wenn es so weiter wie bisher ginge, käme überhaupt nichts zu Stande. Dies alles soll hier, an dieser komplizierten Adresse – ich bin stolz, daß sie eben so kompliziert ist wie die Ihre – in Ordnung gebracht werden, unterstützt von dem gleichmäßig fließenden Salzkammergutregen, der vor meinen Fenstern herunterfließt, weitere vier Wochen fließen wird und einem das Schwimmen wie jede andere sportliche Betätigung radikal verbietet.

Kennen Sie übrigens das Salzkammergut? es ist wunderschön. Ja, und dann habe ich Ihnen noch zu erzählen, daß in »Le Mois«[1] ein ganz großer und auch recht kluger Aufsatz über den Huguenau enthalten war, so daß jetzt wohl auch mit der französischen Übersetzung gerechnet werden kann. Auch holländische und spanische Kritiken gibt es schon, –

ich glaube, hoffe (»liebe« gehörte aber paßt nicht dazu), daß das Buch schließlich mehr im Ausland als in Deutschland gelesen werden wird. Die Deutschen werden ja wirklich nichts mehr lesen, höchstens die Biographie Hitlers. Sie können sich keine Vorstellung von den deutschen Verhältnissen machen; ein verbitterter Hexenkessel.

Bis 10. August bleibe ich hier. Dann bin ich bis Monatsende in München. Ich hoffe, daß Sie mir einmal schreiben werden. Und wenn Sie es nicht tun, so denken Sie wenigstens nett an Ihren

über die Übersetzung
hocherfreuten
über seine neue Arbeit[2] tief
verzweifelnden
Hermann Broch

[GW 10, MSC]

1 Wladimir Weidlé, »Les Somnambules de M. Hermann Broch: Apocalypse du temps présent«, in: *Le Mois,* Nr. 18 (1.-7. 6. 1932), S. 198-203.
2 *Filsmann-Roman.*

110. An Willa und Edwin Muir

Gößl am Grundlsee 18. Juli 1932

Liebste Freunde,
natürlich ist es immer so: kaum war mein Brief im Kastel, als der Ihre einlangte, und ich schreibe jetzt diesen, damit ich morgen einen von Ihnen am Tische liegen habe. Denn ich sehne mich danach, wieder etwas von Ihnen zu hören. Und weil ich außerdem ein exakter Mensch bin, so antworte ich ebenso schön und ordentlich und nach Punkten geordnet:

1. nicht nur ein exakter, sondern auch ein gerührter Mensch, weil Sie von meiner Übersetzung so viel Aufhebens machen. Sie wissen, daß ich außerdem ein unbescheidener Mensch bin, und wenn mir etwas glückt, so stelle ich mein

Licht nicht unters Scheffel. Aber mit der Übersetzung Edwin Muirscher Gedichte ist es eine schwierige Sache, und ich hatte alles Mißtrauen, ob es geglückt war: diese sinn-überfüllten, bedeutungs-überfüllten Gedichte, in ihrem vollen Sinn und voller Bedeutung überhaupt nur assoziativ zu erfassen, für den Nicht-Engländer also noch viel weniger (und für einen so schlechten Engländer, wie ich es bin, noch viel viel weniger), sind der Gefahr einer Vergewaltigung in jeglicher Übersetzung ungeheuer ausgeliefert, und ich fürchtete daher sehr, diesem Sinn große Gewalt angetan zu haben. Nun bin ich natürlich höchst glücklich, daß es Ihnen trotzdem gefällt, und weil ich Sie kenne, glaube ich, daß Sie mir nicht nur was Liebenswürdiges sagen wollten, sondern glaube daran (selbstverständlich unter Abzug der hypertrophischen Meinung, daß es besser als das Original sei!). In der L. W. soll es, wie mir Willy Haas, der Herausgeber, schreibt, in einer der nächsten Nummern erscheinen. Ich schicke es Ihnen dann sofort.
2. Nicht in einem Atem damit zu nennen, kein Gegenstück, sondern bloß in der Ordnung Ihres Briefes anschließend: die Schlafwandler-Übersetzung! Brodys, denen ich, wie ich Ihnen sagte, das Exemplar geschickt habe, schreiben mir in jedem Briefe, wie entzückt und begeistert sie wären. Und da es Leute sind, die ein echtes Verhältnis zur Dichtung und eine echte Liebe zu den Schlafwandlern haben, so ist auch diese Begeisterung echt – sie freuen sich ganz ehrlich mit dieser englischen Ausgabe, als ob sie im Rheinverlag selber erschienen wäre. Was die Zwischentitel anlangt, so haben sie weder die Brodys noch mich gestört. Ich dachte mir gleich, daß hiefür ein sprachlicher oder ähnlicher Grund vorliegt und wäre sofort einverstanden. (NB.: die Franzosen übersetzen Sachlichkeit mit »La vie pratique«).

3. In welcher Form und an wen Secker das Honorar überweist, ist ja völlig gleichgültig. Und da der Markkurs im Ausland nicht schlechter als im Inland ist, ist auch die Währung, glaube ich, ziemlich gleichgültig. Wenn es aber gleich in Schilling umgewechselt werden kann, so übernimmt Brody auch ohne weiters Schillinge. Auf alle Fälle Dank dafür, daß Sie sich damit bemühen, und ich hoffe bloß, auf diese Weise viele hundert Pfund oder viele tausend Mark oder noch mehr tausende von Schillingen zu erhalten.

4. Und um gleich im Finanziell-Kommerziellen zu bleiben: die Hoffnung, daß sich der englische Markt nach Erscheinen der Schlafwandler für meine Essays als aufnahmsfähig erweisen könnte, ist mir eine angenehme Erwartung (schöner und barocker kann man dies nicht ausdrücken), dies umsomehr, als unser deutsches Absatzgebiet dank der stets zunehmenden politischen Verwirrung immer unsicherer wird. Immer mehr wächst in mir die Überzeugung, daß der englische Schriftsteller noch eine soziale Mission zu erfüllen hat und damit Lebensberechtigung hat, während in Deutschland – und vielleicht ist es darin moderner? – das Künstlerische und Geistige jeden Boden verliert. Es ist eine furchtbare Atmosphäre, und irgendwie trage ich mich unausgesetzt mit dem Gedanken, nach dem Westen, vielleicht sogar wirklich nach England zu übersiedeln: und sei es auch bloß, um den Kontakt mit Menschen zu haben – s. Willa und Edwin Muir –, mit denen ich innerlich verwandt bin.

Nebenbei, resp. um zum Kommerziellen zurückzukehren: der »Zug nach dem Westen« wird für mich umso dringender, als man hier, besonders in Österreich, eigentlich bloß Geld verlieren, kaum mehr aber verdienen kann, es sei denn in Valutaspekulationen. Und ich bin immer mehr und mehr darauf angewiesen, meine Existenz auf das Schriftstellerische hin frisch aufzubauen. Allerdings bin ich, was das anlangt, von einem fast leichtsinnigen Optimismus und Zutrauen zu mir selbst, trotz aller Sorgen und Verantwortungen, mit denen ich – Sie wissen es – überlastet bin, trotz aller Katastrophen, die einen hier so ziemlich täglich ereilen.

5. Book Club ist natürlich auch vornehmlich eine finanzielle Angelegenheit. Je länger ich darüber nachdenke, desto deutlicher wird mir, daß Thomas Mann nicht recht hat: die Amerikaner können von Europa nicht einfach einen Unterhaltungsroman erwarten, den können sie doch in Eigenregie erzeugen, und von Europa müßten sie doch eigentlich etwas Besonderes verlangen. Umsomehr als die moderne amerikanische Literatur sich sogar recht avant-gardistisch gibt. Viel Hoffnungen habe ich natürlich nicht, aber vielleicht werden Little Brown[1] etwas tun können. Es ist beiläufig wie ein Lotteriegewinn, auf den man nicht rechnen kann.

In diesem Zusammenhang: Warner Bros.[2] haben beim

Rheinverlag wegen Verfilmung angefragt. Etwas Fürchterliches würde da aus den Schlafwandlern entstehen. Aber es wäre auch ein Lotteriegewinn.

6. Was Sie über die Joyce-Rede sagen, freut mich ganz ungeheuer. Natürlich enthält sie bloß Andeutungen, und wenn man die Sache gründlich ausführen wollte, so entstünde ein ganzes Buch über die Theorie des Romans, das ich aber jetzt nicht schreiben möchte (ganz abgesehen davon, daß man dafür kaum Verleger fände).

Mit Ihrem Gedanken der Faber & Faber-Serie bin ich *begeistert einverstanden.* Wenn er es aber nicht nimmt? ich würde es außerordentlich bedauern, wenn sich keine englische Erscheinungsmöglichkeit fände[3]. In Amerika? die Länge der Rede erachte ich für eine Revue eigentlich nicht allzugroß. Im Transition z. B. (den Sie allerdings nicht mögen, ich auch nicht!) finde ich manche Abhandlungen von dieser Länge. [. . .]

[GW 10]

1 Bei dem New Yorker Verlag Little, Brown waren die *Sleepwalkers* in der Übersetzung von Edwin und Willa Muir 1932 erschienen.

2 Vgl. Brief vom 19. 7. 1932, Fußnote 1.

3 Brochs Studie »James Joyce und die Gegenwart« erschien nicht bei Faber & Faber. Auf Englisch wurde sie erst 1949 publiziert. Vgl. den Brief vom 19. 3. 1932, Fußnote 5.

111. An Daniel Brody

Gößl am Grundlsee 19. Juli 1932

Liebster Freund D. B.,

[. . .] Ad 1 Dank für Gratulation; aber ist dazu ein Anlaß vorhanden? Sind Warner Bros. nicht einfach ein Warenhaus[1], das auch Bücher führt? natürlich wäre auch dies erfreulich, denn diese Warenhäuser schicken ihre Bücher, soviel ich weiß, überall hinaus, zumindest ihre Kataloge; und wenn dies stimmt, so

Ad 2 und 3 dürfte Warner Bros. die Sleepwalkers als Voranzeige von Little, Brown gefunden haben, meint, daß es eine gespensterhafte Detektivgeschichte ist, auf die alle Farmer fliegen, und will nun in seinem eigenen Katalog einiges Farbenprächtige über das Buch und seinen abenteuerlichen Autor drucken. Dies dürfte das Material sein, das er meint.

Ad 4 Vorausgesetzt, daß diese Kombination stimmt, wissen Sie, was Sie zu schreiben haben: Broch, abstammend aus ältestem norwegischen Adel (Broch = Menhir, nordschottische Bezeichnung der aufrechten Göttersteine, die wahrscheinlich als Phallussymbole errichtet worden sind). Späterhin trat der mährische Teil der Familie, wahrscheinlich anläßlich einer Christenverfolgung, zum Judentum und zum Textilfach über. Der ursprüngliche Sinn des Namens wurde anständigkeitshalber umgedeutet, indem man ihn mit Broche = Segen in Verbindung brachte, doch ist die Verbindung für jeden Psychoanalytiker durchsichtig. (Vgl. frz. broche = Spieß, Spindel.) In den Schlafwandlern aber kommt das Generationengedächtnis wieder atavistisch zum Durchbruch, wozu Sie die entsprechenden Stellen zitieren können.

Wenn Ihnen aber dies nicht paßt, so würde ich eine entsprechend ausgeschmückte Biographie schreiben – Sie sind doch darin Meister –, auf die große industrielle Vergangenheit hinweisen und darauf, daß die Schlafwandler die erste große Geschichtsphilosophie darstellen, die die heutige Zeit erklärt. Wir haben es ja bereits gelesen: »Apocalypse du temps moderne«[2], usf.

Im übrigen schicke ich Ihre Karte an den schon oftmals genannten Dr. Sonne[3] nach Wien. Er dürfte bei seinen kosmopolitischen geistigen Beziehungen vielleicht etwas über Warner Bros. und die Art ihres Begehrens aussagen können.

Ansonsten ist zu berichten, daß es unentwegt weiter regnet, und daß ich seit meiner Ankunft an die 40 Briefe geschrieben habe. Da davon etwa die Hälfte Geschäftsbriefe waren, können Sie, lieber Freund, sich ausrechnen, wie es mir geht: alle Wiener Sorgen laufen mir nach; es sind die raschesten Sorgen der Welt, man kann ihnen nicht entrinnen. Immerhin muß es doch ein Mausloch[4] geben, durch das man entschlüpfen kann, entschlüpfen wird, ganz einfach, weil es sein MUSS. (NB. ich wohne übrigens nicht im Mausloch, sondern ein paar Häuser weiter, Im Schachen Nr. 135, aber da dies die Postverwirrung nur noch steigern würde, bitte ich, es bei der alten Adresse zu belassen; so ist es sicherer.)

Muirs schreiben, daß sie den Joyce-Aufsatz in die Sammlung von Faber & Faber als Gegenstück zur Anna Livia bringen wollen. Das wäre natürlich sehr erfreulich, besonders da es sich mit der von Ihnen gedachten Erscheinungsform genau decken würde. Weiters schreiben sie, daß wir für den Criterionabdruck ein Honorar bekommen, das Ihnen in den nächsten Tagen überwiesen werden wird. Die Summe haben sie freilich nicht angegeben, wahrscheinlich ist sie so klein oder so groß, daß sie mit gewöhnlichen Zahlen nicht mehr auszudrücken ist; ich nehme an, daß man dazu ein Differential brauchen wird.

Aber: könnten Sie mit der Anna Livia und dem Joyceaufsatz nicht überhaupt eine Reihe nach dem Muster Faber & Faber eröffnen? derartiges Kleinzeug muß sich doch leichter verkaufen als ausgewachsene Bücher und außerdem ist man dabei nicht auf Belletristik beschränkt, sondern kann auch Aktuelles bringen. [. . .]

Handküsse und alles Herzliche! und lassen Sie sich die Hand drücken. Ihr

HB.

[GW 8, BB]

1 Broch hielt die amerikanische Filmgesellschaft Warner Bros. nicht für ein Warenhaus. Vgl. dazu den letzten Absatz des Briefes vom 18. Juli 1932. Zu einer Verfilmung der *Schlafwandler* kam es damals nicht. Der erste Film nach einem Werk von Hermann Broch entstand erst 1978. Am Sonntag, 4. 3. 1979 wurde um 21.05 der Fernsehfilm »Esch oder die Anarchie« erstmals in der ARD gesendet. Es handelte sich um eine Koproduktion des Senders Freies Berlin und des Österreichischen Rundfunks. Das Drehbuch schrieben Jens-Peter Behrend (SFB) und Wolfgang Ainberger (ORF). Die Regie führte Rainer Boldt.

2 Vgl. Brief vom 17. 7. 1932, Fußnote 1.

3 Abraham Sonne (1883-1950) war seinerzeit Rektor am Jüdischen Pädagogischen Institut in Wien. 1938 emigrierte er nach Jerusalem. Während des Exils hielt Broch den brieflichen Kontakt mit Sonne aufrecht.

4 Broch wohnte während der ersten Tage seines Gößl-Aufenthaltes Im Schachen Nr. 4 bei Mauskoth, zog dann um zu Im Schachen Nr. 135 bei Franz und Therese Gaiswinkler, ließ sich seine Post aber an die erste Adresse Im Schachen Nr. 4 nachschicken.

112. An Daniel Brody

Gößl, 6. August 1932

Lieber Freund Brody,
haben Sie Dank für Ihre Briefe. Das Drama[1] läuft in einem Tempo, daß es nicht unterbrochen werden darf. Daher mein Schweigen. Und weil ich noch nicht weiß, ob ich schon die endgültige Form gefunden habe oder ob ich nicht nochmals von vorne beginnen muß, ist es vorderhand noch ein bedrücktes Schweigen. Es ist jammerschade, daß Sie nicht jetzt hier sind – ich hätte so viel Kunsttechnisches, Theatertechnisches etc. mit Ihnen zu besprechen! [. . .]

[GW 8, BB]

1 Broch schrieb damals die erste Fassung seines Trauerspiels *Die Entsühnung*. Vgl. die »Anmerkungen des Herausgebers«, in KW 7, S. 415-428. Die Arbeit an dem Fragment gebliebenen *Filsmann-Roman* unterbrach Broch zugunsten des Dramas, das allerdings den gleichen Stoff wie der Roman behandelte.

113. An H. F. Broch de Rothermann

Gößl, 16. August 1932

Mein lieber Hermann,
Ich habe Deinen Brief v. 12. ds. in Händen und ebenso Deine große »Beichte«, wie Du sie nennst, und die mir die Großeltern, gemäß Deiner Annahme, zugeschickt haben. Ich will nun einmal den Sachverhalt systematisch klarstellen:

1. Du denkst Dir ein geregeltes Leben, Arbeit bei der Ila[1] oder sonstwo nach Bedarf des Geschäftes, wenn notwendig auch 10 Stunden im Tag, willst aber am Abend in eine bürgerliche Wohnung kommen, Tee im Samowar, einen Kasten mit einigen Liqueurflaschen für etwaige Freunde, Nachtmahl mit der Freundin in einem normalen Restaurant, in der Früh zeitlich auf, Tennis und Douche vor dem Büro. Späterhin als eventuellen Aufputz dieser geordneten Exi-

stenz ein kleiner Wagen. Wenn man krank ist, geht man zum Arzt, und ein alljährlicher Urlaub mit einer kleinen Reise unterbricht angenehm diese Existenz. – Das ganze ist kein unbescheidenes Ideal, nichts wäre dagegen einzuwenden.

2. Du verlangst aber ferner, daß man Dir diese Kulissen sofort aufrichte, damit zwischen ihnen die Arbeit in Szene gesetzt werde. Du verlangst ferner, daß Dir diese Existenz gewährleistet werde, und Du denkst Dir, daß nach und nach Deine eigene Arbeit soweit bezahlt werde, daß Du nach einigen Jahren alles selbst bestreiten und die Zuschüsse von mir wirst entbehren können.

3. Daß Du dagegen die Phantasien einer großen grande vie aufzugeben bereit bist, rechnest Du Dir als Separatleistung an.

4. Für die Aufgabe der doppeltgroßen grande vie, für die Eindämmung Deiner Ideale aufs Konkret-Bürgerliche und für die damit bekundete Arbeitsbereitschaft verlangst Du nicht nur stürmische Anerkennung sondern noch mehr: Du hältst mich für verpflichtet, diese Szenerie jetzt aufzubauen, Dich aller Sorgen um Dein Dasein zu entheben und meinst, daß damit die Verantwortung für Dein Arbeiten oder Nicht-Arbeiten, ja noch mehr für die positive oder negative Richtung Deiner Existenz auf mich zurückfalle.

5. Nun liegt die Sache so, daß heute niemand, auch ein sehr reicher Mann, am allerwenigsten ich, Dir eine solche Existenz gewährleisten können. Würde man Dir so ein klein-sybaritisches Leben bereiten, Du stündest jeden Augenblick in Gefahr, daß die Subsistenzquellen zu fließen aufhören. Vor zwanzig Jahren hätte man noch von Sicherheiten sprechen können. Heute ist das Leben absolut unsicher geworden, es ist entsetzlich hart geworden und niemand, auch der wohlmeinendste Vater kann diese Härte abwenden. Bloß wer mit beiden Füßen auf der Erde steht, kann seinen Platz behaupten, und auch bescheidene Ideale sind nur zu verwirklichen, wenn man seine ganze Persönlichkeit dagegen einsetzt. Daß die guten alten bürgerlichen Zeiten mit ihrer Sicherheit vergangen sind, kann man beklagen (ich tue nicht einmal dies), aber man kann absolut nichts dagegen tun. Selbst wenn Du Dich heute mit einem geringen Lebensminimum aufs Land zurückziehen wolltest, kann ich Dir ein solches nicht auf die Dauer garantieren.

6. Das einzige, was man heute für einen Sohn tun kann, ist, ihm eine möglichst gute Lebensausrüstung mitzugeben. Du bist heute zwar erst, aber auch schon 22 Jahre alt, und Dein Ausrüstungstournister ist nicht besser gefüllt als der eines Maturanten. Was also jetzt beginnt, ist nicht nur die Auseinandersetzung mit dem praktischen Leben als solchem, sondern es ist auch Nachholung einer versäumten Ausbildungszeit. Und damit kommen wir wieder zu Punkt 1. zurück.

7. Ich habe absolut nichts dagegen, daß Du die Ila als Durchgangsstadium betrachtest. Von mir aus gesehen, kann sie ohneweiters als Ausbildungsanstalt gewertet werden, die Dir als Sprungbrett für eine aussichtsreichere Position im Ausland dienen soll. Die Ila als solche wird Dir vielleicht nach einiger Zeit zwar ermöglichen, jenes bürgerliche Leben zu führen, das Du für den Augenblick erstrebst (das zeigt Dir das Beispiel der beiden Chefs[2]), aber Du weißt, daß ich für Dich mir stets weitere Ziele gedacht habe. Zudem glaube ich, daß eine Auslandspraxis Dir nur förderlich sein wird, weswegen ich ja selber schon München ins Kalkül gezogen habe. Die Überflügelung der Ila, wie Du es Dir vorstellst, wäre also puncto Ausbildung und Karriere durchaus begrüßenswert.

8. Nun wollen wir aber konkret sprechen: das von Dir gedachte Leben würde meiner Rechnung nach knapp mit S 700.- pro Monat zu bestreiten sein. Bei Deiner spezifischen Ungeschicklichkeit aber würde es S 850.- kosten. Die Installationsspesen der neuen Wohnung würden sich schätzungsweise auf S 2000.- belaufen.

Normaler Weise wohnt ein Mensch, der am Beginn seiner Ausbildung steht, zu Hause, und wenn's hoch geht, so bekommt er ein kleines Taschengeld. Das ist heute nicht mehr möglich, weil Du 22 Jahre alt bist. Du bekommst jetzt von mir mehr als S 450.- pro Monat (das berühmte Hofratsgehalt) außerdem Kleider etc. etc. und keinen Augenblick machst Du Dir darüber Gedanken, wie ich z. B. die Ärztekosten herein bekommen soll. Ich glaube, daß man damit an der Grenze des Möglichen steht – an der Wiener Universität wirst Du keine zwanzig Studenten finden, deren Ausbildung in dieser Weise alimentiert ist.

Jetzt kommt noch überdies die Kreditangelegenheit[3] dazu.

Du wirst nach einiger Zeit die Ila verlassen, – man hat nichts dagegen! – aber das Geld bleibt dort stehen. Angenommen, daß die Ila zusammenbreche, was in den heutigen unsicheren Zeiten immerhin auch ins Auge zu fassen ist: wirst Du den Großeltern, die es wirklich doch schwer genug haben, das Geld ersetzen?

Wir sind alle mit Sorgen überlastet – wie kann man also jetzt noch die von Dir geforderten Dekorationen aufstellen? die Grenze des Möglichen ist nicht nur erreicht, sondern weit überschritten. Und da soll man noch eine Wohnung einrichten, die Du in sechs Monaten oder in einem Jahr verlassen wirst?

9. Und nun kommen wir zu meiner Einstellung zu Dir, über die Du Dich beklagst.

Über die Pflicht, dem Sohne eine möglichst fundierte Lebensausrüstung zu geben, habe ich bereits gesprochen. Über die Gegenpflicht des Sohnes, auf diese Intentionen einzugehen und sie zu unterstützen, haben wir nicht gesprochen. In Deinem Kopf sieht es bekanntlich so aus, daß man nur Pflichten gegen Dich, Du aber beileibe keine solche gegen andere und besonders nicht gegen mich hast. Solange Du jung warst, wurde darüber nicht gerechtet, obwohl es Dir mit Deiner Einstellung gelungen ist, die kostbarsten Ausbildungsjahre zu versäumen. (Immer unter dem Gesichtswinkel der heutigen Krisenzeiten gesehen!)

Heute, wo Du 22 Jahre alt bist, verlange ich die Ausübung dieser Gegenpflicht von Dir, dies umsomehr als Du es stets darauf angelegt hast, von gleich zu gleich mit mir zu verkehren. Und diese Pflicht heißt heute, daß Du nicht nur von Deiner Familie unterstützt sein willst, sondern daß es Dir oberstes Gebot zu sein hat, sie selber nach Kräften zu unterstützen. Und dies kann nur darin bestehen, daß Du Dir Dein Leben mit dem Dir zur Verfügung Gestellten nicht nur einrichtest, sondern selber Ersparungen suchst. Was Millionen und Abermillionen junger Leute glückt, hat auch Dir zu glücken. Niemand kann Dich dafür entschädigen, wenn Du keine Arbeit findest, die Dir als solche Freude bereitet. Wenn Deine Ehrgeize außerhalb und nicht innerhalb der Arbeit liegen, so mußt Du selbst versuchen, sie mit Hilfe der Arbeit zu befriedigen. Aber es verstößt gegen Deine Pflicht mir gegenüber, wenn Du für das Manko, das in Dir selber liegt, Mehrleistungen von mir und Deiner Familie forderst, anstatt zu helfen, daß diese Leistungen abgebaut werden.

Ein erwachsener Mensch muß für Leistungen, die er verlangt, Gegenleistungen erbringen. Im Jahre 1900 hat man gewiß mehr a fond perdu in einen jungen Menschen investieren können, heute in einer Zeit allgemeiner Verelendung ist dies leider nicht mehr möglich. Und wenn es Dir auch nichts sagt, so kannst Du mir glauben, daß die junge Generation nicht schlecht dabei fährt; Du weißt, daß ich mit ziemlich viel jungen Menschen zusammenkomme, und ich kann Dich versichern, daß sie die Pflichten, die sie erfüllen, überhaupt nicht spüren, sondern mit allem Interesse und damit mit allem Glück und aller Hoffnung in die Welt hineinschauen.

Du sprichst von Desinteressement, in das ich mich zurückziehe: eine richtige Beobachtung, soweit es sich darum handelt, vor eine unerfüllbare Aufgabe gestellt zu werden, und eine unerfüllbare Aufgabe ist es, wenn Du von mir die Schaffung von Arbeitsbedingungen verlangst, die ich eben nicht schaffen kann. Von einer solchen Aufgabe muß man sich abwenden, mag dieses erzwungene Desinteressement auch sogar mit dem Gefühl der Verzweiflung unterfüttert sein.

Wie Dir bereits Oerley gesagt haben dürfte, sind die Großeltern über Deinen Brief verzweifelt, wissen nicht, was sie Dir antworten sollen, kapieren nicht, daß ein Mensch überhaupt so denken kann, sehen keinen Ausweg usw. Ich schreibe Ihnen, daß zu dieser Verzweiflung kein Anlaß vorliegt, und daß sich vielmehr alles ganz schön lösen wird. Weder die Großeltern noch ich wollen, daß Du mit zerrissener Wäsche herumgehst, und man wird Dir auch nach Maßgabe der Kräfte helfen. Aber man darf nicht das Gefühl haben, einem Faß ohne Boden gegenüberzustehen, als welches Du Dich bisher präsentiert hast. – Ich schicke diesen Brief durch die Großeltern, weil sie das beruhigen wird.

Sei umarmt von Deinem alten
Hermann

[YUL]

1 Internationale Literarische Agentur, Wien. Sie unterhielt einen Vertrieb literarischer Werke, insbesondere für Zeitungsabdrucke und Übersetzungen. Sie existierte von 1931 bis 1938.
2 Die ILA wurde geleitet von Percy Eckstein, Willy Oerley und Otto Max Vancza.
3 Die ILA expandierte damals und nahm bei Hermann Broch ein Darlehen in Höhe von 10 000 Schillingen auf. Broch gewährte es hauptsächlich, um seinem Sohn einen Arbeitsplatz als Redaktionssekretär zu sichern. H. F. Broch de Rothermann war mit Unterbrechungen etwa zwei Jahre – bis November 1934 – bei der ILA beschäftigt.

114. An Willa und Edwin Muir

Gößl am Grundlsee 18. August 1932

[. . .] Daß die Joyce-Rede *überhaupt* erscheine, ist mir recht wichtig, wegen der prinzipiellen Teile, die sie enthält. *Weitaus* am liebsten wäre mir die Broschüre bei Faber & Faber. Ob Faber & Faber außerdem noch einen Vorabdruck in einer Zeitschrift gestatten, weiß ich nicht – wegen des doppelten Honorars wäre es natürlich angenehm. Auf alle Fälle kommt eine Zeitschrift in Frage, wenn es mit dieser Separatbroschüre nichts werden sollte. Ich weiß nun nicht, welche Revuen dafür in Frage kommen; ich habe »Transition« bloß genannt, weil es die einzige ist, die ich kenne, und weil sie sich fortlaufend mit Joyce beschäftigt. Die Internationale Literarische Agentur, bei der mein Sohn beschäftigt ist, hat mir außerdem »Forum«[1] in New York genannt. Ich glaube, daß man den Aufsatz wohl an verschiedene Adressen wird schicken müssen, sei es, damit er sowohl in Amerika als in Europa, sei es, daß er überhaupt erscheine. Schade, daß er für den »Criterion« zu lang ist. Ich habe schon daran gedacht, das Wesentliche aus der Rede herauszuschneiden und für den »Criterion« zu appretieren; ich möchte mir aber womöglich diese Arbeit nicht machen, besonders, da ich eigentlich nicht wüßte, was mir das Wichtigste in der Abhandlung ist. [. . .]

Gestern schickte ich Ihnen die Literarische Welt mit meinem Leitartikel[2] und der Thießschen Kritik[3] (Ihr Gedicht erscheint, wie mir Willy Haas schreibt, in einer der nächsten Nummern). Glauben Sie, daß der Artikel für eine jener Zeitschriften brauchbar wäre? oder ist das Problem des Diktators allzusehr auf Deutschland und Italien beschränkt? Eigentlich spukt es ja in ganz Europa herum. [. . .]

Und ich habe Ihnen nur noch zu berichten, daß mein Drama mit allerlei Mühsal vorwärts schreitet (ich habe ja keinerlei Theaterroutine), daß es aber, glaube ich, hoffe ich, ganz anständig ausschaut. Natürlich habe ich es mir wieder nicht leicht gemacht (und auch dem Zuschauer wird's nicht leicht gemacht sein). Trotzalledem meine ich, daß es für die Bühne geeignet ist, ja, mehr noch, daß es in seiner Geltung und Wirkung nicht auf Deutschland beschränkt sein wird. Vielleicht wird es ein Haupttreffer, und ich kann zur Première nach London kommen. Voraussetzung natürlich: daß das Stück von Willa und Edwin Muir übersetzt werde![4] [. . .]

[GW 10]

1 *Forum* war eine in New York erscheinende kulturelle Monatsschrift. Sie war 1886 begründet worden und erschien seit 1930 unter dem Titel *The Forum and Century*. In den dreißiger Jahren war Henry Goddard Leach ihr Herausgeber. 1945 stellte die Zeitschrift ihr Erscheinen ein. Broch publizierte nichts im *Forum*.

2 »Leben ohne platonische Idee«, KW 10/1, S. 46-52.

3 Frank Thiess, »Die Moral durch ein Prisma geworfen: Hermann Broch. Zur Schlafwandler-Trilogie des Dichters«, in: *Die Literarische Welt* 8/32 (5. 8. 1932).

4 Edwin und Willa Muir übersetzten Brochs Drama, doch ist das Manuskript der Übersetzung verlorengegangen. Zu einer Aufführung des Stückes in England kam es nicht. Vgl. auch KW 7, S. 424 oben.

115. An Alban Berg

dzt. Gößl am Grundlsee Nr. 135 27. August 1932

Mein lieber Alban Berg[1],
Du weißt, daß man bloß für wenige Menschen schreibt und schreiben kann, und deshalb mußt Du mir glauben, daß mich Deine Worte ganz besonders tief gefreut haben. Darf ich Dir zum Dank, aber mehr noch als Dank für die letzte Wozzek-Szene, Dir das beiliegende Gedicht[2] geben? ich wäre froh, wenn Du es bejahen würdest (aber das soll kein Lob provozieren!).

Von den drei Schlafwandlern ist mir der Schlußband weitaus am wichtigsten. Denn darin ist sowohl in der Architektonik als im, sagen wir Tiefgang manches Neue versucht worden. Besonders das Schlußkapitel ist mir ans Herz gewachsen. Laß Dich also bitte davon nicht abschrecken, auch wenn es mit der Warnungstafel »Zerfall der Werte« versehen ist.

Ja, und daß Du das Buch Arnold Schönberg[3] schenken willst, ist eine ausgesprochene Ehrung für die Schlafwandler. Willst Du Deinen Geburtstagswünschen den Ausdruck meiner großen Verehrung hinzufügen? ich wäre Dir dafür sehr dankbar. (Das Buch wird jedenfalls rechtzeitig bei Dir einlangen, da ich dem Verlag sofort schreibe.)

Augenblicklich stecke ich in einem Drama und bin von dieser Arbeit, die überdies zum Herbst schon fertig sein soll, recht besoffen. Jedenfalls werde ich nicht so bald nach Wien zurückkehren, will es auch gar nicht. Aber ich hoffe sehr, Dich einmal im Winter treffen zu dürfen.

Inzwischen nimm nochmals Dank entgegen samt einem freundschaftlichen Gruß,

aufrichtigst Dein
Hermann Broch
[ÖNB]

1 Alban Berg (1885-1935), Schüler von Arnold Schönberg. Die Uraufführung von Bergs Oper *Wozzek* hatte 1926 stattgefunden. Alban Berg kannte Broch von der Schulzeit her. Sie hatten gemeinsam die K.K. Staats-Realschule in Wien besucht. Broch hatte Berg *Die Schlafwandler* zugeschickt, und Berg schenkte Broch einen Druck der letzten *Wozzek*-Szene.

2 Es wird sich um eines jener im Juli 1932 entstandenen Gedichte Brochs handeln. Vgl. KW 8, S. 22 ff.

3 Arnold Schönberg (1874-1951). Am 13. 9. 1932 wurde Schönberg achtundfünfzig Jahre alt. Zwei Jahre später widmete Broch seinen Aufsatz »Gedanken zum Problem der Erkenntnis in der Musik« Schönberg zum sechzigsten Geburtstag. Vgl. KW 10/2, S. 234-245.

116. An Daniel Brody

Gößl, 27. August 1932

Lieber Freund Daniel Brody,
Sie wissen, daß ich in schlechten Zeiten ein guter, in guten ein schlechter Briefschreiber bin. Also: das Drama ist beinahe fertig. Ich scheue mich zwar, den Abend vorzeitig zu loben, aber es scheint wahr zu sein. Freilich muß die ganze Sache nochmals überarbeitet werden, und ich weiß noch nicht, ob ich dies in Gößl oder in München oder in Wien tun soll. Eines aber ist sicher: die Sache steht.

Dies wäre die erste Nachricht. Die zweite, die aber damit in einem gewissen Zusammenhang steht: heute erhielt ich eine prachtvolle Montage, eine Einladung zu den Teltscher-Teltinischen Damenringkämpfen darstellend, geschmückt mit den Fahnen aller daran beteiligten Nationen. Nach dem Poststempel und der Schrift sowie nach der ausnehmend sorgsamen Ausführung halte ich es für das Werk eines völlig verspielten Verlegers, der ob solchen Tandes, dem Charme keineswegs abzusprechen ist, sein Geschäft vernachlässigt.

Nun der Zusammenhang zwischen diesen beiden Fakten: kann man einem derartig verspielten Individuum die ungeheuer verantwortungsvolle Propaganda für dieses Drama in die bewährten Hände legen? und in welcher Form soll dies geschehen? es müssen irgendwie sämtliche Theater auf den bereits vorhandenen literarischen Ruhm der Schlafwandler aufmerksam gemacht werden, wofür wahrscheinlich entsprechende Vorkehrungen zu treffen sein werden, z. B. Neuauflage des erweiterten Werbeheftes oder ähnliches. Weiters soll angeblich das direkte Theateranbot wirkungslos sein.

Unabhängig von der eventuellen Buchausgabe muß man sich, herich, eines Theaterverlages bedienen, dies umsomehr, als jeder Theaterverlag Vorschüsse zahlt. Ich würde also das Werk sämtlichen Theaterverlagen anbieten und jenem geben, der den größten Vorschuß zahlt. Marton, Wien, soll übrigens der rührigste sein. Aber es existieren außerdem noch Pfeffer, Arcadia-Ullstein, S. Fischer, Drei Masken und noch eine Reihe anderer[1]. Kennen Sie die alle? Wenn die Geschichte einschlägt – und ich habe das Gefühl, daß sie einschlagen wird –, so werden wohl auch die Schlafwandler daran nutznießen. Nur muß man es richtig anpacken.

Zweite Frage, die ich allerdings in meinem eigensten Innern zu entscheiden habe, ist, ob ich mein Romanprojekt[2] mit diesem Drama in Verbindung bringen soll, oder ob ich [mich] nicht zu diesem Spezialzweck sofort an ein zweites mache. Ich bin eigentlich für letzteres (es sei denn, daß Sie gewichtige Gegengründe hätten), denn ich möchte das Stück so rasch als nur irgend möglich, also noch in dieser Saison, auf der Bühne haben, sowohl im Interesse der Schlafwandler, als aus den Ihnen bekannten allgemeinen finanziellen Gründen. Das gleichzeitige Erscheinen von Roman und Stück, wie wir es uns zuerst gedacht haben, würde eine Verschiebung um eine ganze Theatersaison nach sich ziehen. [. . .]

Von meinem Schulkollegen Alban Berg, wohl der begabteste deutsche Komponist Deutschlands heute, erhalte ich beifolgenden Brief für Ihre Sammlung, gleichzeitig mit der Bitte, seinem Wunsche zu willfahren und ihm die Schlafwandler mit Sortimenterrabatt zu schicken. Es kann nur von Nutzen sein, daß er es Schönberg schenkt, denn um diesen herum ist doch ein ernster und sehr erwünschter Leserkreis. Ich habe mich mit dem Briefe Bergs aufrichtig gefreut. [. . .]

[GW 8, BB]

1 Broch gab sein Drama *Die Entsühnung* 1933 der Theaterabteilung des Zsolnay Verlages in Wien zum Vertrieb.

2 Broch schrieb mit Unterbrechungen bis Ende 1932 am *Filsmann-Roman.* In den Jahren 1933 und 1934 kehrte er nur noch sporadisch zur Arbeit an ihm zurück. Damals plante er, sein Drama *Die Entsühnung,* das den gleichen Stoff wie das epische Werk behandelte, in den *Filsmann-Roman* zu integrieren. Auf Anraten von Daniel Brody nahm er von diesem Plan Abstand.

117. An Alban Berg

dzt. München
Königinstraße 35 29. September 1932

Lieber, verehrter Alban Berg:
Deine lieben Zeilen erreichten mich hier in München. Ich bin über das Unglück, das Deine verehrte Gattin und damit auch Dich betroffen hat, höchlich bestürzt und hoffe nur, daß meine Genesungswünsche bereits überflüssig geworden, resp. daß bereits alle Folgen glücklich überstanden sind. Ich hatte selber einmal einen Unglücksfall mit einem Brand und weiß, wie furchtbar das ist.

Umso gerührter bin ich, daß Du Dir trotzdem Zeit genommen hast, die Schlafwandler zu Ende zu lesen und mir zu schreiben. Ich muß Dir nicht nochmals sagen, wie sehr ich mich freue, daß Du sie bejahst. Hoffentlich wird dies auch bei dem Drama der Fall sein, das ich jetzt soeben glücklich beendet habe. Würde jetzt nicht die Theater-Plackerei beginnen, so wäre ich sehr zufrieden. Aber um die kommt man ja leider nicht herum.

Indem ich Dich bitte, meine ergebensten Handküsse mit meinen Wünschen zu übermitteln, danke ich Dir nochmals herzlich und drücke Dir die Hand –

aufrichtigst Dein
Hermann Broch
[ÖNB]

118. An Stefan Zweig

z. Zt. München
Königinstr. 35 München, 11. Oktober 1932

Sehr verehrter Herr Dr. Zweig:
14 Tage habe ich leider dazu gebraucht, um die Abschriften des Dramas zu korrigieren, was vor allem auf die Streichungen zurückzuführen ist. Streichungen sind schmerzlich, und deswegen ist die Arbeit langsam vonstatten gegangen. Ver-

zeihen Sie also einerseits die Verspätung[1], und lesen Sie bitte andererseits die gestrichenen Stellen, die mir im Rahmen der Gesamtarchitektonik des Stückes natürlich wichtig sind.

Die theoretischen Vorbemerkungen[2], die ich dem Manuskript vorausgeschickt habe, entstammen einer Abhandlung über die Möglichkeiten des Theaters, die sich mir aus der dramatischen Arbeit ergeben hat und die zu schreiben ich eben im Begriff bin. Die etwas primitive Form dieser Bemerkungen ist darauf zurückzuführen, daß ich sie in usum der Theaterdirektoren zugestutzt habe.

Und gestatten Sie schließlich auch noch, daß ich Ihnen die Rede über Joyce beilege, von der ich Ihnen gesprochen habe. Ich tue es mit etwas schlechtem Gewissen, weil ich Ihre Zeit nicht mit soviel Broch-Lektüre belasten will, aber es steht manches Prinzipielle darin, was mir sehr wichtig ist und von dem ich hoffe, daß Sie mit mir übereinstimmen werden. Und so kann ich es mir nicht versagen, Ihnen diesen Aufsatz zu überreichen.

Haben Sie Dank, verehrter Herr Dr. Zweig, für die Aufnahme, die Sie mir bereitet haben. Ich freue mich von ganzem Herzen, Sie bald wieder sehen zu dürfen. Ich denke Ende dieser oder Anfang nächster Woche von hier abzureisen und wäre Ihnen besonders dankbar, wenn Sie mir mitteilen wollten, wann Sie in Salzburg sind, da ich meine Reise nach Ihren Dispositionen einteilen möchte.

Inzwischen bitte ich Sie, herzlichste Grüße entgegenzunehmen –

Ihr sehr ergebener
H. Broch

[SZA]

1 Broch hatte Zweig in der letzten Septemberwoche in Salzburg besucht und mit ihm sein Drama *Die Entsühnung* diskutiert.

2 »Theoretische Vorbemerkungen zur *Entsühnung*«, KW 7, S. 403 bis 406.

119. An Willa und Edwin Muir

z. Zt. München
Königinstraße 35 12. Oktober 1932

[. . .] Denn mit gleicher Post erhalten Sie die Frucht dieses Sommers, »Die Totenklage«[1], Trauerspiel in drei Aufzügen und einem Epilog von Hermann Broch. Es ist zwar nur eine geringe Gabe für den Einzug ins neue Heim, es ist viel eher eine Gabe für mich denn für Sie, aber ich hoffe trotzdem, daß Sie dieses Drama, mit dem ich mich sehr geplagt habe, bejahen werden.

Und hiezu gleich noch etwas: Sie werden im Drama verschiedene rote Striche finden, die mir entsetzlich weh tun und die für die Bühneneinrichtung bestimmt sind. Woraus zu ersehen ist, daß dieses Drama auch tatsächlich aufgeführt werden soll. Ich habe den Eindruck, daß es auf der Bühne ein Erfolg werden könnte, denn es erscheint mir nicht nur irgendwie »großes Theater«, sondern auch als ein Ansatz zu jenem neuen Stil, der unbedingt gefunden werden muß, wenn das Theater überhaupt weiter bestehen soll. (Ich bin daran, eine Abhandlung darüber zu schreiben – ein Auszug daraus als Vorbemerkung zum Manuskript.) Bisher haben wir einerseits das bürgerliche Theater, im alten Sinn naturalistisch und brav und langweilig, anderseits das abstrakte Versuchstheater, wie es die Russen oder in Deutschland Bert Brecht aufgestellt haben. Ich bin nun überzeugt, daß die Ziele des Theaters nach wie vor in der griechischen Abstraktheit liegen, daß aber der Nährboden, in dem allein es ruht, immer nur im Naturalistischen zu sehen ist. Diese Verbindung zwischen Naturalismus und Abstraktismus habe ich gesucht, und mag die Lösung auch noch nicht in völlig geglückter Form gefunden sein (man kann ja nur immer Annäherungswerte finden), so ist sie doch immerhin angebahnt. Eben deswegen tut es mir ja auch besonders leid, daß Überleitungsszenen, die mir stilgemäß sehr wichtig sind, wegen der Aufführungszeit fallen sollen. Sie müssen also jene rotgestrichenen Stellen ebenfalls lesen!

Ich habe nun eine gewisse Ahnung, daß das englische Theater gleichfalls Raum für einen solchen Versuch hätte, eher sogar als das deutsche, das aus Ersparnisgründen vor jedem Experiment zurückschreckt, besonders, wenn es mit einem größeren Personalaufwand verbunden ist. Und da nun »Die Totenklage« nicht nur ein stilistisches und artistisches Experiment ist, sondern überdies auch – was bisher noch nicht geschehen ist – einen Querschnitt durch die sozialen Verhältnisse Deutschlands legt, habe ich eine leise Hoffnung, daß das Stück in England auch inhaltlich interessieren könnte. [. . .]

Von Secker trafen heute die »Sleepwalkers« ein. Bei drei Exemplaren lagen je drei Kaffeekörner bei. Was soll das bedeuten? Ist es sinnig oder bloß ein sinniger Zufall? Die Ausgabe ist wunderschön, und schön ist auch die Anzeige in der L. T.[2] Ich bin ja überaus gespannt, wie es mit den »Sleepwalkers« in England aussehen wird. Als ich kürzlich durch Salzburg kam, traf ich dort Stefan Zweig, der sehr begeistert war und die Absicht hat, an all seine englischen Freunde über das Buch zu schreiben. Insbesondere machte er mich darauf aufmerksam, daß man ein Exemplar unbedingt an Chesterton[3] schicken möge. Ich weiß zwar nicht, wie Zweig persönlich mit Chesterton steht, habe ihn auch nicht befragt, glaube aber, daß man dies unbedingt tun müsse und bitte Sie, gleich Secker dazu zu veranlassen. [. . .]

[GW 10]

1 Titel der zweiten Fassung von Brochs Drama. Vgl. »Anmerkungen des Herausgebers«, KW 7, S. 418.

2 *Times Literary Supplement* (London) brachte am 20. 10. 1932 eine Anzeige der bei Secker erschienenen *Sleepwalkers*.

3 Gilbert Keith Chesterton (1874-1936), englischer Schriftsteller und Kritiker, der damals eine einflußreiche Stellung im literarischen Leben Englands innehatte.

120. An Daniel Brody

Teesdorf, 23. Oktober 1932

Lieber Freund D. B.
ich bin für zwei Tage nach Teesdorf gefahren. Vorderhand gibt es ja nur Introduktionswirbel, und die Wellen der Wiener Misère gehen hoch. Ich fühle mich recht unbehaglich.

Und dies ist wohl auch der Grund, der mich vor einer neuerlichen Überarbeitung der »Totenklage« zurückschrecken läßt. Was Zweig[1] von der absoluten Anonymität des Geschehens sagt, klingt mir gut und geht mir doch nicht ein: sein Vorschlag, den Staat zur Sanierung der Filsmannwerke heranzuziehen und solcherart das Familiäre radikal auszumerzen, läuft mir irgendwie gegen den Strich, vielleicht weil dadurch das politische Moment neuerlich verstärkt werden würde, vielleicht weil mich die technischen Schwierigkeiten eines solchen Einbaus stören, vielleicht aber auch nur aus bloßem Eigensinn. Jedenfalls kann ich es nicht durchschauen, denn Wien hat mich fürs erste vor den Kopf und auf den Mund geschlagen. Und so werde ich von den Zweigschen Anregungen nicht viele in die Tat umsetzen: ich werde mich im großen und ganzen auf den Ausbau des Männer-Epilogs beschränken, alles andere aber einem späteren Zeitpunkt überlassen. Vor allem muß das Stück angenommen sein, dann wird sich während der Proben noch genügend viel Streichungs- und Abänderungsarbeit ergeben; es läßt sich also alles dann nachholen. In diesem Sinne will ich auch Zweig schreiben – hoffentlich sieht er es ein, daß ich die Reparaturarbeit jetzt nicht auf mich nehmen kann – und bitte ihn gleichzeitig, das Stück dem Blochverlag zu übergeben.

Von Zweig habe ich Ihnen ansonsten nicht viel zu berichten. Seine positive Einstellung zur Joyce-Rede kennen Sie; wenn die Schweizer Rundschau nicht zusagt, würde ich (teilend die Meinung Zweigs) doch langsam an die Drucklegung schreiten. Aber die Schweizer wird zusagen, wenn sie hören wird, daß Sie den Satz hinterher übernehmen, und deshalb würde ich es für ganz praktisch halten, wenn Sie dies jenem Dr. Meyer[2] mitteilen wollten. [. . .]

Also vorgestern Thomas Mann im Arbeiterbildungsverein[3]. Ich war sehr froh, daß ich ihn erwischt habe. Und ich habe ihm, wie sich's Th. M. gegenüber geziehmt, in artiger Form gedankt. Im übrigen verlief die ganze Angelegenheit in großer beidseitiger Steifheit, womit allerdings er angefangen hat. Er hat was gegen mich, aber da kann man nichts machen. Aber ich sagte ihm, daß ich ihm die amerikanischen Sleepwalkers schicken werde, und bitte Sie also, dies mit einem entsprechenden Begleitbrief zu tun. Von diesem Intermezzo abgesehen war sein Vortrag wirklich voller Scharm, von jener darren Grazie, die diesem Menschen durchaus eigentümlich ist, und ich war von der vorgelesenen Geschichte (Hochzeit Jaacobs aus dem Roman)[4], von der protestantischen Würde, mit der hier orientalische Geilheit gemacht wird, restlos entzückt.

Gestern dagegen Nachtmahl mit Jacob Wassermann[5]. Der war besonders nett, da er Genia Schwarzwald[6] bat, mich und nur mich einzuladen. Freilich hatte er viel auf dem Herzen: er ist von der Erschwerung des Lesens gleich Herrn Spitzer entsetzt und möchte mich gerne auf den rechten Weg zurückbringen. Und ich möge zu diesem Behufe im Winter nach Aussee kommen. Was alles durchaus rührend und anständig ist. [. . .]

[GW 8, BB]

1 Broch hatte Zweig Mitte Oktober erneut in Salzburg besucht und mit ihm das Drama *Die Entsühnung* besprochen.

2 Walther Meier (geb. 1898), von 1933 bis 1955 Chefredakteur der *Neuen Schweizer Rundschau*. Brochs »James Joyce und die Gegenwart« wurde dort nicht veröffentlicht.

3 Thomas Mann las am 22. 10. 1932 im Arbeiterheim, Wien-Ottakring.

4 Thomas Mann, *Die Geschichten Jaakobs* (Berlin: S. Fischer, 1933), erster Band der Romantetralogie *Joseph und seine Brüder*.

5 Jakob Wassermann (1873-1934). Brochs Sohn heiratete in erster Ehe Jakob Wassermanns Tochter Eva.

6 Eugenie Schwarzwald (1872-1940), österreichische Pädagogin, die in Wien 1901 die Schwarzwaldschen Schulanstalten begründet hatte. In ihrem Wiener Haus verkehrten zahlreiche Schriftsteller wie Döblin, Th. Mann, J. Wassermann, Musil und Broch.

121. An Willa und Edwin Muir

Wien, 24. Oktober 1932

Liebe Freunde,
[. . .] Hier hat der Kampf mit dem Theater bereits begonnen. Der Zustand des deutschen Theaters ist schauderhaft (was meiner Theorie vom Absterben dieser Institution leider entspricht), aber mit vieler Mühe wird man es schließlich doch zur Aufführung bringen. Ich wollte, wir hätten schon englische Premiere und ich säße bei Ihnen. [. . .]

[GW 10]

122. An Stefan Zweig

Wien, I. Gonzagagasse 7 25. Oktober 1932

Lieber hochverehrter Herr Dr. Zweig,
natürlich will ich Ihnen schon seit acht Tagen schreiben, will Ihnen und der verehrten gnädigen Frau seit acht Tagen für den schönen Tag bei Ihnen danken, aber ich hatte auch die etwas absurde Hoffnung, Ihnen gleichzeitig das reparierte Drama schicken zu können. Nun wissen Sie aber beiläufig, wie ich in Wien lebe, und es ist leider noch ärger geworden, als ich es mir vorgestellt hatte. Ich bin in einen Wust geschäftlicher Affairen geraten, und bei aller Selbstdisziplin will mir keine vernünftige Arbeit glücken.

Ich denke nun allerdings, daß sich die Wogen bald legen werden, andererseits höre ich von allen Seiten, daß es bereits die höchste Zeit sei, das Drama zu den Bühnen zu bringen, wenn es noch während der heurigen Saison herauskommen soll. Und dies ist mir aus vielen, nicht zuletzt aus finanziellen Gründen überaus wichtig. Sollte es mir also in den allernächsten Tagen nicht glücken, die Umarbeitung vorzunehmen, so würde ich es für praktisch halten, das Stück in seiner jetzigen Fassung dem Bühnenvertrieb zu übergeben. Bis zur Annahme und gar bis zur Aufführung ist ja dann noch so viel Zeit, daß die Überarbeitung ohne eine Überhetzung, die immer den Keim der Schädigung in sich schließt, vorgenommen werden kann. Und für die erste Prüfung genügt wohl auch die jetzige Fassung.

Darf ich also, vorausgesetzt, daß die nächsten Tage nicht schon eine Beruhigung bringen, von Ihrer gütigen Hilfsbereitschaft Gebrauch machen und Ihnen das Drama zur Weiterleitung an Bloch[1] einsenden? wobei ich es Ihnen völlig überlassen möchte, ob Sie Bloch auf die projektierte Umarbeitung jetzt schon aufmerksam machen wollen.

Und nun haben Sie nochmals Dank, verehrter Herr Dr. Zweig, für die wertvolle Freundschaft, die Sie mir und der Totenklage haben angedeihen lassen, Dank für die kostbaren Stunden, die mir diese Freundschaft geschenkt hat. Am liebsten würde ich ja selber mit dem Manuskript nach Salzburg kommen, aber abgesehen davon, daß ich weiß, wie schonungsbedürftig Ihre Zeit ist, fürchte ich sehr, daß ich jetzt für lange nicht von Wien werde abkommen können, so gerne ich mich auch wieder nach einem Gößl zurückziehen möchte.

Bitte übermitteln Sie meine Handküsse der gnädigen Frau und nehmen Sie einen herzlichen Gruß entgegen Ihres sehr ergebenen

Hermann Broch
[SZA]

1 Felix Bloch Erben, Berlin-Wilmersdorf, Bühnen- und Filmverlag.

123. An Willa Muir

Teesdorf, 1. November [1932]

Heute an meinem Geburtstag (deshalb bin ich bei meinen Eltern in Teesdorf) kam dieser Brief. Ich halte nicht viel von Geburtstagen – zum Bewußtsein der Todesannäherung brauch ich keine Geburtstage – aber trotzdem war es gut und richtig, daß der Brief eben heute kam. Sie meinen wirklich, daß ich »lächle«? Willa Muir! (mit großer Feierlichkeit gesagt) Liebe! ich habe so arge Zeiten hinter mir und führe ein so schweres Leben – denn man muß für alles, das wissen Sie so gut wie ich, entsetzlich viel bezahlen –, daß ich zu solchen Dingen kaum lächeln kann: mögen Sie es langweilig nennen, aber ich bin scheußlich ernsthaft. Und zudem: es gibt keine einseitige Beziehung zwischen Mensch und Mensch; auch dies wissen Sie so gut wie ich. Und ich habe Ihnen die Gedichte auch nicht zum Übersetzen geschickt – was Sie ebenfalls genau wissen. Wahrscheinlich bedeuten sie artistisch auch gar nicht so viel, wie sie mir selber bedeuten. Resultat: »Ach«, ein Wort, das ich sonst nicht niederschreibe. Und denken Sie gut an mich, das ist mein Geburtstagswunsch.

Daß ich an Sie denke, daß ich selbstverständlich auch Edwin Muir grüße, das wissen Sie, wie Sie eben alles wissen von Ihrem

Hermann Broch

[GW 10]

124. An Daisy Brody

Wien, 25. November 1932

Liebste Freundin, [. . .]
Dies ist nur eine Facette meines hiesigen Lebens, nur ein Stein in dem unheilvollen Spiel, das zu spielen ich genötigt bin. Ob ich es noch gewinnen werde? natürlich sind es nur die Konsequenzen einer Spielsituation, die ich mir vor vielen Jahren arrangiert habe, und die Voraussetzungen, unter denen ich noch mittue, sind andere und für mich bessere geworden. Aber manchmal, ja oft, überkommt mich doch die Angst, es nicht durchhalten zu können.

Jetzt allerdings, wo ich es niedergeschrieben habe, erscheint es mir unstatthaft, davon überhaupt zu reden. Denn schließlich hält man es ja doch durch, man zieht sein Schiff, und das dazu gesungene Wolgalied ist Kitsch und Blauer Vogel. Und wichtiger als jede Klage ist die Rückflucht in die Arbeit, die ja trotz alledem, wenn auch in verzögertem Tempo vorwärts geht. Und wenn alle Stricke reißen, so werde ich diese Flucht in die Arbeit bis nach Gößl fortsetzen und mich dort einsperren. Ein paar Kapitel des Romans[1] stehen immerhin schon.

Freilich hat es auch mit dem Dichten seinen Haken. Nicht nur, daß ich fortwährend fürchte, die äußere Qual könnte die Qualität beeinträchtigen (das ist unberechtigt), sondern es hat solche Angst eine tiefere Begründung: Dichten heißt, Erkenntnis durch die Form gewinnen wollen, und neue Erkenntnis kann nur durch neue Form geschöpft werden. Das ist in diesem Zusammenhang logisch und folgerichtig, und außerdem, was noch wichtiger ist, es wird durch mein inneres Wissen bestätigt. Dichtung, die nicht neue Erkenntnis ist, hat ihren eigenen Sinn verloren, wird also notwendig zum Qualitätsabfall und bleibe daher (sowohl aus inneren als auch äußeren Gründen) lieber ungetan. Neue Form dagegen aber heißt zunehmende Publikumsfremdheit, Unverkäuflichkeit, es heißt aber überdies ein Einbiegen in einen Weg, der bereits von Joyce verrammelt worden ist. Es wird eigentlich erst jetzt klar, warum ich im letzten Jahr immer dringender zur mathematischen und wissenschaftlichen Erkenntnis zurück will: die Schlafwandler und das Drama sind erste Etappen auf dem Wege der irrationalen Erkenntnis, die eben Erkenntnis durch die Form ist, und ich fürchte mich eigentlich vor der nächsten Etappe. Vielleicht fürchte ich mich auch vor dem weiter aufbrechenden Irrationalen als solchem – äußerlich besehen aber davor, daß dies ein Weg ist, der von der Form der Konvention, doch damit auch von der verkäuflichen Form immer weiter wegführen müßte. Und ich bin doch sogar verpflichtet, Geld zu verdienen. Freilich, mit rationaler Erkenntnis und besonders mit der mathematischen Logik, die ich jetzt immerzu dazwischen betreibe, werden auch keine Reichtümer ins Haus kommen.

So also dichte ich doch, aber voller Angst.

Man kann natürlich zu alldem sagen, daß darin noch ungelöste neurotische Reste stecken. Aber auf der einen Seite gibt es ein leider sehr vorhandenes reales Substrat im äußeren Geschehen, mag dieses auch auf eine seinerzeitige neurotische Konstellation zurückzuführen sein, und auf der anderen Seite ist dichterische, aber auch mathematische Produktion ein nicht ganz unkomplizierter Zustand. Man zahlt für alles. [. . .]

[GW 8]

1 *Filsmann-Roman.* KW 6, S. 287-325.

125. An Daniel Brody

9. Dezember 1932

Lieber Freund,

[. . .] *Deutscher Absatz.* Ernste Angelegenheit mit Sorgenfalten. U. z. wegen des neuen Romans. Ich habe mir hiezu mancherlei überlegt:

1) Der neue Roman ist in voller Arbeit. Ich sagte Ihnen bereits, daß die richtige Technik gefunden und der Problemkreis richtig abgesteckt ist. Und wie ich Ihnen im Februar 1931 prophezeit habe, daß der Huguenau ein Buch von Format werden werde, so prophezeie ich jetzt das Nämliche für den Filsmannroman. Aber nun sind folgende Einwände zu erwägen:

a. Wenn das Drama zu keiner Aufführung gelangt, ist das Projekt des Filsmannromans etwas weniger verlockend,

b. wenn der Absatz für Formatbücher so bleibt, wie er ist, so nützt es auch nichts, wenn der neue Roman keinen »Zerfall« eingebaut enthält; Format wird er trotzdem haben.

2) Vom Verlag aus gesehen: ich muß ja leider von meiner Arbeit, wenn auch bescheiden, leben können. Sie kennen meine Verhältnisse und meine Sorgenüberlastung. Sie haben mir für Jänner die Bevorschussung der schwedischen K. 1000.- in Aussicht gestellt, und leider werde ich sie brauchen. Aber was dann? wollen Sie das Risiko eines neuen Romans auf sich nehmen, d. h. glauben Sie, daß der Rhein-Verlag sein Exklusivprogramm bei diesen Zeiten aufrecht halten kann? Meine persönlichen Zukunftssorgen gelten in dieser Beziehung auch Ihnen, resp. dem Rhein-Verlag – ich werde auf einmal mit dem fertigen Manuskript vor Ihnen stehen, und ich möchte nicht, daß Sie das dann als eine Zwangslage empfinden. An die 100 Seiten sind ja schon fertig!!! Sie können mir darauf, grob wie Sie schon einmal sind, antworten, daß ich mir nicht Ihren Kopf zerbrechen soll, aber ich muß Sie doch nicht neuerdings meiner guten und freundschaftlichen Gefühle versichern.

3) Zudem bin ich mir klar geworden, eben besonders jetzt angesichts Ihrer Weihnachtspropaganda, daß es offenbar aufs Inserieren gar nicht ankommt. Vielleicht haben die in

Aussicht genommenen Ankündigungen im Tagebuch und speziell die in der Frankfurter Zeitung einigen Erfolg; ob aber damit die Spesen hereingebracht werden können, ist fraglich. Es muß eben daran liegen, wie man an den Sortimenter herankommt, und das scheint bei Qualitätsbelletristik besonders schwierig zu sein: ob das in der heutigen Zeit einem Georg Heinrich M. mit Hilfe herzlicher Überredung gelungen wäre, erscheint mir auch beinahe zweifelhaft.

4) Resultate all dieser Überlegungen: soll man es nicht statt mit dem Roman mit einem kulturphilosophischen Buch versuchen? Es spräche einiges dafür:

a. der »Zerfall der Werte« ist der Grundriß einer neuen Geschichtsphilosophie. Er ist also ein bisher nicht eingelöstes Versprechen, und sowohl der Verlag als ich sind eigentlich verpflichtet, das Versprechen einzulösen;

b. kulturphilosophische Bücher verkaufen sich heute bekanntlich wesentlich leichter als Romane, besonders wenn sie mit ein paar Bildln versehen sind,

c. irgendwie entspricht es meinem Über-Ich, nunmehr – ehe der nächste Roman erscheint – ein philosophisches Buch[1] einzulegen, ein Allroundideal (auf das allerdings nicht unbedingt Rücksicht genommen werden müßte).

d. wenn die Sache mit Jung[2] zustande kommt, dann entspricht ein philosophisches Buch auch dem neuen Gesicht des Rhein-Verlags.

Ich glaube, die Sache verdient, ernsthaft überlegt zu werden. Und eigentlich müßte es rasch entschieden werden. Also lassen Sie sich's durch den Kopf gehen. [. . .]

[GW 8, BB]

1 Dieser Plan wurde nicht ausgeführt.

2 Daniel Brody diskutierte damals mit C. G. Jung den Plan der Gründung einer monatlich erscheinenden Zeitschrift mit dem Titel *Weltanschauung*. Die Zeitschrift sollte Artikel über alle Bereiche der modernen Wissenschaft und Kunst veröffentlichen. Jung erwog, Broch die Redaktion des literarischen Teils zu übertragen. Der Zeitschriftenplan realisierte sich nicht. Vgl. Jungs Brief an Jolande Jacobi vom 23. 12. 1932, in: C. G. Jung, *Briefe*, hrsg. v. Aniela Jaffé und Gerhard Adler, Bd. 1 (Freiburg/Br.: Walter, 1972), S. 151. Broch lernte Jung damals durch die Vermittlung

von Jolande Jacobi und Daniel Brody auch persönlich kennen. Eine Korrespondenz zwischen Jung und Broch ist nach Auskunft der Jung-Erben nicht überliefert. Nur ein Brief C. G. Jungs an Broch hat sich erhalten. In einem Schreiben vom 5. 12. 1932 bedankt Jung sich für die Zusendung eines Werkes Brochs, wobei es sich offenbar um die *Schlafwandler* handelt. Der Brief lautet: »Sehr geehrter Herr,/Empfangen Sie meinen verbindlichsten Dank für die freundliche Zusendung Ihres Werkes. Sobald ich einige Zeit zum Aufatmen habe, werde ich hinein tauchen. Seit Wien bin ich ununterbrochen und angestrengt tätig, und so bleibt mir wenig oder gar keine Zeit übrig, um ungebrochenen Mutes eine neue Welt zu erobern./Ich ahne hinter Ihnen ein umfängliches Problem, dem man ohne gründlichen Anlauf nicht beikommt. Sie entschuldigen also, wenn ich mich auf längere Zeit in Schweigen hüllen werde, das wird nicht Mangel an Interesse bedeuten./Mit allerbestem Dank und vorzüglicher Hochachtung/Ihr stets ergebener C. G. Jung.« (Die Erlaubnis zum Abdruck erteilte Franz Jung, in dessen Privatbesitz sich der Brief befindet.) Broch schickte Jung auch seine Studie *James Joyce und die Gegenwart* mit der Widmung »Prof. Dr. C. G. Jung/in großer und steter Verehrung/H. Broch/Mösern, März 1936.« (Ebenfalls Privatbesitz Franz Jung) Ob Jung Brochs *Schlafwandler* dann gelesen hat, ist nicht sicher. Den *Tod des Vergil* hat er außerordentlich hoch geschätzt. Vgl. Jungs Briefe an Aniela Jaffé vom 22. 10. und 26. 12. 1954 und an Attila Fáj vom September 1957 in: C. G. Jung, *Briefe*, a.a.O., Bd. 2, S. 417, S. 430 und Bd. 3 (1973), S. 122.

126. An Willa und Edwin Muir

Wien, 18. Dezember 1932

Liebe Freunde,

[. . .] Sonst habe ich Ihnen nur noch eines als wichtig zu melden; daß ich nämlich trotz meines hervorragenden Englisch den Poor Tom[1] ausgelesen habe, und nicht nur Englisch daran gelernt habe und schon von diesem Resultat schwer beeindruckt bin, sondern daß ich noch viel mehr daraus gelernt habe, und daß der Eindruck des Buches selber ganz tief und nachhhaltig geworden ist. Ich bin ein schlechter Leser, und was nicht in meine eigenen Fragekomplexe schlägt, das nehme ich bloß mit Widerstreben auf – hier aber geschieht nun etwas, das mich aufs Tiefste berührt und mir ans Herz greift, und das ist das stetige Hinschreiten eines Menschen zu seinem unerbittlichen Tod, und wie jedes Sterben ein Mitsterben seiner Umgebung metaphysisch bedingt. Und das ist so meisterhaft gemacht, bleibt so durchaus im Rahmen der Realität, daß ich ganz begeistert bin. Und wenn dies auch ein durchaus grausames und ungerechtes Geschehen ist, so ist die Hintergrundswirklichkeit, aus der solches Geschehen entsteht, die eigentliche Weltwirklichkeit, und das ist trotz aller Grausamkeit und Ungerechtigkeit so überaus versöhnlich. Ich danke Ihnen, lieber Edwin Muir, sehr aufrichtig für dieses Buch.

Wie ist Poor Tom von der englischen Kritik aufgenommen worden? Meine Meinung von der englischen Kunsteinstellung ist seit den Sleepwalker-Rezensionen etwas herabgemindert worden; Sie scheinen mit Ihrer Meinung, die ich Ihnen nie ganz geglaubt habe, doch recht zu haben. Ich bin über schlechte Kritiken wirklich nicht beleidigt, das kann ich beschwören – was mich daran berührt, ist das mangelnde Qualitätsgefühl, dieses Nicht-Ahnen, um was es wirklich geht, wie es im Statesman[2], auf den ich eigentlich einige Hoffnungen gesetzt hatte, am sinnfälligsten zu Tage tritt: Broch und Kästner! Aber von dem Briefe Huxley's[3] war ich angenehm überrascht, ich habe gerade von Huxley solche Stellungnahme nicht erwartet. [. . .]

Meine an die Möglichkeit einer englischen Uraufführung des Dramas geknüpften Hoffnungen sind angesichts solchen Tatbestandes natürlich wesentlich reduziert. Denn es ist natürlich nicht einzusehen, daß die englischen Theaterdirektoren von anderer Geistesbeschaffenheit als ihre Kritik sein sollen. Im Gegenteil: so viel Dummheit und Sachunkenntnis wie beim Theater habe ich überhaupt noch nirgends angetroffen. Was ich mit dem Drama beim deutschen Theater erlebe, spottet jeder Beschreibung, ungeachtet dessen, daß ich jedesmal meinen besten Anzug angelegt habe. Aber da es darauf ankommt, wer in dem Gewande steckt – Willa Muir, ich habe ja solches Vertrauen zu Ihnen –, so bleibt ein Stück Hoffnung unabänderlich bestehen. Und angeblich soll jetzt für deutsche Stücke große Mode in England und Amerika sein; von den Tantiemen, die Ferdinand Bruckner-Tagger[4] von dort bezieht, werden fantastische Ziffern genannt – also werden wir vielleicht auch noch miteinander ungeheuer reich werden. Ach ich bin so geldgierig. Und wenn Sie das schöne Kleid einmal anhaben, so denken Sie bitte auch gelegentlich an die Joyce-Rede bei Faber & Faber. [. . .]

[GW 10]

1 Edwin Muir, *Poor Tom* (London: Dent, 1932).
2 Michael Sadleir, »Walking Nightmare«, in: *New Statesman and Nation,* Jg. 4 (12. 11. 1932), S. 583-584.
3 Die Muirs waren mit Aldous Huxley befreundet. Huxley hatte sich ihnen gegenüber positiv über *The Sleepwalkers* geäußert.
4 Ferdinand Bruckner (eigentlich Theodor Tagger) (1891-1958). Sein Drama *Elisabeth von England* (1930) war ein Theatererfolg.

1933

127. An Willa und Edwin Muir

Wien, 7. Februar 1933

Liebe Freunde,

[. . .] Im übrigen ging und geht es auch mir nicht gut. Dies ist nicht aus Konkurrenzneid gesagt, und meine Leiden sind augenblicklich auch nicht so besonders konkret (obwohl ich nach wie vor mit finanziellen Problemen zu kämpfen habe), sondern sie sind – nicht umsonst hat man platonische Überzeugungen – eher platonischer Natur: der Zustand in Deutschland, der aber nur Exponent des Weltzustandes ist, bedrückt mich unsäglich und lähmt meine ganze Arbeitsfähigkeit. Ich bin an einem neuen Roman[1], mit dem ich angesichts der Weltsinnlosigkeit einfach nicht weiter komme. Und da ich ohne Arbeit nicht leben kann, weder psychisch noch ökonomisch, so ist es ein recht unerträglicher Zustand.

Aber ich will Sie nicht wieder einmal anjammern, sondern Ihren lieben Brief beantworten und Ihnen vor allem danken, sowohl für Ihren Brief als solchen, als für den »Sleepwalker«-Essay[2], als für die guten Worte, die Sie im Zusammenhang mit dem Poor Tom neuerdings für die Trilogie gefunden haben. Daß Ihr Essay weitaus das Richtigste sagt, was über Struktur und Absichten der Schlafwandler zu sagen ist, das versteht sich von selbst, das wissen Sie auch selber, und ich muß es daher nicht wiederholen. Und daß Sie mich glücklich machen, wenn Sie auch fernerhin zu dem Buch stehen (noch wichtiger ist es mir freilich, daß Sie und Willa Muir zu mir selber freundschaflich stehen!), auch das wissen Sie. Grundfalsch aber ist, was Sie von der Beziehung des Poor Tom zu den Schlafwandlern behaupten – der Poor Tom ist, was er ist, und er wäre geworden, ob Sie an die Schlafwandler geraten wären oder nicht, er wäre das nämliche Kunstwerk geworden, das er ist.

Ich freue mich, wenn Ihnen die »Leichte Enttäuschung«[3] wirklich gefällt; ich mag sie nämlich selber ganz gut leiden. Wenn sie irgendwo im englischen Sprachraum, sei es als Einzelpublikation bei Seckers, sei es in einer literarischen Revue (die amerikanischen sollen angeblich besser zahlen? aber das entscheiden Sie!) zu placieren wäre, so wäre ich

Ihnen natürlich nur sehr dankbar[4]. Für die deutsche Publikation habe ich sie der »Neuen Rundschau« gegeben, gleichzeitig als Dank für den Dithyrambus auf die »Schlafwandler«[5], der dort erschienen ist (im Jännerheft, wenn Sie ihn nicht gesehen haben sollten und ihn sehen wollen, schicke ich ihn Ihnen gelegentlich). Bei dieser Gelegenheit: Sie haben ja auch noch den Joyce-Aufsatz, von dem Sie sagten, daß Faber & Faber ihn eventuell in seiner kleinen Serie herausbringen würde – der Rheinverlag will nun, in gewisser Anlehnung an diese Faber & Faber-Serie gleichfalls die Anna Livia und jenen Joyceaufsatz[6] als derartige Hefte publizieren; sie sollen zu Ostern herauskommen, und vielleicht wäre dies eine Gelegenheit wieder bei Faber anzuklopfen?

Was aber das Drama anlangt: die deutschen Theater sind zum größten Teil in einer gewaltigen Pleite begriffen, zum andern Teil fürchten sie sich (und eigentlich mit Recht), ein Stück herauszubringen, das einen Parfüm von Politik hat, die Wiener Theater dagegen sind mit Ausnahme des Staatstheaters, das aber wieder politische Rücksichten zu nehmen hat und bloß Harmlosigkeiten aufführt, völlig fertig – das Deutsche Volkstheater, das schon zur Aufführung bereit war, steht vor der Schließung usw. Wir machen nun nochmals einen Versuch in München, doch da dort die Verhältnisse auch nicht anders sind, verspreche ich mir gar nichts davon. Viel mehr Hoffnungen habe ich noch auf England und Amerika.

Von neuen deutschen übersetzungswürdigen Romanen weiß ich wenig. Kennen Sie die Bücher von Erik Reger: »Union der festen Hand« und »Das wachsame Hähnchen«, beide bei Rowohlt erschienen[7]? wenn ich auch manches gegen sie einzuwenden hätte, so sind es doch Bücher von Format und speziell das erste würde sich auch zur Übersetzung eignen. Ich werde mich jedenfalls erkundigen, wie es mit der Übersetzung steht. Ferner hat mir Stefan Zweig, der kürzlich hier einen Vortrag gehalten hat, von einem Roman »Versuchung in Budapest« von Körmendi gesprochen, der jetzt bei Propyläen-Ullstein herauskommen und, wie Zweig sagt, ausgezeichnet sein soll[8]. [...]

[GW 10]

1 *Filsmann-Roman.*
2 Edwin Muir, »Hermann Broch. The Sleepwalkers«, in: *The Bookman* (N. Y.), 75/7 (Nov. 1932), S. 664-668.
3 Hermann Broch, »Eine leichte Enttäuschung«, in: *Neue Rundschau* 44/1 (April 1933), S. 502-517. Vgl. KW 6, S. 127-144.
4 »Eine leichte Enttäuschung« wurde von den Muirs nicht übersetzt.
5 Hans A. Joachim, »Ausgewählte Romane«, in: *Neue Rundschau,* Jg. 44 (Jan. 1933), S. 129-131.
6 Brochs »James Joyce und die Gegenwart« wurde damals nicht im Rhein-Verlag veröffentlicht.
7 Erik Reger (eigentlich Hermann Dannenberger) (1893-1954), deutscher Schriftsteller. Vgl. E. R., *Union der festen Hand* (Berlin: Rowohlt, 1931); *Das wachsame Hähnchen* (Berlin: Rowohlt, 1932).
8 Ferenc Körmendi (geb. 1900), ungarischer Schriftsteller. Vgl. F. K., *A Budapesti Kaland* (1932). Franz Körmendi, *Versuchung in Budapest,* aus dem Umgarischen von Mirza v. Schüching (Berlin: Propyläen, 1933).

128. An Willa Muir

Wien, 27. Februar 1933

Ach, Willa Muir (ich schreibe ungern »ach«, aber ich kann nicht anders), ach, Willa Muir, ich weiß ganz genau, daß man solche Briefe nicht mit der Schreibmaschine beantwortet. Und wenn es mir nicht so miserabel ginge, so würde ich ein Gedicht schreiben. Doch seit ich wieder in Wien bin, ist mir nicht ein einziges Gedicht gelungen. Ich glaube, daß ich wirklich auf die Orkneys[1] muß, um dieser entsetzlichen Bedrückung zu entfliehen. Aber Sie wissen, daß es nicht bloß negative Motive sind, die zu den Orkneys treiben – nur etwas: es gibt doch auch weniger kalte, weniger neblige Inseln, z. B. Balearen. Wir haben hier nahezu drei Monate lang keinen Sonnenstrahl gesehen –, wenn man schon wegen dieser fürchterlichen Grauheit der Welt nichts arbeiten kann, so hat man doch wenigstens Anrecht auf Sonne und Wärme. Ich glaube, Sie haben keine Ahnung, was ich – im Gegensatz zu Ihnen – für ein unwarmer und karger Mensch bin, manchmal erschrecke ich, wie ich eigentlich bloß lebe, wenn ich produziere, wie dies der einzige Augenblick – wieder sehr im Gegensatz zu Ihnen – ist, in dem ich etwas »geben« kann: ansonsten nehme ich, unbescheiden und fordernd, ein fressendes Reptil – ich glaube, ich bin ein ekelhafter Kerl.

Sie sagen, daß man seinen Freunden nicht seine »Verzweiflung« servieren dürfe. Ich höre auch schon auf. Aber von meinem persönlichen Elend abgesehen, bin ich von dem Zustand der Welt (mit Deutschland angefangen) maßlos bedrückt. Und es ist irgendwo sinnlos, ja nahezu unstatthaft, in diese Welt hinein Romane oder Theaterstücke zu schreiben. Erinnern Sie sich, daß ich das gleiche schon in Wien[2] gesagt habe! und damals war es noch nicht so arg! und was ich damals sagte, nämlich, daß es noch richtiger wäre, sich auf die Wissenschaft zurückzuziehen, erscheint mir heute plausibler als je, umsomehr als mich alles zur rein logisch-philosophischen Arbeit drängt. Allerdings darf ich es jetzt aus pekuniären Gründen weniger denn je tun. [. . .]

[GW 10]

1 Die Muirs wohnten damals in London, fuhren aber zuweilen auf die Orkney-Inseln, der Heimat Edwin Muirs. Im Frühjahr und Sommer 1935 wohnten sie dort und entschieden sich danach, in Schottland zu bleiben. Sie zogen um von London nach St. Andrews. Vgl. dazu Edwin Muir, *An Autobiography* (London: Hogarth, 1954).

2 Vgl. Brief vom 25. 4. 1932, Fußnote 1.

129. An Willa und Edwin Muir

Ostern [16. April] 1933. Ich heiße Hermann Broch, wohne Wien I. Gonzagagasse 7, wo ich wohne, lebe, annehmend, daß Sie die Existenz dieses Lebewesens, das ich bin, total vergessen haben.

Und ich schicke Ihnen also ins Blaue sehr herzliche Ostergedanken und möchte schon bei Ihnen sein, denn hier ist es kaum mehr auszuhalten. Ganz abgesehen davon, daß ich mich nach Ihnen sehne.

Arbeiten kann ich auch nichts; es ist eine üble Atmosphäre, von der man sich allerdings nicht unterkriegen lassen darf. Die ganze Ausbeute dieser Monate zwei kurze Novellen[1], die ich Ihnen durch die Int. Lit. Agentur zuschicke. Außerdem habe ich einen großen Vortrag für die Volkshochschule gemacht »Weltbild des Romans«[2], den ich dann in Budapest wiederholt habe, und der Ihnen nächster Tage gleichzeitig zugeht. [. . .]

Ja, dann hätte ich Ihnen noch zu berichten, daß mit einer deutschen Aufführung des Dramas natürlich nicht zu rechnen ist. Daß ich die Entwicklung der Dinge vorausgesehen habe (schon seit 10 Jahren), daß sie in der Geschichtsphilosophie des Huguenau sogar niedergeschrieben ist, ist ein geringer Trost. Im übrigen müßte eigentlich Seckers und Little Brown auf die Prophezeiung aufmerksam gemacht werden, es wäre für die Propaganda der Bücher immerhin verwertbar – wollen Sie dies einmal gelegentlich tun? [. . .]

[GW 10]

1 »Eine leichte Enttäuschung«, »Vorüberziehende Wolke«, KW 6, S. 127-154.

2 Broch hielt den Vortrag »Das Weltbild des Romans« in Budapest am 14. 3. 1933 im Cobden-Club, einer kulturellen Gesellschaft, deren Mitglieder vor allem Geschäftsleute und Industrielle waren. Am 17. 3. 1933 hielt Broch den gleichen Votrag in der Wiener Volkshochschule Ottakring. Vgl. KW 9/2, S. 89-118.

130. An Willa Muir

München, 23. Mai 1933

Willa Muir, Liebe –
Ihr Brief wurde mir nach München nachgeschickt. Ich bin glücklich über dieses Lebenszeichen. Und ich bin glücklich, daß Sie nicht zum Pen-Club gefahren sind, denn sonst hätte ich es ewig bereut, nicht gleichfalls mitgefahren zu sein. Natürlich hätte ich auch gern Edwin Muir dort getroffen, aber so schmerzt es doch weniger. (Woraus Sie ersehen, daß

ich – allerdings ohne mein Zutun – inzwischen zum Mitglied des Pen-Clubs ernannt worden bin[1].)

Ja, eigentlich will ich Ihnen nur einen Liebes-Brief schreiben, aber ich muß Ihnen trotzdem für all das, was Sie für das Drama getan haben, danken. Ich habe mich selbstverständlich bemüht, durch Reinhardt[2] eine Empfehlung an Cochran[3] zu erlangen. Wenn dies aber nicht gehen sollte, so bin ich schon so zufrieden, wenn es bei den West End Shows anlangen würde, und je rascher desto besser. Denn England wird ja mit jedem Tag für mich wichtiger. Ich habe Ihnen übrigens auch noch zwei weitere Novellen geschickt und lasse eine neue ehestens folgen. Und da mir diese Novellen augenblicklich am leichtesten fallen, so könnte ich in etwa 8 Wochen einen Band beisammen haben. Der Rhein-Verlag will diesen Band[4] selbstverständlich drucken, und wenn Secker das Buch gleichzeitig in England herausbringen würde, so wäre dies überaus erfreulich. Sie schrieben mir neulich, daß Secker zu einem solchen Novellenband positiv eingestellt wäre, und ich bitte Sie sehr, bei nächster Gelegenheit wieder mit ihm darüber zu sprechen. Was macht der Joyce-Aufsatz bei Faber & Faber? Und sonst? Wenn Sie mich noch ein einziges Mal einladen, so komme ich wirklich nach London und gehe nie mehr weg. Am liebsten wäre ich sofort gekommen, aber ich muß morgen wieder nach Wien zurück und kann Ihnen daher heute nur ganz ehrlich und herzlich dafür danken. Und wenn ich auch jetzt noch nicht nach England fahre, so vergessen Sie mich nicht, sondern schreiben Sie bitte recht bald nach Wien. Von Brodys habe ich viele Grüße auszurichten, und ich schicke Ihnen alle guten Gedanken –

Hermann Broch

[GW 10]

1 Broch war im Februar 1933 Mitglied des Österreichischen PEN-Clubs geworden. Der Internationale PEN-Club tagte 1933 in Ragusa (Dubrovnik)/Jugoslawien. Edwin Muir nahm an der Konferenz als Delegierter des Schottischen PEN-Clubs teil.

2 Max Reinhardt (1873-1943).

3 Charles Blake Cochran (1872-1951), damals einflußreichster Londoner Regisseur. Vgl. seine Bücher *The Secrets of a Showman* (London: W. Heinemann, 1925) und *I had almost forgotten* (London: Hutchinson, 1932).

4 Es handelt sich um das Projekt der *Tierkreis-Erzählungen*. Der Buchplan realisierte sich nicht. Vgl. KW 6. S. 127-221, und Brochs Kommentar »Bemerkungen zu den ›Tierkreis-Erzählungen‹, in: KW 5, S. 293-300.

131. An Frank Thiess

z. Zt. München, 23. Mai 1933

Mein lieber Freund,

[. . .] Ich weiß noch nicht, über was ich mich mehr gefreut habe, über Ihr Buch als solches oder über die Widmung, deren Herzlichkeit mir gerade heute beinahe ein Trost ist, denn in der Isolation, in die wir immer weiter geraten, ist das Gefühl der geistigen Zusammengehörigkeit wirklich das einzige Positive, das geblieben ist, eine geistige Zusammengehörigkeit, die sich mir beim Lesen von »Johanna und Esther«[1] immer lebhafter dokumentierte.

Es ist nur sehr merkwürdig: Anfangs war ich enttäuscht, weil Sie von dem Weg, den Sie mit dem »Zentaur« begonnen haben, so radikal abgeschwenkt sind, und weil ich ja doch von Ihnen einen weiteren Vorstoß zur neuen Romanform nicht nur erwartet, sondern geradezu gefordert habe. Dann aber begann ich Ihre rigorose Selbstzucht zu bewundern, und wie Sie mit sparsamen Mitteln die doch sehr komplizierte Konstruktion des Buches aufbauen. Schließlich war ich von der dichterischen Geschlossenheit und so vielen wahrhaft dichterischen Details einfach begeistert. Daß ich Sie nebenbei ob der Geschwindigkeit, mit der dieses Buch entstanden ist, bewundere und beneidet habe, können Sie sich vorstellen. Und ich hoffe sehr, daß Sie mit der stofflichen und formalen Beschränkung, die Sie sich hier auferlegt haben, einem richtigen Zeitgefühl gefolgt sind, so daß das Buch trotz aller Schwierigkeiten doch auch einen äußeren Erfolg haben wird. Eine stille Stimme ist heute vielleicht vernehmlicher als jede andere, und für artistische Experimente großen Stils ist heute sicherlich kein Organ vorhanden.

Es ist dies ein Problem, welches mich unablässig verfolgt. Der Roman, den ich angelegt habe[2], ist mit soviel philosophischen und artistischen Problemen beladen, daß er mir schlechterdings unzeitgemäß vorkommt. Im Grunde genommen weiß ich überhaupt nicht – ich schilderte Ihnen das ja schon einmal –, ob Dichten heute noch eine legitime Lebensäußerung ist, ob das, was man zu sagen hat, nicht auf ganz anderem Weg und viel lebendiger in die Zeit wirken müßte. Letzten Endes könnte man eigentlich nur mehr Bekenntnisse schreiben, ohne irgendeine Einkleidung und nur auf das Wesentliche bedacht. Denn alles, was geschieht – das wird immer deutlicher und deutlicher –, ist ja ein Ringen um die neue Religiosität, und diese ist wahrscheinlich auch das Einzige, was den Menschen jetzt wahrhaft interessiert, mag es auch danach aussehen, als wäre die Weltwirtschaft das einzig Interessante.

Es sind dies Erwägungen, die mich unablässig verfolgen und die mir in den letzten Monaten eine schwere Arbeitshemmung bedeutet haben. Daß nebenbei auch alle äußeren Umstände so kompliziert wie nur möglich geworden sind, versteht sich von selbst. Aber an meine finanziellen und sonstigen Komplikationen bin ich ja schließlich gewöhnt, während das Grundproblem eine wahrhafte Erschütterung der gesamten Lebensabsichten und der gesamten Lebenshaltung darstellt. Ich hätte es dringend notwendig, einmal über all dies mit Ihnen zu sprechen. Ich hoffe sehr, daß dies jetzt wirklich bald der Fall sein wird. [. . .]

[GW 8]

1 Frank Thiess, *Johanna und Esther. Eine Chronik ländlicher Ereignisse* (Wien: Zsolnay, 1933).
2 *Filsmann-Roman.*

132. An Edit Rényi-Gyömröi

31. Mai 33

Zu berichten: in Gößl war tiefer Winter, Schnee und alles was dazu üblich ist, bloß der Weihnachtsbaum hat gefehlt. Aber ich habe gearbeitet, habe eine Radiorede[1] fabriziert (Pfingstsonntag 18.30), die man mich nicht halten lassen will, weil sie philosophisch ist, also in die wissenschaftliche Sektion fallen würde, während ich in der literarischen Sektion spreche. Dabei ist mir vor allem Literarischen so durchaus mies, mir graut so sehr »Dichtung« vorzulesen, daß mir jeglicher Spaß an der Sache vergangen ist. Es ist ja die gleiche Arbeitshemmung, die mich von aller literarischen Schreiberei jetzt zurückhält; es ist so furchtbar inaktuell. [. . .]

[YUL]

1 »Die Kunst am Ende einer Kultur«, KW 10/1, S. 53-58. Broch hielt einen Vortrag am Pfingstmontag, 4. 6. 1933 in Radio Wien. Vgl. Franz Horch, »Hermann Broch. Zur Eigenvorlesung am Pfingstmontag, 4. Juni«, in: *Radio Wien*, 9/36 (2. 6. 1933), S. 8. Allerdings handelte es sich um eine Lesung aus den *Schlafwandlern* und nicht um diesen kulturkritischen Vortrag. Vgl. BB 274.

133. An Daniel Brody

Wien, 2. Juni 1933

Mein lieber Freund,
seien Sie für Ihre Zeilen bedankt. Das Verhältnis zwischen zwei Menschen, besonders, wenn sie erst in höherem Alter zusammengetroffen sind, ist bekanntlich immer kompliziert, wenn aber einmal eine gegenseitige Bejahung stattgefunden hat, dann ist es nicht mehr leicht zu stören. Und ich meine, daß dies bei uns der Fall ist. Es hat also sicherlich nichts auf sich, wenn einer von uns einmal introvertierter ist, und ich kann Ihnen versichern, daß ich mich mit jedem Male, das ich zu Ihnen komme, beheimateter fühle. Und glauben Sie mir: wenn mich diesmal etwas bedrückt hat, so war es nicht zuletzt das Wissen um Ihre Zukunftssorgen und der Wunsch, Ihnen bei der Gestaltung der Zukunft zur Seite stehen zu können. Ich hoffe Sie wissen, daß dies keine leeren Worte sind. [. . .]

[GW8, BB]

134. An Stefan Zweig

Wien I. Gonzagagasse 7 17. Juli 1933

Hochverehrter lieber Herr Dr. Zweig,
mein Dank für Ihre lieben Zeilen und für Ihre so freundschaftliche Bereitwilligkeit, an Kupfer & Sperling[1] zu schreiben, hätte natürlich schon längst bei Ihnen sein müssen, aber ich hatte die Hoffnung, ihn persönlich zu Ihnen bringen zu können, da ich in Salzburg mit Dr. Brody hätte zusammentreffen sollen. Nun ist er mir aber nach Aussee entgegengefahren, und nach dem dort verbrachten Wochenende mußte ich raschestens nach Wien zurück.

Daß meine Besprechungen mit Brody zu keinem sehr positiven Resultat geführt haben, können Sie sich vorstellen. Der Verlag will zwar nach wie vor meine ganze Produktion herausbringen, doch muß man sich bei der heutigen Situation des deutschen Buchhandels fragen, ob eine Drucklegung heute überhaupt Sinn und Zweck hat. Ich spreche weniger von der finanziellen Seite des Problems (die vor allem den Verleger angeht, obwohl schließlich auch der Autor von der finanziellen Gefährdung des Verlages nicht einfach und egoistisch absehen darf) als von jener beinahe moralischen Seite, die in der lebendigen Wirkungsmöglichkeit des Buches liegt. Es ist der gleiche Einwand, der gegen alle Verlagsneugründungen im Ausland zu erheben wäre, die freilich ihre Existenzberechtigung hätten, wenn es ihnen gelänge, sofort durch Übersetzungen eine verbreiterte Wirkung zu erzielen[2].

Allerdings muß ich gestehen, daß ich von den Ereignissen noch immer so erschüttert bin, daß mir die Fragen der Publizität, des Absatzes usw. vorderhand noch sehr peripher sind und ich mich geradezu zwingen muß, mich damit zu befassen. Und obwohl ich weiß, daß es jetzt mehr als je darauf ankommt, mit aller Intensität vorwärts zu arbeiten und daß bloß der intensivste und radikalste Erkenntniswille Aussicht haben wird, sich in dieser Welt wieder Gehör zu verschaffen, bin ich in meiner eigenen Arbeitsenergie noch weitgehend gelähmt. Oder richtiger: es lehnt sich in mir alles auf, mich auf einen Standpunkt des la séance continue zurückzuziehen, man ist der Idee des Humanen (und vielleicht sogar des

Humanistischen) allzusehr verhaftet, um nicht von dem Wunsch übermannt zu werden, aktiv gegen Ungerechtigkeit und Inhumanität aufzutreten. Das ist alles nur schwach ausgedrückt, aber es wird Ihnen ja auch nicht anders ergehen, man kann sich ja diesen Dingen einfach nicht entziehen.

Ich bin Ihnen also auch ganz besonders dankbar, daß Sie in der projektierten Schweizer Aktion[3] an mich gedacht haben. So weit das rein Verlegerische in Betracht kommt, gilt natürlich, was ich oben gemeint habe, und ebenso haben Sie völlig recht, daß es schwerfällt, alle die verschiedenen Elemente (die überdies qualitativ so sehr divergieren) unter einen Hut zu bringen, indes, wie immer dies auch sei, es wird sich hier vielleicht eine Aktionsplattform ergeben, und wenn meine Mitarbeit zu irgend etwas nutz sein könnte, so wäre es mir eine aufrichtige Freude, mich Ihnen zur Verfügung stellen zu dürfen.

Alles in allem muß man sich dabei klar sein, daß wahrscheinlich nichts fruchten wird: ich sage dies nicht aus prinzipiellem Pessimismus, sondern aus der Überzeugung – einer Überzeugung, die ich ja schon oft zu begründen versucht habe –, daß die ganze Bewegung, die wir so schmerzlich mitmachen, eine notwendige Entwicklungsphase des gesamten abendländischen Geistes darstellt, in ihrer autonomen Logik begründet und daher unaufhaltsam ist, genau so unaufhaltsam wie seine schließliche Rückkehr zum Platonischen, was aber an die 100 Jahre oder darüber währen wird. So lange sollte man leben können. Aber bis dahin hoffe ich doch – womöglich noch im Laufe dieses Sommers – Sie sehen zu dürfen. Inzwischen bitte ich Sie, meine Handküsse der gnädigen Frau zu übermitteln und selber nochmals Dank und herzlich ergebene Grüße entgegen zu nehmen Ihres

aufrichtigen H. Broch

[SZA]

1 Richard Kupfer, vormals Sperling & Kupfer, Reise- und Versandbuchhandlung, Lugano/Schweiz.

2 Gemeint sind die damals gegründeten Exilverlage.

3 Zweig hatte den Plan, zusammen mit René Schickele einen antifaschistischen Verlag mit dem Namen »Forum-Bücherei« auf internationaler Basis zu betreiben. Ihm schwebte vor, daß die vorhan-

denen antifaschistischen Verlage sich zu einem gemeinsamen Konzern zusammenschließen sollten, damit ihre Publikationen und Aktionen mehr Gewicht erhielten. Er empfahl ein Gründungstreffen von ca. einem Dutzend gleichgesinnter Schriftsteller in der Schweiz und nahm deswegen Kontakt auf zu Emil Ludwig, Klaus Mann, Heinrich Mann, Thomas Mann, Alfred Döblin, Erich Maria Remarque, Bruno Frank, Hermann Broch und René Schickele. Während eines Wochenendes sollte ein gemeinsames Manifest erarbeitet und der Verlag gegründet werden. Das Vorhaben wurde allerdings nicht realisiert. Vgl. dazu Zweigs Briefe in: Stefan Zweig, *Briefe an Freunde,* hrsg. v. Richard Friedenthal (Frankfurt/M.: S. Fischer, 1978, S. 229-234.

135. An Daniel Brody

Wien, 17. Juli 1933

Lieber Freund,
schönen Dank. Ich hätte Ihnen natürlich schon längst geschrieben, daß ich gut und bei glänzendem Wetter in Wien eingelangt bin, aber die ersten Tage nach der Rückkunft waren mit einer Menge äußerer Dinge ausgefüllt, zu denen noch überdies der siebzigste Geburtstag meiner Mutter kam[1].

Außer diesen Fakten gibt es wenig Berichtenswertes und -bares. Außer daß mich der Mangel des allerletzten groß geschrieben (mit der Zeit wird es mir ja doch gelingen, Sie in Wortwitzen, zwar nicht vollkommen – denn das gibt es nicht –, wohl aber annähernd zu erreichen) über alle Maßen bedrückt. Wozu noch die Sorge kommt, wie die Sache – wenn ich auch über diesen Monat mit der Bevorschussung des Rundschauartikels[2] hinwegkomme – im Herbst ausschauen wird. Aber ich will mich nicht wiederholen. Bloß noch eines: die Muirs haben mir im Frühjahr nach der Lektüre der ersten Novellen und nach Rücksprache mit Secker doch geschrieben, daß Secker bereit wäre, das Novellenbuch zu bringen. Ich habe nun nicht nur die weiteren Novellen an die Muirs geschickt, sondern schon zweimal bei ihnen angefragt, wie die Sache stünde. Nun scheinen die armen Muirs seit ihrer

Übersiedlung derart mit eigenen Sorgen überlastet zu sein, daß sie zu gar nichts mehr Zeit finden; der letzte Brief von ihnen handelt bloß davon, und meine Sachen scheinen sie vergessen zu haben. Angesichts dieser Tatsache muß etwas geschehen, u. z.

1.) wollen Sie nicht an Secker schreiben – unter Berufung auf die Muirs –, wie er sich zu dem projektierten Buch stellt? etwa, daß es möglichst gleichzeitig in Deutschland und England erscheinen soll, etwa auch, daß es sich um eine Art Novellenroman[3] handeln soll, etc. etc.

2.) wollen Sie nicht bei dieser Gelegenheit Secker (aber auch Little, Brown) nach dem Vertriebsausweis fragen? gleichzeitig aber auch darauf aufmerksam machen, daß der Huguenau die jetzige Entwicklung vorausgesagt hat, was ja für eine neue Propaganda außerordentlich brauchbar wäre?

3.) ist zu fragen, ob nicht eine Reise nach Frankreich und England im Interesse dieser Übersetzungen, resp. denen der weitern Produktion, durchaus geboten wäre? möchten Sie nicht mit mir reisen? freilich weiß ich nicht, ob man im August die maßgebenden Leute trifft.

Vielleicht ist es Panik von mir, die mich unausgesetzt mit dem Gefühl »es muß was geschehn« herumgehen läßt, aber es muß was geschehen.

Vorderhand habe ich mich wieder an den Novellenroman gemacht, damit er raschestens fertig werde, aber es drängt mich zu dem begonnenen großen religiösen Buch[4]: es kann gerade für diese Zeit etwas Wichtiges werden. [. . .]

[GW 8, BB]

1 Am 18. 7. 1933.

2 Hermann Broch, »Das Böse im Wertsystem der Kunst», *Neue Rundschau* 44/2 (Aug. 1933), S. 157-191.

3 *Tierkreis-Novellen.*

4 *Filsmann-Roman.*

136. An Peter Suhrkamp

Wien I. Gonzagagasse 7 20. Juli 1933

Sehr verehrter Herr Suhrkamp[1],
[. . .] Ebenso danke ich Ihnen für Ihre Einladung: es war – meine Korrespondenz mit Dr. Bermann bezeugt dies – stets mein Wunsch, mit einem Buch im Fischerverlag herauszukommen, und ich kann Ihnen auch sehr rasch eine Erzählung[2] geben, die in die Serie der kleinen Fischerbücher passen würde. Ich nehme an, daß für diese Serie (schon des geringen äußern Umfanges wegen) kein allzu gewichtiges Thema in Betracht kommt, und wenn man sich auch von seinen eigenen Problemen niemals entfernen kann, so meine ich, daß der kleine Roman, den ich schon seit langem projektiere, hiezu recht geeignet wäre. Und zwar soll es – um es Ihnen kurz und schematisch zu skizzieren – die Schilderung jener Seelenlage werden, in der das rein wissenschaftliche mathematische Denken, eben in seiner extremen Rationalität, notwendig in sein irrational-mystisches Gegenteil umschlägt, also etwa jene Seelenlage, die von Kant mit dem »bestirnten Himmel über mir, und das moralische Gesetz in mir«[3] ausgedrückt wurde, und die, so absurd dies auf den ersten Blick auch erscheinen mag, mit zu den tragenden Komponenten dieser Zeit gehört. Ich habe kürzlich einiges Theoretisches zu diesem Problem in einem kleinen Aufsatz in der Kölnischen Zeitung[4] gesagt; in der Erzählung hingegen soll es möglichst einfach aus der Banalität des Universitätsalltags eines astronomischen Assistenten (Erinnerung an eigene mathematische Studienzeit) herausgeholt werden.

Soweit ich mir ein Urteil über Ihre Interessensphäre anmaßen darf, glaube ich, daß Sie dem Thema sympathisch gegenüberstehen werden. Ich habe mich daher auch unverzüglich an die Arbeit gemacht und glaube mit Bestimmtheit zusagen zu können, daß ich das druckfertige Manuskript in vier bis sechs Wochen beendet haben werde.

Es wäre die für mich genehmste Ehrung. Und selbstredend hoffe ich, daß sie es auch für Sie wäre. Sollte dem aber nicht so sein oder der Termin für Sie zu spät werden, so müßte ich schweren Herzens Ihnen »Lagerware« liefern, u. z. eine Erzählung[5], die ich im rohesten *Rohzustand* hier beilege. Sie hat nun allerdings bloß 50 Seiten, könnte aber zur Not bald ausgeweitet werden: immerhin bleibt es ein Notbehelf im Dienste der Geschwindigkeit, und er paßt mir umsoweniger, als diese Novelle das Mittelstück eines »Novellenromans« bilden sollte, in dessen Zusammenhang sie erst ihre wirkliche Sinngebung zu erfahren hätte. Es ist dies ein Buch, das mir recht am Herzen liegt, ein Versuch, Ur-Symbole, Archetypen aus dem seelischen und erkenntnismäßigen Erleben herauszuentwickeln, also gewissermaßen Neuland der Dichtung, nichtsdestoweniger deren eigentlichstes und urtümliches Gebiet. Demgemäß soll dieses Buch, das aus 13 miteinander innerlich verbundenen Novellen bestehen wird (eine davon auch die in der N. R. erschienene »Enttäuschung«), folgerichtig »Der Tierkreis« heißen.

Es geht mir naturgemäß wider den Strich, aus diesem mir so wichtigen Buch (das übrigens auch im Herbst fertig werden soll) das Mittelstück herauszunehmen; ich rechne also sehr darauf, daß Sie mir die sechs Wochen Frist für den kleinen Roman geben werden, und wenn ich Ihnen die Novelle jetzt trotzdem schicke, so hat dies, abgesehen von dem Zweck des etwaigen Notbehelfes, noch einen andern Zweck: erstens um Sie und Ihren Verlag auf den »Tierkreis« als solchen aufmerksam zu machen, zweitens aber, um Sie zu fragen, ob Sie diese »Heimkehr«-Novelle nicht gelegentlich in der *Rundschau* publizieren wollten.

Ich darf Sie wohl bitten, mir möglichst bald Bescheid zu geben, da ich mich ja, um keine Zeit zu verlieren, bereits an das neue Buch gemacht habe. [. . .]

Mit allerbesten Grüßen bin ich Ihr sehr ergebener

H. Broch

[YUL]

1 Peter Suhrkamp (1891-1959). Suhrkamp war 1932 Herausgeber der im S. Fischer Verlag, Berlin, erscheinenden *Neuen Rundschau* geworden und wurde im Herbst 1933 Vorstandsmitglied dieses Verlages, den er von 1936 bis 1944 leitete. 1944 wurde Suhrkamp wegen Hoch- und Landesverrat verhaftet und in das Konzentrationslager Ravensbrück gebracht. Danach folgte 1945 die Einweisung in das Konzentrationslager Sachsenhausen. Nach Kriegsende gründete Suhrkamp im Oktober 1945 den Suhrkamp Verlag.

2 *Die Unbekannte Größe. Roman* (Berlin: S. Fischer, 1933). KW 2, S. 11-142.
3 Immanuel Kant, *Kritik der praktischen Vernunft,* »Beschluß«.
4 »Denkerische und dichterische Erkenntnis«, in: *Kölnische Zeitung,* Nr. 38 (16. 7. 1933). Vgl. KW 9/2, S. 43-49.
5 »Die Heimkehr. Erzählung«, in: *Neue Rundschau* 44/2 (Dezember 1933), S. 765-795. KW 6, S. 162-196.

137. An Peter Suhrkamp

Wien I. Gonzagagasse 7 — 29. Juli 1933

Sehr verehrter Herr Suhrkamp,
Sie brauchen sich keine Vorwürfe zu machen, daß Sie mich in diese Romanarbeit[1] hineingehetzt hätten, ich habe mich da schon selber hineingehetzt, und zwar so gründlich, daß ich bereits heute die Hälfte des Buches in Rohschrift fertig habe. Das Buch ist ganz aus dem Naturalistischen her geformt, und ich glaube heute schon mit bestem Gewissen sagen zu können, daß es der Forderung leichter Lesbarkeit, die Sie hier stellen müssen, vollauf genügt.

Damit aber kommen wir zum Geschäftlichen, denn nicht nur, daß das Buch so weit gediehen ist, daß ich darüber disponieren muß, es kommt auch Dr. Brody am 10. August zu mir nach Wien, und es versteht sich, daß dies Fragen sind, die mein Verhältnis zum Rhein-Verlag berühren, und daß es für mich wohl notwendig ist, sie bis dahin klarzustellen.

Den von Ihnen gesetzten Augusttermin werde ich nach dem jetzigen Stand der Arbeit einhalten können; von hier aus liegt also nichts dagegen vor, daß Sie mir den Vertrag schicken. [. . .]

Ihren so wertvollen und wichtigen Bemerkungen zur »Heimkehr« habe ich bloß entgegenzusetzen, daß ich Ihnen das Manuskript so zugeschickt habe, wie es zum ersten Male niedergeschrieben worden ist, und daß ich es überhaupt noch nicht durchgelesen habe; im legitimen Autoren-Selbstbewußtsein darf ich also für mich in Anspruch nehmen, daß ich bei der ersten Durchsicht selbst manches von dem Gerügten ausgemerzt hätte. Aber Sie haben mir einen großen Teil der schwierigen und bekanntlich ungeheuer quälenden Selbstkritik abgenommen; ich danke Ihnen dafür aufrichtig und herzlich, und ich freue mich überdies, daß Sie die Novelle für die *Rundschau* haben wollen. So wie mir die Expreßarbeit am Roman eine kleine Atempause läßt, werde ich die Korrekturarbeit vornehmen. [. . .]

Allerdings hätte ich im Zusammenhang damit gerne auch gleich die Frage des »Tierkreis« behandelt; von den 13 Kapiteln sind sechs fertig[2] (darunter die »Leichte Enttäuschung« und die »Heimkehr«), und bis zum Spätherbst hoffe ich, die ganze Arbeit beendet zu haben. Ich darf Sie also bitten, mich, d. h. längstens bis zur Ankunft Dr. Brodys, über die Stellungnahme Ihres Verlages zu orientieren. [. . .]

[YUL]

1 *Die Unbekannte Größe.*
2 »Eine leichte Enttäuschung«, »Vorüberziehende Wolke«, »Ein Abend Angst«, »Die Heimkehr«, »Der Meeresspiegel«, »Esperance«. KW 6, S. 127-221.

138. An Alban Berg

Wien I. Gonzagagasse 7 — 8. August 1933

Mein lieber Alban Berg,
Deine Zeilen erreichten mich hier in Wien. Ich stecke glücklicherweise (nach langer und begreiflicher Stagnation) nunmehr wieder so sehr in Arbeit, daß ich das Risiko einer Ortsveränderung nicht auf mich nehmen kann. Es ist ein Buch, das noch zum Herbst fertig werden soll, und ehe ich es nicht beendet habe, kann ich nicht ausspannen. Und vorderhand schließe ich die Augen vor dem Faktum, daß man wahrscheinlich ins Leere arbeitet.

Ich bin sehr gerührt, daß Du Dich mit meinem Drama so sehr beschäftigst. Wie es immer geht, ist es mir schon so ferne gerückt, daß ich eigentlich kaum mehr eine Verbindung damit habe. Aber das hindert nicht, daß ich mich aufrichtig freue, wenn es Dir gefallen sollte.

Darf ich Dir als Sommerlektüre einen Aufsatz[1] aus der

Neuen Rundschau senden? Als letztes Kind ist es mir augenblicklich das wichtigste.

Ich wünsche Dir einen guten und schönen Sommer, bitte Dich, meine Handküsse zu übermitteln und bin mit einem herzlichen Gruß

Dein ergebener
H. Broch

[WSB]

1 »Das Böse im Wertsystem der Kunst«.

139. An Gottfried Bermann Fischer

Wien I. Gonzagagasse 7 16. August 1933

Sehr verehrter Herr Dr. Bermann,
so ungern ich Unfertiges aus der Hand gebe, übermittle ich Ihnen also Ihrem Wunsche gemäß anbei die ersten 120 Seiten des ersten Romanes[1], den wir, bis mir ein besserer Titel einfällt, vorderhand »Der Mathematiker« nennen wollen. Insgesamt ist auf 150 Seiten gedacht, was bei meiner Anlage der Manuskriptseiten den Bändchen der Fischerbibliothek entsprechen würde. Es ist eine *Rohschrift,* aus der Sie wohl die Struktur des Romans ersehen können, die aber in der zweiten Niederschrift – von der stilistischen Überarbeitung abgesehen – eine wesentliche Vertiefung der inneren Verbindungen, der Geschehnisse und Gestalten erfährt. Ich bitte Sie, sich dies bei der Lektüre vor Augen zu halten.

Für die Überarbeitung rechne ich mit einem Tagespensum von mindestens 10 Manuskriptseiten; ich habe für die erste Niederschrift freilich mit dem Aufgebot großer Arbeitsenergie kaum drei Wochen gebraucht, glaube also, den Termin einhalten zu können, umso mehr als ja das Buch sukzessive, etwa in Partien von je 40 Seiten in Druck gehen könnte. Daß die Zeit so knapp ist, ist natürlich bedauerlich; hätte ich Ihre freundliche Aufforderung früher erhalten, so wäre es jetzt bequemer. [. . .]

[YUL]

1 *Die Unbekannte Größe.*

140. An Egon Vietta

Wien, 25. August 1933

Lieber verehrter Herr Fritz-Vietta[1],
verzeihen Sie, daß ich Ihren wertvollen Brief erst heute beantworte. Ich bin noch mitten in der Fertigstellung eines kleinen Romans, der noch im Herbst herauskommen soll und eigentlich verlangen alle die Anregungen, die in Ihrem Schreiben enthalten sind, eine ganze Abhandlung zur Beantwortung.

Um nur das Wesentliche zu sagen:
von Heidegger kenne ich bloß »Sein und Zeit«, in dem ich allerdings den zitierten Satz Yorcks überlesen habe[2], und »Kants Metaphysik«[3]. Über Heideggers Bedeutung müssen wir wohl nicht reden, und wenn ich jetzt Einwände vorbringe, so geschieht dies bloß, weil ich mich Ihnen gegenüber verpflichtet fühle, etwas Kommentarisches zu meiner Arbeit zu sagen, die Sie mit so großem Wohlwollen betrachten. Würde sich dieser Einwand gegen Heidegger bloß darauf beschränken, daß er die ursprüngliche Strenge der Phänomenologie verlassen hat (ich möchte übrigens in diesem Zusammenhange auf die außerordentlichen »Traités« Husserls[4] hinweisen, die Sie ja sicherlich schon kennen), so wäre dies an sich bestimmt kein Einwand wohl aber in dem Sinn, daß das Philosophieren heute offenbar überhaupt nicht mehr als scientia betrieben werden kann. Und dies ist das eigentliche Credo, auf das es hier ankommt und das Sie, wie mir scheint, von mir verlangen: es versteht sich von selbst, daß der Aufsatz in der »Rundschau«[5] bloß ein Bruchstück ist und zwar einer umfassenden Werttheorie[6], die mir als solche sehr am Herzen liegt, und die ich doch so sehr als Frucht einer unerlaubt gewordenen philosophischen Leidenschaft ansehe, daß ich vor der Publikation stets zurückgeschreckt bin, auch damals schon (diese Werttheorie ist nämlich schon seit über 10 Jahren fix und fertig), als die Publikation noch äußerlich möglich gewesen wäre. Mir wurde nämlich während dieser Arbeit so absolut klar, daß Philosophie nur im Rahmen einer Theologie möglich ist, und daß sie bloß innerhalb des theologischen Wertsystems wissenschaftliche Kraft und Exaktheit besitzt, daß aber heute mit »Worten« nichts mehr bewie-

sen werden kann. »Worte« sind in unserer Zeit nur mehr Träger der Meinungen, niemals aber von Wissenschaftlichkeit. Und wenn die mit Worten vorgetragene Meinung manchmal doch den Anspruch auf Wahrheit besitzt, so liegt das nicht an der Logizität des Gesprochenen, sondern lediglich an der Persönlichkeit des Sprechenden. Wissenschaftlichkeit ist heute bloß im mathematischen Gewande zulässig – geniale Ahnung Kants[7] vor 150 Jahren –, und die außermathematische Wirkung des Wortes greift ins Überwissenschaftliche, das vielleicht das Dichterische ist[8]. Wenn es nicht zu anmaßend ist, hier zum Biographischen abzuschwenken, so wäre zu sagen, daß es diese Erkenntnis war, die mich zur außerphilosophischen, also rein literarischen Arbeit gedrängt hat, d. h. ein Ausdrucksmittel zu finden, das dem außer-wissenschaftlichen Weltwissen, das jedem von uns innewohnt und ans Tageslicht drängt, genügen könnte. Es ist dies ein Art Ungeduld, und selbstverständlich bemühe ich mich seit Jahren, die präzise logistische Fundierung für meine philosophische Arbeit nachzutragen, freilich wissend – obwohl ich in mancher Einzelheit ein gutes Stück damit vorwärts gekommen bin –, daß dies, im ganzen, ein zum Scheitern verdammter Versuch bleiben muß. Denn das Ethische, um das es sich schließlich dreht, ist bei aller Logisierung des Ausdrucks ohne den »Glauben« niemals zu fassen.

Dies wäre im großen und ganzen die Position jener Werttheorie, nach welcher Sie fragen und die wahrscheinlich immer in dem Schubfach bleiben wird, in dem sie sich jetzt befindet. Sie ist vor meiner Bekanntschaft mit Heidegger entstanden, und daß Parallelismen in der Denkmethode vorliegen, das mag zum Teil auf den gemeinsamen Ahnen Kierkegaard zurückzuführen sein, zum größeren Teil aber wohl darauf, daß kein Lebender sich der Logizität der Zeit entziehen kann, und daß alles Denken der spezifischen Logizität der Zeit unterworfen ist. Und wenn ich Sie in diesem Zusammenhang um etwas bitten dürfte, so wäre es, soferne Ihnen das keine Ungelegenheiten machen sollte, mir das von Ihnen erwähnte Kolleg Heideggers, das ja im Buchhandel nicht zu haben ist, gelegentlich für kurze Zeit überlassen zu wollen. [. . .]

[GW 8]

1 Egon Vietta (eigentlich Egon Fritz) (1903-1959), war damals Regierungsbeamter in Karlsruhe; verfaßte Reisebücher, Theaterstücke und Essays.
2 Martin Heidegger, *Sein und Zeit,* (1927) § 77: »Der Zusammenhang der vorstehenden Exposition des Problems der Geschichtlichkeit mit den Forschungen und den Ideen des Grafen Yorck«. Heidegger bezieht sich auf den *Briefwechsel zwischen Wilhelm Dilthey und dem Grafen Yorck von Wartenburg 1877-1897* (Halle 1923). Graf Paul Yorck von Wartenburg (1835-1897), deutscher Geschichtsphilosoph.
3 Martin Heidegger, *Kant und das Problem der Metaphysik* (1929).
4 Edmund Husserl, *Méditations cartésiennes* (1931). Irrtümlich schreibt Broch *Traités* statt *Méditations.* Vgl. seinen Brief vom 29. 9. 1933.
5 »Das Böse im Wertsystem der Kunst«.
6 Vgl. KW 10/2, S. 11-203.
7 Immanuel Kant, *De mundi sensibilis atque intelligibilis forma et principiis,* § 12.
8 Vgl. Ludwig Wittgenstein, *Tractatus logico-philosophicus,* 6.44-7.

141. An Peter Suhrkamp

Wien I. Gonzagagasse 7 28. August 1933

Sehr verehrter Herr Suhrkamp,
[. . .] Die Arbeitspause, die sich hieraus ergeben hat, habe ich zur Überarbeitung der »Dreiecks«-Novelle verwendet, damit sie diese gegebenen Falles noch für das Oktoberheft verwerten können. Da der ursprüngliche Titel »Die Heimkehr« etwas abgegriffen ist, habe ich sie nunmehr »Spiegelbild des Lichtes«[1] genannt. Ihre Anregungen waren mir, wie ich Ihnen schon einmal schrieb, für die Umarbeitung eine wertvolle Hilfe, und ich glaube, daß Sie mit der nun entstandenen Fassung einverstanden sein werden. Einiges wurde gestrichen, hingegen einige Übergänge zum Stilausgleich eingeschaltet; der Gesamtumfang blieb derselbe, ist eher um einige Zeilen geringer als früher. Meinerseits bin ich mit der jetzigen Form sehr zufrieden, doch wäre ich Ihnen verbunden, wenn

Sie mir für etwaige letzte Ausfeilungen die Fahnen überlassen könnten. [. . .]

[YUL]

1 Diesen Titel ließ Broch in der Folge wieder fallen; es blieb bei »Die Heimkehr«.

142. An Robert Musil

Wien I. Gonzagagasse 7 2. September 1933

Sehr verehrter Herr Dr. Musil,
nachdem ich mich nunmehr von meiner Verblüffung erholt habe, bin ich zu dem Entschluß gekommen, die Dinge auszusprechen wie sie sind, so weit dieses Rankesche Rezept überhaupt zu befolgen ist:

An und für sich ist Ihr Brief, verehrter Herr Doctor, nämlich unbeantwortbar. Denn der kaum versteckte Vorwurf, ich hätte Ihren Namen verschwiegen, um meine eigene Wirkungsmöglichkeit zu sichern oder zu vergrößern, ist – sagen wir es offen – einfach ungeheuerlich. Es fehlt nur noch der Verdacht des Plagiats[1]. Hielte ich mich an Konventionen und an die sogenannte »Würde«, so hätte ich jenen Anwurf stillschweigend einzustecken und es dabei bewenden zu lassen.

Ich habe aber die Ehre, Ihre militante Art seit Jahren zu kennen, und die verehrungsvollen und freundschaftlichen Gefühle, die ich Ihnen gleichfalls seit Jahren entgegenbringe, werden sich, wie immer Sie sich zu mir einstellen, nicht ändern. Es ist also kein schuldbewußter Rechtfertigungsversuch, wenn ich Ihnen sage, daß mir meine Wirkungsmöglichkeit ziemlich egal ist, insbesondere weil ich überzeugt bin, daß es eine solche überhaupt nicht mehr gibt. Aber selbst wenn es sie gäbe, so hätte ich wahrlich niemals daran gedacht, zu Ihnen in irgend eine Konkurrenz zu treten: mein Respekt vor Ihnen billigt Ihnen von vorneherein die weitaus umfassendere Wirkungsgröße zu, und es war stets eine Freude, dieser dienen zu können. In dem Vortrag, der dem ominösen Aufsatz vorangegangen ist und der durch sein verengtes Thema (»Weltbild des Romans«) die gegebene Veranlassung dazu war, habe ich kein Werk der gesamten Romanliteratur so oft und so eingehend zur Illustrierung der Vortragsthese herangezogen, wie eben den »Mann ohne Eigenschaften«. Und ich bedauere zutiefst, daß die jetzigen eingeschränkten Publikationsverhältnisse das weitere repräsentative Eintreten für das Werk so sehr erschweren. Angesichts dieses Sachverhaltes war also meine Verblüffung über Ihren Brief beträchtlich; sie ist, wie alles, was ich hier sage, absolut wörtlich zu nehmen. Was Sie mit Ihrem Brief meritorisch meinten, war mir durchaus undurchschaubar. Erst später dämmerte mir, daß meine Kenntnis Ihres Œuvres eine Lücke aufweist und daß vielleicht in dieser Lücke das reale Substrat Ihrer Anwürfe stecken könnte: Sie haben vor etwa zwei Jahren einen Aufsatz in der N. Rundschau[2] gehabt, den ich wohl zu lesen begonnen habe, aber niemals zu Ende las, einfach deshalb, weil irgendjemand das Heft weggenommen und nicht mehr zurückgegeben hat. Solche Dinge passieren bekanntlich; man vergißt sie, und schließlich versandet die ganze Angelegenheit.

Nun ist es zwar eine persönliche Blamage für mich, daß ich Ihren Aufsatz nicht kenne, und wenn auch geistige Erkenntnisse ihren Wert bloß aus dem Gesamtzusammenhang, in dem sie stehen, beziehen und nicht von einer patentamtlichen Priorität abhängig sind, so ist meine Ignoranz solch vorhandener Priorität für mich jedenfalls viel peinlicher als für Sie, und wenig Trost ist es, daß auch die Infinitesimalrechnung an zwei Punkten der Erde zugleich erfunden worden ist. Andererseits ist freilich nicht zu verlangen, daß ich im Zuge meiner werttheoretischen Arbeiten (die überdies seit etwa 10 Jahren abgeschlossen sind – mea culpa, daß sie nicht schon längst publiziert wurden –) jetzt Quellenmaterial in einem Aufsatz von Ihnen vermuten sollte, dies umsoweniger, als unsere philosophischen Anschauungen, soweit ich diese beurteilen kann – Sie konstatieren dies ja übrigens gleichfalls – diametral entgegengesetzte sein dürften. Ich habe es als Mangel empfunden, daß mir in dem Aufsatz die Hinweise auf andere Werttheorien von der Redaktion des Raumes halber gestrichen worden sind, ich habe es als Mangel empfunden, daß ich mich mit Kierkegaard (und in diesem Zusammenhang mit Heidegger[3]) nicht auseinandersetzen konnte, denn die Theorie vom Nichts als definitarischer und dialektischer Grundlage aller Wertsetzung hätte dies erfordert. Und ich habe es als Mangel empfunden, daß es mir nicht möglich war, mich eingehend mit der materialen Wertethik[4] abzugeben. Aber daß ich theoretische Grundlagen in einer Ihrer Arbeiten hätte finden können, das habe ich wahrlich niemals in Betracht gezogen.

Es versteht sich, daß ich mir jetzt jenen Aufsatz, der damals von Ihnen in der Rundschau publiziert worden ist, besorgen werde. Sollten Sie aber mit Ihrem Brief nicht diesen gemeint und ich eine andere Stelle Ihres Arbeitsgebietes übersehen haben, so wäre ich Ihnen für einen Hinweis verbunden. Inzwischen begrüße ich Sie als

Ihr sehr ergebener
Hermann Broch
[YUL]

1 Musils Brief an Broch, auf den hier Bezug genommen wird, ist verlorengegangen. Offenbar meinte Musil, daß Broch in seinen Essay »Das Böse im Wertsystem der Kunst« Gedanken übernommen habe, die er formuliert hatte in einer zwei Jahre zuvor erschienenen Studie.
2 Robert Musil, »Literat und Literatur. Randbemerkungen dazu«, in: *Neue Rundschau* 42/2 (1931), S. 390-412.
3 Vgl. Martin Heidegger, *Sein und Zeit,* II/1: »Das mögliche Ganzsein des Daseins und das Sein zum Tode«. Vgl. ferner Heideggers Hinweise auf Kierkegaard in *Sein und Zeit,* §§ 40, 45, 68.
4 Max Scheler, *Der Formalismus in der Ethik und die materiale Wertethik, mit besonderer Berücksichtigung der Ethik Kants* (1913).

143. An Peter Suhrkamp

Wien I. Gonzagagasse 7 — 20. September 1933

Sehr verehrter Herr Suhrkamp,
nehmen Sie besten Dank für Ihre freundlichen Zeilen v. 9. IX. sowie für die Übersendung der Separata entgegen. Darf ich Ihnen gleich wieder mit zwei Bitten kommen? erstens vom

Augustheft, in dem mein Aufsatz erschienen ist, ein Exemplar an Dr. Frank Thiess, Steinhude am Meer, bei Wunstorff, Provinz Hannover, zu senden, zweitens aber folgendes: vor etwa zwei Jahren hat Robert Musil einen Aufsatz über lyrische Dichtung[1] (den genauen Titel weiß ich nicht) in der Neuen Rundschau publiziert, und diesen Aufsatz würde ich dringend brauchen; Sie haben nun doch sicherlich eine Autorenkartothek, so daß Sie das betreffende Heft leicht finden können, und ich wäre Ihnen sehr verbunden, wenn Sie es mir bald (unter Verrechnung auf mein Konto) senden wollten.

Ich danke Ihnen auch noch bestens für Ihr Anbot, die kommerzielle Angelegenheit nochmals aufzugreifen. Da ich aber mit dem Verlag augenblicklich ohnehin in geschäftlicher Verhandlung stehe[2], glaube ich, daß sich diese Bagatellsache im Rahmen der umfassenderen Summe wird regeln lassen. Wenn es Ihnen recht ist, wollen wir bis dahin die Frage ruhen lassen.

Wann kann ich die Fahnen der Novelle erwarten? Ich begrüße Sie aufs beste als Ihr

sehr ergebener
Hermann Broch
[YUL]

1 Broch erinnerte sich an eine Kapitelüberschrift in Musils Aufsatz »Literat und Literatur«: »Der Geist des Gedichts«, S. 398-405. Vgl. Brief vom 2. 9. 1933, Fußnote 2.
2 Gemeint sind die Verhandlungen über *Die Unbekannte Größe*.

144. An Gottfried Bermann Fischer

Wien I. Gonzagagasse 7 — 24. September 1933

Sehr verehrter Herr Dr. Bermann,
[. . .] Nur eine rasche und vorläufige Bestätigung Ihres Briefes vom 21., dem auch der neue Vertrag beigelegen ist. Ich möchte nämlich jetzt die intensive Arbeit an der Manuskriptfertigstellung nicht unterbrechen – morgen oder übermorgen

geht der letzte Teil an die Vossische[1] ab –, und da ich nach unserem Telephongespräch den erfreulichen Eindruck habe, daß jetzt, besonders wenn Sie sich inzwischen Ihrem Vorhaben gemäß mit Herrn Fischer ins Einvernehmen gesetzt haben werden, zwischen uns keine Schwierigkeiten mehr entstehen werden, glaube ich, meine detaillierte Antwort bis dahin verschieben zu können.

An die Vossische, resp. Ullstein, habe ich laut beiliegendem Durchschlag geschrieben. Ich habe das Rohmanuskript, das ja dort überflüssig geworden ist, zu Ihnen beordert, weil Sie ja ein Exemplar für Herrn Fischer haben wollten. Aber lieber wäre es mir freilich, wenn Herr Fischer nun erst die endgültige Fassung lesen wollte.

Aber eines ist mir wichtig: *verwenden Sie ja nicht dieses Rohmanuskript oder den Zeitungsdruck für die Buchausgabe*. Wenn es Ihnen mit der Drucklegung ganz besonders dringend sein sollte, so könnten Sie von der Vossischen die jeweils freiwerdenden Kapitel des *Reinmanuskriptes* verlangen (bis morgen dürften etwa 12 Kapitel bereits abgedruckt sein), oder ich könnte Ihnen, wenn Sie mir telegraphieren, ein Exemplar schicken. Soferne dies aber nicht unbedingt notwendig wäre, würde ich es Ihnen nicht empfehlen. Denn ich beginne sofort mit der endgültigen Korrektur des Reinmanuskriptes, so daß Sie schon in der zweiten Wochenhälfte die erste Partie der vollständig gereinigten Fassung erhalten werden, und lasse die übrigen in zweitägigen Abständen folgen. [. . .]

[YUL]

1 Die erste Fassung der *Unbekannten Größe* erschien als Vorabdruck in der im Ullstein Verlag publizierten *Vossischen Zeitung* (17. 9.-6. 10. 1933). Vgl. KW 2, S. 255.

145. An Egon Vietta

Wien, 29. September 1933

Lieber verehrter Herr Vietta,
nehmen Sie Dank für Ihren Brief und für die freundlichen Worte, die Sie neuerlich für mich haben. Vor allem aber glaube ich etwas richtigstellen zu müssen, denn Sie schreiben von »Traités« von Husserl, die Sie »noch nicht kennen«, und da dämmert es mir, daß ich mich in meinem letzten Brief wahrscheinlich verschrieben haben dürfte, denn selbstverständlich soll es »Méditations« und nicht »Traités« heißen und die »Méditations« kennen Sie doch sicherlich[1].

Und sonst für heute nur noch eine praktische Angelegenheit: Wie Sie bereits gehört haben dürften, hat Willy Haas, der frühere Herausgeber der »Literarischen Welt«, eine neue Zeitschrift in Prag, »Die Welt im Wort« gegründet. Es war nun eben Dr. Ernst Schwenk bei mir (der nämliche, welcher seinerzeit die Kritik über Ihr Buch für die »Literarische Welt« geschrieben hatte)[2], um mich nach eventuellen Mitarbeitern für dieses neue Blatt zu fragen[3], und ich erlaubte mir, Sie in Vorschlag zu bringen. Die neue Zeitung soll, wie Schwenk sagt, auf europäischem Niveau unter Ausschluß der Politik Essays, Abhandlungen, etc. bringen und Dr. Schwenk bittet Sie, für den Fall, daß Sie dort etwas veröffentlichen wollen, an Willy Haas, Prag XII, Slezska 13, Verlag Haas und Co., zu schreiben. Ich habe die besten Grüße von Ernst Schwenk zu übermitteln und schließe mich ihnen in Herzlichkeit an als Ihr

ergebener
H. Broch

Ich würde mich ganz besonders freuen, wenn Sie tatsächlich nach Wien kämen![4]

[GW 8]

1 Vgl. Brief vom 25. 8. 1933, Fußnote 4.
2 Ernst Schwenk, »Egon Vietta: Der Engel im Diesseits. Roman (Freiburg/Br.: Urban, 1929)«, in: *Die Literarische Welt* 5/47 (1929), S. 8.

3 Broch selbst veröffentlichte dort: »Antwort auf eine Rundfrage ›Was soll man zu Weihnachten schenken‹«, in: *Die Welt im Wort,* Beiblatt (21. 12. 1933), S. 2; vgl. KW 9/1, S. 381. Ferner: »Der Meeresspiegel. Novelle«, in: *Die Welt im Wort* (28. 12. 1933), S. 3-4; vgl. KW 6, S. 196-205.

4 Zu dem Besuch kam es damals nicht.

146. An Gottfried Bermann Fischer

Wien I. Gonzagagassse 7 11. Oktober 1933

Sehr verehrter Herr Doctor,

[. . .] Im Anschluß an meinen gestrigen Brief überreiche ich Ihnen anbei die letzten Manuskriptseiten, S. 164-172.

Als Überleitung zwischen Teil IV. und V. wurde auf S. 165 ein Gedicht eingeschoben, das die Koda für den Gefühlsinhalt des ganzen Buches bildet. Es wäre jedoch auch möglich, dieses Gedicht[1] als Motto dem Buch voranzustellen; es hat hier wie dort seinen berechtigten Platz: als Introduktion gibt es dem Buch jenen Pegel, den es beansprucht, wird aber erfahrungsgemäß vom Leser überschlagen, als Koda wird es gelesen. Es sind also Publikumserwägungen, und ich bitte Sie daher, diese Frage nach Ihrem Gutdünken zu entscheiden.

Der Titel des Gedichtes »Nachtgewitter« kann fortgelassen werden; wenn es als Motto an den Anfang des Buches gestellt wird, *muß* er fortbleiben.

Sollten Sie sich für die Stellung als Motto entscheiden, so verständigen Sie bitte zwecks Zeitersparung direkt die Druckerei. Die ersten korrigierten Fahnen gehen von mir Samstag an die Druckerei ab, so daß Montag dort mit dem Druck begonnen werden kann. Ich werde auch eine Abschrift des Gedichtes mitschicken, damit es über Ihre Weisung als Motto verwendet werden kann. [. . .]

[YUL]

1 Das Gedicht »Nachtgewitter« (2. Fassung) wurde nicht in die *Die Unbekannte Größe* aufgenommen. Vgl. KW 8, S. 171-172.

147. An den S. Fischer Verlag

Wien I. Gonzagagasse 7 25. Oktober 1933

Sehr geehrte Herren,
[. . .] In der Zusendung an die Druckerei ist jedoch keine Verzögerung eingetreten: die ersten 130 Fahnen sind am 21. ds. abgegangen, müssen also inzwischen schon eingetroffen sein, und eine weitere Partie geht heute ab. Es ist nur mehr Teil IV. und V. des Buches ausständig, und diese folgen in zwei Tagen.

Ich habe ein etwas unbehagliches Gefühl, weil ich die Korrekturen nicht mehr sehen soll. Selbstverständlich habe ich alles Vertrauen zur Genauigkeit Ihres Korrektors, es sieht aber im Satzbild eine Korrektur manchmal anders aus, als man sie sich vorgestellt hat. Wenn Sie mir also ein Exemplar des Umbruchs noch außerdem zuschicken wollten, nicht zur neuerlichen Korrektur oder zur Kontrolle (die vereinbarungsgemäß durch Sie erfolgen soll), so wäre ich Ihnen sehr dankbar: ich möchte sie bloß durchsehen, was übrigens innerhalb 24 Stunden erfolgen wird, um eventuell noch telegraphisch etwas richtigstellen zu können.

Das Gedicht habe ich nunmehr vom Ende des Teils IV. an den Anfang von Teil V. gerückt und dies auch in den Fahnen entsprechend vermerkt. Wenn man irgend eine andere Druckform, welche zu der Fraktur des übrigen Buches paßt (also nicht kursiv) dafür wählen könnte, so würde mir dies nicht unvorteilhaft erscheinen. Ich überlasse das Ihnen und bitte Sie, die Druckerei entsprechend zu verständigen. [. . .]

[YUL]

148. An Gottfried Bermann Fischer

Wien, 5. November 1933

Sehr verehrter Herr Dr. Bermann,
[. . .] Es hätte wenig Sinn, wenn ich versuchen wollte, einen richtigen publikumswirksamen Waschzettel anzufertigen. Das können Sie wesentlich besser als ich. Hingegen habe ich

versucht, die ideelle Grundfläche abzustecken, auf der die *Unbekannte Größe* errichtet ist; diesen Auto-Kommentar[1] lege ich bei, und ich meine, daß Sie daraus manches für den Waschzettel werden brauchen können. Um es kurz zu wiederholen: es kam mir darauf an zu zeigen, daß in jedem wahrhaften Erkenntnisstreben bei aller notwendigen Rationalität, ja, vielleicht sogar am stärksten bei so maximaler Rationalität, wie sie von der Mathematik dargestellt wird, unabweislich der Strom mystischer Erkenntnis mitfließt, aus den gleichen Seinsgründen gespeist wie das Rationale selber. Es ist dies ein Phänomen, das nicht nur meinen theoretisch-historischen Ansichten von der Mystik entspricht, sondern dem ich auch jetzt immer häufiger begegne, freilich mit der Einschränkung, daß dies vornehmlich für die deutsche Denkart gilt. Speziell bei den Franzosen scheinen die Dinge, soweit man da überhaupt generalisieren darf, etwas anders zu liegen. Es sind dies offenbar Mechanismen, die mit Denkform und Denkinhalt zusammenhängen. [...]

[YUL]

1 »Grundzüge zum Roman *Die Unbekannte Größe*«, KW 2, S. 243-246.

149. An Peter Suhrkamp

Wien I. Gonzagagasse 7 12. November 1933

Sehr verehrter lieber Herr Dr. Suhrkamp,
ausnahmsweise hat mir Ihre Expreßkarte kein schlechtes Gewissen erzeugt. Denn Sie haben mich mit Ihren Streichungsvorschlägen vor eine maßlos schwere Aufgabe gestellt, und die war nicht so leicht und so rasch zu lösen, umsoweniger, als ich daneben noch die *Unbekannte Größe* fertigstellen mußte.

Daß Ihre Meinung mir immer wichtig und wertvoll ist, brauche ich nicht zu wiederholen, und so versteht es sich, daß mich Ihre Streichungsvorschläge[1] eingehendst beschäftigt, ja, geradezu beunruhigt haben. Ich glaube durchaus zu verstehen, was Sie meinen: Entwicklung des Sinns aus dem rein Tatsächlichen heraus, eine Auslassungs- und Aussparungstechnik herzustellen, die den Sinn in der Spannung zwischen den Zeilen und Worten ergibt, also einen Naturalismus Hamsunscher Prägung, den zu beherrschen es aller Meisterschaft bedarf.

Um mit mir da zurecht zu kommen, habe ich einmal für mich die Grundstruktur der »Tierkreis«- Erzählungen, zu denen ja die vorliegende Novelle gleichfalls gehört, skizziert[2]. Es ist nur eine flüchtige und vorläufige Skizze, aber es wäre mir wertvoll, wenn Sie sie lesen wollten. Ich habe mich bemüht, darin auch die technische Frage der Darstellung zu klären, und ich hoffe, daß diese Auseinandersetzung überzeugend genug sein wird, daß Sie mit der Kompromißlösung, die sich daraus ergeben hat, einverstanden sein werden.

M. a. W. so weit es dieses skizzierte Programm erlaubte, habe ich Ihre Streichungsvorschläge gerne akzeptiert, wo es aber zu meinem Leidwesen nicht möglich war – denn Ihr Darstellungsideal ist auch das meine – da stellten sich sowohl prinzipielle als praktische Schwierigkeiten entgegen: die Darstellung ist hier derart verzahnt, daß die Auslassung einer Stelle automatisch eine ganze Reihe anderer sinnlos machen würde. Ich glaube daher, daß die nunmehr erzielte Lösung als endgültige betrachtet werden darf und bitte sehr, die solcherart entstandene Form ohne weitere Streichung in Druck zu geben.

Literarische Erzeugnisse sind leider keine Rechenexempel, und meine Beweisführung braucht daher nicht überzeugend zu sein, wenn die Sache nicht für sich selber spricht: immerhin aber glaube ich, gerade mit dieser Erzählung mich dem gesteckten Ziel wesentlich mehr angenähert zu haben, als dies in der »Leichten Enttäuschung« geschehen ist. [. . .] Wenn ich Sie mit dieser Sache nicht noch weiter belasten wollte, so würde ich Sie bitten, die beiden Novellen daraufhin zu vergleichen.

Was nun den Titel anbelangt, so stimme ich Ihnen durchaus bei; auch mir ist der alte Titel »Die Heimkehr« nach wie vor am liebsten. Wenn er Ihnen also nicht zu abgegriffen ist

– es gibt wohl einige tausende von Heimkehren – so bin ich meinerseits durchaus einverstanden, daß wir zur Heimkehr zurückkehren. [. . .]

[YUL]

1 Im Manuskript der Erzählung »Die Heimkehr«.
2 »Bemerkungen zu den ›Tierkreis-Erzählungen‹«, KW 5, S. 293 bis 300.

150. An Daisy Brody

Wien, 18. November 1933

Liebste Freundin,
ich hätte doch eine ganze Menge Briefe von Ihnen zu beantworten. Und wenn ich Ihnen von Zeit zu Zeit ein schäbiges Manuskript schicke, so ist damit nichts getan. Ich hab ja alles mögliche am Herzen, was ich mit Ihnen zu besprechen hätte, nicht zuletzt die Symbolwirtschaft. Und zu dieser bloß kurz: Sie wie D. B. haben mein Exposé[1] falsch aufgefaßt, das war bloß internes technisches Gerüste ohne Anspruch auf Erkenntniswert. Ich habe gestern D. B. darüber geschrieben. Und die letzte Zeile ist schon richtig: das äußerliche Geschehen ist immer Funktion des Unbewußten und Irrationalen; rational (quasi-rational, semi-rational) ist höchstens das, was der Mensch ausspricht, doch niemals das, was er tut.

Aber ich hätte große Lust, einiges Erkenntnistheoretisches und Ähnliches über das Symbol zu sagen, schon weil Cassirers[2] drei dicke Bücher so unzulänglich sind. Nur brauchte ich eben dazu alle Ihre Sachkenntnis (mit dem Erkenntnistheoretischen kommt man nämlich niemals aus) und müßte solcherart furchtbar studieren. Da ich aber unbedachterweise mich schon wieder an das neue Buch gemacht habe, weiß ich nicht, wie ich das unterbringen soll. Dazu würde ich es aber sogar für dieses Buch brauchen.

Ich kann Ihnen nicht viel von mir erzählen: ich habe mich selbst auf bessere und wahrscheinlich wesentlich ältere Tage aufgeschoben. Inzwischen agiere ich in einer Welt voller enigmatischer Tücken den täglichen Alltag und bin irgendwie glücklich, daß ich eine Arbeit habe, die es gestattet, sich mit der einen oder der anderen dieser Rätseltücken randweise abzugeben.

Haben Sie Dank, liebe Freundin, Dank für gute Worte und für sonst mancherlei. [. . .]

[GW 8]

1 »Bemerkungen zu den ›Tierkreis-Erzählungen‹«, KW 5, S. 293 bis 300.
2 Ernst Cassirer, *Philosophie der symbolischen Formen,* 3 Bände (1923-1929).

151. An Willa und Edwin Muir

Wien, 25, XI. 33

Liebste Willa, lieber Edwin Muir,
diese Nachrichten[1] sind wirklich nicht schön, sie sind sogar, wie es auf wienerisch heißt, grauslich, angefangen von dem gebrochenen Fuß Gavins bis zu dem jetzigen Nervenzusammenbruch: wird diese Unglücksserie nicht jetzt endlich ihr Ende erreicht haben! daß ich mit allen guten Gedanken und Wünschen bei Ihnen bin, das wissen Sie, freilich auch beschämt, daß man so hilflos daneben stehen muß, unfähig, beizuspringen und wirklich etwas zu leisten, gleich dem Völkerbund auf Worte und Resolutionen beschränkt[2].

Allerdings habe ich seit dem Brief von Oktober, auf den ich so lange und schmerzlich gewartet habe, gehofft, daß nunmehr bei Ihnen wieder alles in Ordnung sei (meine Karte ist inzwischen hoffentlich eingelangt), und ich habe mich mit dem Schreiben nicht beeilt, vor allem wohl auch, weil ich mit aller Beschleunigung den Roman für S. Fischer[3] fertig machen mußte, weiters eine große Erzählung für das Dezemberheft der »Neuen Rundschau«[4], und weil in all diese Überarbeitung auch noch der Tod meines armen Vaters fiel, der am

14. Oktober gestorben ist: es war also auch für mich keine leichte Zeit, zumindest war es eine solche richtiger Erschütterung, vielleicht sogar einer schönen Erschütterung, denn mein Vater war 82 Jahre alt und ist so unvergleichlich heiter und schön dahingegangen, daß es ein beinahe tröstliches und beneidenswertes Ereignis gewesen ist.

Zu dem Buch, das unter diesen Verhältnissen so rasch hatte fertig werden müssen (ich habe bloß drei Monate daran gearbeitet), ist nicht viel zu sagen: es ist eine Vorbereitung für den großen Roman[5], den ich bereits im Vorjahr begonnen habe, und der wirklich etwas werden soll; ich bin schon an der Arbeit. Ebenso ist die Erzählung[6], die ich Ihnen natürlich sofort nach Erscheinen zuschicke, Vorbereitung für jenes künftige Buch; immerhin aber ist diese Erzählung in mancher Beziehung etwas Geglücktes – ich glaube damit etwas erreicht zu haben, was mir seit langem als nächste Etappe des Darstellungsmöglichen vorgeschwebt hat. Ich stelle jedenfalls diese Erzählung wesentlich höher als die »Unbekannte Größe« (so heißt der neue Roman), der wesentlich »leichter« und publikumsgeeigneter ist. Er wird inzwischen bei Ihnen wohl schon eingetroffen sein, denn die Verspätung ergab sich bloß aus technischen Gründen. Ich glaube, daß Secker ihn gerne nehmen wird; jedenfalls wollen wir es hoffen[7].

Ich bin sehr froh über die Placierungen im »Modern Scot«[8] und »Criterion«. Welche der Novellen wollen Sie denn nehmen? ich sandte Ihnen bisher: »Leichte Enttäuschung«, »Vorüberziehende Wolke«, »Mit leichter Brise segeln« – haben Sie alle erhalten? Und was die Honorare anlangt, so bleiben wir wohl bei meinem alten Aufteilungsvorschlag von halb zu halb, doch ich möchte, daß Sie aus meiner Hälfte für mich ein großartiges Weihnachtsgeschenk dem Sohne Gavin kauften, denn erstens ist das Zuschicken immer eine große Schwierigkeit, und zweitens wird er Dinge brauchen, die ich mir nicht aushecken kann.

Über das Theaterstück machen Sie sich bitte keine weiteren Sorgen; wenn der liebe Gott will, daß es aufgeführt wird, so wird es durch Zufall schließlich doch geschehen. Es wäre nur schön gewesen, wenn es möglich gewesen wäre: ich hätte eine so gute Ausrede gehabt, um nach England zu kommen. So muß ich wohl einmal mit einer österreichischen Fußballmannschaft fahren. – An eine Aufführung hier ist natürlich vorderhand überhaupt nicht zu denken. Hoffentlich aber haben wir mit dem nächsten Stück[9] mehr Glück. Fürs erste freilich muß ich den neuen Roman für Fischer[10] schreiben: *und ich tue es nicht gerne* (obwohl er gut werden wird), denn meine alte Theorie von der Überflüssigkeit der Kunst bewahrheitet sich in dieser Welt mehr und mehr! man hätte Wesentlicheres und Wichtigeres zu tun, so Wichtiges, daß eben die interne Kunstproblematik jegliches inneres und äußeres Interesse verliert und man sich geradezu zwingen muß, sich darauf zu konzentrieren. Sie, in England, werden dies nicht so nachfühlen können, denn bei Ihnen stehen eben doch noch große Teile der alten Welt und ihrer ästhetischen Belange. Hier ist es ein krampfhaftes la séance continue, bei dem ich mitmache, weil ich finanziell dazu gezwungen bin. [. . .]

[GW 10]

1 Gavin war der damals fünfjährige Sohn der Muirs. Vgl. Edwin Muir, *An Autobiography* (London: Hogarth, 1954), S. 241. Vgl. ferner Edwin Muirs Brief an Hermann Broch vom 20. 11. 1933, in dem Muir erwähnt, daß seine Frau einen Nervenzusammenbruch erlitten habe, daß sein Sohn erkrankt sei, und daß er sich selbst überarbeitet fühle. *Selected Letters of Edwin Muir* (London: Hogarth, 1974), S. 81-82.

2 Vgl. dazu auch Brochs eigene 1936/37 entstandene »Völkerbund-Resolution«, KW 11. S. 195-232.

3. *Die Unbekannte Größe.*

4 »Die Heimkehr«.

5 *Filsmann-Roman.*

6 »Die Heimkehr«.

7 Hermann Broch, *The Unknown Quantity,* übersetzt von Edwin und Willa Muir (London: Collins; New York: Viking Press, 1935).

8 Hermann Broch, »A Passing Cloud« (= »Vorüberziehende Wolke«), übersetzt von Willa Muir, in: *The Modern Scot,* Jg. 4 (Jan. 1934), S. 304-312.

9 *Aus der Luft gegriffen oder Die Geschäfte des Baron Laborde. Komödie in drei Akten,* KW 7, S. 235-309.

10 *Tierkreis-Erzählungen.*

152. An Peter Suhrkamp

Wien I. Gonzagagasse 7 30. November 1933

Verehrtester Herr Suhrkamp,
[. . .] Hier [bei Joyce] drängt die Entwicklung eben ins Esoterische. Und eben dies ist das Problem der »Tierkreis«-Erzählungen. Gibt es nur diesen abseitigen Weg ins gestaltungsfähige Neuland, den Joyce beschritten hat? Gewiß handelt es sich mir nicht darum, eine »Konkurrenz«-Theorie gegen Joyce aufzustellen, vielmehr handelt es sich im »Tierkreis« ganz richtig stets um Erhellung eines Stückes Welt – mag es auch oftmals eine dunkle Zwischenschichte der Welt sein, dunkel, doch deswegen nicht weniger existent – aber dies ist auch gleichzeitig die außerordentlich große Schwierigkeit der gestellten Aufgabe: und wenn ich auch im ersten Anhieb geglaubt habe, daß mir diesmal die Lösung weitgehend geglückt sei, so muß ich jetzt – nicht zuletzt durch Ihre wertvollen Einwände, die mir sehr nahe gegangen sind – feststellen, daß die gewählte wahrscheinlich richtig gewählt ist, daß mir aber offenbar die Objektivierung der Problematik noch nicht so weit geglückt ist, daß das Kunstwerk als solches restlos überzeugend wirkt. Es bleibt offenbar noch ein ungelöster Rest, denn sonst hätten Sie Ihren Einwand nicht erhoben.

Nichtsdestoweniger glaube ich, daß die Publikation in der jetzigen Form kein Fehler war. Das Experiment, das in diesen Erzählungen versucht wird, hat m. E. immerhin einige objektive Wichtigkeit, und da die »Heimkehr« zweifelsohne einen Fortschritt gegenüber der »Leichten Enttäuschung« [darstellt] – das Problem ist ja doch um einige Schichten tiefer angepackt, und dies drückt sich automatisch auch in der Geschlossenheit der Form aus –, so glaube ich, das vorliegende Stadium trotz Ihrer berechtigten Bedenken weitgehend verantworten zu können.

Aber das Ganze ist ein Thema, das so unmittelbar an die Grundaufgaben des Dichterischen heranführt, daß es kaum durchzudiskutieren ist. Ich hoffe sehr, mich einmal mit Ihnen darüber unterhalten zu können; vielleicht wird es im Jänner-Februar möglich sein, ich habe mit Herrn Dr. Bermann vereinbart, daß ich um diese Zeit nach Berlin komme. Vorausgesetzt, daß ich mit der Arbeit an dem neuen Roman[1] bis dahin so weit sein werde. [. . .]

[YUL]

1 *Filsmann-Roman.*

153. An Daniel Brody

Wien, 15. Dezember 1933

Mein lieber Freund,

[. . .] Und nun zu den Damoklesschwertern[1], die – soweit ich es übersehen kann – für den Augenblick wieder stumpfer geworden sind. Und da ist nun als wichtigste Tatsache aufgetreten, daß Fischer mit einer feierlichen Proklamation sich zur Broch-Produktion bekannt hat, gleichzeitig mit dem Vorschlag, ich möchte vor dem großen Roman (von uns Filsmann-Roman genannt) noch ein kleineres Buch[2] einschalten. Er begründet dies mit der Meinung, daß die kleineren und leichteren Bücher einen fixen Leserkreis schüfen, der für die Aufnahme des nachfolgenden großen Standardwerkes wichtig wäre. Ob zu diesen Erwägungen der günstige Verkauf der »Unbekannten Größe« Pate gestanden ist oder die Hoffnung, daß sich die Auseinandersetzung mit dem Rhein-Verlag auf den großen Roman beschränken würde, kann ich nicht ermessen. Wichtiger als die Verlagserwägungen ist mir augenblicklich die Frage meiner eigenen Entscheidung: denn ich habe mich nun einmal in den Filsmann-Roman eingearbeitet, der Problemkreis ist mir innerlich von größter Bedeutung, und es wäre mir eine ausgesprochene Qual, diese Arbeit zu verlassen, um, rein von äußerlichen Gründen diktiert, mich auf ein neues Thema und auf neue Probleme zu konzentrieren. Schließlich besteht dabei die Gefahr, daß die neue Arbeit darunter leide, so daß die ganze Aktion ein Schlag ins Wasser werden würde. Sohin möchte ich, lieber Freund, wieder einmal Ihren Kopf für mich zerbrechen und Sie bitten, sich dieses Problem sowohl in verlegerischer als in künstlerischer Richtung zu überlegen. Gerne hätte ich damit gewartet, bis wir uns persönlich darüber aussprechen können, ich bin aber augenblicklich durch dieses Dilemma in meiner Weiterarbeit furchtbar gehemmt und muß mich wohl oder übel in der einen oder andern Richtung entscheiden. [. . .]

[GW 8, BB]

1 Im Dezember 1933 hatte der S. Fischer Verlag seinen Autoren in einem Rundschreiben mitgeteilt, daß alle deutschen Schriftsteller sich zu melden hätten beim Reichsverband deutscher Schriftsteller zwecks Eingliederung in die Reichsschrifttumskammer. (Der Reichsverband war durch das Kulturkammergesetz zu einer Zwangsorganisation aller Schriftsteller geworden, und die nicht angemeldeten Autoren wurden mit Publikationsverbot bestraft.) Das Rundschreiben war auch an Broch geschickt worden. Als Broch beim S. Fischer Verlag rückfragte und auf seine österreichische Staatsangehörigkeit verwies, teilte man ihm mit, er solle an den Reichsverband schreiben und darauf hinweisen, daß er kein deutscher Staatsbürger sei.

2 *Tierkreis-Erzählungen.*

154. An Daniel Brody

Wien, 21. Dezember 1933

Mein lieber Freund,
aus Ihrem Brief entnehme ich vor allem, daß Sie mit den Schlafwandlern gewinnsüchtige Tendenzen verbunden haben. Ich will dies nur rasch annageln und alles übrige auf die mündliche Unterhaltung verschieben, darauf rechnend, daß diese unter allen Umständen allerbaldigst stattfinden wird: 1934 muß doch nett eingeleitet werden.

Mit dem Tierkreis ist [es] so eine Sache: innerhalb der literarischen Fachschaft haben diese Erzählungen den berühmten Sturm im Wasserglas ausgelöst, ich scheine also mit meiner Prophezeiung recht zu behalten, aber ich habe nichtsdestoweniger alle Bedenken über, für, mit diesem Buch (nicht ganz rein konstruiert, doch die Fülle der Präpositionen soll das Maß meiner Bedenken anzeigen). Denn an und für sich ist dieses Buch das spezifische Rhein-Verlag-Verlagswerk, eines, das sich mit Berechtigung in das Joyce-Programm einreihen würde, viel geeigneter für den Rhein als für den Fischer, indes kann ich mir außerhalb der Schriftfachschaft keine Lesfachschaft vorstellen. Beispiel Kafka. Und da Sie zugestandenermaßen (s. o.) mit dem Rhein-Verlag Nebenzwecke, über deren Lauterkeit wir schweigen müssen, verfolgen, sehe ich die Sache wenig hoffnungsvoll an. Vielleicht einmal auf Subskription? wenn die Zeiten sich bessern. Ich habe mir die Sache hin- und herüberlegt und sitze noch immer voller Unschluß da. Außerdem habe ich durch 14 Tage hindurch eine Grippe gehabt. [. . .]

Und schließlich: ich weiß, daß jetzt doch Ihr Geburtstag[1] unabweislich fällig wird. Tröstend kann ich Ihnen hiezu nur sagen: da kann man nix machen. Doch es soll wieder einmal eine Gelegenheit sein, um Ihnen sagen zu dürfen, daß ich mich über Ihren Eintritt in mein Leben immer wieder freue, daß mir das Bewußtsein Ihres menschlichen Daseins immer wieder ein tröstlicher Gedanke ist, und daß der bis zu den usuellen 120 reichende Wunsch nicht nur alles Gute und Herrliche für Sie verlangt, sondern daß mir auch für die verhältnismäßig kurze Zeitspanne Ihre Freundschaft erhalten bleibe. Dann werden wir weiter sehen. Ihr Geburtstagsgeschenk müssen Sie sich aber, Zollschwierigkeiten halber, selber abholen. Hoffentlich lockt Sie das. Ich bin ohnehin genügend beleidigt, daß Sie es nicht der Mühe wert gefunden haben, die großartige herrliche Mappe »Unerledigtes«[2] eigenhändig herzubringen! Von nun an werde ich natürlich keinen Ihrer Briefe erledigen können: Sie und das ganze Haus Brody sei herzlich bedankt! [. . .]

[GW 8, BB]

1 Daniel Brody hatte am 25. 12. 1933 seinen 51. Geburtstag.
2 Weihnachtsgeschenk der Brodys an Broch.

155. An Daniel Brody

30. Dezember 1933

Lieber Freund D. B.,
also letzter Brief 33. Und zu meinen Wünschen, sehr vielfältigen, sehr guten Wünschen für 34 gehört auch einer Ihrer und des Rhein-Verlags unausrottbaren Gewinnsucht gewidmeter.

Zum Kapitel Gewinnsucht[1]: eine englische Gesellschaft will hier einen Film drehen[2], und ich soll das Drehbuch machen. Daher auch meine Bitte um die englischen Exemplare[3], welche ich – mit gebührendem Dank – promptest erhalten habe. Ich hoffe sehr, daß aus der Sache etwas wird. Ich habe die Synopsis[4] expreß fertig gemacht, und wenn es so verwirklicht wird, wie ich es haben möchte, wird es eine äußerst anständige Sache. Und finanziell würde es mich mancher Sorge entheben.

Ich habe daher die Romanprojekte etwas zurückgestellt, umsomehr als ich mich jetzt unverzüglich an den Kulturbundvortrag machen muß (vor dem mir als Veranstaltung höchst mies ist). Natürlich laufen mir die aufgeworfenen Probleme trotzdem weiter nach, und insbesondere beschäftigt mich immer wieder der Tierkreis als eventuelle Vorschaltung vor den großen Roman[5]. Mit dem Sturm im Wasserglas verhält es sich so, daß ich unausgesetzt Zustimmungserklärungen seit dem Erscheinen der »Heimkehr« erhalte: Sie wissen, daß mir – ich kann das nicht einmal gutheißen – Zustimmung und Ablehnung im allgemeinen wurscht ist, in diesem Fall freut es mich dennoch, weil die Wirkung genau an dem Punkt meiner eigenen Bestrebung eingesetzt hat, nämlich in der Aufweisung einer neuen Ausdrucksmöglichkeit für das Unbewußte, Unterbewußte, ohne in den Joyceschen Weg einzubiegen. Nichtsdestoweniger bin ich noch voller Bedenken gegen eine Buchausgabe des Tierkreises, einfach deshalb, weil ein derartig esoterisches Buch kaum Publikumsaussichten haben kann. Das schrieb ich Ihnen ja bereits. Wenn Bermann ein kleines Buch vor dem großen Roman eingeschaltet wissen will, um damit den Leserkreis zu stabilisieren, so gäbe es wohl nichts Ungeeigneteres als besagten Tierkreis. [. . .]

[GW 8, BB]

1 Broch bezieht sich auf folgenden Brief Brodys (GW 8):

München, 23. Dezember 1933

Mein lieber Freund:

Es läßt sich nicht mehr länger verheimlichen, und es steht fest, wie Sie mit Ihrem durchdringenden Verstand endlich erraten haben: der Rhein-Verlag hat statutarisch festgelegte gewinnsüchtige Tendenzen. Ich schäme mich zwar abgrundtief deswegen, es sei mir aber gestattet, zwei Momente zu erwähnen, die vielleicht meine bona fides bezeugen mögen. Erstens einmal, wenn der Rhein-Verlag etwas verdient hätte, hätten Sie auch davon profitiert, und zweitens, der Rhein-Verlag hat eben nichts verdient dabei. Wie dem auch sei, ich muß mich an die Statuten halten, und wie Sie wissen, sind wir eine schweizerische Aktiengesellschaft, und als alte Eidgenossen halten wir viel vom Geld. Meine Hoffnung geht dahin, daß im neuen Jahr auch Sie von der Wohltat einer hoffentlich zu gelingenden restlosen Erfüllung dieser statutarischen Bestimmung erfaßt werden. [. . .]

Und schließlich meinen drohenden Geburtstag betreffend: Ich bin getröstet, da kann man wirklich nix machen. Es ist gut, daß Sie mir darüber hinweghelfen, es ist immer peinlich, die Numerierung mit 1 beginnen zu müssen. Ich bin zwar über die seelische Erschütterung der runden Ziffer hinweg und will ein vollkommen neues, jugendliches Leben anfangen, mit Nummer 1 beginnend, und will meine ganze jugendliche Kraft in den Dienst der kommenden Dinge von Hermann Broch stellen. Das tue ich wirklich mit Freude und Liebe, denn auch ich bin davon überzeugt, daß unser Zusammentreffen eine schicksalsgewollte Notwendigkeit war, ist und bleibt. Und nur in diesem Sinne will ich mein Geburtstagsgeschenk bei Ihnen abholen, alldieweil unsere Freundschaft »unerledigt« bleiben möge. [. . .]

2 Vgl. Brief vom 10. 1. 1934.

3 Es handelte sich um Exemplare der englischen Übersetzung der *Schlafwandler,* die Broch den englischen Filmleuten schenken wollte.

4 Diese Synopsis ist verlorengegangen.

5 *Filsmann-Roman.*

1934

156. An Berthold Viertel

Wien I. Gonzagagasse 7 10. Jänner 1934

Lieber verehrter Freund Berthold Viertel[1],
mit dem üblichen schlechten Gewissen, erst zu schreiben, wenn das Gefühl vom Geschäft ins Boot genommen wird, melde ich Ihnen, daß ich mit dem jungen und sehr begabten Regisseur und Photographen Husnik zusammen ein – wie ich meine – ganz anständiges Drehbuch fabriziert habe.

Hinter dieser Fabrikation steht ein großes englisch-österreichisches Projekt (unterstützt von der österreichischen Regierung), einen repräsentativen österreichischen Film herzustellen. Die Vorarbeiten sind so weit gediehen, daß man der Sache mit einiger Wahrscheinlichkeit ein positives Resultat voraussagen kann. (Einschränkung: wir befinden uns in Österreich.)

Für die Geschichte braucht man nun einen Regisseur, der u. a. auch die englische Version zu bearbeiten fähig ist. Es versteht sich, daß für eine solche Anglo-Austrian-Fachmannschaft Sie der prädestinierte Fachmann sind. Und abgesehen davon, daß ich oft und oft an Sie denke, ist dies nun der Spezialgrund des vorliegenden Briefes.

Es wird Sie also ein Bekannter des Herrn Husnik, nämlich Herr Paul Ita (der seinerseits an der Geschichte finanziell interessiert ist) aufsuchen, um Ihnen – als anglo-austrianischen Filmfachmann – das Projekt zur Begutachtung vorzulegen. Ita wurde über meine Veranlassung durch Husnik zu Ihnen instradiert. Das weiß er aber nicht! er weiß bloß, daß ich an dem Drehbuch mitarbeite, aber es ist auch möglich, daß er es wieder vergessen hat. Weiters ist Ita darüber orientiert, daß bei Zustandekommen des Projektes Sie als Regisseur in Betracht kommen.

Ita – selbst kein Filmfachmann, vielmehr ein Hutfabrikant – möchte sich über die ganze Angelegenheit orientieren. Er ist künstlerisch ambitioniert, will nur bei etwas Anständigem mittun. Daß ich meinerseits auch nur etwas mache, das Niveau hat, wissen Sie ohnehin. Auch deshalb ist es mir wichtig, daß der Mann zu Ihnen kommt. Natürlich wird es kein Heurigenfilm. Ich denke mir als Titel »Menschen in

Österreich«, aber man könnte ihn ebensogut »Menschen auf der Erde« nennen. Die Synopsis wird Ita mitbringen.

Während ich also einerseits ein Interesse daran habe, daß Sie dem Projekt sympathisch gegenüberstehen und dies auch Ita intimieren, bitte ich Sie andererseits mir mitzuteilen, welchen Eindruck Sie von dem Mann gewonnen haben. Und am wichtigsten ist es mir natürlich, Ihr Urteil über das Projekt und die Synopsis selber zu erfahren[2].

Im übrigen muß ich Ihnen mitteilen, daß ich ein recht schweres Jahr hinter mir habe. Nicht nur, daß ich in großer Eile ein Buch[3] fertigstellen mußte (das zugleich an Sie abgeht), es ist auch mein Vater gestorben, und es gab und gibt vielerlei Sorgen und Ungemach.

Ich brauche Ihnen nicht zu sagen, wie viel Wünsche von mir bei Ihnen sind und wie sehr ich hoffe, daß es Ihnen und Ihrer Familie wirklich gut geht. In Herzlichkeit Ihr

Hermann Broch

Was macht der Roman[4]?

Wenn Sie einmal Zeit und Lust haben, setzen Sie sich doch mit meinen Übersetzern und Freunden Willa und Edwin Muir, 7 Downshire Hill, Hampstead (Tel. Hampstead 1280) in Verbindung; sie sind reizend und würden sich bestimmt unendlich freuen. Aber vielleicht kennen Sie sie schon?

[DLA]

1 Berthold Viertel (1885-1953), österreichischer Schriftsteller, Dramaturg und Filmregisseur. Viertel lebte damals im Londoner Exil und arbeitete als Filmregisseur bei der Firma Gaumont-British.

2 Viertel ging auf Brochs Vorschlag nicht ein, und das Projekt wurde nicht verwirklicht. Kurt Husnik hatte Broch durch seinen Sohn kennengelernt. Der Hutfabrikant Paul Ita investierte auch Geld in andere Filmprojekte Husniks.

3 *Die Unbekannte Größe.*

4 Welches Romanprojekt Broch anspricht, ist nicht ersichtlich. Viertel publizierte nur den Roman *Das Gnadenbrot* (Hellerau: J. Hegner, 1927).

157. An Egon Vietta

Wien, 14. Jänner 1934

Lieber Herr Vietta,
mit tiefer und aufrichtiger Freude habe ich Ihren Essay[1] gelesen, sicherlich aber auch mit einer leisen Scham: um diese »ausklammern« zu können, muß ich von Ihrem wohlwollenden Lob abstrahieren; was dann übrig bleibt, ist allerdings reine Freude. Denn niemand vor und neben Ihnen – das ist wörtlich zu nehmen – hat mit solcher Schärfe, wie Sie es taten, das herausgehoben, um was es mir ging und geht. So sonderbar es klingt: die »Schlafwandler«, die ich beinahe schon vergessen hatte, sind mir durch Ihren Aufsatz innerlich wieder wichtig geworden. Was da vor sich gegangen ist, kann ich nicht durchschauen, aber daß ich Ihnen sehr herzlich danke, das weiß ich.

Natürlich hätte ich große Lust, mit Ihnen zu diskutieren, aber das würde zu weit führen. Nur eines, eigentlich keine Diskussion, sondern eine Frage: Wird Philosophie als Wissenschaft überhaupt noch akzeptiert, so erscheint es mir unmöglich, ohne Dialektik auszukommen. Sie haben völlig recht, wenn Sie feststellen, daß ich mich von Hegel nicht freizumachen vermag; ich empfinde meine geschichtsphilosophischen Versuche, mögen sie inhaltlich auch von Hegel wegführen, methodisch durchaus hegelianisch. Und nun aber hiezu meine Sie wahrscheinlich etwas merkwürdig anmutende Frage: inwieweit ist es der Phänomenologie, ist es Heidegger gelungen, hier wirklich einen methodologischen Standpunktwechsel zu vollziehen? kann das phänomenologische Programm wirklich ohne Dialektik durchgeführt werden? ich wage nicht, hier eine eigene Behauptung zu äußern, weil ja mein phänomenologischer Besitzstand sehr gering ist – von einem wirklichen Studium kann da keine Rede sein, bloß von einer Lektüre –, und ich daher durchaus nicht befugt bin, mir eine eigene Meinung zu bilden. Und überdies weiß ich, daß man stets geneigt ist, eigene Überzeugungen in fremde Gedankengänge hineinzuinterpretieren, so daß also vieles, was mir bei Husserl und Heidegger durchaus dialektisch erscheint, es in Wirklichkeit vielleicht gar nicht ist. Aber über meine Grundüberzeugung von der Allgemeingültigkeit dialektischer Methoden in jenen Vorgängen, welche rationale Erkenntnis genannt werden, komme ich nicht hinweg.

Diese Dinge berühren mich sehr, da ich ja doch daran bin, sowohl meine geschichtstheoretischen Arbeiten (Theorie der infinitesimalen »Setzung der Setzung«) für die Veröffentlichung vorzubereiten – als [auch] meine wissenschaftstheoretischen Versuche, die zwar von der Mathematik ausgehen, mit den geschichtsphilosophischen Erwägungen trotzdem in engem erkenntnistheoretischen Zusammenhang stehen, nicht minder aber in einem methodologischen, dessen dialektischen Charakter ich nicht ableugnen kann. Freilich fühle ich die Verpflichtung, meine phänomenologischen Kenntnisse vorher gründlich zu revidieren: meine eigenen Arbeiten liegen ja 10 Jahre zurück[2], damals wurden sie entworfen, und soweit ich seitdem wissenschaftlich mich betätigt habe, war es auf logistisch-mathematischem Gebiet[3]. Es ist eben hier nicht anders als in allen andern Wertbereichen: es lassen sich nicht zwei vereinigen, jeder einzelne verlangt einen mindestens 100%igen Einsatz, und Wissenschaft läßt sich mit Dichtung trotz aller Anstrengung praktisch nicht mehr in einem einzigen Leben unterbringen.

Und weil wir hiermit bei der Literatur angelangt sind: was Sie gegen die »Entsühnung« sagen, trifft durchaus zu. Ich war ja mit diesem ersten dramatischen Versuch von vornherein nicht ganz einverstanden. Was ich suchte – und nicht nur im Drama, das freilich eine starke Simplifizierung dieser Tendenz bedingte –, war die Darstellung des Metaphysischen in seinem Durchbruch aus dem Alltag (und damit Naturalistischen), überzeugt, daß dieser Vorgang nicht nur das stärkste Element der Bühne, sondern der Kunst überhaupt ist. Was man Brecht hoch anrechnen muß, ist seine Überwindung des rein Naturalistischen und rein Romantischen auf dem Theater – auch hier akzeptiere ich eine methodologische Verwandtschaft –, was ihm hingegen unbedingt vorzuwerfen ist, ist seine beinahe sture Dogmatik, die ich – gegen seine didaktischen Absichten – eben nicht mehr als lehrhaft empfinden kann, weil sie gerade des Wichtigsten aller Pädagogik enträt, nämlich des Humanen. Zweifelsohne gehen wir einer Regeneration des Dramas entgegen, einer Regeneration, die technisch weitgehend vom Film bedingt sein dürfte, dem Wesen nach aber zum eigentlichen Zeitausdruck bestimmt sein wird, weit mehr als der Roman, aber eine Aufgabe darstellt, deren Schwierigkeiten vorderhand noch unermeßlich sind. Hoffentlich werde ich Ihnen bald wieder einen Versuch in dieser Richtung zeigen können, allerdings – das muß jetzt schon vorausgeschickt werden – wieder nur einen Versuch. Hingegen würde es mir Freude machen, wenn Sie das Drama nicht an den Verlag zurückschickten, sondern es behalten wollten.

Und darf ich Ihnen einmal gelegentlich meinen Vortrag über Joyce schicken? Ich glaube, daß wir auch hier einer Meinung sind, nicht zuletzt in dem Hinweis auf die Parallelität mit Picasso[4]. (C. G. Jung sagte mir, daß auch er – freilich von anderen Gesichtspunkten aus – gleichfalls auf diese Parallelität hingewiesen habe.)

Es ist jammerschade, daß Sie Ihre Reise aufgeben mußten; hoffentlich wird es doch in absehbarer Zeit dazu kommen. Ließe sie sich nicht mit ein paar Vorträgen verbinden? Radio, Urania, etc.? wenn ich dazu beihelfen könnte, ich täte es natürlich gerne, schon aus dem egoistischen Wunsch, Sie hier zu sehen. Ich bin sonst nicht so schwer beweglich wie beim Phaidon-Verlag; diesmal waren es ganz besondere äußere Umstände, die mich so sehr gelähmt haben. Dabei hätte ich mit dem Phaidon auch in anderer Angelegenheit dringend zu sprechen.

Und nehmen Sie nochmals Dank entgegen, sowohl für den Essay (der übrigens an sich formal vorbildlich ist) als für Ihren wertvollen Brief, und lassen Sie sich die Hand drücken, in Herzlichkeit Ihr

H. Broch

[GW 8]

1 Egon Vietta, »Hermann Broch«, in: *Neue Rundschau* 45/5 (Mai 1934), S. 575-585. Vietta hatte offenbar das Manuskript seines Aufsatzes an Broch geschickt.

2 Vgl. KW 10/2, S. 11-155.

3 Vgl. »Genesis des Wahrheitsproblems innerhalb des Denkens und seine Lokalisierung im Rahmen der idealistischen Kritik« (ca. 1926), KW 10/2, S. 207-233; »Die sogenannten philosophischen

Grundfragen einer empirischen Wissenschaft« (ca. 1928), KW 10/1, S. 131-146.

4 »James Joyce und die Gegenwart«, KW 9/1, S. 81, 82, 83, 93. Den Vergleich zwischen Picasso und Joyce hatte als erster Stuart Gilbert gezogen. Vgl. Stuart Gilbert, *Das Rätsel Ulysses* (Frankfurt/M.: Suhrkamp, 1977), S. 85. Vgl. ferner: C. G. Jung, »Picasso«, in: *Neue Zürcher Zeitung* (13. 11. 1932), wiederabgedruckt in: C. G. Jung, *Gesammelte Werke,* Band 15: *Über das Phänomen des Geistes in Kunst und Wissenschaft* (Olten: Walter, 1971), S. 151-157. Der Joyce-Picasso-Vergleich findet sich auf S. 151, 153, 154.

158. An Stefan Zweig

Wien, I., Gonzagagasse 7 20. Februar 1934

Lieber hochverehrter Freund,
es ist beinahe unmöglich, über die Ereignisse der letzten Tage etwas zu sagen, obwohl man vom Krieg her doch noch an alles mögliche gewöhnt sein könnte[1]. Ich weiß nicht, wie lange Sie noch in Wien waren und wie weit Sie die Dinge noch miterlebt haben, auf alle Fälle beneide ich Sie, daß Sie nach London zurückkehren und so für einige Zeit noch in ruhigerer Atmosphäre leben können. Auf die Dauer wird ja der neue Lebensstil – soweit man da von Stil reden kann – auch vor dem Westen nicht haltmachen, und es ist ganz folgerichtig, daß Ihr Erasmus[2] als westlerisches Buch vor allem in England erscheint. Nehmen Sie einen sehr herzlichen Glückwunsch zu seiner Vollendung entgegen.

Wenn Sie in London etwas Zeit haben, so rufen Sie doch einmal Willa und Edwin Muir an, das sind die Übersetzer der »Schlafwandler« und sind entzückende Leute, beste englische Bohême. Sie wohnen 7, Downshire Hill, Hampstead, London NW 3; ich glaube, sie würden Ihnen gut gefallen. Ich hoffe, daß die beiden auch »Die Unbekannte Größe« übersetzen werden. Huebsch[3] hat noch keinen Vertrag geschickt, soll aber, wie Fischer schreibt, prinzipiell zugestimmt haben.

Sollte das Wunder geschehen, daß die Muirs mein Stück in London doch durchsetzen (es soll jetzt übrigens im Raimundtheater aufgeführt werden, was mir gar nicht recht ist)[4], so wäre ich natürlich bald dort! Mit dieser Hoffnung, mit herzlichem Dank und der Bitte, mich der gnädigen Frau zu empfehlen, bin ich in Aufrichtigkeit und Herzlichkeit Ihr sehr ergebener

Hermann Broch

[SZA]

1 In der ersten Februarhälfte 1934 war es zu blutigen Auseinandersetzungen zwischen der Regierung Dollfuß und der Sozialdemokratie Österreichs gekommen. Die Februarereignisse forderten dreihundert Todesopfer. Viele österreichische Sozialisten emigrierten, unter ihnen Otto Bauer und Julius Deutsch. Die Ausschaltung der Sozialdemokratischen Partei entsprach den Wünschen Mussolinis. Der Einfluß des faschistischen Italiens auf Österreich verstärkte sich, was auch beim Abschluß der »Römischen Protokolle« vom 17. 3. 1934 zum Ausdruck kam.

2 Stefan Zweig, *Triumph und Tragik des Erasmus von Rotterdam* (Leipzig: Insel, 1935). Das Buch erschien zuerst auf Englisch: *Erasmus. The Right to Heresy,* übersetzt von Eden und Cedar Paul (London: Cassell, 1934).

3 Benno W. Huebsch (1876-1964), Direktor des 1925 gegründeten Verlages Viking Press in New York. Er verlegte u. a. das Gesamtwerk von Thorstein Veblen. Brochs *The Unknown Quantity* erschien dort 1935.

4 Brochs Drama *Die Entsühnung* wurde weder in England noch in Österreich aufgeführt. Die Verhandlungen mit dem Raimundtheater in Wien blieben erfolglos.

159. An Daniel Brody

Wien, 4. April 1934

Lieber Freund,

[. . .] Ich habe jetzt mit ganz besonderem Interesse den Haecker gelesen (»Was ist der Mensch«)[1] und empfehle Ihnen dringend, das Gleiche zu tun. Die Parallelität zu meiner eigenen Geschichtsphilosophie wird Ihnen in die Augen springen. Angesichts des großen buchhändlerischen Erfolges des Haeckerschen Buches kam mir der Gedanke, ob es nicht ganz ratsam wäre, Ihren alten Gedanken in die Tat umzusetzen, nämlich die zehn geschichtsphilosophischen Kapitel aus dem »Huguenau« herauszuziehen und als eigene Broschüre auf den Markt zu werfen. Eventuell könnte ich noch ein Nachwort dazuschreiben. Unter Umständen könnte es auch den Schlafwandler-Absatz beleben, und wenn der alte Satz noch bestehen sollte, so wäre die Sache auch nicht gar so teuer. Lassen Sie sich also bitte Ihren alten Gedanken durch den Kopf ziehen[2]. [. . .]

[GW 8, BB]

1 Theodor Haecker (1879-1945), deutscher Kulturphilosoph. (Durch Haeckers Übersetzungen Kierkegaards, die in den frühen Bänden des *Brenner*, Innsbruck, erschienen waren, kam Broch erstmals mit dem Werk Kierkegaards in Berührung.) Vgl. Th. H., *Was ist der Mensch?* (Leipzig: Hegner, 1933). Broch las wenig später auch Haeckers Buch *Vergil, Vater des Abendlandes* (Leipzig: Hegner, 1931), ein Werk, das Broch mit zur Abfassung des *Tod des Vergil* anregte.

2 Brochs Verleger ging auf diesen Vorschlag nicht ein.

160. An Willa Muir

4. April 1934

Liebste,
noch viel mehr als über die Züricher Aufführung[1] habe ich mich über Ihren Brief gefreut, denn die sogenannten Erfolge – es war nämlich ein sehr großer Theatererfolg – gelten in meinem Alter nichts mehr. Hingegen sind mir Ihre guten Gefühle unendlich wichtig. Und nicht weniger bin ich davon berührt, daß Sie einen schlechten Winter gehabt haben: Was zum Teufel ist mit Ihnen los?

Genau das Gleiche gilt für die Londoner Aufführung. Natürlich wäre mir diese Aufführung im Interesse der »Karrière« wichtig, aber noch viel wichtiger wäre es mir, auf diese Art und Weise endlich nach London zu kommen.

Über die Züricher Aufführung hat Ihnen ja Zsolnay[2] bereits berichtet. Die Theatereinrichtung auf Grund der Züricher Aufführung wird Ihnen auch in ein paar Tagen von Zsolnay aus zugehen. Wie Sie ganz richtig sagen, können ein paar Dialoge gestrichen werden, das haben wir ja auch in Zürich getan. Hingegen haben wir sehr zum Schaden des Stückes in Zürich den Epilog gestrichen: Das darf nicht mehr geschehen, denn die Leute wissen am Schluß nicht, um was es sich eigentlich dreht. Allerdings müßte nun auch der Epilog geändert werden, denn ich habe in Zürich die große Szene zwischen Unternehmern und Arbeitern viel dramatischer gestaltet, und sie ist jetzt so »theaterknallig« geworden, daß man wahrscheinlich den ganzen Schluß inkl. des Epilogs ebenfalls viel kräftiger wird gestalten müssen, um das Gleichgewicht wieder herzustellen. Ich will mich darüber machen, sowie ich ein bißchen Luft habe. Augenblicklich habe ich nämlich überhaupt keine Luft. Am 17. soll ich einen großen Vortrag halten »Geist und Zeitgeist«[3], hab noch gar nichts vorbereitet, und daneben gibt es nichts als schwere äußere Abhaltungen, familiäre Sorgen und so ähnliche Späße, die für die Arbeit wirklich nicht förderlich sind.

Nun nur noch rasch zwei Dinge: Erstens dürften Sie den neuen Thomas Mann[4] gelesen haben. Zweitens dürften Sie von Haecker »Was ist der Mensch« nicht gelesen haben. Sollte letzteres der Fall sein, so möchte ich Ihnen dieses Buch gerne schicken. Ich glaube, daß man es übersetzen soll. Und weiters möchte ich über beide Bücher, die mir beide wirklichen Eindruck gemacht haben (Thomas Mann ist charmant, bezaubernd, gescheit), gerne etwas schreiben[5]. Glauben Sie, daß Sie einen solchen Essay im »Modern Scot« oder sonst wo placieren könnten? [. . .]

[GW 10]

1 Brochs Drama *Die Entsühnung* wurde am 15. 3. 1934 unter dem – nicht von Broch stammenden Titel – » . . . denn sie wissen nicht, was sie tun« am Schauspielhaus Zürich unter der Regie von Gustav Hartung uraufgeführt. Vgl. KW 7, S. 419 ff.

2 *Die Entsühnung* wurde als hektographiertes Typoskript durch die Theaterabteilung des Paul Zsolnay Verlags in Wien dem Zürcher Schauspielhaus zur Aufführung überlassen und den Muirs zur Übersetzung angeboten.

3 Nicht am 17., sondern am 18. 4. 1934 hielt Broch vor dem Wiener »Kulturbund« im Vortragssaal des »Österreichischen Museums« im dritten Bezirk Wiens den Vortrag »Geist und Zeitgeist«. Vgl. KW 9/2, S. 177-201.

4 Thomas Mann, *Der junge Joseph* (Berlin: S. Fischer, 1934), zweiter Band der Romantetralogie *Joseph und seine Brüder*.

5 Vgl. »Mythos und Dichtung bei Thomas Mann« (1935), KW 9/1, S. 30-31. Über Haeckers Buch *Was ist der Mensch* schrieb Broch keine Studie.

161. An Willa Muir

Wien, 12. Mai 1934

[. . .] Außerdem besteht im Herbst immerhin noch eher Aussicht, daß auch ich irgendwie nach England komme. Vorderhand kann ich mich von hier nicht wegrühren, da ich durch einen neuen Roman[1] und dazu durch ein neues Drama[2] und dazu durch die Herausgabe meiner Essays[3] an den Schreibtisch geschmiedet bin. Schimpfen Sie also nicht all zu sehr auf mein damned altes Drama, denn Sie werden bald ein neues zum Schimpfen bekommen. Auf alle Fälle erhalten Sie noch ein Exemplar der Zürcher Bühnenfassung für Elmer Rice[4] (wiederum Dank für alles, was Sie für dieses damned Drama tun!) und hiezu die Vollmacht, zu streichen, was immer Sie wollen. In Zürich wurde die Sache derart gekürzt, daß der ganze Epilog weggelassen worden ist, es war aber miserabel, denn nachdem die Leute bis um Schluß unausgesetzt applaudiert haben, sind sie am Ende aufgestanden und haben nicht gewußt, was eigentlich geschehen ist. Wenn der Epilog tatsächlich neuerlich fallen sollte, so müßte ich irgend einen anderen kurzen Schluß dichten, was mir freilich furchtbar unangenehm ist, nicht nur weil mich dieses Drama eigentlich nichts mehr angeht, sondern auch, weil ja der Epilog das Wesentliche an dem ganzen Stück ist. Mit der »Unbekannten Größe« gibt es noch immer Unterhandlungen zwischen dem Fischer Verlag und der Viking Press. Ich glaube aber, daß die Sache so gut wie abgeschlossen ist, so daß Sie bald verurteilt werden, Broch zu übersetzen, anstatt eigene Romane zu schreiben. Ich freue mich unbändig auf die Mrs. Ritchie[5], hoffe nur, daß es in einem anständigen Englisch geschrieben ist, das auf sprachliche Anfänger Rücksicht nimmt und außerdem hoffe ich, daß ich an Hand dieses Buches so gut englisch lernen werde, daß ich mich in London nicht all zu sehr damit blamiere. Denn schließlich und endlich werde ich ja doch dorthin kommen; ich bin allzu bedrückt. [. . .]

[GW 10]

1 *Filsmann-Roman.*
2 *Aus der Luft gegriffen.*
3 Brochs Plan der Ausgabe seiner gesammelten Essays wurde damals nicht verwirklicht.
4 Elmer Rice (geb. 1892), amerikanischer, gesellschaftskritischer Dramatiker, lebt in New York. Offenbar hatte Willa Muir an Elmer Rice Brochs *Entsühnung* weiterempfohlen für eine eventuelle Plazierung auf einer New Yorker Bühne. Die Empfehlung blieb ohne Erfolg.
5 Willa Muir, *Mrs. Ritchie* (London: Secker, 1933).

162. An Ruth Norden[1]

Wien I. Gonzagagasse 7 | 2. Juni 1934

Es ist, liebe verehrte Gnädige (gestatten Sie dieses »lieb« angesichts Ihres Briefes) immer ein etwas merkwürdiges, aber eben darum beglückendes Erlebnis, wenn jene Anonymität, die, gleichgültig ob im Buch, im Theater oder Vortrag – ich hoffe übrigens im Herbst auch in Berlin zu sprechen[2] – stets die Grundlage der Verbindung zwischen Autor und Publikum abgibt und abgeben soll, wenn diese prinzipiell anonyme Verbindung für einen Augenblick durchbrochen wird: haben Sie Dank dafür. Und darf ich Ihnen als Zeichen dieses ehrlichen herzlichen Dankes ein kleines Sommergedicht[3] schicken?

Aufrichtigst Ihr sehr ergebener
Hermann Broch

[DLA]

1 Ruth Norden (1906-1977), seinerzeit Assistentin des Dramaturgen Hans Rothe am Deutschen Theater in Berlin und Leiterin der Auslandsabteilung des S. Fischer Verlags.
2 Einen Vortrag in Berlin hat Broch nicht gehalten.
3 »Helle Sommernacht«, ein Gedicht, das damals noch den Titel »Mondnacht« trug. Vgl. KW 8, S. 25.

163. An Daniel Brody

Wien, 6. Juni 1934

Mein lieber Freund,
[. . .] Und nun schließlich der neue Roman[1]: in diesem Jahr wird er nimmer fertig. Wenn er das wird, was er werden soll, dann wird er etwas sein. Aber dazu braucht man Zeit und eine Arbeitskonzentration, um die ich noch immer kämpfe. Wie ich aber bei diesem Vorgang mit dem finanziellen Problem zurecht komme, weiß ich noch immer nicht. Mir ist es tief unsympathisch, eine nicht fertige Arbeit bevorschussen zu lassen, und Ihnen vom Verlegerstandpunkt aus wird es auch nicht übermäßig sympathisch sein. Ich vertrage keinerlei Schulden, und außerdem sehe ich das schreckliche Beispiel Musils vor mir, zu dessen Rettung sich jetzt eine eigene Musil-Gesellschaft gebildet hat, damit er den dritten Band herausbringen kann. [. . .] Andererseits aber denke ich an eine Überbrückungsarbeit, welche rascher Geld bringt, z. B. an ein Drama[2], zu dem mich Zsolnay sehr drängt. [. . .]

[GW 8, BB]

1 *Filsmann-Roman.*
2 *Aus der Luft gegriffen.*

164. An Daniel Brody

Wien, 13. Juli 1934

Mein lieber Freund,
mein Schweigen hat mit der Intensität meines Denkens an Sie nichts zu tun. Aber der Streik meiner Maschine, welche bereits schiefe Zeilen macht, zeugt für die Intensität ihrer Beanspruchung während dieser Tage. Und so können Sie sich wohl vorstellen, wie sehr ich an Sie gedacht habe. Aber hier galt es – allem Weltgeschehen zum Trotz – Stücke fertig zu machen, erschwert überdies durch den Ekel, der mich vor dieser Brotarbeit erfüllt hat, verschärft überdies durch eine sehr heftige Zahnbeinhautentzündung. Diese scheint nun allerdings in den Hauptzügen überwunden zu sein, und von den Stücken ist eines fertig[1], während das zweite[2] auch schon eine Art Gestalt annimmt, aber es bleibt das tiefe Bedürfnis, endlich zu der mir gemäßen Arbeit zu gelangen, es bleibt die Angst, daß diese Brotarbeit zuletzt ein Schlag ins Wasser gewesen sein könnte (ehe der Vertrag nicht unterschrieben ist, kann man nichts sagen), es ist eine unangenehme seelische und körperliche Erschöpfung geblieben, die noch überwunden werden muß, und so befinde ich [mich] alles in allem noch in einem Interregnum.

Was aber die mir gemäße Arbeit anlangt, so macht mir Ihre Bemerkung über die Koppelung »Roman und Drama«[3] zu schaffen. Sie kennen meine Theorie und Forderung (die bekanntlich auf Goethe zurückgeht und in Joyce sich bestätigt), das Buch zur Gesamtform aller dichterischen Ausdrucksmittel zu gestalten. Und darüber hinaus habe ich mich in die Idee des dramatischen Ausklangs des Romans verliebt, ja bin zu der – vielleicht subjektiven – Meinung gelangt, daß darin auch publikumsgemäß eine Attraktion liegen müßte. Und bedenken Sie, daß ein repräsentatives Buch, das ja hier entstehen soll, auch formale Höchstforderungen stellt! Ich schreibe dies eigentlich bloß aus lyrischem Bedürfnis, weil es mich augenblicklich so sehr beschäftigt. Aber vielleicht interessiert es Sie doch. [. . .]

[GW 8, BB]

1 *Aus der Luft gegriffen.*
2 *Es bleibt alles beim Alten. Schwank mit Musik* (in Zusammenarbeit mit H. F. Broch de Rothermann), KW 7, S. 311-400.
3 Vgl. den Brief an Daniel Brody vom 27. 8. 1932, Fußnote 2.

165. An Angel Flores[1]

Wien I. Gonzagagasse 7 16. Juli 1934

Sehr geehrter Herr,
ich danke Ihnen herzlich für Ihre Zeilen und Ihre Einladung. Die Fragen, welche Sie an mich stellen, sind zweifelsohne von grundlegender Bedeutung: jeder Mensch und besonders jeder Schriftsteller, der nicht an seiner eigenen Arbeit verzweifeln will, muß sie sich in der heutigen Zeit täglich, ja stündlich vorlegen, und ihre Beantwortung ist eigentlich nur durch den stündlichen und täglichen Fortschritt oder Nicht-Fortschritt der Arbeit – die ja immer ein Credo ist – gegeben. Aber ich will versuchen, das Wesentliche, so weit es mich betrifft, herauszustellen:

1.) ich glaube nicht, daß es einen anständigen Menschen gibt, der eine von Hunger, Mord und Aber-Mord erfüllte Welt als menschlich bejahbar betrachten kann;

2.) ich glaube nicht, daß heute ein Künstler und gar ein Schriftsteller ohne tiefe Schädigung seines moralischen und damit auch seines künstlerischen Charakters es sich gestatten dürfte, die Augen zu schließen und den weltabgewandten Poeten zu spielen;

3.) aber ich glaube, daß eine Zeit wie die heutige dem erkennenden Menschen größere und schwerere Aufgaben stellt als jede andere Epoche, ich glaube, daß eine Zeit, welche die Verständigung zwischen Wertgebiet und Wertgebiet so radikal aufgehoben hat wie die heutige, den Künstler doppelt und dreifach dazu verpflichtet, neue Erkenntnisquellen zu erschließen – sowohl rationaler wie irrationaler – und nach einem neuen künstlerischen und sprachlichen Ausdruck für sie zu fahnden, nach einem Ausdruck, der kraft seiner Ehrlichkeit sich das Ziel neuer Allgemeingeltung zu setzen befähigt ist. Gelingt dies, so wird die Kunst in einer Zeit allgemeinen Wertzerfalls die ersten Ansätze zu neuer Wertverbindung und einer neuen Wertbindung liefern, in der allein die Kunst [ihre] und der erkennende Mensch seine Existenzberechtigung besitzen und wiedererlangen können. Dies in Annäherungsformen ist Angelegenheit seines eigenen schwachen Bemühens.

Mit der Bitte, beste Grüße und Empfehlungen entgegen zu nehmen,

Ihr ergebener
Hermann Broch
[YUL]

1 Angel Flores (geb. 1900), amerikanischer Literaturkritiker, von Mai bis November 1934 Herausgeber der Zeitschrift *The Literary World. A Survey of International Letters*. Die Zeitschrift erschien von Mai 1934 bis Mai 1935 in der New Yorker Froben Press. Gleichzeitig war Flores Herausgeber der in New York erscheinenden literaturkritischen Buchserie *Critics Group*.

166. An Herbert Burgmüller

Wien, 17. Juli 1934

Lieber Herr Herbert Burgmüller[1],
ich war krank, ich war müde, ich war arbeitsunfähig, und so kam es, daß ich Ihren Brief nicht früher beantwortete, so sehr ich von ihm berührt, ja, gerührt war, gerührt von Ihrer Absicht, mir Ihr nächstes Buch zu widmen[2]. Und vielleicht habe ich Ihnen auch nicht geschrieben, weil ich mich gedrängt fühle, Ihnen zu sagen, daß Sie sich das noch überlegen sollen: ich bin – das können Sie sich denken – aufs tiefste erfreut, daß Ihnen die »Schlafwandler« solchen Eindruck gemacht haben, aber schließlich gehören wir (leider) verschiedenen Generationen an, und es kann der Augenblick kommen, in welchem ich Ihnen nichts mehr sagen werde, in welchem Ihre Ansicht über literarische Produktion und dichterische Ziele sich völlig gewandelt haben könnte und in

welchem Sie es bedauern, äußerlich mit einem Autor verbunden zu sein, von welchem Sie sich innerlich bereits wieder losgelöst haben werden. Ich weiß ja nicht, wie weit ich selber zeitbedingt bin, wie weit das, was ich arbeite, jenen »Ewigkeitswert« besitzt, an dem wir – mögen wir noch so bescheiden von uns denken – uns immer wieder orientieren. Aber vielleicht sehen wir beide klarer, wenn erst mein nächstes Buch erschienen sein wird, das ja zweifelsohne für mich und meine Haltung zur Welt weitgehend bestimmend sein wird.

Vorderhand aber wollen wir feststellen, daß wir auf alle Fälle verbunden bleiben, und dies sogar äußerlich, nicht nur die gleichen Initialen, sondern auch in der physiognomischen Ähnlichkeit, wie ich überrascht aus Ihrem Bild, für das ich Ihnen herzlich danke, feststellen konnte. Und nehmen Sie als Dank und Gegenbestätigung das meine entgegen.

In Herzlichkeit und
Freundschaft Ihr
HB

[GW 8]

1 Herbert Burgmüller (1913-1970), deutscher Schriftsteller. Nach Hitlers Machtergreifung emigrierte Burgmüller nach Österreich und begündete 1935 gemeinsam mit Ernst Schönwiese die Literaturzeitschrift *das silberboot*.
2 Ein Buch hat Burgmüller Broch nicht gewidmet.

167. An Stefan Zweig

Wien I. Gonzagagasse 7 1. August 1934

Lieber, verehrter Herr Doktor Zweig!
Schön wäre es, wenn man wieder mit gutem Gewissen abseits stehen könnte, denn jetzt kann man es ja doch nur mit schlechtem tun. Aber ich fürchte, daß dieser Zustand nicht mehr eintreten wird, genau so wenig wie er für den Erasmus – trotz all seiner Sehnsucht danach – jemals eingetreten ist. Haben Sie Dank, lieber hochverehrter Doktor Zweig, für

dieses schöne und tiefe Buch[1], und haben Sie Dank dafür, daß Sie an mich gedacht haben.

Meine Freundin Anja Herzog, welche nach Wien zurückgekehrt ist, erzählte mir, daß sie Sie in London gesehen hätte, und daß Sie sich in voller Arbeit befänden. Ich beneide Sie sehr darum, denn hier herrscht wahrlich alles andere denn eine für die Arbeit günstige Atmosphäre. Man ist in einer konstanten passiven Anstrengung. Augenblicklich bin ich allerdings noch hier gebunden, aber über kurz oder lang muß es mir möglich werden, eine Veränderung eintreten zu lassen, und dann hoffe ich nach London kommen zu können, hoffe auch Sie endlich wieder sehen zu dürfen. Oder haben Sie die Absicht in der nächsten Zeit zurückzukehren?

Ich habe Ihnen übrigens noch für etwas zu danken: Der Verkauf der »Unbekannten Größe« an die Viking Press ist perfekt geworden, und ich weiß, daß dies sicherlich auch Ihrem Einfluß dort zu verdanken ist. Ich bin außerordentlich froh darüber, denn gerade jetzt ist ja die Kontinuität der angelsächsischen Publizität besonders wichtig, wichtiger wahrscheinlich als die deutsche. Und verzeihen Sie, wenn ich in diesem Zusammenhang noch eine Bitte an Sie habe: Ich habe an Huebsch laut beiliegendem Durchschlag vor einiger Zeit geschrieben, – sollten Sie ihn zufällig sehen oder sprechen, so wäre ich Ihnen sehr verpflichtet, wenn Sie meine darin ausgesprochenen Wünsche unterstützen wollten.

Nehmen Sie bitte nochmals allen Dank und hiezu sehr herzliche Grüße Ihres aufrichtig ergebenen

Hermann Broch

1 Beilage

[SZA]

1 Vgl. Fußnote 2 zum Brief vom 20. 2. 1934.

168. An Ruth Norden

Wien I. Gonzagagasse 7 10. August 1934

Liebes verehrtes Fräulein Norden,
ich bin der elendeste Briefschreiber, den es überhaupt gibt – vielleicht ist Ihnen dies auch schon bei meinen verspäteten Antworten an den Verlag aufgefallen –, und jetzt freue ich mich schon seit einer Woche mit Ihrem Brief und danke nicht. Wahrscheinlich ist es eine alte Scheu vor allem, was Außenwelt heißt, eine aus der Kindheit herrührende Scheu, die sich solcherart aus dem Unbewußten noch meldet, Hand und Schreibmaschine lähmt und mich kleine Ungezogenheiten begehen läßt, über die ich hinterher erschrecke. Habe ich Ihnen wirklich so »abschließend« geschrieben, wie Sie es aufgefaßt haben?

Aber solche Scheu vor der Außenwelt hindert nicht, daß ich Sie aufrichtig um Ihre Amerikareise[1] beneide. Nicht etwa weil Sie in Amerika noch eine Art intakten Literaturbetrieb vorfinden werden, oder weil es dort überhaupt »vorkriegsmäßiger« als bei uns zugeht, d. h. Konventionen noch einen Lebenswert besitzen, die für uns bereits zum Clichée erstarrt sind – auch dies ist, wie Sie richtig für Ihr Leben voraussehen, nur »Station« –, sondern weil man sich der Umschichtung aller Lebenswerte, die wir erleben, stellen muß, weil es keinen Sinn hat, sie untätig zu beklagen, und weil die äußere Welt in ihrer ganzen Breite immer noch die Erde ist, in deren Berührung die eigentliche Lebenskraft zu gewinnen ist.

Das klingt ein wenig abstrakt und dadurch auch ein bißchen pathetisch. Aber konkret gesprochen: ich war, allerdings vor beinahe 30 Jahren, als ganz junger Mensch in den Staaten und habe sehr viel von dort mitgebracht, besonders aus dem Süden, was ich heute nicht missen möchte[2]. Und ich meine, daß es Ihnen ähnlich ergehen wird. Und obwohl ich Ihnen gegenüber, wie ich schätze, eine Generation voraus (oder richtiger zurück) bin, sehe ich die Möglichkeit voraus, daß ich es eines Tages hier nicht weiter aushalten werde: ich darf Sie wohl bitten, mir für diesen Fall gelegentlich Ihre amerikanische Adresse zu geben. Vielleicht werde ich Sie in nicht zu langer Zeit in New York begrüßen dürfen. (Auch hiezu konkret: ich habe in letzter Zeit einige Einladungen für amerikanische Vorträge erhalten[3].)

Also inzwischen einen sehr herzlichen Dank und die besten Wünsche für die Reise

Ihres aufrichtig ergebenen
Hermann Broch

[DLA]

1 Ruth Norden emigrierte damals in die USA.
2 Broch hatte von Mitte September bis Mitte November 1907 gemeinsam mit seinem Freund Felix Wolf, der 1927 Brochs Teesdorfer Fabrik kaufte, eine Amerikafahrt unternommen, die ihn vor allem in die Südstaaten führte. Seine Aufgabe hatte damals darin bestanden, sich als zukünftiger Besitzer einer Spinnerei über günstige Einkaufsquellen von Baumwolle zu informieren.
3 Eine Vortragsreise in die USA hat Broch damals nicht unternommen.

169. An Edit Rényi-Gyömroi

Wien, 2. September 1934

[. . .] Daraus geht also auch hervor, daß ich arbeite. Freilich ist es Brotarbeit, die ich da nun schon seit Monaten treibe, dramatische Mittelware, die ich nicht einmal unter eigenem Namen publizieren kann und die ich trotz aller pekuniärer Bedrängnis nicht anfertigen dürfte, wenn ich sie nicht als hervorragendes Instrument zur Erlernung dramatischer Technik erkannt hätte. Natürlich wäre es möglich, diese Technik auch auf andere Weise zu erwerben, doch angesichts des Luxus, als die sich alle wahrhafte Produktion immer mehr konstituiert – Luxus, sowohl im äußern als im innern Sinne – ist es noch besser, man verdient mit diesen Handfertigkeiten wenigstens etwas Geld. Leider ist es noch nicht einmal so weit, denn ich unterhandle noch immer mit Direktoren, Verlagen, etc., und ich hätte gerne mit dem Schreiben an Dich so lange zugewartet, bis ich Dir auch hierüber schon Günstiges hätte mitteilen können. So muß ich mich mit der

Konstatierung begnügen, daß die Sache aussichtsreich steht[1].

Im übrigen darfst Du Dir nicht vorstellen, daß ich absoluten Mist erzeuge, ich glaube, daß es mir gelungen ist, auch in diesem Operettengenre etwas (schwach) Neues zusammenzubringen, so weit neu, daß man es dem Parkettpublikum vorsetzen kann. Vielmehr ist das Beschämende daran, daß man bei der Arbeit unausgesetzt die Augen schließen und vergessen muß, in welcher Welt wir leben. Freilich muß ich das Nämliche tun, wenn ich Logik, Philosophie oder sonst was Edles betreibe. Denn – wie gesagt – all dies ist in Bausch und Bogen und in einem höhern Sinn nicht mehr zeitgemäß. [. . .]

[YUL]

1 Zu einer Publikation oder Aufführung von Brochs beiden Komödien ist es zu Lebzeiten Brochs nicht gekommen.

170. An Edit Rényi-Gyömroi

Wien, 5. Oktober 34

Ich kann die Antwort nicht noch länger aufschieben. Also in Kürze: ich habe zwei Stücke fertig gemacht, von denen das eine[1] miserabel ist, so daß ich es niemandem zeige, das andere[2] aber sehr gut ist. Es hat so ausgesehen, als ob dieses zweite unbedingt vom Josefstädter Theater gespielt werden würde – Dramaturgen, Schauspieler, Regisseure, m. e. W. das gesamte Theater hat sich ehrlich dafür eingesetzt – und dann scheiterte die Sache am Widerstand des Direktors[3], der lieber musikalische Schwänke annimmt, weil der letzte ein großer Erfolg gewesen ist. Wahrscheinlich hat er Recht, aber für mich bedeutet es den geknickten Strohhalm: ich habe alles auf diese eine Karte gesetzt, um aus meinen Geldverlegenheiten herauszukommen. Das Stück hätte, wäre es angenommen worden, sofort eine Akontozahlung von ein paar tausend Schilling gebracht; (deshalb habe ich es auch geschrieben), heute kam die Absage, und ich weiß buchstäblich nicht, wo ich für die nächsten Tage das notwendigste Geld herschaffe. [. . .]

Schließlich wird das Stück doch an einem andern Theater gespielt werden. Aber schöner wäre es eben gewesen, wenn einmal eine Sache glatt und einfach gegangen wäre, und die nächsten Wochen werden zweifelsohne sehr unangenehm werden. [. . .]

Nichtsdestoweniger ist es eine Katastrophe. Bedenke, wie viel Zeit ich in diese Stücke hineingesteckt habe, daß ich am Rande meiner Energien bin, und daß ich in diesem Zustand nun an Romanarbeit gehen muß, um das Verlorene wieder wettzumachen. Verschärft ist dies alles noch durch den Umstand, daß ich mich endlich dazu aufgerafft habe, in mein äußeres Leben Ordnung zu bringen. Aber manchmal meine ich, nicht weiter zu können. [. . .]

[YUL]

1 *Es bleibt alles beim Alten.*
2 *Aus der Luft gegriffen.*
3 Otto Preminger (geb. 1905) war damals Direktor des Theaters in der Josefstadt in Wien. Er nahm Brochs *Aus der Luft gegriffen* nicht zur Aufführung an.

171. An Daisy Brody

Wien, 16. Oktober 1934

Liebste Freundin,
sind Sie bereits in München? Eine – aus Laxenburg stammende Fama – wollte wissen, daß Sie sich im tieferen Italien und unbekannten Aufenthaltes aufhielten. Und dies war mit ein Grund, der mich bis heute Ihnen noch nicht sagen ließ, wie sehr mich Ihr Doppelbildnis gefreut hat. Es ist wundervoll, es ist schön und hübsch, hübsch und schön, wie Thomas Mann von seinem etwas preziösen Joseph sagt, und es ist es sowohl an sich, wie als Einfall. Und der andere Grund meines

Schweigens war die mangelhafte Fassung, in der Sie mein Gedicht[1] bekommen haben: natürlich hätte es rechtzeitig zur silbernen Hochzeit fertig sein sollen, aber ich kam damit nicht zu Rande, und auch die Fassung, die ich Ihnen schließlich schickte, war mir noch nicht recht. Da wollte ich Ihnen mit meinem Dank die endgültige senden und habe nun doch mit der Reparatur wieder an 14 Tage gebraucht. Hier ist sie nun, und ich hoffe, daß auch Sie nun damit einverstanden sein werden. Ich bin es nämlich.

Dieses zähe Dichten hängt aber mit allerlei Ungemach zusammen, freilich höchst banalem, d. h. mit meinen Theaterdingen, die nicht vorwärts gehen wollen und mich in eine höchst unangenehme sorgenvolle Situation versetzt haben. Das zweite Stück[2], das ich geschrieben habe, ist nämlich ein Schmarrn, und ist trotzdem zu gut. Es ist ein »literarisches Wagnis« für das Theater geworden, und so sehr sich die Hauptdarsteller und die Regisseure dafür einsetzen, es will der Direktor, der ja schließlich bezahlen muß, nicht recht heran. Ich muß ihm recht geben, wenn er lieber volle Häuser mit der »Prinzessin auf der Leiter« oder mit dem »Tyroler Hütchen« machen kann. Nichtsdestoweniger berührt mich die Sache sehr: wäre es wirklich ein seriöses Drama oder sonst etwas, wofür ich mich selber voll einsetzen könnte, so wüßte ich natürlich, daß die Zeit – soferne es eine solche überhaupt noch geben wird – für das Werk noch werde kommen müssen, aber da es sich, wie gesagt, um einen Schmarrn handelt, den ich mit aller Gewalt unter meinem eigenen Niveau gehalten habe (eine fürchterliche und aufreibende Arbeit!), so sehe ich nur mehr wenig Chancen, hingegen wohl, daß ich meine Zeit (und damit auch mein Geld) monatelang verschwendet habe. Das ist keine angenehme Einsicht, und es läßt sich bloß die Lehre daraus ziehen, daß man nur das zu arbeiten hat, woran man selber glaubt.

Allerdings: woran glaubt man? woran glaube ich noch? Je problematischer die Welt wird, desto erschreckender kommt mir ihre künstlerische Problemlosigkeit zu Bewußtsein. Ich will nun noch einen Versuch machen, zu jenem einzigen und verzweifelten Problem vorzustoßen, das allein uns noch interessieren kann, nämlich zum religiösen, das ja auch das Problem der Problemlosigkeit (Prinzip des Bösen!) in sich schließt. Ob dies wirklich in einem Roman zu erfassen sein wird – wie ich es ja schon begonnen habe[3] –, wird sich dabei erweisen. Auf alle Fälle will ich mich hiezu auf ein paar Monate aufs Land begeben. Wohin, weiß ich noch nicht. Fürs erste – meine Mutter wird jetzt ohnehin die Wiener Wohnung okkupieren – werde ich mich in das freiwerdende Badener Haus setzen. Vorderhand studiere ich allerlei Religionsgeschichtliches, plage mich mit Kirchenvätern und komme mir bei allem sehr stümperhaft und dilettantisch vor. Und das Wesentliche: dem Religiösen kommt man nicht von außen und nicht mit »Interesse« bei, das verlangt die Mobilisierung einer Erlebnissphäre, die zwar jeder Mensch besitzt, an deren Hebung ich aber zu verzweifeln gedenke – ich meine nämlich, daß es über meine Kraft gehen wird. Und ich hasse nichts so sehr, als dilettantische Anmaßung; man kann auch Chuzpe[4] sagen. (NB. ich bewundere unseren Thomas Mann sehr, daß er dieser Gefahr aus dem Weg gegangen ist!)[5]

Ehe ich nicht mit diesen Fragen und dieser Arbeit fertig geworden bin (oder sie endgültig aufgegeben haben werde), werde ich Ihnen nicht unter die Augen treten. Zumindest also wird der Winter vergehen. Über diesen Punkt wird Ihnen ja auch schon Thomas Philipp[6] berichtet haben, der mit mir in Korrespondenz steht und dem ich meine Pläne eingehend entwickelt habe. Aber wie groß wird er sein, wenn ich ihn wiedersehen werde! und daß ich solange den Erker[7] nicht betreten werde, das ist beinahe unvorstellbar, und, von mir aus gesehen, geradezu unstatthaft. Denken Sie bitte wenigstens manchmal an mich, und nehmen Sie manchmal meine Gedanken zur Kenntnis, die viel bei Ihnen sind und viel bei Ihnen sein werden. (Haben Sie nicht wenigstens meinen Neid gemerkt, mit dem ich *neidlos* Ihren römischen Aufenthalt verfolgt habe?)[8] [. . .]

[GW 8]

1 »Mitte des Lebens«, KW 8, S. 36-38, geschrieben für Daisy und Daniel Brody zu ihrer Silbernen Hochzeit am 10. 9. 1934.
2 *Aus der Luft gegriffen.*
3 *Filsmann-Roman.*
4 Chuzpe (hebr.-jidd.): Dreistigkeit, Unverschämtheit.
5 Gemeint sind Thomas Manns *Josephs-Romane.*

6 Broch nannte den damals zwölfjährigen Sohn der Brodys scherzhaft Philipp. Thomas Brody wiederum nannte Broch Otto.
7 Die Brodys wohnten noch in der Königinstraße 35, München. Anfang 1936 emigrierten sie in die Schweiz.
8 Anläßlich seiner Silbernen Hochzeit hatte das Ehepaar Brody eine Italienreise unternommen.

172. An Daniel Brody

Baden bei Wien 19. Oktober 1934

Mein lieber Freund,
in gewohnter Weise kreuzten sich wieder einmal unsere Briefe, denn mein vorgestriger an die liebe verehrte Gattin war zu mehreren Prozenten auch für Sie bestimmt. Also knapp vor meiner Abreise[1] trafen Ihre Zeilen ein, und war ich schon von den etruskischen Silberhochzeitern gerührt und entzückt, so war ich jetzt noch gerührter und bin es und werde es bleiben. Wenn ich trotzdem nicht zur West-, sondern zur Südbahn gefahren bin[2], so geht dies aus einer Gesamtsituation hervor, die ich in meinem letzten Brief schon skizziert habe, die ich aber angesichts Ihrer Einladung noch etwas präzisieren muß; dazu fühle ich mich dem Menschen, dem Freunde, dem Gastgeber, dem Verleger D. B. gegenüber verpflichtet.

Vor allem: ich habe seit der »Unbekannten Größe« bekanntlich nichts gearbeitet. Ansätze zur Arbeit liegen in den Romanentwürfen[3], im Kulturbundvortrag und im Schönbergaufsatz[4]. Darüber hinaus aber gab es nichts. Selbst die sehr dringend von der Rundschau verlangte Abhandlung über Geist und Irrationalität (Ausbau des Kulturbundvortrages) blieb monatelang liegen und befindet sich erst jetzt in Fertigstellung[5]. Es war ein Jahr der Sterilität, und seine Ausfüllung mit Theaterstücken war ein Scheinmanöver, auch wenn eines dieser Stücke[6] als geglückt zu bezeichnen ist.

Für diese Sterilität gibt es einige äußerliche oder quasi äußerliche Gründe:

a) meine konstanten Geldsorgen, hervorgerufen durch

meine mannigfachen Verpflichtungen, verschärft durch große Reparaturen, die an unserem Wiener Haus vorgenommen werden müssen – mit ein Grund, der mich mit einem Schlag auf Theaterproduktion umstellen ließ –, wobei finanzielle Sorgen an und für sich schon eine zeitraubende Angelegenheit sind;

b) meine höchst persönliche etwas vertrackte Lage, die – von der Arbeit aus gesehen – gleichfalls zu den äußern Abhaltungen gehört;

c) die politischen Ereignisse der Welt im allgemeinen, vom Februar und Juli im speziellen, Ereignisse, die einem ja schließlich doch unter die Haut gegangen sind[7];

d) die Unterbrechung durch die Zürcher Premiere[8], die gerade an einem für mich ungünstigen Zeitpunkt stattfand.

Aber wichtiger als diese äußeren Abhaltungen, die ja unter diesem Gesichtswinkel bloß symptomatische Bedeutung besitzen, ist die prinzipielle, sozusagen arbeits-interne, nämlich das große Problem nach der Stellung des Erkenntnismäßigen und Dichterischen zu und in der heutigen Welt: Joyce war der erste, welcher in aller Deutlichkeit erkannt hat, daß die Zeit des Wald- und Wiesenromans vorbei ist, daß der Umbruch der Welt auch einen Umbruch des Dichterischen – soferne es überhaupt noch lebensberechtigt ist! – erfordert, und daß es um eine ganz andere und neue Art der Totalität geht, als je zuvor. Und was Th. M. jetzt mit seinem Jaakob[9] getan hat, ist – wenn es auch wesentlich enger an die traditionellen Formen gebunden ist, ja geradezu wie ihre Schlußapotheose aussieht – die gleiche Ahnung von der neuen Aufgabe, die eben in einer beinahe religiösen Totalität liegt.

Der Totalitätsanspruch ist bei Joyce und Mann sicherlich der gleiche. Joyces Lösungsversuch liegt im extrem Platonischen und Subjektiven; er ist darin so radikal, daß er asozial geworden ist und der Gefahr radikaler Asoziabilität, nämlich dem Wahnsinn erliegt. (Eben sandte mir Faber & Faber seine »Childers«[10]; und ich fand dies bestätigt). Th. M. ist sozial, das zeigen seine Auflagenziffern, und in dieser Soziabilität sicherlich genial; seine Gefahr ist: sein-eigenes-Ziel-erreicht-haben, also Dogmatik. Die Reihe der Polaritäten läßt sich beliebig fortsetzen, von der Kostümhistorik Manns und der zeitlosen Modernität Joyces bis zu den Polaritäten des Ethischen und Ästhetischen, aber ebenso die Reihe der Gemeinsamkeiten in den Grundhaltungen und in der Symbolik; beachten Sie die Parallelität zwischen dem Wanderer Odysseus und dem Wanderer Jaakob[11].

Ich will hier keinen Essay[12] schreiben, sondern für den Verleger Brody die Problemlage umreißen, um die es mir geht, und die m. E. jedem ernsthaften Versuch (s. o.), die heutige Weltlage dichterisch umzusetzen, zu Grunde liegt. Wenn meine Schreiberei je einen Sinn gehabt hat, so doch nur den, daß sie sich eben in dieser Richtung bewegt. Es wird aber an dieser Problemlage auch die ungeheuere Schwierigkeit und Verantwortungslast der damit zusammenhängenden Fragen sichtbar. Soweit ich mir im Laufe dieses sterilen Jahres darüber klar geworden bin, stellen sie sich folgendermaßen dar:

1) Befriedigt Dichtung heute überhaupt noch ein soziales Bedürfnis? (wobei ich der Ansicht bin, daß eine asoziale – und damit letzten Endes unverkäufliche! – Kunst überhaupt nicht lebensberechtigt ist.)

Antwort: Ja. Und zwar ist es in einer Zeit, die nicht und schon längst nicht mehr zu »glauben« und zu philosophieren, d. h. religiös zu denken vermag, deren tiefstes Bedürfnis jedoch nach Glaubenkönnen geht und die jedes Surrogat dafür nimmt, ist es in und für eine solche Zeit von äußerster Notwendigkeit, daß man ihr die Möglichkeit des Glaubensaktes, die Entwicklung des Supranaturalen aus dem irrationalen Seelengrund beispielhaft an wirklichen Menschen vor Augen führe. Das ergibt natürlich weder »katholische«, noch »protestantische«, noch »jüdische« Dichtung, sondern ist im Gegenteil von jedweder, also auch von jeder Glaubensdogmatik frei: ein Autor, der für sich selbst mit diesen Fragen dogmatisch fertig wäre, könnte sie nicht schreiben. Für den Verleger aber ist die Frage insoferne wichtig, als hier tatsächlich eine Aufnahmebereitschaft der Welt vorliegt.

2) Was ist unter sozialer Form zu verstehen? Es steht außer jedem Zweifel, daß der Amüsierroman sozialer ist als Joyce. Die Welt ist für vielerlei Esoterisches reif, weil das Esoterische, Religiöse, Mythische in der Seele eines jeden Menschen webt und lebt und auch gefühlt wird. Es hieße die didaktisch-pädagogische Aufgabe des Dichterischen völlig ver-

kennen, wenn man den Menschen unter Bruch mit den bisherigen Ausdrucksformen esoterisch vor den Kopf stoßen wollte. Der historische Ausweg, den Mann (seinen Möglichkeiten nach absolut genial) gewählt hat, ist freilich nicht nochmals gangbar. Worauf es ankommt, ist das *gefühlte Wissen anklingen zu lassen,* d. h. ein *»Geschehen«* zu konstituieren, das als solches zwar nicht rational, wohl aber rational ausdrückbar und damit auch Ausdruck jenes Gefühlswissens ist. Das ist freilich nur durch Konzentration auf die eigene innerste Erlebnissphäre zu erreichen. (Angedeutet, aber noch nicht geglückt ist dies in der Gestalt des Richard Hieck)[13].

3) Wie weit sich die Kunstform des Romans durch diese Aufgabe verändern wird, verändern muß, vermag ich heute noch nicht zu sagen, wenn auch die Basis – aus vielen Gründen – immer im Roman liegen dürfte. Eine große Schwierigkeit liegt ferner darin, daß die Aufgabe – Darstellung der innern und äußern mythischen Vorgänge des Menschen – es unerläßlich machen wird, auch die politischen Bewegungen dieser Zeit (soferne man nicht historisches Gewand anziehen will) darzustellen, und, was in mancher Beziehung noch ärger ist, *unparteiisch,* sozusagen naturwissenschaftlich darzustellen. Und überdies gilt das Gebot, daß die Augen nicht größer als der Magen sein dürfen, weder als der des Lesers, [noch] als der des Autors, und daß daher mit besonderer Sparsamkeit vorgegangen werden muß.

Dies sind die Richtlinien. Ihren abstrakten Gehalt lege ich jetzt in dem Aufsatz über »Irrationale Erkenntnis«[14] nieder. Aber darüber hinaus gibt es nur eines: alles Abstrakte beiseite zu lassen, sich in den Zustand äußerster Konzentration zu versetzen und mit einem Kopfsprung sich in die Arbeit zu stürzen. Ob ich meine bisherigen Vorarbeiten dabei noch verwenden kann, weiß ich noch nicht.

Sie sehen, es ist eine schwerwiegende Entscheidung, denn es geht auf Biegen und Brechen. Wald- und Wiesenromane will und kann ich nicht schreiben. Dann lieber noch unter Pseudonym Durchschnittstheaterstücke, die wenigstens ehrlicher sind. Aber auch das will ich nicht fortsetzen. Und so muß der Versuch gewagt werden. Mißglückt er, was einesteils auf einen Mangel der eigenen Kraft, andernteils auf die

Undarstellbarkeit unserer heutigen Welt zurückzuführen wäre, so hieße es, sich entweder einen anderen Beruf zu suchen oder sich umzubringen. Zum Umbringen bin ich etwas zu feig, hingegen habe ich ein Stück Zivilkurasche, wenn es gilt, neue Aufgaben zu übernehmen. (Leider verläßt mich die Courage, wenn ich anderen Leuten Aufgaben auferlegen soll, aber dies nur nebenbei). [. . .]

[GW 8, BB]

1 Abreise aus Wien.
2 Mit »Westbahn« assoziierte Broch eine Reise nach München zu den Brodys.
3 *Filsmann-Roman, Tierkreis-Erzählungen.*
4 Brochs Aufsatz »Gedanken zum Problem der Erkenntnis in der Musik« war Arnold Schönberg gewidmet. Vgl. KW 10/2, S. 234-245.
5 Am 16. 1. 1934 hatte Peter Suhrkamp an Broch geschrieben: »Ich möchte unbedingt Ihren Vortrag ›Geist und Zeitgeist‹ für die *Neue Rundschau* sehen, bevor Sie ihn anderweitig anbieten.« (YUL) Zu einer Publikation dort kam es nicht. Vgl. KW 9/2, S. 177-201.
6 *Aus der Luft gegriffen.*
7 Zu den Februarereignissen vgl. Brief vom 20. 2. 1934, Fußnote 1. Am 25. Juli 1934 putschte in Wien eine illegale SS-Standarte, wobei Dollfuß erschossen wurde.
8 Premiere der *Entsühnung* am 15. 3. 1934.
9 Thomas Mann, *Die Geschichten Jaakobs* (Berlin: S. Fischer, 1933), erster Band der *Josephs-Romantetralogie.*
10 James Joyce, *Haveth Childers Everywhere. Fragment of Work in Progress* (London: Faber & Faber, 1931).
11 Broch erwog 1935 vorübergehend »Der Wanderer« als Titel seines Romans *Die Verzauberung (= Bergroman).*
12 Dieser Brief markiert eine neue Phase in Brochs Schaffen. Er skizziert eine Ästhetik des mythischen Romans, die die theoretische Basis abgibt für seinen in den folgenden Monaten entworfenen Roman *Die Verzauberung.*
13 Die zentrale Figur in Brochs Roman *Die Unbekannte Größe.*
14 Vgl. Fußnote 5. Zu einem Abschluß der weiteren Ausarbeitung des Essays »Geist und Zeitgeist« kam es nicht mehr.

173. An Willa Muir

Baden bei Wien, Helenenstraße 8 20. Oktober 1934

Willa, Liebste!
seit Monaten will ich Ihnen schreiben, müßte ich Ihnen schreiben, aber seit Monaten bin ich in einer sterilen Lähmung befangen gewesen, die fürchterlich war. Und außerdem hat Anja[1] so Schlechtes auf mich bei Ihnen gesagt, und so viel Gutes auf Sie bei mir, daß wir ja beide im Bilde waren. Und ich bin nicht nur froh und dankbar, daß Sie zu Anja so gut und lieb gewesen sind, sondern auch froh, daß ich jetzt von Ihrem Leben dort so viel weiß: es ist genau so, wie ich es mir vorgestellt habe. Ja, und dann habe ich Ihnen auch nicht geschrieben, weil Sie mein schönes Gedicht »Lieb ich dich, ich weiß es nicht«[2] »dradvoll« gefunden haben. Zur Strafe schicke ich Ihnen heute ein paar andere. Zur Strafe, aber auch zum Dank dafür, daß Sie und Edwin die »Unbekannte Größe« übersetzen werden; das ist für mich eine große Freude.

Und nun ernsthaft zu jener Lähmung. Wer sich in einem üblen Zustand befindet, möge in eine dunkle Ecke gehen und seine Mitmenschen nicht mit Klagen belästigen. Demgemäß schwieg ich. Und ich schwieg auch, weil ich das bestimmte Gefühl hatte, daß ich mich Ihnen überhaupt kaum verständlich hätte machen können. Denn erstens war die Krise, in der ich mich befand (und vielleicht ist sie es auch noch heute), eine Krise des Alters, also an und für sich für Sie noch nicht nachlebbar, und zweitens sind wir hier sicherlich alle Ihnen gegenüber um eine Generation vorausgealtert, wenn auch die Zeitperiode, in die wir hier eingetreten sind, vielleicht die jüngere ist (womit ich nicht den Fascismus meine!). Aber: wir leben in ganz verschiedenen Lebensatmosphären, – bei Ihnen sind die alten Werthaltungen noch halbwegs konsolidiert, für Sie gilt Kunst noch als jene Realität, die sie im platonischen Sinne ist, für Sie gibt es noch so etwas wie eine Ewigkeit, vielleicht keine sehr große, aber immerhin eine, mit der sich leben läßt. *Und der Mensch lebt nur von der Ewigkeit,* und er lebt nur von der *Hingabe,* von Hingabe an etwas, das solcher Hingabe wert ist, also von der Hingabe an die Unendlichkeit, denn diese allein – so wenig sie zu erfassen ist – ist absolut genug, daß sie Hingabe verlangen kann. Wir aber hier spüren bereits, daß es für lange Zeit weder Hingabe, noch Unendlichkeit mehr geben wird – mag auch jeder Fascismus sich krampfhaft bemühen, die alten Werte am Leben zu erhalten und Ersatz-Hingabeobjekte zu schaffen –, daß der große Umbruch, den ich seit zwanzig Jahren in allen Gliedern spüre, nun tatsächlich in vollem Gange ist, und daß der Durchmarsch durch das Nichts beginnt. Als Symptom: der gefürchtete kommende Krieg, von dem wir alle sprechen, der uns aber viel näher als Ihnen gerückt ist, weil wir ja von den deutschen Ereignissen unmittelbar berührt werden, und weil wir die Schießereien vom Februar und Juli unmittelbar mitgemacht haben[3]. Gewiß, das ist »nur« Politik, aber wir sind hier in ein Stadium getreten, in dem man auf die Politik nicht mehr »nur« sagen darf, und weil von ihr aus der tödliche Hauch ausgeht, der jeden anderen Wert zu einem Häufchen kalter Asche verwandelt. Kunst! Dichtung! beinahe sehe ich sie nicht mehr, und wenn ich ihnen oder der Erkenntnis trotzdem Geltung verleihen will, so muß ich mit solch übermenschlichen Ansprüchen an diese Kategorien herantreten, daß ich meine eigenen Kräfte für zu gering ansehen muß, um solcher Forderung je Genüge leisten zu können. Denn es würde sich um nicht mehr und nicht minder als darum handeln, daß sich der Mensch wieder auf die Suche nach dem Unendlichen und Ewigen begebe, auf daß er sich wieder hingeben kann! Und das sind schon Ansprüche der Religion, nicht mehr die der Dichtung, ja nicht einmal die der Philosophie. Und vor Größenwahn hat man sich zurückzuhalten.

Erinnern Sie sich, daß ich Ähnliches schon vortrug, als Sie bei mir in der Gonzagagasse saßen[4], und das war schön. Sie machten ein ungläubiges Gesicht, und wahrscheinlich glauben Sie mir auch heute noch nicht ganz. Aber vielleicht habe ich nicht ganz recht; und das wünsche ich mir natürlich insgeheim. Auf alle Fälle habe ich mich jetzt hierher in die Einsamkeit zurückgezogen – in eine *absolute* Einsamkeit, die ich sofort mit der in einem tirolischen Dorf[5] vertausche, wenn ich hier von Wien aus irgendwie gestört werden sollte – und ich rechne damit, daß es mir in dieser Abgeschlossenheit gelingen wird, mein lethargisches Entsetzen zu überwinden und mit mir selbst zur Klarheit, d. h. aber auch zu einer präzisen Arbeitsmöglichkeit zu gelangen.

So, jetzt wissen Sie alles, nur nicht, daß ich es in Wien seelisch und gesundheitlich nicht mehr ausgehalten habe. [...]

[GW 10]

1 Zu Anja Herzogs Besuch bei den Muirs schreibt Willa Muir in ihrer Autobiographie *Belonging. A Memoir* (London: Hogarth, 1968) auf Seite 197, daß Broch Anja Herzog zu Verhandlungen über eine mögliche Aufführung der *Entsühnung* nach England geschickt habe. Er selbst habe die Reise nach Großbritannien nicht unternommen, weil er jederzeit mit dem Ausbruch eines Krieges zwischen Deutschland und England gerechnet habe. Broch habe befürchtet, in einem solchen Falle interniert zu werden. Da Anja Herzog aber die tschechoslowakische Staatsangehörigkeit besaß und somit Bürger eines mit England befreundeten Landes war, habe Broch derlei Maßnahmen für Anja Herzog nicht befürchtet.

2 So beginnt die zweite Strophe von Brochs Gedicht »Such ich dich ...«, KW 8, S. 34.

3 Vgl. Fußnote 7 zum Brief vom 19. 10. 1934.

4 Vgl. Brief vom 25. 4. 1932, Fußnote 1.

5 Etwa ein Jahr später zog Broch um in das Tiroler Dorf Mösern.

174. An Frank Thiess

Baden bei Wien 20. Oktober 1934

Lieber Freund!

[...] Soll ich heute, da Sie die Freude über ein abgeschlossenes und so sehr gelungenes Werk[1] genießen sollen, Ihren Brief beantworten? eigentlich ist es ungehörig, denn ich müßte Ihre Pessimismen bestätigen und gegen Ihren Optimismus polemisieren. Aber trotz aller Ungehörigkeit: natürlich haben Sie recht, wenn Sie den menschlichen Erkenntnistrieb als unverlierbar bezeichnen, und ich bin mit Ihnen überzeugt, daß das metaphysische Bedürfnis jeden Dogmenbau, und sei er aus noch so solider Dummheit gebaut, schließlich zu Fall bringen wird – um ihn durch einen anderen zu ersetzen. Glauben Sie mir, das ist kein plattes Ignorabimus, wenn es auch möglich ist, daß ein jeder von uns von der platten Skepsis, die in der Atmosphäre der Welt liegt, angesteckt wird: würde ich die schmale Grenze sehen, auf der man – um Ihr Bild zu gebrauchen – als Sachwalter der ewigen Werte (von beiden Seiten beschossen) noch laufen kann, ich wäre glücklich; ich sehe sie bloß nicht mehr. Ich sehe nur mehr, daß man unausgesetzt gezwungen ist, von einer Wertsphäre in die andere zu wechseln, um überhaupt leben zu können, von einem Fiktionsbereich in den andern, und daß das, was überhaupt Leben genannt werden kann, nämlich *Hingabe,* uns unmöglich geworden ist. Das ist weder Klage noch Anklage. Sie verweisen gerne auf Balzac und Dostoiewski, die trotz äußerer Mißgunst ihr Werk schufen: das galt noch vor zwanzig Jahren. Noch vor zwanzig Jahren gab es eine Ewigkeit, keine sehr große, aber immerhin eine, mit der sich leben ließ, eine sozusagen bürgerliche Ewigkeit im wahren Sinn des Wortes. Innerhalb des Bürgerlichen hatte das dichterische Schaffen noch seinen ungebrochenen Sinn, und wer Werk um Werk schuf, diente seiner eigenen Unendlichkeit und der Unendlichkeit der Welt. Heute gilt dies noch für einen alten Mann, wie Hamsun es ist, der bis zu seinem Tode schreiben wird, der an der Hingabe an Buch um Buch für sein Leben »Erfüllung« findet (es sei denn, daß er im Grunde seines Herzens fühlt, wie es um die Welt wirklich bestellt ist). Aber was tun wir: um dichten zu können, müssen wir uns in die Scheinatmosphäre einer Bürgerlichkeit begeben, die an sich nicht mehr existent ist, die als Theater- und Konzertpublikum und in Sommerfrischen ein gespenstiges Scheinleben führt, wir tun es und können es noch tun, weil wir ja selber noch Teil jener Bürgerlichkeit sind, weil wir ja jene Werte auf ihrer bestimmten Fiktionsebene, die wir auch »Winkel unseres Herzens« nennen können, aus eben diesem Herzwinkel heraus lieben, aber wir lieben ohne Hingabe, und wir würden uns schämen, wenn wir zu solcher Hingabe noch fähig wären. Und diese Scham beruht nicht etwa darauf, daß wir den Bourgeois (in uns oder außerhalb uns) »verachten«, wahrlich nicht, denn die Verachtung des Bürgers war ein Amüsement der gefestigten bürgerlichen Zeit, sondern es ist das unbedingte Wissen, daß »Hingabe« nur an eine Totalität möglich ist, und daß der winzige Realitätsrest, der im bürgerlichen Leben noch steckt, von der Totalität und einer Lebenserfüllung weit entfernt ist, weit genug auf jeden Fall, um alle Hingabe tief lächerlich und damit schamerfüllt zu machen.

Doch nun genug von dieser Apologie der Skepsis. Nur noch eine Konklusion: was ich sagte, ist nicht Schilderung meines privaten Zustandes, auch nicht des Ihren, sondern Schilderung der Welt. Wir wissen, daß es Hingabe gibt, oder zumindest gegeben hat, genau so, wie wir um den Bestand der Religion wissen. Aber mit Wissen ist dem Menschen nicht gedient. Und deshalb erleben wir heute allenthalben ein euphorisches und krampfhaftes Aufleben aller Religionsformen, und deshalb ist die Menschheit mehr denn je in unentwegter Bereitschaft, jedem zu folgen, der von ihr Hingabe an irgend etwas fordert, selbst wenn dieses Etwas allgemein als Surrogat durchschaut wird. Wie sagt Karl Valentin auf seine gläserlose Brille?: »Besser als gor koane«.

Jetzt muß ich Ihnen aber die Badener Adresse erklären: als sich nach Marseille[2] die Weltlage so sehr verdüsterte, hatte ich keine Lust mehr, nach Jugoslawien zu gehen (heute ginge es wieder), da ich aber das mich völlig aufreibende Wien endlich liquidieren mußte, und ein nun vielwöchentlicher fiebriger Bronchialkatarrh überdies meine Übersiedelung in eine andere Luft immer dringender machte, fuhr ich hierher zu meiner Mutter, um gleichzeitig Baden einmal auszuprobieren. Und ich glaube, daß es gehen wird. Meine Mutter bezieht in etwa 14 Tagen die Gonzagagasse, und ich würde dann allein im Hause bleiben, Bäume vor den Fenstern, und wahrscheinlich auch ohne allzuviel Kosten. Wenn ich von Wien aus in Ruhe gelassen werde, so bleibe ich bis auf weiteres. Und werde wieder eine »Erkenntnis« vortäuschen, der ich mich bis auf weiteres hingeben kann. Aber wahrscheinlich ist es das schlichteste, einfältigste, kleinste Leben, dem wir zustreben müssen: eine »Zernichtung« im Ekkehartschen Herzensgrund, eine Reduktion auf das Nichts – und eine von der Zeit erzwungene Zernichtung und Reduktion! –, auf ein Nichts, das nur mehr dem Individuellen angehört und doch den Keim zu neuer Soziabilität in sich trägt, weil jene Einfalt und Einfachheit auch die Liebe ist. [. . .]

[GW 8]

1 Frank Thiess, *Der Weg zu Isabelle. Roman* (Wien: Zsolnay, 1934).
2 Im Oktober 1934 wurde König Alexander I. von Jugoslawien (1888-1934) während eines Staatsbesuches in Marseille ermordet. Es handelte sich um ein politisches Attentat, ausgeführt von einem Emigranten, der der Ustascha angehörte. Diese Organisation hatte sich 1929 nach der Etablierung der Königsdiktatur Alexanders I. formiert; sie kämpfte für die Unabhängigkeit Kroatiens. – Broch hatte vorübergehend erwogen, sich in ein jugoslawisches Dorf zurückzuziehen, um sich dort besser auf seine Arbeit konzentrieren zu können.

175. An Daisy Brody

Baden bei Wien 25. Oktober 1934

Liebste Freundin,
soll ich mit dem feinen oder dem ordinären Thema beginnen? Das feine ist das Problem der religiösen oder richtiger religiosistischen Dichtung, das ordinäre das Problem meiner Reise. Beginnen wir mit dem ordinären, umsomehr als es gar nicht so ordinär ist, denn es ist durchleuchtet und überglänzt von Ihrer und Dani B.s rührend freundschaftlicher Haltung mir gegenüber. Trotzdem gibt es in diesem Reiseproblem eine ziemlich ordinäre, ja vulgäre Komponente, und die ist mein körperlicher Zustand: ich bin nämlich ein kleines Stückchen kränker als ich mir selber zugebe, wenn auch um ein großes Stück gesünder, als der um mich bemühte Heilkünstler wahr haben will. Wie es um einen steht, weiß man nämlich ziemlich genau, jedenfalls besser als die Ärzte. Kurzum – verzeihen Sie, daß ich soviel davon spreche, aber nachdem mir Dani B. das Messer auf die Brust gesetzt hat, muß ich jetzt von dieser Brust reden –, ich bin kraft einer ziemlich intensiven psychischen Deroute oder sagen wir einer eben schon zu lange währenden psychischen Überbeanspruchung, die sich ja

auch in Überarbeitung etc. ausgewirkt und in diesem Sommer einen Höhepunkt erreicht hat, in einen Zustand geraten, ob psychisch oder physisch ist da schon gleichgültig, der mich nicht mehr die Energie aufbringen ließ, eine Wald- und Wiesenerkältung in der landläufigen Zeit von drei Tagen zu überwinden: ich ziehe mit der Geschichte seit September herum, könnte ihr zwar sicherlich durch Analyse beikommen, aber da es augenblicklich wichtiger ist, daß ich Wien verlasse, so muß ich in Landluft, wenn ich die Geschichte in absehbarer Frist erledigen und nicht etwa den ganzen Winter damit herumlaborieren will. Wäre mir ein Gebirgssanatorium nicht zu teuer, so würde ich einfach jetzt auf zwei bis drei Wochen auf den Semmering gehen. Aber ich merke, daß sogar Baden seine Pflicht tut. Seit ich hier bin, hat mein Abendfieber täglich etwas nachgelassen, und wie ich vorgestern in Wien war, ist es prompt wieder emporgeschnellt. Und wenn ich auch, wie gesagt, bei alldem die psychische Mitbeeinflussung einkalkuliere, so möchte ich doch nicht gerade jetzt in eine Stadt, besonders nicht in eine so rauhluftige, wie München ist. Wenn ich hier halbwegs acht gebe, ist die Angelegenheit in kurzer Frist liquidiert. Und so habe ich mit meiner Mutter besprochen, daß der hiesige, gut eingewerkelte Hausstand bis auf weiteres in Gang erhalten wird, unabhängig davon, ob meine Mutter nach Wien übersiedelt oder nicht. Aber wahrscheinlich wird sie so lange in Baden bleiben, wie ich bleibe. Bei der Ausdehnung des Hauses geht das auch, wie sich gezeigt hat, ganz gut. Dazu komt noch, daß ich am 9. Dezember Hauptverhandlung im Pensionsprozeß[1] meiner Mutter gegen Lederer & Wolf (Dani B. weiß, wer das ist) habe und hiezu eigens von München nach Wien fahren müßte. Dies war ja mit ein Grund, der mich im Augenblick die tirolischen und jugoslawischen Pläne aufgeben ließ. Doch am 10. Dezember kann ich gesund, treu, ehrlich und lohnbefriedigt in der Pension Siebert, Kaulbachstraße 22a, eintreffen[2]. Bleibt nur die Frage des vorausgezahlten Zimmers (ich weiß nicht, ob Sie über diesen Leichtsinn des Gatten orientiert sind; ich nehme an, daß er derartige Dinge trotz der 25 Jahre verheimlicht), aber da kann man nichts anderes tun, als Dani B. unter Kuratel stellen und die Leitung des Rheinverlags Thomas Philipp[3] übergeben.

Ich darf Sie wohl bitten, dies dem Rheinverlag zu intimieren und ihm mitzuteilen, daß ich seine diktatorischen Briefe unbeantwortet lasse.

Und nun genug von dem ordinären Thema, das es ja doch ist, und wenn schon aus keinem anderen Grund, so aus dem, weil ich doch um so viel lieber bereits jetzt zu Ihnen käme. Aber ich hab dazu noch etwas Wichtiges nachzutragen: werde ich aus der Pension Siebert nicht wegen nächtlichen Schreibmaschinengeklappers hinausgeworfen werden? wenn ja, so könnte dies zum Anlaß genommen werden, das (angeblich, weiß Gott wozu es wirklich verwendet wurde!) vorausgezahlte Geld zurückzuverlangen.

Aber nun wirklich zum feinen Thema. Im Gegensatz zu Ihnen meine ich, daß der wirklich gläubige Mensch weder Romane noch sonst etwas schreibt. Man muß da den gläubigen und den religiösen Menschen auseinanderhalten. Religiös ist jeder, der sich um den Glauben bemüht, jeder »Ketzer« ist es, aber auch jeder wirkliche Künstler. Das Platonische ist das Wissen um den Logos und, schämen wir uns nicht, dies auszusprechen, um seine göttliche, d. h. absolute Funktion. Viele Kirchenväter waren in diesem Sinne religiös und wahrhaft gläubig. Vor allem Augustinus während weiter Strecken seines Lebens. Der gläubige Mensch hat es nicht mehr nötig, die Welt zum Ausdruck zu bringen. Denn sie ist ihm bereits zum Ausdruck gebracht, ewiglich, unabänderlich, alleinseligmachend. Deswegen gibt es auch keine kirchliche Dichtung im richtigen Sinn. Selbst das spanische Drama ist von hier aus gesehen anfechtbar. Von der Handel-Mazzetti[4] ganz zu schweigen. Die Dichtung steht stets am Anfang und am Ende des Glaubens, sie ist seine Morgen- und Abenddämmerung, aber immer mythische Dämmerung. Odysseus und Ulysses. In der Mitte des Glaubens aber steht die Theologie. Eines jeden Glaubens. Wäre dem nicht so, ich hätte es niemals gewagt, das Religiöse mit dichterischer Darstellung in einem Atem zu nennen. Aber ich halte es für prinzipiell möglich. Ob freilich meine Kraft dazu ausreicht, das weiß ich nicht. Ich habe einiges darüber in meinem letzten Brief an den Rhein-Verlag gesagt (wurde aber von dorther keiner Antwort gewürdigt, offenbar weil ein Verlag sich mit ernsteren Dingen zu beschäftigen hat). Und wenn ich an all die Schwierigkeiten denke, die bei der Ausführung eines solchen Unternehmens zu überwinden sind, an die radikale Konzentration, die dazu nötig ist, so taucht natürlich die bitterernste Frage auf, ob eine derartige Arbeit nicht doch eine dörfliche Einsamkeit und vor allem die Natur braucht. Ich bin ja jetzt hier schon so glücklich, weil die Kastanien zu meinem Fenster hereinschauen.

Ich freue mich, daß Sie das Gedicht[5] gern mögen. Und ich möchte eigentlich die richtige Fassung nochmals auf ein besonders schönes und noch größeres Glückwunsch-Blumenpapier abschreiben. Soll ich es tun? ich habe in Wien die Quelle für diese herrlichen Biedermeiererzeugnisse entdeckt (der Fluch meiner Jugend, denn für Eltern- und Großmutter- und vielerlei Tantengeburtstage mußte ich kalligraphieren, aber nun ernte ich die Früchte meiner Bildung und meines Fleißes!), und wenn Sie einmal dem Thomas etwas Böses antun wollen, so statten Sie ihn für die nächsten Geburtstage mit diesem Papier aus. Wie viel Bogen darf ich Ihnen schicken? [. . .]

[GW 8]

1 Lederer & Wolf (vgl. Brief vom 29. 10. 1927, Fußnote 1) hatten 1931 Konkurs erklären müssen. Über die von der Firma an Brochs Eltern zu zahlende Pension wurde über Jahre hin ein Prozeß geführt. Die neuen Besitzer der Teesdorfer Spinnerei und Weberei, Gebrüder Anninger, übernahmen dann zum Teil die Zahlungen der Pension.

2 Daniel Brody hatte Broch für den Monat November nach München eingeladen und ihm ein Zimmer in der Pension Siebert reservieren lassen. Broch konnte die Einladung nicht annehmen.

3 Vgl. Brief vom 16. 10. 1934, Fußnote 6.

4 Enrica von Handel-Mazzetti (1871-1955), österreichische Schriftstellerin, Verfasserin religiöser Dichtungen. Vgl. ihre Romantrilogie *Frau Maria* (1929-1931).

5 »Mitte des Lebens«, KW 8, S. 36-38.

176. An Ruth Norden

dzt. Baden bei Wien, Helenenstraße 8 9. November 34

Liebes Fräulein Norden,
das ist schön, daß Sie mir geschrieben haben, und daß Sie mir gerade zu meinem Geburtstag – auf den ich wahrlich nicht viel gebe, kein Wunder, wenn es der 48. ist! – geschrieben haben, ist besonders schön. Haben Sie herzlichen Dank.

Und weil ich ein schlechter Briefschreiber bin, gleich zu Ihren Fragen: ich komme in diesem Winter noch nicht nach Amerika, weil ich erst mein großes Buch[1] fertig machen muß. Zu diesem Ziele habe ich mich auch in die Klausur nach Baden (s. obige Adresse) zurückgezogen, denn es ist eine ausnehmend harte Arbeit und braucht sehr viel Konzentration, vorausgesetzt, daß man es mit Konzentration überhaupt schaffen kann. Damit aber bin ich auch schon bei Ihren anderen Fragen. Ich will versuchen, mich am literarischen Beispiel deutlich zu machen, obwohl das Problem über das Literarische weit hinaus reicht: unsere Zeit als eine Epoche zerfallender Werte sieht sich gezwungen, diese Werte selber zur Auflösung zu bringen, d. h. die ethische Forderung nach Ehrlichkeit, die immer gegolten hat, auf die Zerreißung des Fadenscheinigen zu richten. Alle wahre Dichtung ist nun im tieferen Sinne naturalistisch, sie schildert die Dinge, wie sie sind – der Mensch im Alltag aber ist bemüßigt, die Welt unter der Brille einer Menge von Konventionen, Fiktionen, Phrasen etc. zu sehen, täte er es nicht, er könnte überhaupt nicht leben, und der schlechte Schriftsteller, der »Poet« ist bemüht, jene Phraseologie möglichst intakt in sein Werk aufzunehmen. Was tut der Dichter, der der Forderung nach absoluter Ehrlichkeit genügen will? er muß sich auf den lyrischen Urgrund aller Dichtung zurückziehen, u. z. in eine Tiefe des Ichs, die kaum mehr mitteilbar ist, und trachtet nun von hier aus die Welt zu formen. Das radikalste Beispiel hiefür ist Joyce, Sie sehen, daß hier die Sphäre des Kaum-mehr-Mitteilbaren erreicht ist, also die bewußte Selbstauflösung der Kunst. Es sind Probleme, mit denen ich, wie gesagt, bei meiner eigenen Arbeit sehr belastet bin. Und wenn Sie jetzt die amerikanische Literatur betrachten, so finden Sie –

bei aller Beeinflussung durch Joyce –, daß das amerikanische Leben eine derartige Auflösung der Konvention einfach nicht gestattet, und nicht etwa weil es sich um Konventionserstarrungen handelt – das würde ja nur Kitschliteratur ergeben –, sondern weil in den Konventionen dort noch ein Stück unauflösbarer Lebensrest steckt, jene lebendige Überzeugung, für die ein Tisch noch ein Tisch, ein Haus noch ein Haus, die Liebe noch Liebe ist. Das ist ein verhältnismäßig glückhafter Zustand. Und was Europa mit seinen Fascismen will, ist eine Flucht, Flucht vor der Auflösung und das verzweifelte Suchen nach etwas, sei es noch so reaktionär, sei es noch so blutig, etwas das wieder das bringe, was einstmals war, das Leben der Konvention. Es wird so etwas wie ein Zwangsbiedermeier angestrebt, daher auch das Zurücktreiben der Juden in die Ghettomauern, usw., usw., lauter Verzweiflungsmaßnahmen. Das habe ich gemeint. Ob es richtig ist, weiß ich natürlich nicht, aber es erscheint mir plausibel.

Doch eben deshalb beneide ich Sie um die zwanzig Jahre, die Sie jünger als ich sind. Ich gehöre zur Generation der Grenze, Sie indes stehen bereits jenseits der Grenze, knapp jenseits, aber immerhin doch schon drüben. Und so schwer Sie es auch im Leben haben könnten – natürlich hoffe ich, daß es nicht der Fall sein wird, allein einen kleinen Vorgeschmack haben Sie ja schon gehabt –, es wird sich unter Ihren Händen doch schon das Neue formen. Solche Dinge klingen leicht und gerne pathetisch und hohl, weil sie erstens den Begriff der Ewigkeit voraussetzen, der an und für sich ein pathetischer Begriff und trotzdem für den Menschen notwendig ist, damit der Mensch leben kann, und zweitens weil es sich hiebei um durchaus unbeweisbare Angelegenheiten handelt: man kann sie bloß leben oder schlechternfalls »dichten«. Und darum werde ich wohl erst in meinem Buch aufzeigen können, warum ich Sie beneide.

Daß Sie Árpád Sandor trafen, ist teils natürlich, teils wegen der Kleinheit der Welt absonderlich. Ich nehme an, daß er unverändert meschugge ist – bitte geben Sie dies mit aller Indiskretion und mit vielen herzlichen Grüßen an ihn weiter –, und daß er sich dabei ganz wohl fühlt. Zumindest hoffe ich, daß dem so sei. Und bitte grüßen Sie auch Herrn Huebsch von mir, wenn Sie ihn sehen sollten. Sie aber, liebes

Fräulein Norden, nehmen Sie alle guten Wünsche für sich entgegen. Ich höre ja wieder einmal von Ihnen?

Ihr ergebener
Hermann Broch
[DLA]

1 *Die Verzauberung.*

177. An Herbert Burgmüller

Baden bei Wien 11. November 1934

Lieber Herbert Burgmüller,
ich hoffe, daß es unserer Beziehung, daß es Ihrer Zuneigung[1], die ich gerührt erwidere, keinen Abbruch tun wird, wenn ich mich zu Ihrem Gedicht rückhaltlos äußere:

1. Formal. Das Gedicht ist nicht durchgearbeitet. Mit Ausnahme des ersten Absatzes, der etwas freier gegliedert ist, besteht nahezu das ganze Gedicht aus zweizeiligen Sätzen. Das ist eine etwas primitive Form. Es geht ferner nicht an, daß das Gedicht an ein Du gerichtet ist, das sich nach einem anderen Du sehnt. Der eingeschobene Satz »die Nacht ist nichts als Nacht« ließe erwarten, daß darauf folgen müßte »ruht im Schoß« (was auch dichterisch begründeter, also schöner wäre), während man bei dem folgenden »ruhst« nur unangenehm betroffen stutzt. Usw. Usw.

2. Inhaltlich. Ich will einmal den dichterischen Inhalt, der sich hier sehr deutlich abzeichnet, herausheben:

Du erwachst.
Vor deinem Fenster
steht die Nacht
milchig hell
ohne Mond, ohne Sterne
ein bedeckter Himmel
und davor die Bäume
in dieser Welt.
Du tauchst auf

aus dem Meer des Traumes,
die Nacht ist
nichts als Nacht
ruht im Schoß
dunkler Allmacht.
Es schweigt
jede Antwort,
klagender Ruf nur
nächtlicher Uhren,
und keine Sterne.
Allein du.

Einige Zeilen wurden dabei der dichterischen Logik zuliebe umgestellt. Aber mehr als dieses dichterischen Kerns bedarf es nicht; ich will nicht sagen, daß dieses »Kerngedicht« schon ein gutes Gedicht sei, dazu ist es noch zu wenig »geöffnet«, ist zu sehr schlicht konstatierend. Aber es ist das dichterische Substrat (und das dichterische Substrat, das Sie besitzen, liebe ich an Ihnen). Was darüber hinausgeht, ist leere Schriftstellerei, überflüssigste »Erläuterung«, ja, noch ärger, Rhetorik, also ärgstes Sakrileg gegen das Lyrische und Dichterische. Ich habe mir zum Beispiel sehr überlegt, ob die letzte Zeile »Allein du« noch als dem Kern zugehörig betrachtet werden darf, ob es nicht gleichfalls schon »Erläuterung«, und überdies eine sentimentalische, sei. Und wenn ich jetzt das Gedicht überlese, scheint es mir ein berechtigter Einwand. Wenn schon das »Allein du« ausgesprochen werden soll, obwohl es sich einzig und allein aus der lyrischen Situation ergeben müßte, wenn also dieses »Allein du« trotzdem als lyrischer Ausruf gewertet werden soll, so darf er nicht als sentimentaler Abschluß stehen, sondern wäre, im Gegensatz zu den (sehr schönen) klagenden Uhren dort einzuschalten, also

Es schweigt jede Antwort,
allein du,
klagender Ruf
nächtlicher Uhren,
und keine Sterne.

Dazu noch etwas, d. h. zum Kapitel der Erläuterungen: Gedankenstriche und Gedankenpunkte, ja, überhaupt Interpunktionen sind kein lyrischer Behelf. Man kann Gedankenstrich ruhig mit Gedankenlosigkeit identifizieren.

Ich bin auf diese Details so sehr eingegangen, natürlich ließe sich noch eine Menge sagen, weil dieses Gedicht so außerordentlich instruktiv ist: es zeigt nämlich die Hauptgefahr, der Sie ausgesetzt sind, eine Gefahr, die mir in allem, was Sie schreiben, ja, sogar in Ihren Briefen immer wieder auffällt, nämlich die Gefahr Ihrer allzuleichten Beweglichkeit. Ihr Ausdrucksmaterial wird aus zu vielen Quellen gespeist, Sie schlüpfen mit einer geradezu beängstigenden Geschicklichkeit in jede Ausdrucksmöglichkeit, woher sie auch kommen möge, hinein, und Sie vernachlässigen das oberste Gebot, dieses furchtbare Gebot, das dem Dichter auferlegt ist: *Strenge.* Ich weiß, daß man zur Strenge Entwicklung braucht, und ich weiß auch, daß Sie durch diese Schwere äußerer Verhältnisse zu raschem Produzieren gezwungen sind, also gewissermaßen einer äußeren Strenge ausgeliefert sind. Und vielleicht gebe ich Ihnen sogar einen schlechten Rat, denn das Publikum will ja keine Strenge, sondern es will eben die leichte und abgebrauchte Ausdrucksform, bei der es sich nichts denken braucht, d. h. mit einem Minimum gewohnter Assoziationen auskommt. Ich spreche also von einem sehr unpraktischen Standpunkt aus, von einem, der vielleicht überhaupt nicht mehr existiert, dem der »Kunst«. Akzeptiert man ihn aber, und fühlen Sie sich stark genug, ihn akzeptieren zu können, so seien Sie streng gegen sich, lassen Sie jedes Pathos auch in Ihrem Innenleben und im Verhältnis zu Ihrer Arbeit: wir »schaffen« nicht, wir schaffen keine »Werke«, sondern wir *arbeiten,* und diese Arbeit besteht darin, daß kein Satz, kein Wort niedergeschrieben werden darf, der nicht durch zehnfache Kontrolle gegangen wäre, zehnfach und hundertmal kontrolliert, ob er auch wirklich erlebt ist, in aller Konkretheit des äußeren Erlebens, aber auch in der *Konkretheit des Herzens* wahrhaft erlebt ist, hundertmal kontrolliert, ob er nicht nur eine Ausdrucksform ist, die einem von irgendwoher angeflogen ist, inhaltlich und formal eine Phrase, d. h. ohne Eigen-Sinn, entrückt dem Unmittelbaren und Selbsterarbeiteten. Ich wiederhole: die

Welt zieht den »Poeten« dem Dichter vor, der »Plagiator« (im metaphysischen Sinn) steht dem Alltagsmenschen näher, denn er ist Fleisch von seinem Fleische, und nichts haßt er so sehr wie den »Eigen-Sinnigen«, denn dieser ist zugleich auch eigensinnig (und er gesteht ihm höchstens die Sinnigkeit zu!).

Seien Sie ob der Ungeschminktheit dieser Stellungnahme nicht böse, sie zeigt bloß, wie sehr mir Ihr Schicksal am Herzen liegt. Und aus diesem, Ihnen sehr zugetanen Herzen grüßen Sie mir auch bitte Gustl Tommes[2], über deren Gruß ich mich ganz aufrichtig gefreut habe. Und wenn Sie einmal Gedichte von mir haben wollen, so schicke ich Ihnen ein paar, wenn ich wieder nach Wien komme. Inzwischen viel gute Gedanken Ihres

H. Broch

[GW 8]

1 Herbert Burgmüller »Hermann Broch«, in: *Frankfurter Zeitung* (12. 12. 1934).

2 Gustl Tommes war die Verlobte Herbert Burgmüllers.

178. An Egon Vietta

Baden b. Wien 19. November 1934

Lieber Freund,

was Sie mir über meinen Aufsatz[1] sagen, freut mich sehr, mehr, als Sie sich vorstellen können: jetzt, wo ich daran bin, diese Materie zu einem Buch auszuwalzen, weil ich die Beiläufigkeit des Aufsatzes als unmoralisch empfunden habe und mich alles dazu gedrängt hat, diese Dinge wirklich einmal folgerichtig durchzudenken, bin ich natürlich von allen Zweifeln ob des Sinns und Zweckes eines solchen Unternehmens geplagt, und daß Sie den Grundgedanken bejahen (und ich glaube auch als bisher Einziger erkannt haben), beruhigt mich sehr. Natürlich habe ich nach wie vor meine alten Einwände gegen das Philosophieren mit Worten überhaupt, nach wie vor scheint mir das mit Worten Gesagte beweislos und im Winde zu stehen, ja noch mehr, mir scheint jegliches Befassen mit geisteswissenschaftlichen Problemen bereits unerlaubt, weil keine philosophische Entdeckung – und beinahe müßte man schon sagen Erfindung – am Bestand der Welt irgend etwas zu ändern vermag. Dieser kunstgewerbliche Charakter des Geisteswissenschaftlichen wurde mir gestern wieder bestätigt, da Theodor Haecker in Wien einen Vortrag hielt, von dem ich mir sehr viel versprochen hatte, denn Haecker ist zweifelsohne einer der grünsten Äste am katholischen Baum. Und trotzdem war es katholisches Kunstgewerbe. Was mir in seinen Büchern immer unbehaglich war, was ich als Nicht-Durchdenken empfand, trotzdem aber auf meine eigene Glaubensinsuffizienz zurückführte, das wurde im lebendigen Vortrag eklatant; das Gedankliche zerfiel vollends, da es nicht auf den Glauben ankam, sondern auf die Beweiskraft, und zurück blieb – das Haeckersche hohe Niveau vorausgesetzt – eine unverbindliche Plauderei. Es war für mich erschreckend. Und war Bestätigung, daß augenblicklich innerhalb der Sprache nur noch die Dichtung *nicht* Plauderei ist. Aber vielleicht ist sie es auch schon.

Von hier aus gesehen bin ich sehr froh, daß ich in den letzten Wochen die Möglichkeit gewann, wieder an den Roman zu gehen. Daran ist die Badener Ruhe schuld, und ich bin ihr dafür dankbar. Meine Arbeit ist jetzt also zwischen den beiden Büchern aufgeteilt, ebenso meine Zweifel und alle Bedrängnisse, die eben die Begleiterscheinungen jeder Arbeit sind. Hoffentlich wird es trotzalledem. Obwohl ich glaube, daß es uns versagt bleiben wird, an der neuen metaphysischen Einheit der Zeit teilzuhaben. Ich bin da wesentlich pessimistischer und verzweifelter als Sie. Sonst hätte ich ja nicht alle jene Bedenken.

Was Sie über Giono sagen, trifft sich überraschend mit meiner eigenen Beobachtung, besonders vor dem letzten Buch Gionos »Serpent d'Étoiles«[2], das ich vorige Woche in die Hand bekommen habe und das sonderbare Parallelen mit meinem neuen Buch aufweist (auch schmerzliche, denn ich muß die dichterische Superiorität Gionos neidvoll zugeben!). Und ebenso ist mir Ihre Bemerkung über die Malerei eine erfreuliche Bestätigung, und auch eine unerfreuliche. Denn im Grunde liegt ja darin die Überzeugung, daß es dem Dichterischen genau so ergehen wird, wie es der Malerei ergangen ist: interesselose, überflüssige, existenzunberechtigte, lebensferne Betätigung einiger tragischer Narren zu sein. Ich möchte Ihren Essay Kandinsky-Joyce[3] sehr gerne haben. Kennen Sie den Aufsatz von Jung über Picasso und Joyce? (die auffallende Ähnlichkeit habe ich auch in meinem – noch immer nicht erschienenen – Joyceaufsatz angemerkt). Selbstverständlich ackert Jung auch hier in seinem eigenen Schrebergarten, aber es ist eine interessante Sache. Leider besitze ich die Arbeit nicht (sie ist in der Züricher als Feuilleton erschienen)[4], und so werden Sie wohl warten müssen, bis das nächste Buch von Jung herauskommt. Es läßt sich gegen ihn immer viel einwenden, speziell die Vernebelung einer rein naturwissenschaftlichen Methode, seine übergroße Wendigkeit und noch vieles andere, aber er bleibt trotz alledem eine erfreuliche Erscheinung, weil eine große Natürlichkeit, geniehaft geradezu, immer wieder durchbricht. Und oftmals ist es reale Erkenntnis.

Mit einer beinahe aggressiv rhetorischen Frage wenden Sie sich gegen Verwirklichung des Logos in der Welt und setzen den Durchbruch des Irrationalen als das Positive dagegen. (Was übrigens Jung sehr gut passen würde.) Nun glaube ich, – und darüber dürften wir uns einig sein –, daß das Irrationale etwas sehr Exaktes ist, d. h., daß es Aufgabe des erkennenden Menschen ist, das Rationale bis zur äußersten Grenze zu verfolgen, um erst von hier aus den Bereich des Irrationalen eben »abzugrenzen«. Die Untersuchungen über die physikalische Feinstruktur liegen in dieser Richtung, die Mengenlehre ist auf diesem Weg und noch vieles mehr. Reale Erkenntnis spielt sich im Bereich des Rationalen ab, und das ist ja auch gar nicht anders möglich, weil formulierbare Erkenntnis wesenhaft rational sein muß. Die Entdeckung des »schweren Wassers«[5], der Heisenbergschen Antinomie[6], das sind reale Erkenntnisse, und daher auch mein Unbehagen vor allem Geisteswissenschaftlichen, mein ewiger Wunsch, wieder ins Exakte einzubiegen und in eine Realität, die man wohl dichterisch entstehen lassen kann, die aber durch die dichterische Arbeit nicht erweitert, sondern höchstens beleuchtet wird. Der Weg des Logos ist eine Erweiterung der Realität, und sei es selbst nur mithilfe von Modellen, wie es die Physik tut. Das ist nicht Ausdruck eines Wissenschafts-Positivismus, wohl aber Bekenntnis zu einer Ehrlichkeit und Bescheidenheit. Es mag sein, daß eine Zeit kommen wird, die von solcher Bescheidenheit Abstand wird nehmen dürfen, eben jene metaphysische Zeit des neuen Glaubens; aber – und dies eben mein Pessimismus – allzu stark ist die ethische Forderung, der wir heute noch unterstellt sind und der wir uns unter keinen Umständen entziehen dürfen. Wenn Sie wollen, des Seelenheiles halber.

Und nach diesem ethischen Credo noch zu der unethischen Angelegenheit Burgmüller, die mir ausgesprochen peinlich ist, denn ich habe ja Burgmüller für sein Feuilleton[7] dankbar zu sein. Mir ist die Parallelität natürlich auch aufgefallen, und ich habe daraufhin Burgmüller nach seinem philosophischen Werdegang gefragt. Er antwortete mit Jaspers und Heidegger, was ja unter einem gewissen Gesichtswinkel die Parallelität erklären könnte. Sie wird aber noch erklärlicher aus der Tatsache, daß er knapp über zwanzig Jahre ist und wie ein Schwamm alles in sich aufnimmt und – unterstützt durch eine in diesen Jahren auffallende Produktivität – wahrscheinlich weitgehend unverarbeitet wieder abgibt. Ohne also behaupten zu können, daß er Ihren Aufsatz wirklich gekannt hat – schließlich gibt es ja wundersam zufällige Übereinstimmungen –, wäre dies eine nicht unwahrscheinliche Auslegung. Wenn man noch dazu hält, daß dieser junge Mensch, wie er mir schreibt, schwer mit seiner Existenz zu ringen hat, daß er sicherlich überdies innerlich verbrennt, seine Begabung (die zweifelsohne vorhanden ist, über deren Ausmaß ich mir aber kein Urteil machen kann) durchzusetzen, so möchte ich ihn nicht zu hart beurteilen, sondern im Gegenteil ihm in seinem innern und äußern Fortkommen helfen. [. . .]

[GW 8]

1 »Gedanken zum Problem der Erkenntnis in der Musik«, KW 10/2, S. 234-245.
2 Jean Giono (1895-1970), französischer Erzähler. Vgl. seinen Erzählungenband *Le serpent d'étoiles* (1933).
3 Einen Aufsatz zu diesem Thema hat Vietta nicht veröffentlicht.
4 Vgl. den Brief vom 14. 1. 1934, Fußnote 4.

5 1932 wurde das »schwere Wasser« (Deuteriumoxid) durch den amerikanischen Chemiker Harold Clayton Urey entdeckt, der 1934 den Nobelpreis erhielt.

6 Broch bezieht sich hier auf die Heisenbergsche Unschärferelation. Diese sagt aus, daß von zwei Größen (Paar kanonische Variable), wie z. B. Ort und Impuls, nur eine scharf angegeben werden kann.

7 Vgl. Brief vom 11. 11. 1934, Fußnote 1 und Brief vom 14. 1. 1934, Fußnote 1.

179. An Konrad Maril

Baden b. Wien
Helenenstraße 8 25. November 1934

Sehr verehrter Herr Dr. Maril[1],
allerbesten Dank. Die Komödie[2] wird soeben vervielfältigt, und eine Kopie geht [Ihnen] in ein bis zwei Tagen zu.

Ich möchte nun aber etwas vorausschicken. Da das Stück zu einem guten Teil von meinem Sohn[3] stammt, glaube ich, darüber ein ziemlich objektives Urteil zu besitzen. Es ist sicherlich präzise, reinliche Theaterarbeit von sehr gutem Niveau, und ich habe den Eindruck, daß bei meinem Sohn eine immerhin einiges versprechende Begabung zu Tage getreten ist. Ich habe auch die Absicht, bei dem neuen Stück[4], das er jetzt schreibt, wieder mitzuarbeiten, da er als ganz junger Mensch das Technische doch noch nicht völlig beherrscht.

Zu dem vorliegenden Stück wäre zu sagen, daß es vor ein paar Jahren (Ära Shaw, Kaiser, Sternheim) sicherlich ein großer Erfolg gewesen wäre. Auch heute sind ihm Chancen nicht abzusprechen, denn das Stück ist zweifelsohne besser als vieles, was jetzt über die Bühnen geht. Aber [der] Theatergeschmack hat sich geändert, er verlangt »gemütvolle« Stücke, und so wäre ich *eventuell* dafür, die Komödie in dieser Richtung zu vertiefen. Die Charaktere sind sicherlich so angelegt, daß dies ohneweiters geschehen könnte; der beleibte Vater ist eine Figur, in die sich das Publikum (was es ja will) verlieben könnte, ebenso könnte das gemütvolle Verhältnis zwischen Vater und Tochter entsprechend vertieft werden, etc. etc. Ich bin aber dafür, daß diese Umarbeitung erst nach einer Annahme erfolge, besonders weil ja jede derartige Arbeit mit der Sicht auf eine bestimmte Besetzung theatermäßig sehr erleichtert wäre.

Ob ich beim Eintritt in die Öffentlichkeit das Stück mitzeichne[5] oder ob nicht überhaupt ein Pseudonym gewählt werden sollte, möchte ich mir noch vorbehalten.

Mit den besten Grüßen Ihr ergebener

H. Broch

[YUL]

1 Konrad Maril war Leiter der Theaterabteilung des S. Fischer Verlags in Berlin.

2 *Aus der Luft gegriffen.*

3 Brochs Arbeit an der Komödie *Aus der Luft gegriffen* ging vor allem auf eine Anregung seines Sohnes H. F. Broch de Rothermann zurück, mit dem er auch in der Folge das Stück diskutierte. Eine Mitarbeit im engeren Sinne – wie bei Brochs Schwank *Es bleibt alles beim Alten* – lag aber nicht vor.

4 *Es bleibt alles beim Alten.*

5 Als Verfasser hatte Broch angegeben »Hermann Broch père und Hermann Broch fils«.

180. An Edit Rényi-Gyömroi

Baden bei Wien
Helenenstraße 8 30. 11. 34

[. . .] Und jetzt muß ich ja doch noch über das dumme Stück[1] etwas sagen. Selbstverständlich kannst Du damit disponieren, wie Du willst. Was aber die Aufführungsmöglichkeiten anlangt, so glaube ich nicht, daß man in Budapest ein Ausländerstück aufführen sollte, das im Heimatland noch nicht auf der Bühne gewesen ist. Man müßte es rein als ungarisches Stück ausgeben und einen entsprechenden Strohmann dafür finden. Wäre dem so, und wäre dieser Strohmann ein Arier, dann hätte das Stück sicherlich auch Aussicht auf Erfolg in Deutschland, weil ja ungarische Marke immer gangbar ist.

Ob man den Autor dort geheimhalten soll oder nicht, sei Dir überlassen. In Wien steht die Sache so, daß das Volkstheater eine Überarbeitung verlangt: es ist für den Wiener Geschmack nicht genügend gemütvoll. Diese Unterwärmung wäre natürlich durchzuführen, aber ich stecke jetzt so tief in dem Aufsatz über das Irrationale, (der zu einem Buch anwächst)[2], daß ich im Augenblick absolut nichts anderes anfangen darf. Und außerdem, wenn man sich bemüht, »schlecht«, d. h. für Geld zu arbeiten, dann arbeitet man eben schlecht. Das zeigt eben dieses Stück, trotz seiner theatertechnischen Präzision. [. . .]

Das Zürcher Stück[3] bekommst Du gleichfalls. Der rhetorische Schluß wird Dir nicht gefallen. Aber ich wollte kein Stück des Klassenkampfes schreiben, sondern etwas ganz anderes, was aber im Experiment stecken geblieben ist. (Im übrigen gerate ich immer ins Rhetorische, wenn ich an die Liebe rühre). Und heute, wo ich es besser könnte, erscheint mir die ganze Dichterei nichtig. Und bin außerdem nur noch von Geldsorgen erdrückt. [. . .]

[YUL]

1 *Aus der Luft gegriffen.*
2 Broch plante damals, die Aufsätze »Geist und Zeitgeist« und »Gedanken zum Problem der Erkenntnis in der Musik« zu einem Buch auszubauen. Zur Ausführung des Plans kam es nicht.
3 *Die Entsühnung.*

181. An Daniel Brody

Baden b. Wien 30. November 1934

[. . .] Aber, liebster Freund, ich muß feierlich werden. Gerade angesichts Ihres Briefes, der mir wieder mit ein paar Stellen (vierter Absatz, Mitte)[1] sehr wohl getan hat – seien Sie dafür bedankt – ist mir die Notwendigkeit dazu aufgegangen. Und die Feierlichkeit besteht nun darin, daß ich unsere Beziehung kritisch betrachte: ich nehme das Wort Freundschaft nicht gerne in den Mund, denn es ist wie Liebe beinahe undefinierbar und wird gleich dieser gerne mißbraucht; aber ich meine, daß wir voneinander wissen, wie wir zueinander stehen, wir haben manches darüber auch ausgesprochen, wir wissen auch vielerlei voneinander, und wenn ich Ihnen sage, daß mir das stete Näherkommen, wie es sich in den letzten Jahren vollzogen hat, zu den wichtigen Erlebnissen dieser Zeit gehört – schon weil es in dem entscheidenden Alter, in dem wir uns beide befinden, etwas Seltenes ist –, so werden Sie mir glauben, und bis zu diesem Punkt wäre alles in schönster Ordnung und bedürfte keinerlei kritischer Bedenken. Diese setzen ein mit der radikalen Änderung der Zeit, die in diesen Jahren eingetreten ist. Und zwar in Bezug auf die geschäftlichen Momente, die bei uns allzusehr mit der persönlichen Beziehung verquickt sind. Wären die Zeiten normal, so hätte ich Ihnen auch geschäftlich genau so viel zu geben wie Sie mir; ich bin eingebildet genug, um anzunehmen, daß ich unter normalen Verhältnissen ein großes Aktivum für jeden Verlag wäre. Außerdem habe ich noch vor fünf Jahren über immerhin nennenswerte Vermögensreste verfügt, war also auch finanziell ein besserer Partner. Heute ist dies alles anders. Es gibt zwar noch Verlage, die so tun, als wäre alles beim alten, aber wir wissen beide, wie die ausschauen. Sie waren klug genug, dies nicht nur vorauszusehen, sondern auch Ihr Geschäft praktisch danach einzurichten. Ich habe es für meinen Teil bloß vorausgesehen und habe praktisch nichts getan, einfach mit der Hoffnung, mehr noch mit der Leidenschaft, meine Arbeit unter allen Umständen durchsetzen zu müssen. Heute, bei den inneren Schwierigkeiten, die sich als Einfluß der Epoche – ich brauche dies nicht nochmals zu begründen – innerhalb der Arbeit geltend machten, sehe ich, daß es sich immer rächt, wenn man den Kopf in den Sand steckt, und sehe in diesem Zusammenhang immer wieder das grausige Beispiel Musils, der sich sowohl selbst als seinem Verleger zur Last geworden ist und vielen anderen Leuten auch. (Vom Musil-Fonds haben Sie ja schon gehört.)[2] Das Verhältnis zwischen Verleger und Autor ist nicht mehr paritätisch, und in unserem speziellen Fall gerät es immer mehr aus dem Gleichgewicht, je positiver und inniger unsere persönliche Beziehung wird. Es ist kein Wunder, wenn mich dies drückt. Und wenn es auch noch nicht so ist, so wittere ich doch immer Anzeichen für solchen Musilesken Abstieg, und

[das] bringt mich manchmal in derart verzweifelte Stimmungen, daß ich den grotesken Rat meines Bruders, endlich einen »anständigen« Beruf zu ergreifen, bald für nicht mehr so grotesk halten werde, wie er es tatsächlich ist. [. . .]

[GW 8, BB]

1 Brody hatte in seinem Brief vom 26. 11. 1934 an Broch geschrieben: »[. . .] Gewiß muß der Architekt über alle mathematischen und statischen Grundlagen seines Handwerks orientiert sein, aber das kann schließlich jeder fleißige Architekt, aber das Pantheon wird doch nur von einem erbaut, und möglicherweise von einem, der es gar nicht an der Universität gelernt hat.« (BB 349)

2 1932 hatte Kurt Glaser in Berlin eine Musil-Gesellschaft gegründet. Ihr Ziel war es, durch finanzielle Zuwendungen Musil die Weiterarbeit an seinem Roman *Der Mann ohne Eigenschaften* zu ermöglichen. Diese Gesellschaft löste sich nach der Machtergreifung der Nationalsozialisten auf. Danach begann Bruno Fürst 1934 in Wien eine Musil-Gesellschaft nach dem Berliner Vorbild zu organisieren.

182. An Daisy Brody

Baden bei Wien 22. Dezember 1934

Liebste verehrte Freundin
[. . .] Ich hoffe, den Weihnachtsabend ohne Wiener Fahrt hier bei der Arbeit verbringen zu können. Meine Kieferoperation, die ich jetzt glücklich hinter mir habe und die nicht so arg war, wie ich mir vorgestellt habe, liefert mir einen genügenden Entschuldigungsgrund dazu. Es hat sich herausgestellt, daß diese Zahngeschichte nicht der Anfang der Senilität war, wie ich angenommen hatte. Vielmehr befinde ich mich noch im Zahnen. Bis vor kurzem besaß ich noch ein paar Milchzähne, und die verlagerten zweiten hatten zu rebellieren begonnen. Und es ist zu hoffen, daß die Sache, die keineswegs einfach ist, jetzt erledigt sein dürfte. Auf alle Fälle scheine ich mich also noch im schulpflichtigen Alter zu befinden. Und so bemühe ich mich ja auch, nicht nur meine Zahn- sondern meine Bildungslücken auszufüllen; endlich, denn es war höchste Zeit. [. . .]

[GW 8]

1935

183. An Daniel Brody

Baden b. Wien 10. Jänner 1935

Mein lieber Feund,
aus Wien, wo ich zwei Tage war, zurückgekehrt, fand ich hier Ihre Zeilen vom 5. 1. und bestätigte sie rasch mit einer Karte nach Zürich. Kaum war dies geschehen, als auch schon Ihr [. . .] Brief eintraf.

Jener letzte Münchner Brief sowie der vorhergegangene vom Sylvester war so voll guter Stimmung, daß ich mich nicht nur mit ihnen (und mit Ihnen), sondern auch darauf gefreut habe, sie zu beantworten. Dagegen spricht aus Ihrer Zürcher Nachricht eine Besorgnis, wie ich sie an Ihnen noch nicht erlebt habe, und so viel Gedrücktheit, daß ich ganz bestürzt bin. Es nützt Ihnen nichts, daß alles, was Sie berührt auch mir nahe geht, und wahrscheinlich käme ich Ihnen gar nicht gelegen, wenn ich mich, wie ich es am liebsten möchte, sofort auf den Weg machte und zu Ihnen käme. (Aber so bald als möglich möchte ich Sie wenigstens auf ein paar Stunden in Salzburg sehen, was umso näher gerückt erscheint, als ich doch dran denke, aus Ersparnisgründen zu Fronz und Thres zu übersiedeln)[1]. Wenn ich nun auch nichts Positives für Sie leisten kann, so doch etwas: Sie schreiben andeutungsweise vom Verlagsprogramm und an anderer Stelle von Schicksalsschlag; ich kann mir halbwegs einen Reim darauf machen und mir vorstellen, besonders im Zusammenhalt mit Ihrer Bemerkung, Sie würden mich nicht im Stich lassen, und daß Sie sich zu allen anderen Dingen auch noch wegen der jetzt zu erwartenden Broch-Bücher, also letztlich über mein Schicksal Sorgen machen. Und das sollen Sie nicht, dürfen Sie nicht. Auf dem Erdbebenterrain, auf dem wir alle miteinander leben (– wobei es ziemlich gleichgültig ist, ob der eine durch longitudinale, der andere durch transversale Stöße gefährdet ist: allzusehr stehen wir bekanntlich alle in Gottes Hand –), können Sie nicht auch noch die Obhut über das Haus des Nachbarn übernehmen; der muß mit seinem stürzenden Gebälk schon allein fertig werden, und außerdem: wenn es mit den Büchern soweit sein wird, werden wir ja sehen, wie man sich weiterhelfen wird. Doch wie gerührt ich über Ihre Haltung bin, können Sie sich denken; haben Sie Dank sowohl für das bereits Geschehene als auch für Ihre freundschaftliche Sorge für die Zukunft. Und im übrigen hoffe ich, daß ich Ihren Brief zu dunkel gelesen habe und bitte Sie sehr, mir bald eine Nachricht zu geben.

Allerdings: könnte man die Welt genügend solipsistisch und egozentrisch betrachten, so müßte ich meine jetzige Arbeitskapazität in sie projizieren, und sie würde sich im Jahre 1935 herrlich entwickeln. (Und wenn sie es nicht täte, so geschähe es aus Bestemm, was freilich in Gottes Plan zu liegen scheint.) Und was meine nackte Existenz anlangt, so scheint sie mir bis zum März halbwegs gesichert, es sei denn, daß ich wieder in so kostspieliger Weise zu zahnen begänne, oder besondere Katastrophen – wie ich sie unentwegt fürchte – mit meinem Athener Sohn[2] einträten. Jedenfalls hoffe ich, daß sich bis März auch schon meine radikalen Sparmaßnahmen auswirken werden, und schließlich wird bis dahin zumindest eines der entstehenden Manuskripte schon beendet sein. Und irgendetwas wird sich damit schon anfangen lassen. Und schließlich muß man auch das Schicksal walten lassen, jenes höhere Geschehen, dem der Einzelne heute mehr denn je machtlos ausgeliefert ist.

Und nun zu Ihren früheren Briefen: meine Ausführungen wurden lediglich durch Ihre Bemerkung provoziert, mit der Sie behaupteten, daß ich mit unbelehrbarer Beharrlichkeit auf meinen Thesen bestünde. Diese Diskussion will ich aber verschieben, bis ich eine hoffentlich beruhigendere Nachricht von Ihnen in Händen haben werde. Und bis dahin nehmen Sie alle guten Gedanken Ihres, etwas undeutsch ausgedrückt, mit Ihnen seienden

HB

[GW 8, BB]

1 Franz und Therese Gaiswinkler waren Brochs Wirtsleute in Gößl am Grundlsee. Broch zog nicht erneut nach Gößl.

2 Brochs Sohn war im November 1934 im Auftrag einer Wiener Reiseagentur nach Athen gefahren. Die Firma meldete aber bald Konkurs an, und Brochs Sohn war wieder auf die finanzielle Unterstützung seines Vaters angewiesen. Broch de Rothermann lebte bis Frühjahr 1937 ohne feste Anstellung in Griechenland. Zuweilen schrieb er Feuilletons für die Wiener *Neue Freie Presse*.

184. An Ruth Norden

heute noch Baden, 23. 1. 35
aber ab übermorgen Laxenburg b. Wien, Schule Hellerau[1]

Ich scheue mich ein wenig, Ihnen zu schreiben, liebes Fräulein Ruth Norden, denn ich fürchte, daß Sie sich trotz Überarbeitung, Überlegung und sonst noch einiger Über auch noch zum Antworten zwingen. Freilich ergibt das bei Ihnen eine gehetzt-konfuse Mischung von Gescheitheit und Entschuldigung, zu gescheit gewesen zu sein, und wahrscheinlich wissen Sie, daß das Ihre Briefe reizvoll macht. Aber ein für allemale: wenn Sie den Kopf nicht zum Briefschreiben haben, so verschieben Sie es ruhig, ich mache es nämlich genau so, da ich sonst Zeiten der Arbeitsintensität nicht durchstehen könnte.

Augenblicklich gibt es bei mir noch immer diese Periode. Meine Klausur wird noch verschärft (s. obige Adresse), eigentlich aber nur aus praktischen Gründen, d. h. weil ich hier das Haus nicht erheizen kann, für mich allein nicht Wirtschaft führen will und in jeder Beziehung entlastet sein werde, wenn ich – wie in der Laxenburger Schule – als Pensionsgast (allerdings ohne Hellerauer Tanzausbildung) werde leben können. Lieber wäre ich natürlich ins Gebirge gegangen, aber ich muß jetzt möglichst auch jede Reiseunterbrechung vermeiden, denn ich schreibe nicht nur das philosophische Buch, sondern habe endlich auch den großen Roman[2] wieder vorgenommen. Und dazu braucht es sehr viel Konzentration: ein entsetzliches und absurdes Gewerbe.

Daß Sie sich aus meinem Kulturbundvortrag[3] so viel vom Inhalt und noch überdies den Titel gemerkt haben, ist rührend und macht mich stolz. Und da haben Sie auch schon das Buch, das da überflüssigerweise entsteht: es ist dieser Vortrag plus Schönbergaufsatz. Und dies auch der Grund, der mich zu diesem Buch zwingt: was man in einem Essay oder gar in einem Vortrag zu einem Thema sagen kann, ist notgedrungen nicht zu Ende gedacht, oder richtiger nicht zu Ende formuliert, und um diese Unmoralität abzustellen, um die Themen zu Ende zu denken, brauche ich ein Buch, trotzdem ich dieses für überflüssig und für wenig wichtig halte. Selbst wenn ich damit den Lotteriegewinn einer buchhändlerischen Wichtigkeit, die immerhin möglich wäre, erzielen könnte. Was hingegen halte ich für wirklich wichtig? es ist eine rhetorische Frage, die ich niemandem und auch mir nicht beantworten kann. Dieses nihilistische und negative Credo soll man natürlich nicht äußern, besonders wenn man nicht danach lebt, sondern trotzdem Bücher schreibt und so tut, als sei vielerlei in der Welt noch intakt, aber Ihre Frage nach den Unsterblichkeitsanweisungen drängt dazu: ich kenne mich in esoterischer Literatur wenig aus, weiß nur, daß meine Ablehnung alles Theosophischen, Antroposophischen und anderer sophischer Angelegenheiten berechtigt ist; von den indischen und chinesischen Originaltexten weiß ich nur wenig, weil ich mich als Nicht-Indologe und Nicht-Sinologe einfach nicht darangetraut habe und jeden Dilettantismus hasse, und nun gar den, der in so weitreichendem Maße mit diesen Dingen getrieben wird. Doch so weit meine Kenntnisse reichen: was innerhalb des Yoga an Energien mobilisiert wird, um die physischen Bedingtheiten und begrenzten Kräfte des Menschen zu überwinden, um ihn, wie Sie sagen, »fliegen« zu lehren, das ist sicherlich Realität, das gibt es wirklich, freilich bloß um den Preis unerhörter Anstrengungen, und selbst da ist das Geschriebene, das »Literarische« nur ein entferntes Echo der realen Geschehnisse und – meiner Theorie gemäß – also unrichtig und beinahe überflüssig. Im übrigen wird ja, so viel ich weiß, gerade in Amerika in diesen Bereichen sehr ernsthaft gearbeitet, und wahrscheinlich finden Sie nirgends eine so komplette Yogaliteratur (von London abgesehen) als eben dort. Aber wie wollen Sie dies noch alles bewältigen?

Und weil wir bei den Geheimwissenschaften sind, muß ich Sie enttäuschen: irgendwo im Unterbewußtsein müssen Sie ja gewußt haben, daß Mr. Knopf[4] auf dem Wege nach Wien sich befand, und so hat sich die Assoziation zu mir wahrscheinlich in ganz natürlicher Weise hergestellt (Ihr Brief langte übrigens gerade an dem Tag ein, an welchem ich mit K.[5] in Wien sprach und ihm Grüße an Sie mitgab). Und weil Sie von neuen Büchern für den Verlag sprechen: ich habe K. auf Theodor Haecker aufmerksam gemacht, der m. E. auch für das katholische Amerika sehr in Betracht käme. Sie kennen doch sicherlich seine bei Hegner erschienenen

Bücher? Manches »Intern-Europäische« müßte allerdings bei einer amerikanischen Ausgabe gestrichen werden. Im Allgemeinen lese ich ja wenig, viel zu wenig; wenn mir aber etwas in die Hand kommen sollte, von dem ich annehmen würde, daß Sie es nicht kennten (die Fischer-, Rowohlt- und sonstige Produktionen dieser Art kennen Sie natürlich), so werde ich es Ihnen gerne melden.

Ihre posthume Einladung nach Berlin ist eine kleine und rührende Schlechtigkeit von Ihnen, denn sie erweckt natürlich alles Bedauern, nicht gefahren zu sein. Aber es wäre damals wirklich nicht möglich gewesen. Und so erwarte ich, daß Sie diese Einladung für N. Y. wiederholen. Nur ist auch hier und jetzt an eine Reise für lange Zeit nicht zu denken, es sei denn, daß es doch zu einer Vortragstournée in Amerika käme, wozu ich freilich wieder erst einmal anständig Englisch lernen müßte, denn in meinem jetzigen englischen Zustand würde ich mich auf kein Vortragspult wagen. Vorderhand also kann ich Ihnen nur sehr herzlich und sehr betrübt danken.

Aber ich habe eine Bitte: kürzlich erschien in der Frankfurter Zeitung ein großes Feuilleton über mich (an und für sich ein Wunder), u. z. von Herbert Burgmüller[6]. Er schrieb mir auch und bat mich u. a., ob ich nicht in Amerika etwas für ihn tun könnte, er habe keinerlei Verbindungen etc. Ich habe nun allerdings den Eindruck, daß für die dortigen Zeitungen, Revuen etc. seine Essays nicht passen; nichtsdestoweniger schicke ich Ihnen ein Manuskript von ihm (der Aufsatz ist im »Widerstand«[7], Berlin, herausgekommen). Ich weiß nicht, ob Sie mit Zeitschriften irgendwelche Verbindung haben, möchte Ihnen auch keine überflüssige Mühe machen, Sie aber bitten im Falle des voraussichtlich negativen Bescheides den Aufsatz direkt an Burgmüller, Mülheim a. d. Ruhr, Trooststraße 9, zu schicken. Er sieht dann, daß wenigstens der Versuch gemacht worden ist. Und seien Sie nicht böse, daß ich Sie damit belästige.

Schließlich noch Bilder: natürlich bin ich geschmeichelt, daß Sie sich ihrer erinnern, daß Sie sie haben wollen, aber ich müßte sie auftreiben und werde es tun. Ich mag nämlich keinerlei Konterfeis von mir, habe mich auch gewehrt, daß eines in den Almanach[8] käme. Gegen Julius Cäsar mit leeren

Augenhöhlen, in denen das Grauen wohnt, habe ich weniger[9]. Auch dies ist wohl ein Stück jenes Nihilismus, übertragen auf ein anderes Gebiet. Und auch diesen Nihilismus vermag, vermöchte ich mit guten Gründen zu stützen. Aber so etwas soll man, wie schon gesagt, Ihnen gar nicht erzählen. Dazu sind Sie trotz allen Alters doch noch nicht alt genug.

Dank und herzliche Grüße
Ihres ergebenen
Hermann Broch

[DLA]

1 Broch lebte vom 24. 1.-11. 7. 1935 bei seinen Freunden Ernst und Emmy Ferand im Schloß Laxenburg (einem ehemaligen Schlößchen der Habsburger). Er bewohnte einen separaten Trakt des Alten Schlosses, das sog. »Kapuziner-Stöckl«. Vgl. Brief vom 19. 3. 1932, Fußnote 7.

2 Wie in der Folge deutlich wird, plante Broch damals eine Romantrilogie zu schreiben, deren erster Band *Die Verzauberung* wurde. Die Konzeption dürfte der *Schlafwandler-Trilogie* geglichen haben, in der ebenfalls Zeitkritik und religiöse Thematik miteinander verbunden worden waren. Während die *Schlafwandler* ein Porträt der Wilhelminischen Zeit lieferten, sollte in der neuen Trilogie die Zeit der Weimarer Republik behandelt werden. Möglich ist, daß Broch in dem zweiten Band die Vorarbeiten zum *Filsmann-Roman* verwendet hätte. Vielleicht dachte er auch an eine Integration der »Tierkreis-Erzählungen« in den dritten Band. Dann wäre er fünfzehn Jahre später mit dem Novellen-Roman *Die Schuldlosen* auf diesen alten Plan zurückgekommen. Vgl. Brief vom 16. 1. 1936 an B. W. Huebsch und vom 16. 1. 1936 an Daniel Brody.

3 »Geist und Zeitgeist«.

4 Ruth Norden arbeitete damals als Lektorin bei dem New Yorker Verleger Alfred A. Knopf. Sie hatte Knopf gebeten, Broch während seiner Europareise in Wien zu besuchen.

5 Alfred A. Knopf.

6 Vgl. den Brief vom 11. 11. 1934, Fußnote 1.

7 *Der Widerstand. Zeitschrift für nationalrevolutionäre Politik* wurde von Ernst Niekisch (1889-1967) in Berlin zwischen 1926 und 1934 publiziert und war ein Organ des von Niekisch vertretenen Nationalbolschewismus. Burgmüllers Aufsatz konnte nicht eruiert werden. Wahrscheinlich hatte er ihn unter einem Pseudonym publiziert.

8 Hermann Broch, »Gedanken zum Problem der Erkenntnis in der Musik«, in: *Almanach. Das 48. Jahr* (Berlin: S. Fischer, 1934), S. 53-66. KW 10/2, S. 234-245.
9 Emmy Ferand hatte Ende 1934 eine Broch-Büste geschaffen, die Broch scherzhaft als Julius-Cäsar-Büste bezeichnete. Vgl. BB, 355. Ein Photo dieser Büste schickte Broch an Ruth Norden.

185. An Ruth Norden

Laxenburg bei Wien
Schule Hellerau 16. Februar 1935.

Liebes Fräulein Ruth Norden!
Entweder haben sich unsere Briefe gekreuzt, oder Sie haben meinen letzten noch nicht erhalten. Ich danke Ihnen ganz besonders für die Zusendung des Prospektes[1]. Wenn Sie wirklich Gelegenheit hätten, ohne daß es Ihnen Mühe machte, für meine amerikanischen Vorträge irgend etwas zu tun, wäre ich Ihnen wirklich aufrichtig dankbar. Es wäre ja doch sehr schön, wenn ich Sie auf diese Art und Weise in absehbarer Zeit in New York sehen könnte. Vielleicht wäre das Erscheinen des neuen Buches in Amerika eine nicht ganz unpassende Gelegenheit. Von Huebsch höre ich allerdings gar nichts, habe also auch von seiner Propaganda nichts gesehen. (Nebenbei gesagt halte ich die »Unbekannte Größe« für einen worst seller in Amerika.)

Ja, Sie fragten wegen übersetzbarer Bücher (und machen sich deshalb wieder einmal unnötige Gewissensbisse): Über Haecker habe ich Ihnen schon geschrieben, und jetzt habe ich das neue Buch von Ernst Bloch »Erbschaft dieser Zeit« (Oprecht, Zürich)[2] gelesen, eine durchaus amüsante, durchaus geistreiche Kritik dieser Zeit vom marxistischen Standpunkt aus. Wenn es gelänge, in der Übersetzung die Härten des sehr eigenwilligen Bloch'schen Stils zu glätten, so meine ich, daß sich für dieses außerordentlich lebendige Buch in Amerika ein Leserkreis finden müßte.

Nochmals Dank und viele gute Grüße Ihres ergebenen

Hermann Broch

[DLA]

1 Ruth Norden hatte Broch ein Reklameprospekt mit Angeboten von Schiffs-Atlantikreisen zugesandt.
2 Ernst Bloch, *Erbschaft dieser Zeit* (Zürich: Oprecht & Helbling, 1935).

186. An Willa Muir

Laxenburg b. Wien,
Schule Hellerau 18. März 35

Liebe!! in jeder anständigen Freundschaft muß man einmal einen Brief schreiben, genau so wie man in jeder wirklichen Liebe das eine oder andermal miteinander schlafen muß, mag es unangenehm sein oder nicht.

Nun habe ich aber zwei Jahre hinter mir, eigentlich drei, die wohl zu den ärgsten meines Lebens gehört haben, und in solchen Situationen ist der Mensch gelähmt, braucht alle seine Energien, um sozusagen normal weiterleben zu können und zur Bekämpfung einer Skepsis, die »wozu noch weiter?« fragt und die allein schon, auch wenn sie nicht zum akuten Suicid führt, ein ziemlich lebenshinderndes Element darstellt. Ich schieße nicht mit Kanonen nach Spatzen, damit ich damit eine Schreibfaulheit bemäntele, sondern erzähle Ihnen einfach amüsante Dinge aus meiner Biographie: gewiß war es vor allem die politische Entwicklung, die mich so sehr niedergedrückt hat, aber ärger noch als vom Tatbestand als solchen und von seinen bestialischen Attributen wurde ich von meiner eigenen Prophezeiung getroffen, welche alle diese Verhältnisse seit 20 Jahren ankündigt, erwartet und jetzt vollauf bestätigt wird. Und da ich mit der gleichen Sicherheit vorausgesagt habe, daß jederlei Erkenntnisstreben, jederlei Art »Geistigkeit«, jederlei Kunst in dieser Welt überflüssig werden würde, ohne innere und äußere Existenzberechtigung, und ich auch in diesen Belangen sehe, wie sehr ich recht gehabt habe, so ist es kein Wunder, daß ich einigermaßen gelähmt war, in meiner Arbeit und in allem und jedem. Ihr in England, Ihr werdet dies nicht so leicht verstehen, weil dort die Entwicklung etwas langsamer vonstatten geht, hoffentlich so langsam, daß die neuen Formen des Geistes sich inzwischen vorbereiten und man nicht vor dem plötzlichen Nichts steht, auf dessen Boden der Wahnsinn ruht. Als Beispiel dafür Deutschland und dieses spezifisch paranoische Volk, das wie jeder Paranoiker stets bereit ist, dem Nichts entgegen zu laufen, sich ins Nichts zu stürzen mit der furchtbaren Angst-Liebe zum Tod, die die europäische Gefahr geworden ist. Ist es nicht bezeichnend, daß Heidegger, der Philosoph der Angst und des Nichts, »der« deutsche Philosoph geworden ist?

Glauben Sie ja nicht, daß ich die »guten alten Zeiten« zurückersehne. Was fallen soll, muß gestoßen werden. Und wenn die jetzt heraufziehende Epoche für unsere Art der Erkenntnis, für unsere Denkweise, für unsere Romane und unsere Philosophie keine Verwendung mehr hat, so muß man es eben hinnehmen; es mag ein persönlich tragisches Geschick sein, aber ändern kann man es nicht. Von Zeit zu Zeit muß eben einmal die Ewigkeit unterbrochen werden. Und so habe ich eigentlich zwei Jahre darüber gebrütet, wie ich mein Leben weiter einrichten werde, ob es möglich sein wird, von unserer Denk- und Gestaltungsweise aus, an der Formung des neuen Geistes mitzuwirken, was ich ja durchaus verneine, da sich jeder Geist autonom aus sich selbst formt, oder ob es nicht richtiger ist, wieder einmal ein Textil- oder Lebensmittelgeschäft zu errichten, oder einen Laden für Gasmasken, um fern jeder intellektuellen Tätigkeit einfach der weiteren Weltentwicklung zuzuschauen. Dieses Brutgeschäft wurde mir aber durch die Erkenntnis unterbrochen, daß ich nichts mehr zu essen hatte. Der Tod meines Vaters hat meine finanzielle Situation wesentlich verschlechtert, dazu kamen einige Verluste, und bei der Last meiner Verantwortungen und Verpflichtungen gegenüber einer Reihe von Menschen, die ich nicht verhungern lassen darf, konnte ich es mir nicht mehr weiter leisten, nur hinzudämmern. Ich mußte mich entscheiden. Und weil mir das Käsegeschäft zu riskant war, machte ich mich ans Dichten, wohl auch von dem Wunsch getrieben, die Bestialität der Welt zu formen. Vielleicht wird es etwas, jedenfalls mehr als die »Unbekannte Größe«, die ich ja schon in tiefster Depression geschrieben und heruntergehetzt habe.

Aber ich habe meine Biographie unterbrochen. Ich habe mich also endlich wieder zum Schreiben entschlossen, habe ein philosophisches Buch und den großen Roman[1] begonnen, wozu ich mich zuerst nach Baden zurückgezogen habe, und jetzt – weil mir die Aufrechterhaltung der Badner Wirtschaft zu teuer war – zu Ferands nach Laxenburg. Ferands sind reizend zu mir, ich habe Ruhe, gebe kein Geld aus und alles wäre großartig, wenn ich diese flache Landschaft hier vertragen könnte. Aber die kann ich nicht mehr sehen, und so werde ich wohl bald wieder flüchten. Vielleicht irgendwohin nach Tirol, vielleicht nach Orkney[2].

Ich verstehe sehr gut, daß Sie es in der Stadt nicht länger aushalten. Wer wirklich arbeiten will, muß einen Baum sehen können oder einen Berg oder das Meer. Stadt ist furchtbar. Aber auch dies ist ein Symptom für das Zu-Ende-gehen der Kunst und des Geistes: denn alles Geistige und Künstlerische ist eigentlich städtische Funktion, ist es immer gewesen. Alles kehrt sich um, kehrt sich gegen sich selbst. [. . .]

[GW 10]

1 Geplante Romantrilogie, deren erster Band, *Die Verzauberung*, fertiggestellt wurde (KW 3).

2 Die Muirs verbrachten 1935 einige Monate auf den Orkney-Inseln. Vgl. den Brief vom 27. 2. 1933, Fußnote 1.

187. An Benno W. Huebsch

Laxenburg b. Wien, Schule Hellerau, 24. März 35

Sehr verehrter Herr Huebsch,
die Paramount[1] hat ihre Wiener Vertretung beauftragt, sich wegen einer Synopsis der »Unbekannten Größe« mit mir in Verbindung zu setzen. Ich halte nun die »U. G.« in ihrer jetzigen Form sicherlich *nicht* für verfilmbar, hingegen ist sie auf einen besonders aktuellen und originellen Film *umzugestalten*[2]. Ich habe dies auch der Paramount durch ihre Vertretung sagen lassen und bin nun daran, die Synopsis für den gedachten Film fertigzustellen. Eine Kopie dieser Synopsis

werde ich Ihnen zugehen lassen, teile Ihnen aber die Angelegenheit jetzt schon mit, weil es ja möglich ist, daß Sie zwischenzeitig mit den in Betracht kommenden Herren der Paramount zusammenträfen, resp. daß sich diese in dieser Sache an Sie wendeten.

Ich habe nun bei dieser Gelegenheit die »U. G.« durchgelesen – das war nicht zu vermeiden – und bin dabei auf etwas sehr Unliebsames gestoßen. Auf Seite 31, Zeile 7 von oben, auf Seite 32, Zeile 4 von unten, auf Seite 35, Zeile 1 von oben, ist überall das Wort »Tensor« richtig durch *»Vector«* zu ersetzen[3]. Der Fehler ist offenbar dadurch entstanden, daß ich die Reinschrift des Buches, das wegen des Zeitungsabdruckes besonders rasch fertiggestellt sein mußte, meiner Sekretärin diktiert habe, die das ungewohnte Wort durch ein ihr offenbar bekannteres unbewußt ersetzt hat. Es ist ein Fehler, der nur einem absoluten mathematischen Laien unterlaufen kann. Erstaunlich ist nur, daß ich bei den Korrekturen glatt darüber hinweggelesen habe; dies rührt aber daher, daß man Korrekturen eben nur in Hinblick aufs Stilistische und Grammatikalische liest. Ich habe nun unverzüglich den Muirs geschrieben, damit sie die Übersetzung entsprechend ändern; sollte dies aber zu spät sein, so wollen Sie bitte den Exemplaren eine *Druckfehlerberichtigung* beigeben.

Schließlich noch eines: Franz Werfel hat den Book of the Month-Club auf die »U. G.« aufmerksam gemacht, und es wäre sicherlich ratsam, wenn Sie seine Bemühungen dort unterstützen wollten.

Mit besten Grüßen und Empfehlungen Ihr ergebener

Hermann Broch

Darf ich Sie bitten, meine obenstehende neue Adresse zu notieren!

[YUL]

1 Amerikanische Filmgesellschaft

2 *Das Unbekannte X,* KW 2, S. 145-240. Der Plan der Verfilmung der *Unbekannten Größe* zerschlug sich wieder. Eine Synopsis des Filmskripts hat sich nicht erhalten. Vgl. aber den Kommentar »Vorbemerkung zum Filmskript *Das Unbekannte X,* KW 2, S. 247-252.

3 In KW 2 korrigiert.

188. An Herbert Burgmüller

Laxenburg, 4. April 1935

Ihre Frage, lieber Herbert Burgmüller, ist unbeantwortbar. Ich glaube zwar, daß die vollkommene Erzählung ihren Sinn ausschließlich in den Gestalten und Situationen zu offenbaren hat, und daß der reflektierende Raisonneur, als welcher sich der Autor zumeist in sein Werk hineinschwindelt, eine überflüssige Gestalt ist, aber es lassen sich bekanntlich in der Kunst keine Regeln aufstellen. In den Exkursen des Huguenau habe ich einen Ausweg gefunden: wenn schon der Autor eine Sinngebung mit Objektivitätsanspruch für unerläßlich hält, so möge er es offen und ehrlich tun, ohne den Leser zu überlisten, d. h. also wirkliche Objektivitätssphären einbauen. Doch ich bin mir klar, daß dies ein einmaliger Weg war, und daß er auch für mich nicht zu wiederholen ist. Joyce hat zur Lösung dieses Problems den inneren Monolog gewählt.

Ferner ist die Lösung wohl auch vom Format des Romans abhängig. In einem Format unbegrenzter Dimensionen, wie es in Annäherungswerten der Ulysses ist, besteht die Möglichkeit, alles in die Materie zu verlegen; in einem Roman novellistischer Kürze muß der Autor als Motor der Handlung eingreifen, da ist es überhaupt nicht anders möglich, wenn noch innere Romandimension gewonnen werden soll. Dies war z. B. die Aufgabe, die mir in der »Unbekannten Größe« gestellt war.

Fluch und Reiz unseres Berufes liegen wohl darin, daß man sich unaufhörlich vor solche Probleme gestellt sieht. Und es gehört zu unseren besten Zeiten, wenn man sich damit zu plagen hat. Infolgedessen überlasse ich Sie jetzt gerne und ohne Bedauern Ihrem Schicksal. [. . .]

[GW 8)

189. An Benno W. Huebsch

Laxenburg bei Wien
Schule Hellerau 11. April 1935

Sehr verehrter Herr Huebsch, –
[...] Um nun auf den Film zurückzukommen, so ist er fertiggestellt[1], hat mit dem Buch, von dem er eigentlich nur die Namen übernommen hat, nicht mehr viel zu tun, dürfte aber weitgehend gelungen sein. Die Wiener Vertretung, die allerdings m. E. nicht sehr ausschlaggebend sein dürfte, ist von der Idee und Durchführung entzückt. Wichtiger erscheint mir, daß unser gemeinsamer Freund, Herr Fülöp-Miller, sowie Herr Dr. Zweig sich absolut zustimmend zu meinem Entwurf verhalten. Dabei erscheint uns allen von ausschlaggebender Bedeutung, daß hier nicht nur ein künstlerisch gelungener Filmentwurf vorliegt, sondern darüber hinaus, daß dieser Entwurf sich puncto Form, Aufbau und Durchführbarkeit in die normale industrielle Filmproduktion einfügt und ihr trotzdem ganz neue – und eben auch industriell auswertbare – Entwicklungselemente zuführt.

Das Wesentliche wollen Sie aus beiliegender »Vorbemerkung« zu dem Film entnehmen. Es handelt sich, wie Sie sehen, immerhin um ein Novum für die Filmindustrie, u. z. um ein wahrscheinlich sehr aussichtsreiches Novum, da nicht nur dieser eine Film in Betracht kommt, sondern eine ganze Serie ähnlicher wissenschaftlicher Filme sich daraus entwickeln lassen. Ich habe mit Herrn Fülöp-Miller bereits besprochen, gemeinsam mit ihm einen Film auf Grund seines neuen medizinischen Buches[2] in Angriff zu nehmen.

Ich nehme also an – und auch Herr Dr. Zweig und Fülöp-Miller sind der Ansicht – daß Sie die Angelegenheit gerne in die Hand nehmen werden, und ich übermittle Ihnen daher morgen mehrere Kopien des Films, damit Sie sich dieserhalb mit den leitenden Herren der Paramount direkt in Verbindung setzen können. (Nebenbei wird natürlich die Wiener Vertretung ihrerseits auch direkt nach New York berichten.) Ich glaube aber, daß man es bei der Paramount nicht bewenden lassen darf, sondern auch die anderen Gesellschaften zur Konkurrenz heranziehen sollte. In diesem Zusammenhang sei erwähnt, daß mich Miss Ann Bernstein[3], die Sie ja kennen, zur Vorlage von Manuskripten eingeladen hat.

Soferne Sie also mit diesem Vorgang einverstanden sind, bitte ich sofort das Copyright für diesen Film und sein Thema der Relativitätstheorie, womöglich aber für die ganze Gattung dieser Filme zu nehmen, damit auch eventuell künftige Filme, so der geplante mit Herrn Fülöp-Miller, geschützt seien. Weiters aber bitte ich um Ihre Vorschläge über die geschäftliche Behandlung der Angelegenheit, da es hier nicht mehr um eine gewöhnliche Verfilmung eines Buches geht, sondern um die Neueinführung eines neuen Genres, für das ich mit meinem Entwurf die Grundzüge skizziert habe.

Selbstverständlich wäre es mir, sowohl aus künstlerischen als auch aus pekuniären Gründen lieb, auch die Drehbuch-Ausarbeitung dieses Entwurfes selber durchzuführen.

Schließlich sind die Herren der Wiener Paramount-Vertretung der Ansicht, daß meine Filmskizze in ihrer jetzigen Gestalt sich wegen ihrer Originalität ausgezeichnet zum Abdruck in einem der großen amerikanischen Magazine eignen und daß dies auch für die künftige Popularität des Filmes und seinen Erfolg sehr günstig sein würde. Soferne Sie dieser Meinung beitreten sollten, bitte ich um freundlichen Bescheid, ob Sie sich um eine solche Placierung gleichfalls kümmern, oder ob Sie dies irgendeiner Agentur übergeben wollen. [. . .]

Mit den besten Grüßen
und Empfehlungen
Ihr ergebener
Hermann Broch

[YUL]

1 *Das Unbekannte X.*

2 René Fülöp-Miller (1891-1963), österreichischer Schriftsteller. Vgl. R. F.-M., *Kampf gegen Schmerz und Tod. Kulturgeschichte der Heilkunde* (Berlin: Süd-Ost-Verlag, 1938).

3 Ann Bernstein war die Wiener Vertreterin der amerikanischen Filmgesellschaft Metro-Goldwyn-Mayer.

190. An Ruth Norden

Laxenburg b. Wien
Schule Hellerau 19. 4. 35

Daß ich Ihnen, liebes Fräulein Ruth Norden, so lange nicht geschrieben habe, liegt nicht nur an der schwindelnden Geschwindigkeit der Zeit, die mir die Ankunft Ihres Februar-Briefes als gestern erscheinen läßt, es liegt nicht nur an meiner scheinbar höchst gesteigerten Arbeitsintensität (scheinbar, weil ich mit den Resultaten nicht sehr zufrieden bin), sondern auch daran, weil Sie mich beim Wort genommen haben und sonderbarerweise Photos verlangen, die einstens bei Fischer waren und an die Sie sich mit Ihrem erstaunlichen Gedächtnis erinnern. Seitdem bin ich auf der Jagd nach diesen Bildern, auf einer vergeblichen Jagd, die mich jetzt endlich zu einem einzigen Bild führte: dieses schicke ich Ihnen anbei, schamhaft und beschämt schicke ich es, weil ich mich trotz meines Alters noch immer nicht daran gewöhnt habe, ein Extérieur zu besitzen. Aber es war Ihr Wille.

Und nun punktweise zu Ihren Briefen: vor allem Dank für die Briefe selber und für die Wiener Adresse der amerikanischen Vortragstournée. Da auch die hiesige Hellerauer Schule mit dieser Stelle (zwecks amerik. Propaganda) in Verbindung steht, ist die Sache technisch recht einfach. Aber ich habe mich noch nicht darum gekümmert, denn ehe ich nicht mit meinen beiden Büchern fertig bin – weiß Gott, wie lange das noch dauern wird – kann und darf und will ich nichts anderes unternehmen.

Zur Frage des Yoga möchte ich Sie auf die beiden Eranos-Sammelbände des Rheinverlags (1934 und 35)[1] aufmerksam machen. Das eine oder das andere darin dürfte Sie interessieren.

Dank dafür, daß Sie sich um Herbert Burgmüller kümmern wollen. Egoistisch wie ich bin, kommt es mir bloß darauf an, ihm zu zeigen, daß ich sein Interesse nicht vernachlässige. Ich glaube ja auch nicht, daß sein Aufsatz für Amerika geeignet ist. Vielleicht wird es mit seinem Roman gehen, denn er ist sicherlich nicht unbegabt. Ich bin ihm jedenfalls für sein Feuilleton über mich in der Frankfurter sehr zu Dank verpflichtet. Haben Sie noch seine Adresse? hier ist sie jedenfalls nochmals: Mülheim a. d. Ruhr, Trooststraße 9.

Aber bei dieser Gelegenheit: glauben Sie, daß Knopf für einen ungemein talentierten, [...] Autor, der [...] in Deutschland noch keinen Verleger gefunden hat, Interesse haben könnte. Hier wäre nämlich eine wirkliche Persönlichkeit vorhanden. [...] Der Mann heißt Elias Canetti[2], und wenn halbwegs eine Möglichkeit für ihn vorhanden wäre, würde ich veranlassen, daß er Ihnen Manuskripte sende. Vielleicht haben Sie übrigens schon von ihm gehört; Stefan Zweig hat sich seinerzeit sehr für ihn eingesetzt.

Ja, und dann finde ich etwas in Ihrem Brief über meinen Nihilismus, weiß aber nicht mehr, worauf sich das bezieht. Auch wenn ich Ihnen heute zum neuen Klavier gratuliere, so ist dies nicht mehr aktuell, so wenig wie der Blizzard, von dem Sie erzählen. Hier freilich wäre dies noch alles aktuell, denn das Frühjahr läßt auf sich warten, und es gab noch vor ein paar Tagen Schnee.

Im übrigen treffen Sie mit Ihrem phantastischen Gedächtnis auch für Laxenburg das Richtige: tatsächlich ist Emmy Ferand die Gattin des hiesigen Direktors. Mit der ungarischen Übersetzung ist zwar bisher nichts geworden, hingegen hat sie Novellen von mir übersetzt, die jetzt erscheinen werden[3]. Nicht zutreffend dagegen ist Ihre Annahme, daß es hier schön sei. Es ist zwar ein altes kaiserliches Schloß in einem herrlichen Park, aber weit und breit kein Berg, – eine mir besonders mißliebige Gegend, da ich hier ein halbes Leben unter innerlichem Protest verbracht habe. Und ich habe mich bloß dazu bequemt, weil ich in den letzten Monaten unbedingt in der Nähe Wiens hatte sein müssen. Jetzt aber will ich möglichst bald in die Berge. Und wenn Sie – was freilich eine aufrichtige Freude wäre – nach Wien kämen, so ist dieses ganze Österreich ja nicht so arg groß; da ist alles leicht und rasch erreichbar. Sie werden feierlich begrüßt werden, wenn ich auch lieber von Ihnen in New York begrüßt werden würde! [...]

Diese Einladung ist so lieb und rührend, daß ich Ihnen gar nicht genug dafür danken kann. Nehmen Sie also diesen

Dank mit vielen Osterwünschen, die freilich etwas spät zu Ihnen gelangen werden, von Ihrem

stets ergebenen
Hermann Broch

Ja, der Mercury[4] ist gestern eingelangt – auch hiefür Dank!

Und soeben merke ich, daß Ihr Märzbrief noch nicht beantwortet ist. Und vor allem nicht bedankt. Aber dazu etwas sehr Ernsthaftes: die Bernstein Line ist wahrlich unerhört billig – *wie viel braucht man wirklich, um dort ein bescheidenes Arbeitsleben zu führen?* Natürlich könnte ich die Bücher auch in Amerika fertigstellen, und mein Widerwillen gegen Europa ist bereits übergroß! Wenn es finanziell halbwegs durchführbar wäre, soll ernsthaft daran gedacht werden. (Auf der Rückseite der Bernsteinseite ist das Inserat: »Perhaps you really have Writing Talent«, und ich dachte erst, daß Sie mir die Seite dieserhalb schickten; es wäre eine Hoffnung gewesen).

Suhrkamp?[5] seine Position ist furchtbar schwer, und ich glaube, daß er sie mit Reinlichkeit, Tapferkeit, Verständnis und Anständigkeit hält. Mehr kann man wohl nicht verlangen. Persönlich kenne ich ihn nicht, aber er war doch schon zu Ihrer Zeit im Amt?

Das neue Haeckerbuch[6] kenne ich noch nicht. Seit seinem Wiener Vortrag ist meine Begeisterung für ihn (unberechtigterweise) abgeflaut.

Musil?!! Ich habe seine Art in einem Vortrag »rationales Dichten« genannt, Dichten aus der Ratio[7]. Es ist der Gegensatz zu meinen eigenen Möglichkeiten. Und angesichts der geringen Verkäuflichkeit der Broch-Bücher in Amerika könnte ich mir vorstellen, daß das grundgescheite und bedeutende Werk Musils dort einen viel breiteren Leserkreis finden könnte. Außerdem halte ich es für eine Ehrenpflicht für jeden Verleger, Musil zu bringen. Das ist objektiv gesprochen, denn subjektiv sind Musil und ich solche Antipoden, daß wir uns nie besonders gut verstanden haben. *Schlagen Sie ihm Kürzungen vor!!* Die wären für Amerika nötig. Und Knopf möge das Buch bringen!!!

[DLA]

1 Die *Eranos-Jahrbücher* erschienen in Daniel Brodys Rhein-Verlag in Zürich und wurden herausgegeben von Olga Fröbe-Kapteyn (1881-1962). Das erste *Eranos-Jahrbuch* 1933 enthielt Beiträge zum Thema »Yoga und Meditation im Osten und Westen«. Der Band erschien 1934. Das Thema des zweiten *Eranos-Jahrbuchs* von 1934 – erschienen 1935 – lautete: »Ostwestliche Symbolik und Seelenführung«.

2 Elias Canetti (geb. 1905). Vgl. Hermann Broch, »Einleitung zu einer Canetti-Lesung« (1933), KW 59-62; ferner: Elias Canetti, »Hermann Broch. Rede zum 50. Geburtstag« (1936), in: Erich Fried (Hrsg.), *Welt im Kopf* (Graz: Stiasny, 1962), S. 91-108.

3 Emmy Ferand hatte Brochs Novelle »Ein Abend Angst« (= »Mit schwacher Brise segeln«) ins Ungarische übersetzt. Ob und wo diese Übersetzung publiziert wurde, konnte nicht eruiert werden.

4 Es handelte sich um ein Exemplar der englischen, monatlich erscheinenden Kulturzeitschrift *The London Mercury*. Die Zeitschrift erschien von 1919 bis 1939 und wurde damals herausgegeben von R. A. Scott-James.

5 Nach dem Tode des Verlagsgründers Samuel Fischer am 15. 10. 1934 waren Peter Suhrkamp und Gottfried Bermann Fischer die beiden Vorstandsmitglieder des Verlags. Vom 15. 4. 1936 an – nach der Gründung des Bermann-Fischer Verlags in Wien – leitete Suhrkamp die Firma alleine. Der Verlag war während der Hitler-Zeit zahlreichen Pressionen ausgesetzt. Vgl. Brief vom 20. 7. 1933, Fußnote 1.

6 Theodor Haecker, *Der Christ und die Geschichte* (Leipzig: Hegner, 1935).

7 »Das Weltbild des Romans«, KW 9/2, S. 111, 112.

191. An Daniel Brody

Laxenburg, 1. Mai 1935

Liebster Freund,
aus Wien zurückkommend, wo ich zwei Tage war, finde ich voll tiefer Rührung Ihren Brief vor. Die Idee ist so reizend, daß ich natürlich Ja sage und mich sehr schäme, wenn ich ein paar Aber dazu setzte. Hier diese Aber in numerierter Abfolge:

1.) wollte ich mich mit meinen Leiden nicht brüsten und Ihnen verschweigen, daß mir der liebe Gott kürzlich in, man muß schon sagen, unqualifizierbar hintertückischer Weise, eine Ohrfeige hineingehaut hat. Aber jetzt zwingen Sie mich zu dieser Brüstung, u. z. besteht die Sache darin, daß mein von Sorgen, Nikotin und Überarbeitung genährtes Herz unter den Folgen meiner diesjährigen Dauergrippe plötzlich in den Streik getreten ist. Das soll eine Spezialität der heurigen Grippen sein, und ich will es gerne glauben, denn es hätte natürlich ebensogut was Ärgeres sein können. Jedenfalls stammt von da der von Ihnen in so roher Form beanstandete sanft-elegische Ton meiner Briefe her, und jedenfalls befinde ich mich augenblicklich unter Entzug jeglichen Nikotins in Herzbeobachtung, soll möglichst nicht in der Nacht arbeiten und führe solcherart ein widernatürliches Leben;

2.) wollte ich Ihnen verschweigen, daß der erste Teil des Romankonvolutes im Gebirge unter lauter Fronzen und Thresen[1] spielt;

3.) fassen Sie nun 1.) und 2.) zusammen, so ergibt sich die Kurindikation als Aufenthalt in mittlerer Gebirgshöhe, wo ich in leichtbeschaulichen Spaziergängen eines älteren Herrn einesteils der Gesundheit, andernteils der Natur- und Menschenbeobachtung pflege.

Mein Programm umfaßte also folgende Etappen: a.) Abschluß der Herzbeobachtungen in Wien, b.) Kuraufenthalt im Gebirge und gleichzeitig Abschluß des ersten Romanteiles, was m. E. bis Juli gedauert hätte, c.) Erscheinen in München mit einem Manuskript unter dem Arm. Bei diesem Programm spielten auch noch zwei Erwägungen mit, u. z. erstens, daß Sie hierher zu den Ferands kämen und daß wir alles weitere mündlich besprächen, zweitens aber, daß diese Romanarbeit, wie ich Ihnen schon oft andeutete, so überaus schwer ist – denn Sie wissen, daß ich mit dem Buch einiges erzielen will. Sie ist vom Objektiven her (vom Subjektiven will ich ganz schweigen) so überaus kompliziert, daß ich möglichst ungebrochene Arbeitsbedingungen brauche. Sie wissen, daß ich im allgemeinen in dieser Beziehung nicht sehr anspruchsvoll bin, aber diesmal sind es Ausnahmezustände. Und auch Laxenburg ist – so entzückend die Ferands zu mir sind – nicht optimal. Sie wissen, wie lange sich ein Hund herumdreht, bis er den richtigen Platz zum Schlafen gefunden hat; so ähnlich komme ich mir mit meinen Aufenthaltssorgen vor. Oder wie Nietzsche, der auch immer darunter zu leiden hatte. Zwischen Treue und Wahnsinn also.

Dagegen steht nun, daß ich jedenfalls zu Ihnen will, daß das Zimmer an einen bestimmten Termin gebunden ist, daß Ihre Einladung mich ins Gemüt getroffen hat[2]. Und so habe ich doch die Hoffnung, daß Sie zuerst einmal hier erscheinen, und darauf warte ich, zumindest auf eine Nachricht, mit Dank und in Herzlichkeit als Ihr

HB

[GW 8, BB]

1 Anspielung darauf, daß die Handlung des Romans *Die Verzauberung* sich abspielt unter Dörflern in einem Alpenort. Franz und Therese Gaiswinkler waren Brochs Wirtsleute in Gößl am Grundlsee, wo er von Mitte Juli bis Ende September 1932 gewohnt hatte.

2 Die Brodys hatten bei Nachbarn in München ein Zimmer für Broch von Mitte Mai bis Ende Juni reserviert. Broch mußte seinen Besuch in München verschieben. Vom 12. Juli bis Anfang September 1935 wohnte er in der Pension Siebert, Kaulbachstraße 22, München.

192. An Daniel Brody

Laxenburg, 24. Mai 1935

Ja, Lieber, Du bist mein Freund, das geht wieder aus Deinen guten Zeilen hervor. Und ich bin froh, daß Du es bist, nicht nur überhaupt, sondern auch, weil nur Deine Freundschaft mir es ermöglicht und erträglich macht, daß über all diese Dinge überhaupt gesprochen werden kann. Dafür bin ich Dir dankbar[1].

Soll ich aber Deine Vorbehalte noch erwidern? Das Ja oder das Nein, das darauf zu erfolgen hat, kann ja nur in einem Tun und nicht in Worten bestehen.

Nichtsdestoweniger gibt es da etwas, das ich beantworten muß: Du sagst, daß meine Arbeit bisher analytischen Charakter hatte und sich jetzt ins positiv Synthetische wenden müsse. Und zur Stützung führst Du die U. G.[2] an, die die ihr gestellte Aufgabe tatsächlich nicht erfüllt hat. Hiezu nun als erstes: die U. G. wollte die irrationalen Untergründe für ein rein auf hochrationale Erkenntnis eingestelltes Leben aufdecken und zeigen, wie ein irrationaler Nachschub (Tod des Bruders und die aufkeimende Liebe) das sozusagen selbständig gewordene Bewußtsein wieder einfängt, wieder an seine seelischen Ursprünge zurückbindet, so daß daraus jene Erkenntniseinheit entsteht, welche als Basis aller Religiosität anzusehen ist. Deshalb auch die Nebenfiguren der religiösen Schwester etc. etc. Diese Aufgabe hat der kleine Roman tatsächlich nicht erfüllt; ich weiß nicht, ob eine so breite Problematik auf 180 Seiten überhaupt behandelbar ist, ich hatte bei dem Buch stets nur das Gefühl eines Experimentes gehabt, eines gewagten sogar (wozu auch noch die sechswöchige Herstellungszeit gehört), aber ich bin mir klar, daß das Buch nicht abgeschlossen ist, daß ich es bloß durch einen rhetorischen Trick zu einer Schein-Einheit habe runden können, und daß im übrigen alles offen bleibt. Dies war auch der innere Antrieb zur Verfilmungsarbeit: einerseits die Bekundung meiner Verachtung gegenüber einer Arbeit, mit der ich unzufrieden bin, andererseits der Versuch, sie zu einer anderen Lösung zu führen, d. h. ihre Achse umzulegen. (Aus diesem Grund betrachte ich die wahrscheinlich aussichtslose Filmarbeit[3] auch nicht als verlorene Zeit, besonders da ich ja doch mancherlei Filmisches daran gelernt habe).

Aber es ist klar, daß das in der U. G. angeschnittene und nicht zu Ende geführte Problem mit einen Teil des neuen Buches und seines Problembestandes bildet. Die Polarität Rational-Irrational ist für mich allerdings nicht identisch mit der von Dir aufgezeigten Analytisch-Synthetisch oder Negativ-Positiv, obwohl es Begriffskreise sind, die einander vielfach überschneiden. Vielmehr habe ich das Gefühl, mehr noch, die Überzeugung, daß alle erkenntnismäßige und künstlerische Arbeit jenseits solcher polarer Begriffspaare vor sich geht: Analyse und Synthese, Irrationales und Rationales laufen da unausgesetzt ineinander, und ich glaube dies mit umso größerem Recht behaupten zu dürfen, als ich die *synthetische Arbeit zum Teil schon geleistet habe,* u. z. in *rationaler* Beziehung: Du kennst meine Werttheorie nicht, die nun schon seit Jahren in meiner Tischlade ruht, eine komplette Religionsphilosophie, die ich bloß nicht veröffentlichungsreif gemacht habe, weil ich während der Arbeit erkannt habe, daß ich in Regionen geraten bin, die zu ihrer Festigung keine »wissenschaftlichen« Überlegungen, sondern eine Gestaltung vom Menschlichen her benötigen. Denn es kommt nicht nur darauf an, daß ein religionsphilosophisches Buch mehr auf der Welt ist – ein solches hätte bloß dann wirklichen Wert, wenn es auf neuen konkreten Tatsachen basieren würde, nicht aber auf bloßen erkenntnistheoretischen Überlegungen, mögen diese noch so bestechend sein –, sondern es handelt sich auch hier um das *Konkrete,* hier erst recht, zumindest – und dies für den Verleger –, wenn es ein Buch lebendiger Wirkung werden will. Ich habe ja all dies schon oft genug ausgeführt; heute allerdings, wo ich mitten in der Arbeit stecke, weiß ich auch, daß mein Vorhaben durchführbar ist.

Ich brauche Dir die Schwierigkeiten einer solchen Arbeit nicht vor Augen zu führen. Wir leben in einer Zeit des Glaubensumbruchs, die überkommenen Kategorien sind verschlossen, richtiger, sie sind kaum mehr vorhanden, es ist noch kaum etwas vorgeformt, und es ist eine ungeheuere Aufgabe, das trotzdem niemals verlorengegangene, niemals verlierbare Grundmaterial neu zu erschließen. Nochmals: das ist eine Arbeit, die über das Begriffspaar Synthetisch-Analytisch hinausreicht, wohl aber eine, die den Einsatz aller Lebensenergien verlangt.

Und dies ist auch – nun wiederhole ich mich freilich – die Ursache, die mich in die Einsamkeit drängt und die es mir verwehrt, jetzt irgend eine Entscheidung über meine künftige Lebensform zu treffen. Gewiß kann man dies [als] »Furcht vor dem Leben« oder »Furcht vor der Frau« bezeichnen, und ich kann einer solchen Auslegung bloß meine innere Sicherheit entgegensetzen; die aber sagt, daß die innere Spannung, welche eine Arbeitsperiode erfüllt und erfüllen muß, nicht durch anderweitige Lebensprobleme gestört werden darf. Man mag es nennen, wie man will, ich allein *weiß,* was eine *jede* Störung bedeutet und in welch tiefe Verzweiflung ich durch eine jede gestürzt werde. [. . .]

Du siehst also, daß ich mich nicht von logischen Konstruktionen leiten lasse, sondern einfach das Leben schlicht ablaufen lassen will, wohin immer es auch führt. Daß aber dieser Ablauf jetzt für mich nur eine einzige adäquate Richtung haben kann und darf: Aufrechthaltung optimaler Arbeitsbedingungen und Ausschaltung jeglicher Störung und nun gar von so gewichtigen, wie sie sich aus dem Zwang zu Lebensentscheidungen ergeben würden. Ganz abgesehen davon, daß unter solchen Umständen die Lebensentscheidung mit aller Bestimmtheit falsch getroffen werden würde. [. . .]

[GW 8, DWW, BB]

1 Brody hatte Broch zu Beginn der zweiten Maiwoche 1935 in Wien besucht. Seit dieser Zusammenkunft duzten sich Broch und Brody.
2 *Die Unbekannte Größe.*
3 *Das Unbekannte X.*

193. An Daniel Brody

Laxenburg, 7. Juni 1935

Mein lieber Freund,
[. . .] Und abgesehen von dem neuen Farbband, mit dem Du weitgehend recht hast und das noch heute ausgewechselt werden soll, ja, sogar noch weitergehend, abgesehen daß Du auch mit Deiner These vom harmonischen (nicht synthetischen) Menschen, der allein zur echten Produktivität fähig ist, durchaus recht hast, und sogar zugegeben, daß es der Mangel meiner Harmonie ist, der in den »Schlwdl.« wie in der »U. G.« zutage tritt, und daß es daher meine wichtigste Lebensaufgabe ist, solche Harmonie anzustreben – und weiß Gott, daß ich es tue, sei es mit, sei es ohne das schmückende Beiwort nebbich –, so darf ich allen Zitaten zutrotz dennoch behaupten, daß Harmonie auch in der Einsamkeit erreichbar ist, freilich unter Umständen, die für den Harmoniebeflissenen manchmal recht peinlich und schmerzlich sein können.

Aber die Sache ist nicht so tragisch: ich habe die Einsamkeit nicht als unumstößliches Axiom hingestellt, sie ist bloß momentane Notwendigkeit, da ich augenblicklich wirklich in einem Reißen liege und keine Rebussen für mein künftiges Leben auflösen kann, sondern allerstärkste Konzentration brauche. Nicht daß die Liebe mir Rätsel zu lösen aufgibt, fürchte ich, auch nicht die Rätsel, die von einem geliebten Menschen kommen könnten, kommen müßten, ja, kommen sollen, nein, dies alles gehört zum Leben und darf nicht gefürchtet werden, sondern nur das Unheil flößt mir Angst und Schrecken ein, das immer dann entsteht, wenn ein Mensch vor eine seine Kräfte übersteigende Aufgabe gestellt wird: und dies wäre jetzt der Fall. Es wäre zu pathetisch, wenn ich Dir schildern wollte, was ich während dieser vier letzten Wochen durchgemacht habe, völlige Arbeitsunfähigkeit, völliger Verfall, und wenn ich mich in den Finger geschnitten hätte, so wäre ich glattwegs (und was noch ärger ist, *gerne*) dabei daraufgegangen. Man kann dazu natürlich sagen, daß der Mensch immer das tun soll, was er gerne tut, man kann auch sagen, daß meine lächerliche Überzeugung, der Welt noch etwas sagen zu müssen, einfach die Furcht vor dem Sterbenwollen darstellt, eine sehr überflüssige und rein dekorative Verbrämung meiner Feigheit, ja, daß die Welt ganz gut weiterbestehen wird, ohne mit den künftigen Früchten meiner Harmonie bekannt gemacht worden zu sein, aber all dies zugegeben und vorausgesetzt, bin ich von einem *brennenden* Ehrgeiz besessen, in diese Welt noch eingreifen zu können, gerade weil die Welt so scheußlich geworden ist, und beinahe ist es mir, als melde sich in solchem Drang eine metaphysische Pflicht an.

Verzeih dieses Credo. Doch wem soll ich es vortragen, wenn nicht Dir, und wem außer Dir kann ich erzählen, wie arg es mir jetzt ergangen ist? Obwohl ich ja hoffe, daß nunmehr das Ärgste überstanden ist, denn seit drei Tagen habe ich wieder die Möglichkeit zur Arbeit gefunden und schreibe, ohne das Geschriebene sofort wieder zu zerreißen. Unausdeutschbar indes ist der Energieaufwand, der notwendig war, um wieder zu diesem Punkt zu gelangen. [. . .]

[GW 8, BB]

194. An Ruth Norden

Laxenburg b. Wien
Schule Hellerau 16. Juni 35

Liebes Fräulein Ruth,
natürlich ist diese Anrede gemütlicher, Dank für die Erlaubnis, aber dann lassen Sie bitte auch die »Verehrung« Ihrerseits endgültig fort! Und nun habe ich wieder Ihre Briefe so lange liegen gelassen, freilich aus einem besonderen Grund, denn zu allen früheren (der Überarbeitung etc.) kam nun noch dazu, daß ich zu Ostern zusammengeklappt bin: die Dauergrippe, mit der ich während dieses Winters zu tun hatte und durchaus harmlos ausgesehen hatte, hat sich den Spaß gemacht, den Herzmuskel zu affizieren – angeblich tut sie das gerne –, und da dieser ohnehin mit Nikotin, Alter, Sorgen, Verkalkung etc. reichlich beschäftigt war, versäumte er es, Widerstand zu leisten. Aber besser eine akute Erkrankung, die kurierbar ist, als eine organische. Und heute bin ich, so scheint es, bereits über den Damm.

Und nun der Reihe nach:

Mit Musil haben Sie nicht recht. Ich weiß, was gegen ihn einzuwenden ist, aber es gibt heute so wenig bedeutende Köpfe – und er ist ein *ganz* bedeutender Kopf –, daß man ihn allen Einwendungen und allen Schwierigkeiten zutrotz durchsetzen müßte. Außerdem halte ich es für nicht ausgeschlossen, daß es ein Bucherfolg werden könnte. Gewiß, Musil lebt in einem Elfenbeinturm, und wenn auch niemand etwas wirklich bewußt tut, sondern durch innere Gesetzlichkeiten dazu gezwungen ist, so hat er gute und gescheite Gründe für seine Haltung, die besonders in der Form (die aber immer zugleich Inhalt ist) sich von dem abkehrt, was unsere Zeit ausmacht –, aber gerade diese Haltung trifft auf verwandte innerhalb der noch bestehenden bürgerlichen Welt, also gerade der bücherkaufenden, gerade diese wird sich von geistreichen Formulierungen, wie sie doch bei Musil in jeder Zeile vorkommen, geschmeichelt fühlen, ich habe dafür in meinem bürgerlichen Bekanntenkreis erstaunliche Beweise, und da dies eine Schicht ist, die in Amerika zweifelsohne viel stärker vertreten ist als hier, so sollte man meinen, daß Musil dort sein Publikum finden würde, einesteils eben in dieser Schicht, andernteils bei literarisch interessierten Leuten: die Formel, auf die er propagandistisch zu bringen wäre, hieße »Antipode Joyces«. Allerdings müßte das Buch gekürzt werden.

Canetti, keine 30 Jahre alt, [. . .], außerordentlich begabt, besessen von seiner dichterischen Mission, geistiger Draufgänger und Weltumstürzer, also von allen möglichen und wertvollen Qualitäten, hat sein Buch beim Verlag Reichner in Wien (dem neuen Verlag Stefan Zweigs) untergebracht[1]. Es ist also wohl so, daß Reichner das Werk jetzt schon dort ausbietet. [. . .]

[DLA]

1 Elias Canetti, *Die Blendung. Roman* (Wien: Reichner, 1935).

195. An Benno W. Huebsch

Laxenburg b. Wien, Schule Hellerau 22. Juni 1935

Sehr verehrter lieber Herr Huebsch,
[. . .] Für den Fall aber, daß ich Sie wider Erwarten nicht treffen könnte[1], will ich rasch die wichtigsten Punkte berühren:

Ich glaube Sie richtig zu verstehen, daß Sie die Verfilmungsangelegenheit der »Unbekannten Größe« selber weiter betreiben wollen, hingegen es für ratsam halten, den mit Fülöp-Miller projektierten Film, resp. das weitere Projekt einer Wissenschafts-Filmproduktion einem Agenten anzuvertrauen. So gerne ich alles in Ihrer Hand vereinigt gesehen hätte, bin ich natürlich auch mit dieser Teilung einverstanden.

Sie schreiben ferner, daß Metro-Goldwyn, Twentieth Century und R. K. O.[2] die Verfilmung der »Unbekannten Größe« abgelehnt haben. Soferne sich diese Ablehnung bloß auf's Buch bezieht, ist sie verständlich, da ja das Buch als solches wirklich kein Film-Sujet ist. Und da, wie Sie andeuten, das neue Manuskript – das ja vom Buch bloß die Charaktere und Namen übernommen hat – vielleicht nur deshalb nicht zur Kenntnis genommen wurde, weil es nicht Englisch vorliegt, so wäre [es] m. E. wohl vorteilhaft, eine kurze Synopsis mit entsprechender Einleitung, in englischer Sprache anzufertigen. Eine solche Synopsis könnte ich rasch aus dem Manuskript herausziehen und übersetzen lassen, so daß damit eventuell nochmals an jene Firmen herangetreten werden kann. Bitte schreiben Sie mir, ob dies geschehen soll.

Die Wiener Vertretung der Paramount hat noch keinen Bescheid aus N. Y. erhalten. Sie meint, daß dies noch monatelang währen kann. Ihre Befürchtung, daß der Film zu teuer werden könnte, wird dort nicht geteilt, weil ja das meiste im Atelier gestellt werden kann. Außerdem sind ja Naturaufnahmen, sowohl tropische als alpine, immer vorrätig und brauchen bloß durch Atelieraufnahmen ergänzt werden.

Die Hauptschwierigkeiten dürften ja viel eher darin liegen, daß der Durchschnitts-Filmmann sich von Umfang, Art und Möglichkeiten wissenschaftlicher Themen überhaupt kein Bild machen kann (deshalb habe ich ja die Relativitätstheorie und Einstein gewählt, die ja für Amerika einen gewissen Sensationscharakter besitzen). Fülöp-Miller sagt mir nun, daß nach seinen Erfahrungen die kontinentale und speziell die französische Produktion in dieser Hinsicht viel aufnahmebereiter sei. Ich weiß nicht, ob Sie mit der Pariser Produktion in Fühlung stehen, weiß auch nicht, ob die Annahme Fülöp-Millers zutrifft, wollte Sie aber jedenfalls darauf aufmerksam machen.

Über meine Idee, das Manuskript in Amerika und eventuell auch in Europa zu veröffentlichen, haben Sie mir noch nichts gesagt. Auch hiefür käme, wenn Sie sich nicht selber damit befassen wollen, ein Agent oder sonst eine Mittelsperson in Frage. Miss Ruth Norden, die Sie ja kennen, hat mir schon einigemale in sehr liebenswürdiger Weise ihre Hilfe für derartige Dinge angeboten. Darf ich Sie also auch hierüber um Ihre Meinung bitten. [. . .]

Ihr ergebener
H. Broch

[YUL]

1 Benno W. Huebsch hielt sich im Sommer 1935 in Wien auf.
2 Radio-Keith-Orpheum, amerikanische Filmgesellschaft, die zu den fünf großen Studios Hollywoods in den dreißiger Jahren zählte. Die bekanntesten von RKO produzierten Filme waren Ernest Schoedsacks *King Kong*, John Fords *The Hunchback of Notre Dame* und Orson Welles' *Citizen Kane*.

196. An Daniel Brody

Laxenburg, 5. Juli 1935

Lieber, soeben – zum Abschied – nach Laxenburg zurückgekehrt, nachdem ich Dir aus Wien expreß einen Situationsbericht geschickt hatte, finde ich hier Deine guten Zeilen vor. Und wenn wir auch mündlich alles viel eingehender besprechen werden, so bin ich von Deiner freundschaftlichen Obsorge doch so gerührt, daß ich Dir noch vorher rasch danken und kurz antworten will.

Zum Kernstück: Gewiß weiß niemand, ob er »gesund« oder »krank« ist, auch ich bin wie jeder Mensch von der Relativität dieser Begriffe umfangen und in ihr befangen. Aber es gibt trotzdem ein gewisses objektives Kriterium u. z. doppelter Art, nämlich das der *Leistung* in ihrer sozialen und platonischen Wirkung. Ich bin der letzte, der das Dasein und die Fertigstellung eines Romans überschätzt (Du weißt sogar, daß diese Skepsis für mich zu den schwierigsten Problemen meines Lebens und Arbeitens gehört), aber ich weiß trotzdem, daß der einzige Sinn meines Lebens in dieser Arbeit liegt, und daß ich der Welt, mag ihre Rezeptivität noch so sehr beeinträchtigt sein, so viel zu geben habe, wie nur irgend einer der Besten, die heute noch um geistige und ethische Fragen bemüht sind. Diese Überzeugung könnte man zwar als krank, d. h. als größenwahnsinnig ansehen, im Zusammenhalt mit meiner Skepsis ist sie es aber nicht, und außerdem habe ich hiefür einige objektive Beweisgründe. Die soziale Komponente meiner Arbeit liegt nun in ihrer Wirkungsmöglichkeit innerhalb der Welt, die platonische aber in ihrem künstlerischen Gehalt. Leider sind diese beiden Komponenten nicht eindeutig verknüpft, und wenn ich mich trieb- und überzeugungsgemäß bloß um die künstlerische Seite zu kümmern hätte, so würde solche Ausschließlichkeit heute zu Gebilden führen, die sich Joyce in seiner Einmaligkeit hatte leisten dürfen, aber nicht wiederholt werden können. Das sind die Dinge, über die ich so viel und so schmerzlich nachgedacht habe, daß ich über sie viele und lange Essays schreiben könnte. Das Resultat jedoch ist eine *Aufgabe,* der Du Dir auch als Verleger bewußt bist: eine künstlerische und denkerische Vielfalt, wie sie bei Joyce vorliegt, in eine mitteilbare und wirkungsmögliche Form zu bringen, ohne daß sie in ihrem Ehrlichkeitsgehalt eine Einbuße erleide. Und wenn man auch in einer Welt, in der schon eine neue Generation auf den Plan getreten ist, Wirkungsmöglichkeiten nicht prophezeien, sondern sich bloß nach Wahrscheinlichkeiten orientieren kann, so ist mit umso größerer Stärke die Objektivität der Gestaltung und der Ehrlichkeit vorhanden, das Kriterium des künstlerischen Gewissens, das bei mir stark genug ist, um mich vor Täuschungen zu bewahren. An diesem Punkt stehe ich jetzt; ich habe lange genug gebraucht, um dahin zu gelangen, es hat bekanntlich Jahre gedauert, aber heute weiß ich – eben aus dieser platonischen Objektivität heraus –, daß meine Arbeit »gesund« ist, und daß sie daher auch bezüglich ihrer objektiven Wirkungsmöglichkeit alle Chancen besitzt. Und in dieser Sphäre meines Seins bin ich daher auch selber gesund. Hier gibt es keinen Willen zur Krankheit, hier gibt es bloß Willen zur Ehrlichkeit und zur Gestaltung, gibt es bloß das Wissen, auf dem richtigen Weg zu sein, und daß dieser Weg durch nichts abbiegbar ist oder sein darf. Denke nur an die Konsequenz und Starrheit, die meine weit übertreffend, mit der Joyce seine Ziele verfolgt.

Und [um] auf einen alten Belang zurückzukommen: Du schreibst einmal, Du seist kein Oberlehrer, dem man die fertige Arbeit zur Zensur vorlegt. Die Objektivität eines Kunstwerkes liegt aber erst in seiner fertigen Gestaltung. Wenn ich den so heftigen Wunsch hatte, erst mit dem fertigen Manuskript zu Dir zu kommen, so war es der Objektwert der Arbeit, der mir dabei vor Augen schwebte und nur dieser. Und gerade jetzt erschien mir dies wichtiger denn je, einfach darum, weil Du meine persönliche Lebensgestaltung als seelisch erkrankt ansiehst, dies auf meine Arbeit überträgst, in ihrer Unfertigkeit sicherlich auch Anhaltspunkte finden wirst und daher zu einem nicht objektiven Resultat kommen kannst. Und ebenso wäre es mir – aus internen Gründen – unendlich wichtig gewesen, die Fertigstellung vorher in den Bergen vorzunehmen, die ja der Schauplatz dieses ersten Romanteiles sind[1].

Nun aber meine persönliche Gesundheit oder Krankheit, von der Du schreibst. Heute, da ich weiß, daß mir die Arbeit gelingt, weiß ich auch, daß ich seelisch viel gesünder bin, als ich selber angenommen habe. Die letzten zwei Jahre waren nichts anderes als ein konstanter Kampf um persönliche Ungestörtheit, damit jener Reifeprozeß vor sich gehen kann. Gewiß, ich habe diesen Kampf weitgehend unzureichend geführt. Aber das lag an der Weltsituation und an dem konstanten Zweifel, ob in einer solchen Situation ein derartiger Kampf überhaupt noch geführt werden darf oder ob mich meine Pflichten nicht auf einen anderen Posten rufen. Dadurch ergaben sich jene Halbheiten, die auch zu Verschleppungen – z. B. in meinen Vermögensangelegenheiten – und zu vielen Selbstschädigungen führten. Dadurch ergab sich auch das Netz von eingebildeten oder nicht eingebildeten Gewissensfragen in meinen menschlichen Beziehungen, die mich ja heute noch belasten. Denn ich sagte mir, daß ich innerhalb eines Zusammenbruchs aller Werte, den ich nicht nur theoretisch, sondern mit aller Intensität auch erlebte, wenigstens ein anständiger Mensch bleiben wolle. Und in dem Wirbel aller Ungeklärtheit entstand auch meine Beziehung zu Gustl[2]. Nichtsdestoweniger, so dunkel diese Jahre auch waren, wie ein roter Faden durchzog sie der Wunsch, aber der auch immer stärker hervortretende Wille, meine Ungestörtheit zu bewahren und mein eigentliches und damit gesundes Sein zu retten: meine Arbeit.

Damit aber bin ich zu Deiner letzten Frage gekommen, zu meiner Beziehung zu Gustl. Alles, was in diesen letzten Jahren außerhalb meines Reifeprozesses geschehen ist, war Irrtum. Auch Liebe kann Irrtum sein, gewesen sein. Das ist ein Verhängnis, ein tragisches Verhängnis, aber man muß es hinnehmen. Wenn ich es auch gerne anders gehabt hätte. [. . .]

Und eben deshalb habe ich – entgegen Deiner Annahme –

Anlaß, fürchterlich gekränkt zu sein, denn im Grunde Deiner liebenswerten und ehrlich geliebten Seele glaubst Du mir nichts, sondern meinst, daß ich bloß von Frauenangelegenheiten mich zurückhalten lasse, glaubst nicht, daß ich stundenlang in den Ämtern herumstehe (offenbar ohne zu wissen, was ein österreichisches Amt ist!), glaubst nicht, daß ich nicht weiß, wie meine Steuerrückstände bezahlen, glaubst nicht, welche Diskussionen ich mit meinem Bruder wegen ein paar Schillingen habe, glaubst nichts von meinen Sorgen und Gewissensfragen. Und es wird mir nichts anderes übrig bleiben, als mit einem Pack Dokumenten einzulangen, die all dies belegen. Vorher aber werde ich telegraphieren, und bis dahin umarme ich Dich als Dein getreuer

Hermann

[GW 8, BB]

1 Zwei Monate später zog Broch um nach Mösern/Tirol, um dort *Die Verzauberung* fertigzustellen.
2 Eine Münchner Freundin Brochs, die er bei den Brodys kennengelernt hatte.

197. An Willa Muir

11. 9. 35 Mösern bei Seefeld in Tirol, Haus Klotz

Oh, Willa, Liebe, Sie müssen immer deutsch schreiben, das ist herrlich, und wenn Sie ein deutsches Buch schreiben, so würden Sie ungeheuer viel Geld damit verdienen.

Aber ich wäre todfroh, wenn mir ein englischer Brief je so schön und so gut gelänge. Und schon deswegen muß ich zu Ihnen kommen. Und ich freue mich jetzt schon unbändig darauf.

Aber wann? ich bin jetzt so lange von Wien weg und muß mich unbedingt, ehe ich mich wieder für lange Zeit entferne, ein paar Wochen dort aufhalten. Andererseits muß ich meine Bücher zu einem Abschluß bringen, sonst habe ich nicht einmal das Geld, um zu Ihnen zu kommen, und so hängt eigentlich die Reise von meiner jetzigen Arbeitsintensität ab. Und zwar möchte ich das philosophische Buch für S. Fischer noch fertigbringen, und vom Roman (der wieder im Rheinverlag erscheinen soll), den I. und III. Teil[1], während ich den Mittelteil bei Ihnen machen könnte. Zu alldem wird es aber wohl vier Monate brauchen, ehe ich abfahren kann, und da sind wir mitten im schärfsten Winter! Nun, wir werden ja sehen; vielleicht geht es geschwinder.

Hier in Mösern habe ich es phantastisch schön. 1250 m hoch und 600 m über dem Inntal, das man mit all seinen Gebirgen viele Kilometer lang überschaut, denn der Berg, auf dem das Dorf liegt, ragt wie eine Halbinsel in das Tal hinein. Ich bin ganz allein in einem Bauernhaus, und ich sehe dies alles von meinem Fenster aus; beinahe arbeite ich nichts vor lauter Aus-dem-Fenster-schauen. Aber es ist trotzdem ein idealer Arbeitsplatz, vor allem der absoluten Einsamkeit wegen, die ich seit Jahren gebraucht und gesucht habe. Ich hoffe also auf ein gutes Arbeitstempo, besser noch als in München[2], wo es ja doch immer wieder Abhaltungen gab. Und überhaupt. Aber das muß ich Ihnen mündlich erzählen. Im übrigen wird Ihnen Stephen Spender[3] darüber einiges erzählen, wenn er zu Ihnen kommt. Er hat mich in München besucht, und wir hatten einen sehr netten Abend zusammen. Ich finde ihn reizend in seiner weichen Länge.

Von Anja weiß ich nichts. Es kann sein, daß sie mich auf der Durchreise hier besucht, aber das Auto, das sie in Holland abholen sollte, hat einen Unfall gehabt. Und niemand weiß, wo sie jetzt eigentlich steckt. Ich weiß nur, wie gern sie bei Ihnen war.

Grüßen Sie Edwin Muir. Und lassen Sie sich danken. Und seien Sie nicht mehr müde. [. . .]

[GW 10]

1 Broch plante damals eine Romantrilogie, von der nur der erste Band, *Die Verzauberung,* geschrieben wurde. Vgl. den Brief vom 23. 1. 1935, Fußnote 2.

2 Vgl. Brief vom 1. 5. 1935, Fußnote 2.

3 Stephen Spender (geb. 1909), englischer Schriftsteller. Vgl. auch Edwin Muirs Brief an St. Spender vom 4. 5. 1935, in dem Muir auf den Besuch Spenders bei Broch zu sprechen kommt: *Selected Letters of Edwin Muir* (London: Hogarth, 1974), S. 84.

198. An Egon Vietta

Mösern bei Seefeld, Tirol 21. September 1935

Lieber Freund,
Ihr Brief enthält mancherlei Erfreuliches, nämlich den ganz außerordentlichen Reichtum Ihres Arbeitsprogramms und die große sichere Linie, die sich in ihm ganz deutlich kundtut. Und daß Sie es trotz fremdberuflicher Gebundenheit schaffen, ist bewundernswert. Ich weiß ja nur zu genau, was es heißt, einen Doppelberuf bewältigen zu müssen. Und doch erhebt sich da für mich wieder die Frage: ist der schriftstellerische Beruf als solcher heute noch legitim? hat der Lese-Ekel, der die heutige Welt erfaßt hat, nicht seine tiefere (metaphysische) Berechtigung? Sie haben einmal ganz richtig angedeutet, daß es nicht angeht, den heutigen Weltzustand zu beklagen und anzuklagen; auch ich halte es für ethische Pflicht, »zeitgemäß« zu sein, worunter freilich nicht nur zu verstehen ist, daß man zu allem Ja und Amen sagt, wohl aber, daß man die nun einmal geprägten Formen akzeptiert und aus diesen heraus die ethischen Forderungen durchsetzt: wenn die Welt auf den Philosophen und Dichter nicht mehr hört, weil sie ihn nicht mehr hören kann, weil sie seine Sprache nicht mehr, sondern nur mehr die politische versteht, erscheint es mir beinahe unmoralisch, in einer solchen Welt ein denkerisches und dichterisches Leben führen zu wollen, denn es läuft auf eine Isolierung im Elfenbeinturm hinaus. Das Ethische und Religiöse in die Welt zu tragen, ist Aufgabe und bleibt Aufgabe; es ihr aber in einer fremden Sprache aufzwingen zu wollen, wird nachgerade absurd. Gewiß kann man nicht von heute auf morgen sagen: »Ab heute bist Du ein politischer Mensch, weil die Welt politisiert ist«, aber vielleicht ist die Schlichtheit eines stummen Lebens in solchen Zeitläufen richtiger und sogar beispielgebender als des papierenen. Ich habe mit diesem Problem unendlich viel zu tun gehabt, es war in den letzten Jahren eine furchtbare Arbeitshemmung, und wenn ich heute mich trotzdem wieder mit aller Vehemenz in die Arbeit geworfen habe, so kann ich es immer noch nicht als eindeutige Lösung empfinden. [. . .]

[GW 8]

199. An Daniel Brody

Mösern, 14. Oktober 1935

Mein Lieber,
[. . .] Zur Nebensache: ich bin an den beiden Schlußkapiteln[1], und dann kommt die erste Überarbeitung, die für Frankfurt[2] ausreichen muß. Das große Hauptkapitel, der Irmgard-Tod[3], ist – so glaube ich – gelungen, aber ich habe noch keine Distanz dazu. Sowie ich fertig bin, möchte ich nach München; es kommt ja jetzt auch die technische Frage des Manuskriptabschreibens, etc. Wenn Du also nicht schon früher herauf kämest, so sähe ich Dich erst in München: mir ist bang nach Dir. [. . .]

[GW 8, BB]

1 Kapitel XIII, XIV der *Verzauberung,* KW 3, S. 292-367.
2 Die *Frankfurter Zeitung* hatte durch Karl Zimmermann am 9. 9. 1935 bei Broch anfragen lassen, ob die Möglichkeit eines Zeitungsvorabdrucks der *Verzauberung* bestünde (DLA). Zu diesem Vorabdruck kam es nicht, weil Broch sich zu einer erneuten Überarbeitung des Romans entschloß. Diese zweite Fassung blieb Fragment.
3 Kapitel XII der *Verzauberung*. Vgl. besonders KW 3, S. 278.

200. An Herbert Burgmüller

Mösern b. Seefeld, Tirol, 2. November 1935

Mein lieber Herbert Burgmüller,
Wie Sie sich vorstellen können, habe ich Ihr Buch[1] mit der allergrößten Anteilnahme gelesen, und ebenso versteht sich, daß ich über das, was Sie ausgedrückt haben und m. E. hatten ausdrücken wollen, eingehend nachgedacht habe. Und wenn ich Sie richtig verstanden habe, so erscheint mir Ihre Absicht, die Romanwelt und damit die Welt rein aus dem Gedanklichen aufzubauen, als ein großes und schönes Vorhaben.

Da Sie aber von meiner Freundschaft keine bedingungslose Zustimmung und bequeme Begeisterung, sondern Kritik und Einwand verlangen, so muß ich hinzusetzen, daß ich dieses Vorhaben zwar in jeder Zeile spüre, im Ganzen aber nicht als erfüllt sehe. U. z. lassen sich zwei Hauptgründe für diese Diskrepanz zwischen Problemstellung und Ausführung angeben:

1.) Sie bauen Ihr Exempel an den seelischen Vorgängen auf, die sich in einem ursprünglich durchaus rationalen Menschen unter der Wirkung einbrechender Irrationalität abzuspielen hätten. Worin aber besteht nun diese Irrationalität? in der Fragwürdigkeit des Kredites einer falliten Bank? in dem Auftauchen einer seelischen Beziehung zu einer Frau? Beides könnte natürlich möglich sein, denn der Einbruch des Irrationalen kann natürlich von überall herkommen, von einem abgerissenen Hosenknopf eben so gut wie von einem Meeressturm, nur müssen Hosenknopf und Meeressturm hiezu in einem festen und unverbrüchlichen Zusammenhang mit jener Ganzheit stehen, die eben die Welt in ihrer Irrationalität ist. Diesen Zusammenhang kann ich in Ihrem Buch nicht finden. Wenn Sie auch noch so kluge Dinge über das Anarchische in der Welt sagen lassen, und wenn es auch durchaus überzeugend ist, daß sich solche Anarchie auch dort widerspiegelt, wo die Welt sich am rationalsten glaubt, nämlich am Geld, es ist damit noch nicht das Irrationale erfaßt, noch nicht jener Punkt, an dem allein das Dichterische sich legitimiert: m. a. W. man sieht den Bankkrach als einen Unglücksfall, der uns bei Ihnen weit mehr schuldig bleibt als das Geld, das er wesensgemäß zu schulden hat, weit mehr, nämlich die *Erschütterung*, die niemals von einem einzelnen Unglücksfall, sondern nur von der Ganzheit des Irrationalen ausgehen kann. Und genau das nämliche gilt von der auftretenden Frau: auch sie reicht nicht über die Kontingenz eines Unglücksfalles hinaus, sowohl in ihrer etwas unglücklich gewordenen Biographie, wie in ihrem Verhältnis zum Helden, zu dem sie keinerlei andere Beziehung hat, als die einer zufälligen Dame, Büroangestellten und Zuhörerin; nirgends wird sie zur Repräsentantin der Frau schlechthin, des Erotischen schlechthin, des Irrationalen schlechthin. Und so vollzieht sich der Einbruch der Irrationalität in die Seele des Protagonisten nicht als ein Staudammbruch, sondern wie das Einsickern eines schmalen Wässerchens, das die Gestalt einer lauen »Verärgerung« angenommen hat. [. . .]

2.) Ist also dieser Teil der Insuffizienz darauf begründet, daß Sie Ihre Objektwelt, die des Irrationalen, nicht genügend ausgebaut haben, so begründet sich der andere Teil in Ihrer Methode: das ist nun freilich eine schwierige Sache, denn Ihr Vorhaben der »Gedankendichtung« greift natürlich stark ins Methodische hinein und muß es weitgehend beeinflussen, u. z. in der Richtung eines Zurückdrängens des Gestalterischen zu Gunsten der rationalen Überlegung. Nun läßt sich aber Irrationales kaum ohne gestaltende Hand darstellen. Und selbst wenn man es im Wege des »Gedanklichen« erreichen wollte, so muß dieses so lange und so intensiv um die Dinge der Welt gelegt werden, bis auch hiedurch die Gestalten zu Tage treten. Davon sind Sie aber weitgehend abgerückt. Ihre Menschen sprechen klug, oftmals bedeutend, aber ebenso oft fragt man sich, warum dies nicht einfach in einem Essay dargelegt wird, denn man vergißt den Mund des Menschen, der spricht, oder richtiger, er ist zum abstrakten Mund eines Stichwortträgers geworden. Gewiß, es ist Ihnen unbenommen, den Leuten ihren Geruch, ihre Triebe, ihre Sexualität, ihren Hunger und alles, was sie sonst noch an sich und in sich herumtragen, zu nehmen, aber als Dichter müssen Sie es ihnen, gewissermaßen von rückwärts herum, wieder zurückgeben. Manchmal gibt es Ansätze dazu, aber es ist, als fürchteten Sie sich vor diesen Ansätzen. [. . .] Und nur ganz selten lassen Sie ein lebenssattes Bild zu, wie das der Quecksilbertropfen auf den regennassen Blättern. Und wiederum: auch dadurch betrügen Sie sich selbst um die Erschütterung des Irrationalen, auf das Sie doch eigentlich aus sind.

Das ist alles nur schematisch dargestellt; ich könnte es Ihnen an Hand unzähliger Tatsachen beweisen, aber dazu fehlt mir die Zeit, und ich hoffe, mich auch so verständlich gemacht zu haben. Hingegen erscheint es mir sehr wichtig, die Ursachen dieses Tatbestandes zu berühren. Und auch hier wären zwei wesentliche Momente herauszuheben.

Die erste Ursache liegt zweifelsohne in Ihrer eigenen seelischen Konstitution. Jeder Dichter drückt ja diese vor allem aus. Verzeihen Sie also, daß ich damit in Ihre privateste Sphäre eingreife, aber das muß sich eigentlich jeder Dichter gefallen lassen; es ist der wohlverdiente Lohn des Exhibitionismus, den er vermittels seines Werkes treibt. Und da will mir nun scheinen, daß Sie sich in einer höchst bedenklichen Spaltung befinden, in einer Auseinanderreißung des Verstandesmäßigen, des Gefühlsmäßigen, des Triebmäßigen, in einer inneren Personszersplitterung, die zwar für den Dichter wahrscheinlich unerläßlich ist, da er sonst niemals dramatisch denken könnte – auch Goethes Leben war ein spezifisch aufgespaltenes –, die aber gleichzeitig seine höchste Gefahr ist; denn das Kunstwerk, die Dichtung, gelingt nur, wenn es dem Dichter gelingt, im Werk seine Person wieder zu sammeln und zur Einheit zu bringen, wofür wieder Goethe als Beispiel anzuführen ist. Und es dünkt mich nun, mehr noch, es macht mich besorgt, daß Sie offenbar dieser Vereinheitlichung nicht zustreben, sondern im Gegenteil die Spaltung zu hypertrophieren scheinen. Wenn ich mir Ihr privates Leben vorstelle, so sehe ich es als eine Art Rechenexempel, das Sie sich zurecht machen, als etwas, das weitab von der Einheit des Seins dahin treibt und bereits mit einer großen Angst vor dem Unmittelbaren behaftet ist. Wäre dem nicht so, Sie wären nie und nimmer auf die Idee der rein gedanklichen Dichtung verfallen, dieser so sehr rationalen Dichtung, wie sie in Ihrem Buch vorliegt.

Und nun hiezu die zweite Ursache, die auf Ihr Talent und Ihr Werk so mindernd wirkt: eben weil Sie das Unmittelbare scheuen und scheuen müssen, geraten Sie unter den Bann anderer Menschen, in diesem Fall den meiner Bücher. Vielleicht ahnen Sie es nicht einmal selber, in welch weitgehendem Maße sich dies bereits bei Ihnen vollzieht und welche Gefahr dies für Sie bedeutet: die Gefahr, daß Ihr großes Talent zu einer bloßen Gewandtheit herabsinkt, zu einer Gewandtheit, die sich – ohne es selber zu merken – den Jargon eines jeden anderen aneignet und mit ihm manipulieren kann. Und je krasser sich die Auseinanderspaltung Ihres Wesens vollzieht, desto vertracktere Streiche wird Ihnen Ihr Unbewußtes spielen: anstatt daß es im breiten ungebrochenen Strom Ihr eigenes Irrationales (und damit die »Welt«,

Ihre Welt) zur Ratio emporhebt, ist es durch die Spaltungsrisse abgestoppt oder muß die krummsten Wege gehen, während das Denken, seines natürlichen irrationalen Seinsgrundes beraubt, immer mehr darauf angewiesen ist, das »Leben«, das es doch braucht, in bereits rational-gemachter, also geformter Form zu erleben; ich bin z. B. ziemlich überzeugt, daß Ihnen ein Stück Natur, sein ganzer Stimmungs- und Duftgehalt vor einem Bilde irgend eines Impressionisten, etwa Monet, viel eindringlicher zu Bewußtsein kommt, als wenn Sie selber durch die Landschaft schritten. Damit ist eigentlich das Wesentliche schon gesagt, und ich muß nicht mehr viel auf den Spezialfall, auf die Beziehung zwischen Ihnen und meinen Büchern hinweisen: ohne von Beziehungswahn befallen zu sein, könnte ich Ihnen auf jeder Seite, bei jeder Situation, bei jedem Charakterzug aufzeigen, wie weit sie direkt innerlich erlebt, wie weit sie im Wege der Lektüre nacherlebt sind, ja, das verteufelte Spiel, in das Sie da geraten sind, geht so weit, daß Sie Mängel, die mir unterlaufen sind, übernehmen und womöglich noch verschärfen: so weiß ich z. B., daß mir das Verhältnis Hieck-Ilse[2] im rein Seelischen stecken geblieben ist, daß hier der eigentliche Schuß Blut noch fehlt (die Gründe hiefür sind mir bekannt), und genau der gleiche Mangel tritt bei Ihnen in vergrößerter Form zum zweiten Mal ans Tageslicht. Es ist absolut auffallend: *je näher die Dinge ans Irrationale und Unbewußte kommen, desto mehr fürchten Sie Ihr Eigenerleben, desto enger müssen Sie sich an vorgeformte Vorbilder halten,* denn desto fester ist Ihnen Ihr eigenes Innenleben verriegelt, durch Furcht davor verriegelt. Betrachten Sie z. B., wie sehr Sie sich – bis zu wortwörtlichen Zitaten von Wortfolgen! – in die vorgeformte Form der »Unbekannten Größe« geflüchtet haben dort, wo Sie sich mit dem Tod auseinandersetzen sollten, freilich nur sollten, denn Sie tun es ja nicht, weil Sie schlechterdings von einer panischen Furcht davor besessen sind, von einer Furcht, *die jeden aufgespaltenen Menschen besitzt.* Und um diese psychologische Analyse zu beenden: dort, wo Sie den Versuch machen, Irrationales aus dem eigenen Ich hervorzuholen, da tun Sie es so zögernd, so ängstlich, daß der Versuch schlechterdings mißlingt. [. . .]

Genug davon; ich bin überzeugt, daß ich Sie mit dieser

Privatpsychologie schon ärgerlich gemacht habe, denn Sie wollen Kunstkritik und nicht psychische Kritik hören. Und doch ist diese wichtiger als jene, denn von ihrer psychischen Struktur hängt Ihr Können, Ihre Existenz, Ihr Leben ab. Heute habe ich von Ihnen den Eindruck, daß Sie – führen Sie auf dem eingeschlagenen Weg weiter – wahrscheinlich dank Ihres Talentes ein tüchtiger und bedeutender Schriftsteller werden würden, daß Sie aber Ihre dichterische Anlage zum Verkümmern zwingen. Nun ließe sich wohl sagen, daß die heutige Zeit ohnehin keine Dichter braucht, daß Sie sich also diesen Spaß ruhig leisten könnten. Sie braucht aber noch viel weniger tüchtige und bedeutende Schriftsteller, wenn diese nicht mehr sind als tüchtig und bedeutend: Essays über Goethe, über Stendhal, über Literaturbelange dieses oder jenes Kalibers, ja, sogar philosophische Mittelware, all dieses schriftstellerische Zeitschriftenfutter ist der heutigen Welt gleichgültig, dies alles hat keine Lebensberechtigung und wird sich selbst aufzehren, soweit es über Tüchtigkeit und Bedeutung nicht hinauslangt. Bestehen bleiben wird der wahrhafte Dichter, während der Schriftsteller nur dann mit der gleichen Lebenslegitimation ihm zur Seite treten kann, wenn sein Werk der Ausdruck einer echten humanen *Gesinnung* ist, wenn es ihm in seinem Werk nicht nur darauf ankommt, dieses oder jenes ästhetische Urteil abzugeben, sondern wenn er das Werk ethisch auf die Welt richtet, danach trachtend, in diese einzugreifen, meinetwegen sogar politisch zu werden. Und nun, lieber Herbert Burgmüller, glauben Sie, daß man dies mit einer aufgespaltenen Seele besorgen kann? mit einer, die sich vor dem eigenen Unbewußten *fürchtet?* die vom Irrationalen *weiß,* aber es nicht *sehen* will? Und deswegen ist die psychische Kritik in diesem Falle soviel wichtiger als die künstlerische, denn ob ich Sie auf diesen oder jenen Mangel des Buches aufmerksam mache, ist ziemlich gleichgültig.

Sie werden mich nun fragen, was Sie machen sollen! Nun, vor allem: alles, was ich da ausgesprochen habe, ist Indiz und Vermutung, *es muß nicht unbedingt stimmen,* denn des Menschen Seele ist unendlich. Ich habe bloß – an Hand Ihres Buches und Ihres sonstigen Verhaltens – die *Wahrscheinlichkeit* für mich, *nicht mehr!* Ehe aber über diesen Punkt noch weiter geredet werden kann, müssen Sie die *affektiven* Widerstände, die zweifelsohne bei Ihnen aufkeimen werden (weil sich *kein* Mensch derartige Sachen gerne sagen läßt), niederkämpfen, d. h. Sie müssen sine ira et studio über sich nachdenken, prüfend, wie weit ich mit meiner Vermutung recht habe und recht haben könnte. Wenn Ihnen dies gelingt, so wäre schon sehr viel getan. [. . .]

[GW 8]

1 Herbert Burgmüller, *Gang in den Herbst. Erzählung* (Berlin: Kiepenheuer, 1938).
2 In der *Unbekannten Größe.*

201. An Ruth Norden

3. 11. 35 Mösern b. Seefeld, Tirol, Haus Klotz

Liebe sehr ergebene Ruth Norden,
obwohl wir uns über die Ansprachen, glaube ich, geeinigt haben, beginnen und endigen Ihre Briefe in herrlicher Förmlichkeit; Sie sehen, ich halte mich daran.

Ja, und ich bin Ihnen auch noch eine Briefantwort schuldig, u. z. weil sich zwei unserer Briefe gekreuzt hatten, und nicht nur eine Antwort bin ich Ihnen schuldig, sondern auch einen Glückwunsch zur neuen Position und einen Dank für das Living Age[1]. Ich freue mich aufrichtig über Sie und Ihren Aufschwung, und wenn ich jetzt auch noch Ihr Bild sehe, das so ganz anders ist als das erste, so verstehe ich es auch, nicht wegen der verpönten Hübschheit, sondern wegen der hoffentlich nicht verpönten ernsthaften und bewußten Menschlichkeit, die darin sichtbar ist.

Damit sind wir aber auch schon beim zweiten, noch größeren Dank, den für den Geburtstagsgruß, ein Gedenken, das rührend ist und überdies mit rührender Pünktlichkeit auf den Tag hier eintraf: und haben Sie Dank für Ihre Wünsche zur Erfüllung meines Programms (ein Programm, das zwar, wie Sie schreiben, fest, doch keineswegs, wie Sie annehmen, beneidenswert ist!). Und das Präsent war für den älteren Herrn durchaus passend und wird in hohen Ehren gehalten werden.

Und nun zu Ihren Fragen: Die österreichischen Sozialisten sind zumeist nach Brünn emigriert[2], wo sie auch die alte »Arbeiterzeitung« weiter herausgeben; so weit ich es beurteilen kann, ist es eine sehr lahme und bedeutungslose Angelegenheit geworden, denn die verfehlte sozialdemokratische Politik der letzten 10 Jahre scheint dort noch immer metaphysisch nachzuwirken –, man hat den Eindruck eines langsamen Versandens, soferne nicht überraschend eine Erneuerung und Verjüngung erfolge. Aber eben an dieser hat es ja schon in der Blüte gefehlt!

In Österreich selber gibt es keinerlei oppositionelle Blätter oder Zeitschriften mehr. Eine Zeitlang hat der »Arbeitersonntag«[3] des Vizebürgermeisters Winter den Versuch zu einer kritisch-sozialistischen Opposition gemacht: diese Aktion scheint aber ebensowohl am Desinteressement der Arbeiterschaft, als an der Haltung der Regierung zum Stillstand gekommen zu sein.

Die ideologisch noch interessanteste Zeitschrift in politischer Beziehung dürfte der »Christliche Ständestaat«[4], herausgegeben von dem katholischen Philosophen Hildebrand, sein. Dann gibt es jetzt eine ganz bemerkenswerte Publikation, nämlich die unter Patronanz des Kardinal-Erzbischofs[5] erscheinende »Erfüllung«[6] (Wien IV. Paulanergasse 6), welche der Versöhnung zwischen Christen- und Judentum dienen soll, allerdings eher theologisch als politisch, dennoch scharf anti-nazisch. Was sonst so an Zeitungen erscheint, hat alles miserables Niveau, und es ist wohl nichts vorhanden, was einen Tauschverkehr lohnt.

Die frühen Bücher der Seghers[7] kenne ich; sie haben mir durchwegs großen Eindruck gemacht. Das neue[8] will ich mir verschaffen. Immer mehr von der Überflüssigkeit belletristischer Literatur überzeugt, lese ich sehr wenig, manchmal nur von der Schönheit einer Sprache gefangen genommen, wie z. B. bei Giono[9]. Und auch da weiß ich, daß wir in einer Zeit leben, in der auch die Schönheit der Sprache nichts anderes ist als ein Häufchen kalter Asche, ja, in der man das Wort »schön« oder »Schönheit« nur mehr mit einem Zuschuß von Immoralität auszusprechen wagen darf: »Schönheit« ist zu einem Requisit geworden, das beinahe ins alte Photographienalbum gehört oder in die herrlichen ältern Jahrgänge der Fliegenden Blätter[10], dorthin, wo die Liebe noch der Amor ist.

Doch damit (mit der Schönheit) kommen wir auf Ihr Bild zurück: eines von gleicher Qualität habe ich natürlich nicht zur Hand, aber beinahe ein ebenso schönes, nämlich das meiner Aussicht von meinem Fenster aus, solcherart den Vorwurf entkräftend, daß ich sie allein für mich haben will. Und stellen Sie sich dazu vor, daß es zu dem Inntal, das man da sieht, steil 500 m hinunter geht (was auf der Photographie nicht so sehr zum Ausdruck gelangt); es ist kurzerhand bezaubernd. Und von hier aus zu Ihrem Bild zurück: haben Sie schon in Berlin so amerikanisch ausgeschaut? das ist nämlich sonderbar – wäre ein sonderbares Phänomen, wenn sich die Typusveränderung bereits in einem Jahr anbahnen würde.

Plagen Sie sich nicht damit, mir zu schreiben! Sie haben genug andere Dinge zu tun. Sagen Sie mir bloß einmal gelegentlich, ob Ihnen Huebsch die Filmmanuskripte[11] ausgefolgt hat; aber auch dies ist nicht wichtig. (An Huebsch werde ich jetzt übrigens auch einmal schreiben.) Und seien Sie froh ob der Entfernung, die zwischen Ihnen und einem Grauen liegt, das zwischen Bestialität und Gleichgültigkeit hin- und herpendelt, einem Grauen, dem ich vorderhand noch verhaftet bin, obwohl ich mich reichlich bemühe, von alldem nichts zu sehen und zu hören, bewußt an der Immoralität festhaltend und nichts anderes tuend, als zu arbeiten. Ich bleibe sohin bis zur Fertigstellung des Buches (d. i. etwa Dezember) sicher noch hier, dann gehe ich für einige Zeit nach München, hierauf Wien und schließlich England. Ob und wann dann die Etappe Amerika folgen wird, wage ich heute noch nicht zu entscheiden. Und wenn Sie einen Brief an mich schon fertig haben, so beschäftigen Sie sich bitte nicht damit, ob er schön oder nicht schön sei, das sind, wie gesagt, unmoralische Erwägungen, sondern werfen Sie ihn bitte geschlossenen Auges in den Postkasten.

Nochmals Dank und in Herzlichkeit – gemäß Ihrer Vorschrift –

Ihr sehr verehrter
H. B.

[DLA]

1 *The Living Age* war eine zwischen 1844 und 1941 in New York erscheinende politisch informierende Monatsschrift, die wichtige Artikel aus der internationalen Presse auf Englisch nachdruckte, Mitte der dreißiger Jahre brachte sie viel Information über Hitler-Deutschland, vor allem auch aus der deutschsprachigen Exilpresse. Ruth Norden arbeitete als Associate Editor am *Living Age* und publizierte Rezensionen dort.

2 Nach den Februaraufständen von 1934.

3 *Der Arbeitersonntag* wurde herausgegeben vom Wiener Vizebürgermeister Ernst Karl Winter. Winter bemühte sich vergeblich um die Vereinigung katholisch-konservativ-legitimistischer und sozialistischer politischer Kräfte in Österreich zum gemeinsamen Kampf gegen den Nationalsozialismus.

4 *Der Christliche Ständestaat,* eine österreichische Wochenschrift, die zwischen 1933 und 1937 erschien und von dem katholischen Theologen und Philosophen Dietrich von Hildebrand (geb. 1889) begründet und ediert wurde.

5 Theodor Innitzer (1875-1955), seit 1932 Wiener Erzbischof, seit 1933 Kardinal.

6 *Die Erfüllung* war eine österreichische Zweimonatsschrift, die im Auftrag des Pauluswerkes von dem katholischen Theologen Johannes Österreicher herausgegeben wurde. Die Zeitschrift erschien zwischen 1934 und 1938 im Rheinhold Verlag in Wien, Leipzig. Vgl. Brief vom 3. 10. 1936, Fußnote 3.

7 Anna Seghers, *Der Aufstand der Fischer von St. Barbara* (1928); *Auf dem Wege zur amerikanischen Botschaft* (1930): *Die Gefährten* (1932); *Der Kopflohn* (1933).

8 Anna Seghers, *Der Weg durch den Februar* (Paris: Edition du Carrefour, 1935). Der Roman behandelt den Februaraufstand der österreichischen Sozialisten 1934 in Graz und Wien.

9 Jean Giono, *Le serpent d'étoiles* (1933); *Le chant du monde* (1934); *Que ma joie demeure* (1935).

10 *Fliegende Blätter,* humoristische Zeitschrift; erschien in München 1845-1944.

11 *Das Unbekannte X.*

202. An Edit Rényi-Gyömröi

Mösern, 4. 11. 35

[. . .] Dabei ginge es mir eigentlich an sich ausgezeichnet. Ich schreibe ein Buch[1], das ein Faust zu werden verspricht, ich sitze in der herrlichsten Gegend der Welt, ich bin arbeitsfreudig und gesund. [. . .] Nebenbei: von Jung habe ich im Laufe des Sommers einiges gelernt; die »Psychologischen Typen«[2] sind wirklich ein gutes Buch. [. . .] Das wäre also mein Leben, zu dem nur noch zu sagen wäre, daß die Arbeit entsetzlich drängt, nicht zuletzt wegen des kommenden Krieges, daß ich sie unbedingt noch in Deutschland placieren will, daß ich sodann nach England übersiedeln möchte, und daß mir meine steten Arbeitshemmungen immer wieder einen Strich durch's Programm machen; allerdings ist das Programm auch übergroß. [. . .]

[YUL]

1 *Die Verzauberung*.
2 C. G. Jung, *Psychologische Typen* (1920). Vgl. Brief vom 27. 3. 1936, Fußnote 2.

203. An Daniel Brody

Mösern, 6. November 1935

Lieber Dani,
[. . .] Wenn Du heimkommst, erhältst Du [. . .] die bereits fertiggestellten Kapitel, und das letzte Kapitel[1] wird dann ehestens folgen; allerdings wird mir dieses noch besondere Schwierigkeiten machen; nichtsdestoweniger wird es gelingen, wie ich ja überhaupt meine, daß das Gesamtbuch gelingen und eine Ausnahmsstellung im Literaturgetriebe haben wird. Du weißt, daß ich nicht selbstverliebt und überdies mit derartigen Äußerungen sehr vorsichtig bin, umsomehr als ich die Buchproduktion an sich und überhaupt gering genug

einwerte, vielleicht sogar allzu gering. Aber diese allgemeine Geringschätzung vorausgesetzt, so wird dieses Buch die Bedeutung »bedeutend« – im wahren Doppelsinn dieses Wortes – für sich in Anspruch nehmen dürfen. Auch dies wird »klappen«, und wenn es außerdem in meinem Leben klappen sollte, wozu ich alle Anstrengungen mache, mögen auch manchmal Fehler unterlaufen und ich noch keineswegs sicher bin, daß nicht noch aus dieser oder jener Ecke ein ungünstiger Wind blasen wird (andere Winde scheint es ja nicht zu geben), so sehe ich doch mit einiger Selbstsicherheit und mit einer ganz guten Selbsteinschätzung in die Zukunft; denn schließlich hat mir ja der liebe Gott doch ein Kapital mitgegeben, das zwar schwer flüssig zu machen, aber auch nicht leicht devalvierbar ist. Und so nehme ich Deinen guten und so schön geklappten Geburtstagsbesuch und Deine Freundschaft mit als gutes Omen für das begonnene Fünfzigste und die darauffolgenden Jahre. [. . .]

[GW 8, BB]

1 Kapitel XIV der *Verzauberung*.

204. An Alice Schmutzer[1]

Mösern b. Seefeld/Tirol, Haus Klotz 7. 12. 35

Liebstes Liesilein,
nur aus der Ferne kann ich Dir gratulieren. Ich sitze, wie Du siehst, noch immer hier und werkle an den Büchern, denn wenn ich mir nicht diese künstliche Abgeschlossenheit erzeugte, es ginge überhaupt nicht. Jeder Schritt in die Welt zeigt, wie überflüssig diese Art Tätigkeit ist, wie absolut weltfremd, wenn auch nicht lebensfremd, und so ist es besser, man begibt sich in jene Unterwasserzone, wo von den Oberflächenbewegungen nichts mehr spürbar ist. Leider läßt sich nicht für die »Ewigkeit« schaffen, denn erstens gibt es die nicht mehr, und zweitens kann das noch manchmal der Maler, der kann sozusagen zu seinem »Vergnügen« malen,

niemals aber der Schriftsteller, der an »Wirkung« gebunden ist, einfach aus der Struktur seiner Erzeugnisse heraus. Ich habe jetzt viel über diese Dinge nachgedacht – Gelegenheit zum Denken habe ich ja genug – und auch einen großen Aufsatz darüber geschrieben »Geschichtsmystik und künstlerisches Symbol«[2], und deshalb brauch ich Dir das jetzt nicht weiter erzählen, denn den kriegst Du dann ohnehin.

Im übrigen ist es hier herrlich. Im November noch ein großartiger Nachsommer und jetzt Schneesonne und Sonnenschnee. Nur müßte man jetzt Skifahren; jede andere Fortbewegung ist beinahe unmöglich.

Ich habe den Reichner-Verlag auf Dich aufmerksam gemacht. Wenn Du ein Bändchen beisammen hättest, könntest Du es ihm anbieten. Wie sieht es denn mit Deinen Feuilletons aus? ließe sich nicht da etwas zusammenstellen. Aber Du bist ja faul. Was macht die Gesundheit?

Was ich Dir wünsche, das weißt Du ohnehin, angefangen von der Gesundheit bis hinauf zur Arbeitskraft alles, was auf dieser physisch-psychischen Skala Gutes liegen kann. Und mir wünsche ich, daß ich Dich doch endlich einmal wieder sähe (nur graust mir vor Wien, das ich aber schließlich doch nicht werde vermeiden können), und inzwischen wünsche ich mir wieder einmal eine Zeile von Dir. Grüße die Kinder, im besondern meine Künstlerin[3], und laß Dir viel Gutes und Liebes sagen von Deinem alten

Hermann

[DÖL]

1 Alice Schmutzer, geb. Schnabel (1884-1949), eine Cousine Brochs mütterlicherseits. Verheiratet war sie mit dem Wiener Radierer Ferdinand Schmutzer (1870-1928). Alice Schmutzer unterhielt im Wien der zwanziger und dreißiger Jahre in ihrem Haus Sternwartestraße 62, 18. Bezirk, einen Künstlersalon. Sie war u. a. befreundet mit Stefan Zweig und Ernst Martin Benedikt, für dessen Neue Freie Presse sie verschiedentlich Feuilletons schrieb.

2 »Erwägungen zum Problem des Kulturtodes. Geschichtsmystik und künstlerisches Symbol«, in: *das silberboot*, 1/5 (Dezember 1936), S. 251-256. Vgl. KW 10/1, S. 59-66.

3 Alice Schmutzer hatte zwei Töchter und einen Sohn. Mit der »Künstlerin« ist ihre Tochter Susanne (geb. 1911) gemeint, die

damals eine Ausbildung als Bildhauerin an der Wiener Kunstakademie absolvierte. Susanne Peschke-Schmutzer lebt heute im Hause ihrer Eltern in Wien und ist verheiratet mit Paul Peschke (geb. 1907), einem Bildhauer, der 1960 die Broch-Büste für das Broch-Denkmal in Teesdorf bei Wien schuf. Die andere Tochter Alice Schmutzers war Maria Rosé Schmutzer (geb. 1909); ihr Sohn war Johannes Schmutzer (1913-1957).

205. An Daniel Brody

Mösern, 15. Dezember 1935

Lieber,

[. . .] Und damit sind wir beim Thema der Moral und der Verantwortung, mit dem ich Dich nicht lange behelligen, sondern Dir nur kurz antworten will: Du sprichst von »Leben vernichten«, ein Wort, das mir – wie immer – stark in die Glieder gefahren ist, denn gerade dies ist ja mein Trauma, und von hier aus gehen die meisten Gewissenskonflikte meines Lebens. Es ist nun aber so, daß *ich* die *Führung* in die Hand bekommen muß, wenn nicht gleich zwei Leben vernichtet sein sollen. Psychologische Wahrheiten sind, so sehr ich sie anerkenne, nicht alleinseligmachend, und es gibt Situationen, wo sie einfach nichts mehr nützen; auch der Kantsche Transzendentalismus ist wahr und richtig, wird aber in gegebenen Realitätssituationen versagen. Ich sage dies heute mit wesentlich größerer Festigkeit als vor ein paar Monaten, weil ich mich in tausend Dingen bestätigt gesehen habe, sogar in meinen psychischen Erkenntnissen. Ob ich Moral *habe,* kann ich Dir nicht genau sagen, wohl aber, daß ich bemüht bin, möglichst so zu handeln. Und wenn Du sagst, daß man mit Konventionsmoral kein Glück aufbaut, so hast Du völlig recht: hingegen gibt es eine unerläßliche Moral zur Glückschaffung, die eigentliche »Glücksverantwortung«, und die besteht in Klar-sehen und Klar-handeln. Gewiß bin ich – denn um meine dichterische und künstlerische Konstitution komme ich nicht herum – in dieser Beziehung beeinträchtigt und Labilitäten ausgesetzt, aber alles in allem bin ich nebbich kein kleines Kind mehr und weiß, was nottut. (NB. über die Moral der Klarsichtigkeit vide Harding[1].) Das ist aus keinem hohlen Faß geredet, sondern kann *konkret belegt* werden. Ich verschanze mich also nicht feig hinter Moralitäten, sondern ich habe einen ausgesprochenen Glückswillen, darf jedoch die Realität, bestehend aus meiner schwankenden Existenz, meiner Arbeitskraft, auf der diese Existenz ruht, und der mehr als drängenden Zeit, nicht außer acht lassen. Da die Augen zu verschließen, wäre nacktestes Verbrechen, *eben auch an der Gemeinsamkeit!* Indes bin ich durchaus nicht kleinmütig, habe vielmehr alle Hoffnung und Zuversicht. Jedenfalls ist die Arbeit wieder in Schwung. [. . .]

[GW 8,BB]

1 Esther M. Harding (geb. 1888), englische Ärztin und Psychotherapeutin; Schülerin C. G. Jungs, lebt seit 1923 in New York. Ihr Buch *The Way of All Women* (1932) erschien in der Übersetzung von Lucy Heyer 1935 im Rhein-Verlag, Zürich, unter dem Titel *Der Weg der Frau. Eine psychologische Deutung.*

206. An Daisy Brody

Mösern, 22. Dezember 1935

Als hätte ich eine Ahnung einer bevorstehenden Überraschung gehabt, schickte ich meinen gestrigen Brief mit einem Boten nach Seefeld (er wäre sonst erst morgen weggegangen), und richtig, die Überraschung war da: er kam mit dieser herrlichen Büchersendung zurück. Liebe Frau Daisy, verehrte Freundin, das ist wirklich ein reiches (und natürlich allzureiches) Geschenk, und Sie wissen nicht, welche Freude ich damit habe, das können Sie nicht wissen, weil Sie erstens nicht wissen, daß ich in den letzten Wochen – erst gegen meinen Willen, dann sehr davon gepackt – einen Aufsatz »Geschichtsmystik und künstlerisches Symbol«[1] fabriziert habe, und weil Sie zweitens keine Ahnung haben, d. h. die dürften Sie wohl haben, wie sehr meine Ignoranz in antik religionsgeschichtlichen Dingen mich dabei wieder einmal bedrückt hat; meine Kenntnisse reichen ja nur bis zur Scholastik, und damit Schluß. Der Kern kam also wirklich als ein Christkinderl direkt vom Himmel (und von Ihnen), und ich habe heute schon ein Drittel des ersten Bandes[2] gelesen. Auch in den Talhoff[3] hineingeschaut (sonderbar: gestern schrieb ich Ihnen über die »Natur«), der mir ein Linoleumschnitt zu sein scheint, womit ich ihm noch nicht – noch nicht – ein schlechtes Maul anhängen will, denn es soll auch geniale Linoleumschnitte geben, nach einem on dit. Ich habe übrigens den Eindruck eines Dramatikers, vielleicht sogar eines großen, wenn er sich der Bühne anpassen könnte. Aber davon später einmal. Vorderhand nur Dank, Dank und Aber-Dank. Dieses beifolgende Büchlein[4] gehört aber *nicht* zum Dank, sondern in Ihr Broch-Archiv (auf das ich unentwegt stolz bin), es ist also beileibe und beiseele kein Weihnachtsgeschenk – ich kränke mich ja so, keines für Sie zu haben –, sondern es *war* eines des meschuggenen und wenig begabten Burgmüller und seiner kunstgewerblichen Braut (der Einband ist übrigens nett) an mich und kam mit der gleichen Post wie Ihre großartige Sendung. Und sohin für diese, für die Widmung, für das Gedenken Dank und nochmals Dank und nochmals Aber-Dank in Herzlichkeit und Verbundenheit.

Ihr
HB
[GW 8]

1 »Erwägungen zum Problem des Kulturtodes. Geschichtsmystik und künstlerisches Symbol«, KW 10/1, S. 59-66.

2 Otto Kern, *Die Religion der Griechen,* 3 Bände (Berlin: Weidmann, 1926-1938). 1926 erschien der erste Band mit dem Titel *Von den Anfängen bis Hesiod,* 1935 der zweite Band mit dem Titel *Die Hochblüte bis zum Ausgange des 5. Jahrhunderts* und 1938 der dritte Band mit dem Titel *Von Platon bis Kaiser Julian.*

3 Albert Talhoff (1890-1956), schweizerischer Schriftsteller. Vgl. A. T., *Heilige Natur. Gestalten, Landschaften und Gesichte* (Stuttgart, Berlin: Deutsche Verlagsanstalt, 1935).

4 Eine von Gustl Tommes, der Verlobten Herbert Burgmüllers, erstellte kalligraphische Abschrift von Burgmüllers Aufsatz »Hermann Broch«, in: *Frankfurter Zeitung* (12. 12. 1934).

207. An Stefan Zweig

Mösern
P. Seefeld/Tirol
Haus Klotz 26. Dezember 35

Lieber verehrtester Freund,
wie Sie aus der Adresse entnehmen werden, war es beinahe unmöglich, gestern pünktlich bei Ihnen zu sein: ich sitze nun schon seit Monaten hier, in strengster Abgeschiedenheit (ohne die hier ein fruchtbares Arbeiten unmöglich wäre), allerdings auch in herrlichster Landschaft, und baue an einem Buch herum, das die Gestalt eines Romans[1] hat, eigentlich aber etwas anderes ist und das mir zu glücken scheint (dies mit aller Vorsicht gesagt, denn in der Einsamkeit dieses Elfenbeinturms relativieren sich alle Begriffe und Anschauungen). Ehe ich damit nicht fertig bin, rühre ich mich nicht fort, es sei denn, daß ich wegen allzu argen Winters etwas tiefer hinunter gehe. Dann aber will ich, nach kurzem Aufenthalt in Wien, die langgeplante Reise nach England endlich auch wirklich durchführen.

Daß ich Sie diesmal nicht sehen kann, tut mir furchtbar leid. Im Frühjahr war ich gesundheitlich in einer so niederträchtigen Verfassung, daß ich viel zu wenig von Ihnen gehabt habe, und jetzt werde ich Sie wohl erst wieder in London sehen können. Dabei hätte ich eine Anzahl Themen, die ich mit Ihnen, und eigentlich nur mit Ihnen besprechen wollte, müßte, könnte. Immerhin bin ich froh, daß ich Sie wenigstens schriftlich erreiche; nehmen Sie also herzlichsten Dank für Ihre Verständigung und vor allem sehr gute, sehr aufrichtige Wünsche für das neue Jahr, zu dem ich mir persönlich wünsche, Sie möglichst bald treffen zu können. Und mit einem herzlichen Gruß stets Ihr

Hermann Broch
[SZA]

1 *Die Verzauberung.*

1936

208. An Daniel Brody

Mösern, 14. 1. 36

Lieber,
anbei der heute angelangte Brief B[1]. Im Sinne meines letzten Briefes habe ich den Eindruck, daß es um Dinge geht, die über mein Buch hinausreichen, und die ich prinzipiell durchaus begrüßenswert fände. Es tut mir nur leid, daß ich gerade jetzt Dich nicht persönlich sprechen kann; ich bin zwar überzeugt, daß Du Deine Sache à merveille führen wirst und mich nicht brauchst, aber manchmal ist ein zweiter Kopf, auch wenn er der schwächere ist, von Nutzen. Und es wäre mir eine solche Freude, Dir einmal von Nutzen sein zu können. Außerdem bin ich augenblicklich in einem sehr vifen kombinationsreichen Stadium. Das sehe ich, wie ich meine sehr verwickelten Wiener Dinge jetzt führe.

Über meine persönliche Angelegenheit in der B.-Kombination habe ich ja schon geschrieben. Ich hoffe sehr, daß da ein Nutzen herausschauen wird. Du mußt bedenken, daß ich nach Abschluß der drei Bände doch sicherlich zwei Jahre dichterisch schweigen werde, weil es ja nicht angeht, in einer solchen Intensität weiter zu produzieren. Das geht ja nur ruckweise. Ich werde während dieser Zeit nur Kleinzeug produzieren oder Wissenschaftliches, was mich sehr drängt. Wovon also soll ich dann leben, wenn mir das Riesenbuch nicht einen entsprechenden Ertrag bringt? [. . .]

[GW 8,BB]

1 Broch war in Kontakt mit Gottfried Bermann Fischer, der Anfang 1936 mit einem Teil des S. Fischer Verlages emigrierte und am 1. 5. 1936 den Bermann-Fischer Verlag gründete. Broch wollte *Die Verzauberung,* bzw. auch die zwei weiteren Bände der geplanten Romantrilogie, gleichzeitig bei Bermann-Fischer und im Rhein-Verlag publizieren. Darüber hinaus wurde an eine enge Zusammenarbeit des Rhein-Verlags mit dem Bermann-Fischer Verlag überhaupt gedacht. 1937 befanden sich beide Exilverlage in Wien. Weder realisierte sich eine Publikation der *Verzauberung,* noch kam es zu einer Zusammenarbeit bzw. Kombination der beiden genannten Verlage. Die ins Auge gefaßte Kooperation

hing mit Brodys bzw. des Rhein-Verlags unsicherer Exilsituation zusammen. Im Januar 1936 emigrierte Brody von München nach Lugano/Schweiz. 1937 zog er nach Wien und ging bei dem »Anschluß« Österreichs an das Deutsche Reich im Frühjahr 1938 wieder zurück nach Lugano. Anfang 1939 folgten die Brodys einer Einladung von Freunden nach Den Haag/Niederlande. 1942 gingen sie nach Mexiko ins Exil (Mexico City). Im April 1946 verließen sie Mexiko, lebten bis Febuar 1947 in New York, zogen dann nach Lugano und Anfang 1948 zurück nach Zürich.

209. An Benno W. Huebsch

Mösern
P. Seefeld/Tirol
Haus Klotz 16. Jänner 36

Lieber verehrter Herr Huebsch,

[...] Bei dieser Gelegenheit habe ich Ihnen noch mitzuteilen, daß mein neuer Roman »Die Verzauberung« beendet und vom Rheinverlag (der szt. »Die Schlafwandler« gebracht und Option auf dieses Buch hatte) erworben worden ist. Es ist aber nicht unmöglich – Dr. Bermann hat diese Absicht –, daß eine Kombination zwischen dem neuen Fischer-Unternehmen in Zürich und dem Rhein-Verlag zwecks gemeinsamer Herausgabe des Werkes zustandekommt. Auf alle Fälle erhalten Sie natürlich – unserem Abkommen gemäß – sofort nach Fertigstellung der Kopien, also sehr bald, ein Exemplar vorgelegt.

[...] Was mein zweites Arbeitsprogramm anlangt, so schwanke ich, ob ich mich jetzt sofort an den nächsten Roman, der mir in seinen Grundzügen schon klar ist, machen oder – aus finanziellen Gründen – eine Biographie einschieben soll. Angesichts der zunehmenden Wichtigkeit des anglo-amerikanischen Marktes hätte ich dies sehr gerne mit Ihnen besprochen, und deshalb habe ich es, von der persönlichen Enttäuschung abgesehen, auch so besonders bedauert, Sie anläßlich Ihrer sommerlichen Anwesenheit nicht getroffen zu haben. Natürlich liegt mir eine der landläufigen Biographien nicht; das treffen andere wahrscheinlich besser als ich. Ich müßte also etwas machen, was andere nicht zusammenbringen. Und da dachte ich – mit Hinblick auf mein mathematisch-logisches Arbeitsgebiet – an eine wissenschaftliche Biographie, in der auch die Grundzüge der Wissenschaft selber, um die es hier geht und dem ein Leben gewidmet ist, aufgezeigt werden. Eine solche Arbeit würde mir auch Freude machen. Und in der Suche nach einem geeigneten Objekt kam ich auf Helmholtz[1], und dies nicht nur, weil er ein Mitbegründer der modernen Physik und der Grundlagenforschung ist, sondern auch, weil er im Leben eine interessante Rolle gespielt hat: typischer Repräsentant der Berliner Geistigkeit der Jahre nach 1870, befreundet mit dem Kronprinzen, dem nachmaligen Kaiser Friedrich III.[2], kurzum durchaus geeignet, um in den Mittelpunkt einer historischen Milieuschilderung gestellt zu werden. Außerdem aber glaubte ich, daß die Sache für England besonderes Interesse haben könnte, weil ja die Kaiserin Friedrich, in deren Salon sich das damalige geistige Berlin traf, eine Tochter der Königin Victoria war. Um mich hierüber zu orientieren, d. h. um zu wissen, wie sich die Engländer eben dieser Kaiserin Friedrich gegenüber verhalten, fragte ich – gleichfalls im Sommer – bei Collins[3] darüber an. Es scheint aber, daß die Herren wenig Beziehungen zu dieser englischen Königstochter haben. Und da dies für Amerika noch weniger der Fall sein dürfte, so meine ich, daß ich diesen Plan begraben werde. Aber ich möchte gerne hören, was Sie dazu sagen. [. . .]

[YUL]

1 Hermann Ludwig Ferdinand von Helmholtz (1821-1894), deutscher Mediziner und Naturforscher. Broch gab den Plan einer Helmholtz-Biographie bald wieder auf.

2 Friedrich III. (1831-1888), deutscher Kaiser, König von Preußen; als Kronprinz Friedrich Wilhelm genannt.

3 Londoner Verlag, bei dem 1935 Brochs *The Unknown Quantity* erschienen war.

210. An Ruth Norden

16. 1. 36 Mösern b. Seefeld/Tirol, Haus Klotz

[. . .] Ich bekam plötzlich eine Scheu, irgend etwas zu unternehmen, was die Relativitätstheorie und damit Einstein auch nur annähernd banalisiert. Wenn man sieht, wie er noch immer angepöbelt wird, muß man da doppelt heikel sein und darf ihn nicht zu solchen Dingen mißbrauchen, auch wenn sie – Sie haben ja das Zeug wohl angeschaut – in gewissem Sinne propagandistisch gemeint sind. Aber es kann mißverstanden werden. Darf ich Sie damit belasten und Sie bitten, mir die Manuskripte[1] gelegentlich zu schicken?

Irgendwie gehört auch Ossietzky[2] in dieses Thema. Ich wurde aufgefordert, die österreichischen Schriftsteller zu einer gemeinsamen Aktion zusammenzubringen. Natürlich bin ich hiefür nicht sehr geeignet. Ich habe die Sache den Öst. Friedensvereinen übergeben. Alles erfolglos. Kann man sich da wundern, wenn die Dinge so laufen, wie sie laufen. Aber das Living Age ist eine gute und mutige Angelegenheit. Das Jännerheft[3] ist eingelangt, und vielen Dank.

Über den Stand meiner Arbeit: vide Brief Huebsch. Ich habe allerdings noch scheußliche Nach- und Umarbeitungen[4]. Doch ich meine, daß das Ganze eine anständige Leistung ist. Die Erfolgsaussichten beurteile ich skeptisch; die Geschichte ist wenig unterhaltlich, sie ist leider erhebend.

Mit dem philosophischen Buch werde ich noch lange zu tun haben. Es wird mancherlei Neues bringen. Aber wem? Sie wissen, daß dies meine alte Frage ist. Philosophie ist nicht-existent geworden. Nichtsdestoweniger käme ich sofort nach Amerika, wenn ich durch Philosophie-Vorlesungen oder etwas Ähnliches halbwegs meinen Unterhalt bestreiten könnte. Wenn auch nur für einige Zeit. Die geographische Gebundenheit ist eigentlich der einzige Nachteil dieser ökonomischen Knappheit; wäre die nicht, so würde ich die sogenannte Verarmung gar nicht empfinden.

Ist Ihre Frau Mutter glücklich zurückgekehrt? die Assoziation kam jetzt, weil ich ja auch einmal eine Fabrik liquidiert habe.

Über Fischers[5] Übersiedlung nach Zürich dürften Sie ja

orientiert sein. Auch der Rhein-Verlag übersiedelt dorthin[6]. Leider muß ich nächste Woche noch zu einer Besprechung nach München, aber nur für ein paar Tage. Sodann will ich bis März hier bleiben, dann nach Wien, hierauf England. Das ist das nächste Programm. Und ich sehe, daß der Brief wieder einmal überlang geworden ist. Deshalb Schluß. Nehmen [Sie] Dank und viele herzliche Grüße und Wünsche Ihres

H. B.

[DLA]

1 Broch bezieht sich auf sein Filmskript *Das Unbekannte X*, in dem Professor Weitprecht Züge Albert Einsteins trägt.
2 Carl von Ossietzky (1888-1938), deutscher Publizist, Mitarbeiter und seit 1927 Herausgeber der *Weltbühne*. Nach dem Reichstagsbrand 1933 wurde Ossietzky verhaftet und im April 1933 in das SA-KZ Sonnenberg eingeliefert. Im Februar 1934 erfolgte die Einweisung in das Gestapo-KZ Esterwegen. 1936 wurde ihm der Nobelpreis verliehen. 1938 starb Ossietzky an den Folgen seiner Haft unter Polizeiaufsicht in der Berliner Klinik Nordend.
3 Das Januar-Heft von *The Living Age* enthielt u. a. Artikel gegen Mussolinis Abessinien-Krieg.
4 An der *Verzauberung*. Die Nacharbeiten zogen sich hin bis Anfang Februar 1936. Vgl. die »Anmerkungen des Herausgebers« in KW 3, S. 391-417.
5 Gottfried Bermann Fischer emigrierte damals zunächst in die Schweiz und gründete wenige Monate später in Wien den Bermann-Fischer Verlag. Vgl. Brief vom 14. 1. 1936, Fußnote 1.
6 Vgl. Brief vom 14. 1. 1936, Fußnote 1.

211. An Daniel Brody

Mösern, 16. 1. 36

[. . .] Ich meine, daß es geglückt ist[1]. Natürlich kann ich mich täuschen; es ist ja noch zu nahe, aber ich habe den Eindruck, daß es wirklich der erste *religiöse* Roman werden wird, nämlich einer, wo das Religiöse nicht in Gottesstreitertum usw. liegt, sondern im Nacherleben. Soweit es den Erd- und Mutterkult betrifft, glaube ich, daß der erste Band richtig angesetzt ist. Freilich muß jetzt noch vieles nachgemalt und nachgezeichnet werden, und mir graut schon jetzt davor: denn dazu braucht man Zeit und vor allem Versenkung und immer wieder Versenkung. Ich sage dies nicht, um »recht zu behalten«, ich wollte, es wäre anders, aber es ist eben so. Am liebsten möchte ich jetzt gleich den dritten Teil angehen, weil der der schwerste ist. Über den zweiten Band bin ich mir ziemlich klar; der ist auch verhältnismäßig rational und sehr deskriptiv, also Dinge, die mir leicht fallen[2]. Aber vor dem großen Schluß[3] fürchte ich mich. Obwohl er gehen wird. [...]

Anbei das letzte Kapitel[4], selbstverständlich noch roh. Das Nachwort[5] ist bloße Skizze; weil es erst nach der Gesamtumarbeitung geschrieben wird. Bitte, gib das Exemplar möglichst bald G.[6] Du bekommst ehebaldigst ein zweites.

Was hieltest Du von *»Demeter«* als Gesamttitel? Wegen Kommen erwarte ich Deine Nachricht dann Sonntag oder Montag.

Sei in Eile umarmt
Hermann

[GW 8,BB]

1 Broch stellte damals die erste Fassung der *Verzauberung* (KW 3) fertig.

2 Die übrigen beiden Bände der geplanten Trilogie, für die er damals den Titel »Demeter« erwog, wurden nicht mehr geschrieben. Die Tatsache, daß Broch sich über den zweiten Band »ziemlich klar« war und ihn als »rational und sehr deskriptiv« bezeichnete, spricht für meine Vermutung, daß er hierbei an seine Vorarbeiten zum *Filsmann-Roman* anknüpfen wollte. Vgl. Brief vom 23. 1. 1935, Fußnote 2.

3 Wie in den *Schlafwandlern* ausgeführt, plante Broch offenbar auch für diese Trilogie als Schluß einen bekenntnishaften »Epilog«. Vgl. KW 1, S. 689-716.

4 Kapitel XIV, KW 3.

5 »Nachwort«, KW 3, S. 368-370.

6 Gitte Haffner war die Sekretärin Brodys in München.

212. An Herbert Burgmüller

Mösern, 17. 1. 36

Liebster B.,
nur eine rasche Antwort.

[. . .] Ihr Roman[1] hat sich in der Alterslage vergriffen; ich bin zwar überzeugt, daß der Dichter nicht nur an seine eigene Alterslage gebunden ist, im Gegenteil, er muß Zugang zur ganzen Vielfalt des Menschlichen ohne Rücksicht auf Alter oder Geschlecht oder sonstige Bedingnisse haben, aber wenn man in Ihrer Einsperrung lebt, ist dies doppelt schwierig, und das Resultat ist Lebensleere, Blutleere, Abstraktismus. Dies jedoch gerade müssen Sie sprengen, und dies wird Ihnen noch am leichtesten glücken, wenn Sie in Ihr eigenes Leben tauchen. Und da Ihr Zustand vermutlich weitgehend durch Jugend- und Frühjugendeindrücke bedingt ist, und Sie sich – immer nur vermutlich – gerade dieser werden entledigen müssen, so trachten Sie doch, mit ihnen schriftstellerisch und dichterisch fertig zu werden! Erinnern Sie sich, wie viele Dichter sich durch Erledigung Ihrer Kindheitsbilder »freigeschrieben« haben, erinnern Sie sich Th. Manns (Kröger)[2] und vieler anderer. Mir hat sich diese Idee, die mir schon einige Male durch den Kopf gehuscht ist, konkretisiert, als ich jetzt einen Kindheitsroman las, der mir zugeschickt wurde, Hermann Grab »Der Stadtpark«, Zeitbild-Verlag, Wien-Leipzig[3], ein außerordentlich begabtes Buch eines zweifelsohne noch jungen Menschen, dessen seelische Konstitution mich nach gewissen Indizien – für solche Dinge habe ich irgend einen Spürsinn – an die Ihre gemahnt hat. (Natürlich kann ich mich täuschen). Sohin: überlegen Sie sich einen Kindheitsroman, ein einfaches schlichtes Buch mit möglichst wenig gedanklicher Problematik, jedoch mit weitgehender Verarbeitung Ihrer eigenen Kindheitseindrücke. Es könnte ein Akt der Befreiung werden, einer Teilbefreiung natürlich nur, und es könnte bei Ihrem Talent auch jener Erfolg werden, den Sie brauchen. Indes: ich will Sie damit um Gotteswillen nicht in etwas hineinsetzen, was Ihnen nicht läge! diese Verantwortung kann und darf ich nicht auf mich nehmen. Da müssen Sie wohl mit sich selber und mit Prof. Fr.[4] zu Rate gehen.

Mir erscheint diese Sache um so aktueller, als Sie, wie Sie schreiben, wieder mit philosophischen Arbeiten[5] beschäftigt sind. Ich weiß natürlich nicht, inwieweit sich bei Ihnen in solch rationaler Arbeit Ihre Arbeitshemmungen auswirken, ich weiß auch nicht, wie weit sie Ihnen Entlastung bringt, will Ihnen also auch da nichts dreinreden. [. . .]

Mit dem Roman (Band I) bin ich fertig; die Nacharbeitung und Umarbeitung ist eine scheußliche Arbeit. Der »Joyce« ist noch nicht heraußen; es ist lieb von Ihnen, daß Sie ihn besprechen wollen[5]. Jedenfalls bekommen Sie ihn. Wenn Sie aber inzwischen den Patmos[6] irgendwo besprechen wollten, u. z. das *Buch,* nicht meinen Beitrag! so würde mich dies im Interesse des Herausgebers Schönwiese[7] freuen. [. . .]

[GW 8]

1 Es handelt sich offenbar um ein nicht veröffentlichtes Romanmanuskript Burgmüllers.

2 Thomas Mann, *Tonio Kröger* (1903).

3 Hermann Grab (1903-1949), Prager Schriftsteller. Vgl. H. G., *Der Stadtpark* (Wien: Zeitbild-Verlag, 1935).

4 Adolf Albrecht Friedländer. Vgl. Fußnote 5 zum Brief vom 15. 2. 1949 an Hans Reisiger.

5 Herbert Burgmüller, »Zur Ästhetik des modernen Romans«, in: *das silberboot* 1/5 (1936), S. 257-258.

6 Hermann Broch, *James Joyce und die Gegenwart* (Wien: Reichner, 1936). KW 9/1, S. 63-94. Brochs Studie wurde von Burgmüller nicht rezensiert.

7 Ernst Schönwiese (Hrsg.), *Patmos. Zwölf Lyriker* (Wien: Johannes-Presse, 1935). Zu Brochs in dieser Sammlung enthaltenen Gedichten vgl. KW 8, S. 24 ff.

8 Ernst Schönwiese (geb. 1905), Lyriker; damals Herausgeber der österreichischen Kulturzeitschrift das *silberboot* und Volkshochschuldozent. Schönwiese besprach Brochs Joyce-Studie in: *das silberboot* 1/3 (1935/36), S. 148-149.

213. An Stefan Zweig

26. 2. 36 Mösern b. Seefeld/Tirol, Haus Klotz

Verehrter und lieber Freund Dr. Zweig,
da Ihnen Reichner den Joyce-Aufsatz[1] ohnehin automatisch geschickt hat und Sie ohnehin täglich über den Einlauf an gedrucktem Papier erschrecken, glaube ich in Ihren Intentionen zu handeln, wenn ich Ihnen kein eigenes Widmungsexemplar schicke. Und außerdem kennen Sie ohnehin auch die Gesinnung, die in der zugehörigen Widmung ausgedrückt worden wäre: die Freude darüber, daß es Sie als einen der wenigen Menschen gibt, mit denen man durch eine gemeinsame seelische Sprache verbunden ist. Auch daß ich da noch vielerlei Respektvolles und manches andere hinzuzufügen hätte, wissen Sie; aber eine Widmung soll kurz sein, und gar auf einer so bescheidenen Publikation, die freilich von außen besehen – wie alle Reichner-Sachen – sehr hübsch ist. Von innen her bin ich weniger zufrieden: ich habe zwar im letzten Augenblick, zu Reichners Mißvergnügen, noch eine neue Einleitung hineingesetzt, die ein paar geschichtsphilosophische Facta von Belang andeutet (ich verarbeite diese jetzt zu einem sehr umfangreichen Aufsatz für die Neue Rundschau[2]), aber von rechtswegen hätte die ganze Rede umgearbeitet gehört; eine Geburtstagsrede ist eben kein Essay, und das wurde mir erst beim Anblick der Fahnen so richtig deutlich. Natürlich durfte ich dies Reichner nicht mehr antun. All dies nur als Beweis meiner wachen Selbstkritik für den Fall, daß Sie das Heft doch aufschlagen sollten und wovor ich Sie eigentlich zurückhalten möchte.

Neulich sprach ich viel über Sie, u. z. mit Hans Reisiger[3], der jetzt dauernd in Seefeld wohnt und der viel Schönes »auf Sie« zu sagen hatte; sonderbarerweise hat es Monate gedauert, bis wir einander wirklich begegnet sind, obwohl wir beide da nebeneinander leben, freilich ein jeder in absolute Einsamkeit vergraben. Auch durch Dr. Schönwiese, dem Herausgeber des »Patmos« und des »Silberboots«, hörte ich von Ihnen: er schrieb mir sehr beglückt von Ihrem Urteil über seine zwei Publikationen.

An dem »Silberboot« bin ich übrigens ein wenig interessiert, allerdings nicht finanziell (dazu reichen meine knapp gewordenen Mittel nicht mehr), wohl aber platonisch, da mich Dr. Schönwiese mit Hinblick auf meine industrielle Vergangenheit um Rat in seinen ökonomisch-monetären Komplikationen ersucht hat. Ich glaube auch, daß mir dies gelungen ist, so daß die Zeitschrift wenigstens für einige Monate gesichert sein dürfte. Allerdings könnte – und das habe ich auch Dr. Schönwiese geschrieben – jetzt für das Silberboot (das m. E. dann freilich umgetauft werden müßte) die große Chance kommen: über die Vorgänge bei S. Fischer sind Sie ja unterrichtet; ob die Neue Rundschau[4] weiter erscheint, steht, wie mir Suhrkamp schreibt, noch nicht endgültig fest, ebenso aber wohl auch nicht, ob bei eventuellem Weitererscheinen die jetzige Redaktion bestehen bleibt. Es wird also vermutlich, so oder so, mit dem Ausscheiden dieses Publikationsorgans zu rechnen sein. Die »Schweizer Rundschau« ist – so viel ich sehe – ein Kantonsblatt geworden, und die »Corona«[5] zählt überhaupt nicht. Ebenso sind fast alle deutschen philosophischen Zeitschriften in den letzten Jahren ausgeschieden. Es könnte sohin für eine wirklich gut geleitete literarisch-philosophische Zeitschrift ein ganz guter Bewegungsraum vorhanden sein. Allerdings glaube ich, daß dies nur im Anschluß an einen oder mehrere Buchverlage zu machen wäre. Natürlich habe ich auch an Reichner gedacht, doch dürfte dieser – ich weiß es nicht – durch den »Philobiblon«[6] schon reichlich besetzt sein. Hingegen könnten sich z. B. unter Führung Reichners die Wiener Verleger, die da jetzt schon eine ziemliche Gruppe darstellen, zur gemeinsamen Herausgabe einer solchen Zeitschrift, die gleichzeitig ihr gemeinsames Insertionsorgan wäre, zusammentun. Ich kann diese Dinge natürlich nicht von hier aus verfolgen, selbstverständlich auch nicht nach meiner Rückkehr nach Wien; das muß ein Geschäftsmann in die Hand nehmen. Es ist nur eine Idee, die ich Dr. Schönwiese gegeben habe, Ihnen aber mitteile, erstens um im Interesse Schönwieses Ihre sehr maßgebliche Meinung zu hören – wie durchaus realitätsangepaßt war Ihr Urteil über meinen Filmentwurf! – zweitens jedoch, weil Dr. Schönwiese im Falle Ihrer positiven Stellungnahme wohl in erster Linie mit Reichner die Sache besprechen sollte und es dann gut wäre, wenn dieser einen Wink von Ihnen erhielte.

Wie lange ich noch hier bleibe, kann ich noch nicht sagen; ich habe mich so eingewöhnt und arbeite hier so gut und friedlich, daß ich mich nicht zur Abreise entschließen kann. Der Roman ist fertig und dürfte einige Qualitäten haben, freilich solche, die in der Relativität dieser Fabulierkategorie verbleiben. Die Frage wozu? warum? für wen? steht ja heute mehr denn je hinter all dieser Beschäftigung. Und jetzt bin ich an einem philosophischen Buch[7], das sich recht eingehend mit dem Begriff des Irrationalen, mit diesem heute so sehr mißbrauchten Begriff beschäftigt. Es muß endlich einmal wieder gesagt werden, daß das eigentlich Mystische im Rationalen liegt und nicht im Blut und nicht in dem sonstigen Gewabbere –, wie ja eben auch alle großen Mystiker strenge Rationalisten waren, die die Ratio als das empfanden, was sie ist, nämlich als die eigentlich göttliche Aufgabe. Nur die zweite mystische Besetzung, zu der etwa Thomas von Kempen gehört, war gefühlsbefangen. Und noch schöner in alldem ist der Irrationalismus des Mathematischen und die Mystik in der Mathematik. Es ist eine Arbeit, die mich sehr freut. Und vielleicht ist sie auch ein bißchen notwendiger als die Dichterei. Obwohl der Zustand der Welt auch für sie die Skepsis Wozu? Warum? Für wen? legitimieren würde.

Trotz all dieser Dinge erhoffe ich in absehbarer Zeit nach London zu kommen. Für heute mit vielen herzlichen Grüßen

stets Ihr ergebener
H. Broch

[SZA]

1 *James Joyce und die Gegenwart.*
2 Ein unausgeführt gebliebener Plan.
3 Hans Reisiger (1884-1968), deutscher Schriftsteller und Übersetzer. Er hielt sich zwischen 1933 und 1938 in Seefeld/Tirol auf. 1936 übersetzte er Gustave Flauberts *Madame Bovary* ins Deutsche (erschienen 1937).
4 Die *Neue Rundschau* erschien ununterbrochen bis Ende 1941.
5 *Corona* war eine in München erscheinende kulturelle Monatsschrift. Führende Mitarbeiter waren Rudolf Alexander Schröder und Rudolf Borchardt.
6 *Philobiblon. Zeitschrift für Bücherliebhaber,* herausgegeben von Herbert Reichner, erschien von 1928 bis 1935 im Herbert Reichner Verlag in Wien. Pro Jahrgang erschienen zehn Hefte. Von

1936 bis zur Einstellung ihres Erscheinens 1940 wurde sie im J. Asmus-Verlag Leipzig publiziert, herausgegeben von Fritz Adolf Hünich.

7 Ein nicht ausgeführter Plan. Broch wollte seine verschiedenen kulturkritischen und literarischen Essays aus den dreißiger Jahren zu einem Buch zusammenfassen und ausbauen.

214. An Daisy Brody

Mösern, 26. 2. 36

Ich will Ihnen, liebste Freundin, nur sehr rasch und sehr herzlich danken. Ihr Brief hat mir vor allem als Faktum seines Eintreffens (inhaltlich bin ich nicht ganz einverstanden) viel gegeben, ich habe ihn geradezu gebraucht, denn ich bin in einer ziemlich mäßigen Verfassung. Ich weiß nicht, ob ich Ihnen in meinem letzten Brief schon gemeldet habe, wie deprimiert ich aus München hierher zurückgekehrt bin, fast könnte man schon heimgekehrt sagen. Wie es dort aussieht, brauch ich Ihnen ja nicht erzählen, und es wird Sie auch nicht wundern, daß Stimmung und Atmosphäre den tiefsten Eindruck auf mich gemacht haben. Solange ich dort war, war es nicht so arg; es ist wie bei der Karlsbader Kur erst hinterher herausgekommen. Und es ist vor allem die Bestätigung, daß in einer Welt, in der solches möglich ist – und es ist die Welt, und nicht nur Deutschland! der afrikanische Krieg[1] gehört ebenso dazu! –, jegliche geistige und dichterische oder sonstige erkenntnismäßige Arbeit überflüssig und Vormärz geworden ist. Gewiß ließe sich darauf antworten, daß die Engländer ihre nicht minder brutalen Kolonialkriege geführt hatten, während zu Hause sich ihre ganze Kunst und Dichtung aufbaute, gewiß ließe sich auch sagen, daß Dostojewski inmitten der zaristischen Verfolgung gearbeitet hat, aber es ist doch ein großer Unterschied: was damals geschah, geschah – positiv oder negativ – mit Hinblick auf ein absolutes Wertsystem, es geschah mit einem guten Gewissen, das mit dem Absoluten in einem engen Konnex stand, während heute alles unter dem Druck des schlechten Gewissens handelt, ohne anderen Beweggrund als den der Relativität aller Werte, als ein va banque, das geradezu auf den Verlust hinarbeitet. Es handelt sich nicht darum, zu klagen, daß der Weltzustand so und nicht anders ist, sondern bloß, daß man an der falschen Stelle steht: Ritterrüstungen aus rostfreiem Aluminiumstahl wären im XIV. Jahrh. ein brillantes Geschäft gewesen, heute ist wenig damit anzufangen, auch wenn sie noch so kunstwerklich ausgearbeitet wären, und da hinter jeder ökonomischen Tatsache auch noch überdies eine ethische steht, die eine die andere bedingend, so wird das, was man da treibt, nicht nur unlukratives, sondern auch unmoralisches Spiel. Doch verzeihen Sie, daß ich oftmals Gesagtes wiederhole. Es ist nur diesmal mit solcher Vehemenz über mich hereingebrochen, daß ich mir wieder einmal Luft machen mußte. Wäre ich schon bei dem zweiten Band, so wäre es einfacher, denn vieles von dieser selbstaufhebenden Skepsis wird da in das Buch hineinverarbeitet werden, und das Kunststück wird darin bestehen, dem Buch trotzdem seine Daseinsberechtigung zu verleihen oder zumindest einen Schein solcher Berechtigung. Und vorderhand suche ich mich möglichst im Elfenbeinturm einzukapseln und einen privaten Vormärz herzustellen; Februar haben wir ja ohnehin. Und so geht es eben mit schlechtem Gewissen vorwärts, in einer richtigen Verbissenheit, die noch das beste herausholen will, was ja halbwegs gelingt, und doch noch viel besser gelingen würde, wenn es kein schlechtes Gewissen gäbe und die Welt anders wäre. [. . .]

[GW 8, BB]

1 Im Oktober 1935 begann Mussolini den Krieg gegen Äthiopien, das er 1936 annektierte.

215. An Herbert Burgmüller

Mösern, Tirol, Haus Klotz 2. 3. 36

Liebster H. B.
dies ist also die gewünschte Rapid-Antwort: wissen Sie, was Hintertücke ist? wenn nicht, so können Sie es aus den redaktionellen Methoden des Silberbootes lernen. Denn ich habe Dr. Schönwiese ausdrücklich geschrieben, daß ich aus der Novelle[1] bloß ein Fragment veröffentlichen will, u. z. aus dem sehr einfachen Grund der Sorge um meinen guten Ruf: die Novelle ist ein Witz, sicherlich ein Witz mit ernstem Hintergrund, aber sie ist voller satirischer Tendenzen gewesen, die heute unverständlich sind, und was übrig bleibt, ist der Eindruck von Asphaltliteratur. Ich habe in der Ihnen vorliegenden Fassung schon manche literarische Nebenhiebe ausgemerzt – weil man tote Löwen nicht treten soll –, aber es bleibt noch immer einiges, z. B. die Beziehung auf Edschmid[2], der damals ein Modeschriftsteller und heute ein gediegen mondainer Reisebeschreiber ist. Das müßte unbedingt heraus. Denn selbst wenn man zu dieser Stelle in Klammer ein (1917!!!) mit zehn Ausrufungszeichen setzen würde, es wäre nicht viel damit gemacht. Nun haben Sie aber die Sache bereits in Druck[3], und ich will Ihnen keine Schwierigkeiten machen, obwohl ich es gerne täte. Wenn Sie es *absolut* nicht mehr ändern können, d. h. die Veröffentlichung auf eine der nächsten Nummern verschieben, so muß die Erklärung in einer sehr eindringlichen redaktionellen Vornotiz gegeben werden. Ich habe schon einmal den Entwurf einer solchen Dr. Schönwiese geschickt und weiß nicht, ob er sie Ihnen übergeben hat; sie müßte beiläufig folgendermaßen lauten: »Wir freuen uns, den Wiederabdruck einer 1918 erschienenen Novelle Hermann Brochs bringen zu können. Die satirische Tendenz, die in dieser ›Methodologie‹ enthalten ist und sich gegen die Rezeptur und gegen den Bestand der damals – mitten im Kriege!! – grassierenden Gehirnliteratur gewendet hatte, ist heute schon vielfach überholt und daher auch nicht mehr verständlich. Der Verfasser steht auch nicht mehr dazu. Wir sind aber der Meinung, daß sich in diesem Stück schon so viel von der späteren dichteri-

schen Entwicklung Hermann Brochs abzeichnet, daß die nun doch erwirkte Erlaubnis zum Wiederabdruck sich von selbst und vollkommen legitimiert«. Daß diese Erzählung nunmehr den Titel: »Antigonus, Supplent für Mathematik« mit dem Untertitel »Eine methodologische Novelle« führen soll, dürften Sie wissen. Von rechtswegen gehörte sie in die Abteilung der älteren deutschen Literatur, die das Silberboot führt.

Also wenn nichts anderes, so halten Sie sich bitte an diese Vorschrift!!!

Bringen Sie unter den Gedichten meine Eliot-Übersetzungen[4]? Die wären mir Eliots halber *wirklich wichtig*.

Im übrigen freue ich mich sehr herzlich, daß Ihnen die Silberbootsache geglückt ist, und ich hoffe sehr, daß die Sache glücken und Ihnen jene Befriedigung geben wird, die Sie brauchen!

Ich habe Ihnen vom Reichner-Verlag den Joyce schicken lassen. Als Rezensionsexemplar, und fast wäre ich wirklich dafür, daß Sie z. B. in der Frankfurter ein paar Worte darüber schrieben, erstens – ich bin in diesem Fall wirklich egoistisch und speziell die neue Einleitung erscheint mir geschichtsphilosophisch wichtig – dieser Publikation zuliebe, zweitens für Joyce selber, drittens für Brody und schließlich, merkwürdigerweise, für *Sie,* d. h. für Ihren Roman[5]: denn Polak gibt ihn nun Reichner, und Sie könnten sich durch eine solche Rezension bei R. gut einführen. Ich werde ihm gleichfalls schreiben. Zsolnay hat mir die Kopie seines Ablehnungsbriefes geschickt; er ist eigentlich sachlich anständig und bestätigt vieles, in geschäftlicher Form, was ich zu dem Buch gesagt habe.

Nun aber zu Ihrem Abraxas: möchten Sie mir das Manuskript nicht doch geben? Wir können dann über diese Frage noch eingehender sprechen. Es wäre mir wichtig. Und was den »Gabor« anlangt; den müßten Sie eben doch umarbeiten. Die Struktur ist gut, nur müßte eben Zeile für Zeile mit »Leben« aufgefüllt werden, mit »Vergegenwärtigung« der jeweiligen Situation, wenn auch dabei manches Intellektuale fallen müßte.

[. . .] Für heute in Eile und Herzlichkeit stets Ihr

Hermann Broch

Der Joyce-Aufsatz krankt daran, daß er ursprünglich eine Geburtstagsrede war und etwas mangelhaft zu einem Essay umgestaltet wurde. Das hätte man natürlich wesentlich gründlicher machen müssen, aber ich hatte weder Zeit noch Lust dazu. Die ihm solcherart anhaftende Zwitterhaftigkeit ist mir heute natürlich nicht angenehm. Doch da kann man nichts mehr machen.

[YUL]

1 »Eine methodologische Novelle«, erstmals erschienen in: *Summa*, Jg. 2 (Drittes Viertel 1918), S. 151-159. Vgl. KW 6, S. 11-23.
2 Kasimir Edschmid (1890-1966), deutscher Schriftsteller. Von Edschmids frühen Dichtungen hatte Broch 1920 zwei Bücher rezensiert: *Stehe von Lichtern gestreichelt* (1919) und *Die achatnen Kugeln* (1920). Vgl. KW 9/1 S. 351-352. Vgl. Edschmids Reisebücher aus den dreißiger Jahren: *Glanz und Elend Südamerikas* (1932), *Zauber und Größe des Mittelmeers* (1932). Zu Brochs satirischer Anspielung auf Edschmid vgl. KW 6, S. 20.
3 »Antigonus, Supplent für Mathematik«, in: *das silberboot* 1/2 (April 1936), S. 51-59. Anders als in der Ur-Fassung »Eine methodologische Novelle« fehlen hier die satirischen Anspielungen auf Sternheim, Heinrich Mann, Rosetti und Edschmid. Der Hinweis auf Kokoschka wurde nicht gestrichen, Wedekind nur einmal statt früher zweimal genannt. Die von Broch gewünschte »redaktionelle Vornotiz« wurde im *silberboot* publiziert.
4 »Morgen am Fenster« (nach T. S. Eliot, »Morning at the Window«), in: *das silberboot* 2/3 (Juni 1936), S. 105; »Präludien I, II« (nach T. S. Eliot, »Preludes I, II«), in: *das silberboot* 2/8 (1946), S. 142. Vgl. KW 8, S. 84-87.
5 Vgl. Brief vom 2. 11. 1935, Fußnote 1.

216. An Daisy Brody

Mösern, 6. 3. 36

Liebste Freundin, liebe verehrte Frau Daisy, war das ein netter und schöner und langer Brief! Und sogar ein trostreicher! Und trotzdem muß ich meine Untröstlichkeit melden. Nicht nur, um wieder einmal das Heine-Wort zu zitieren, daß

30 Jahre für eine Kathedrale nichts und für einen Juden sehr viel sind[1], nein, bei allem Willen, das Zeitliche unzeitlich zu sehen und es sub specie aeternitatis zu relativieren, es ist auch der Dichter, um dieses harte Wort zu gebrauchen, nur ein Mensch, und mehr als von jedem anderen gilt für ihn: »Liegt da in ä Reißen, und es kümmt aner und gebt Rebussen auf«. Denn wahrscheinlich wäre man nicht Dichter, wenn man nicht verflucht wäre, die in der Luft liegenden psychischen und sogar metaphysischen Spannungen unausgesetzt an sich selbst zu erleben, auch ohne daß man Zeitungen liest (an denen sich ja das Generalunbehagen bloß verdichtet und konkretisiert), und das Zeitlose tritt innerhalb solcher Wüstigkeit als rechter Rebus an einen heran. Und selbst zugegeben, daß solche Zeiten wie die unsrigen in gewisser Weise fruchtbarer sind als beruhigte, vor allem weil man zu größerer Ehrlichkeit gezwungen ist, zu einer Wertskepsis, von der ein Heyse und ein Spielhagen usf. keine Ahnung hatten, nein, meine Klage lautet anders: sie gliedert sich in zwei Teile, u. zw.

1.) die gegenwärtige Welt in ihrem Wertzerfall hat für geistige und künstlerische Leistungen keinen Platz; das ist ihr gutes Recht, und es ist beinahe unethisch, ihr etwas aufzwingen zu wollen, was sie nicht braucht, anstatt ihr das zu geben – will man schon durchaus ethisch sein –, was sie benötigt, nämlich Linderung ihrer Krämpfe, was man im großen politisch, im kleinen dadurch zu betätigen hätte, daß man für einen gewissen Kreis Menschen sorgt und ihm nach Kräften hilft, wozu der egozentrische Dichter natürlich nicht imstande ist;

2.) gewiß gestattet diese Zeit, u. zw. sub specie aeternitatis, die Erzeugung von großen Dichtungen und nicht nur von Detektivgeschichten; aber eben weil die Diskrepanz zwischen Zeitlichkeit und Zeitlosigkeit so außerordentlich groß und die Wertskepsis so überwältigend geworden ist, kann solcher Zeit gegenüber nur ein übergewaltiges Kunstwerk bestehen, also eines, das kaum mehr dieser Zeit angehört, sondern auch schon den künftigen Wertzusammenschluß wieder vorbereitet, also eigentlich schon der künftigen Zeit, zumindest religiös, angehört – ein Kunstwerk, das nur aus der Wildbewegtheit des Zeitenumbruchs entstehen kann, also ein mythisches, vide Homer.

Es ist also nicht der Kulturtod, den ich fürchte, ja, ich möchte ihn sogar, aus ganz bestimmten Gründen, nicht einmal mehr zu prophezeihen wagen. Und wenn ich als Konklusion mein persönliches Problem daran anschließen darf, so ist es also nicht der Kulturtod, obwohl Ninive und manches andere mitsamt ihren Dichtern auf Nimmerwiedersehen verschwunden sind (sei's drum), sondern

ad 1.) ich stehe mit meiner dichterischen und geistigen guten und vielleicht sogar sehr guten Mittelbegabung auf sozial unethischer Stelle, was ich einesteils durch Gewissensbisse, andernteils durch pekuniäre Sorgen völlig gerechter Weise zu büßen habe;

ad 2.) und für das homerische mythische Werk, das die sub 1.) genannte persönliche Tragik aufheben würde, reicht die gute jüdische Mittelbegabung wahrscheinlich nicht aus, ja, fast möchte ich annehmen daß – und dies im Ernst gesprochen – ein Jude, Großstadtjude dazu überhaupt nicht imstande ist, selbst wenn das Talent noch größer wäre, als ich annehme, ganz einfach, weil dies Dinge sind, die mit Talent überhaupt nichts mehr zu tun haben, auch nicht mit Gescheitheit (mit der schon gar nicht), sondern auf völlig anderem Boden wachsen. Der Berufsschreiber kann sich nach diesen Dingen bloß sehnen, heiße er nun Joyce, Mann oder Broch (Sie sehen, daß ich mich ziemlich selbstbewußt einreihe), aber er *hat* sie nicht und kann sie niemals haben. Es sind Dinge von einer Schlichtheit, die dem Hirten Pindar überlassen bleiben müssen, fern von Druckpapier, Verlegergeschäft und Buchhandel. Giono in seiner Schafs-Parfumerie weiß das; aber mit dem Wissen ist es nicht getan, weder für ihn, noch für mich. Wenn ich mich monatelang hierher in eine quasi-Natur setzte und nach Einsamkeit und Ungestörtheit schreie, so war es nicht zuletzt, um einen Zipfel von einer Ahnung der Ahnung der Aber-Ahnung um diese Dinge zu erhaschen. Und vielleicht werde ich diese, beinahe hoffnungslose Hoffnung auch noch weiter verfolgen und schließlich die Hirten suchen, mit denen ich – Großstadtjude – leben kann. [. . .]

[GW 8]

1 Nicht nachgewiesen.

217. An Stefan Zweig

27. 3. 36 Mösern b. Seefeld/Tirol, Haus Klotz

Lieber verehrter Freund,
Sie sagen mir viel Gutes und Schönes zu dem Joyce; ich wehre mich nicht dagegen, sondern danke Ihnen nur sehr herzlich. Denn unter den vielen Schichten, auf denen der Mensch lebt und heute mehr denn je zu leben gezwungen ist, befindet sich auch eine skepsisfreie, auf der einem das, was man tut, nicht sinnlos erscheint (vielleicht ist es die Vorkriegsschichte), auf der man Bestätigung haben will, und wie wertvoll mir eine solche aus Ihrem Munde ist, das wissen Sie, dessen brauche ich Sie nicht zu versichern. Und es tut so gut, manchmal von seiner Skepsis befreit zu werden. Ich war kürzlich in München, und da können Sie sich vorstellen, mit welcher Skepsispanik ich zurückgekehrt bin, und daß sich mir das ganze Leben und Tun wieder unter der Frage »Wozu?«, »Warum?«, »Für wen?« zeigte. Und es wurde mir auch wieder mit doppelter Intensität klar, daß die meisten unserer philosophischen Fragestellungen und gar die der Ästhetik, überhaupt alles »Geisteswissenschaftliche«, für lange Zeit unaktuell, avant guerre und »unsoziabel« geworden sind, daß es für den erkennenden und schreibenden Menschen eigentlich nur mehr zwei Themen gibt: das politische und das religiöse. Und da das zweite beinahe unzugänglich ist, noch unzugänglich, kraft unserer verschütteten Religiosität, so tritt das Politische immer mehr in den Vordergrund. Cocteau[1] schreibt irgendwo, so weit ich mich erinnere, vom artiste pluriel (Victor Hugo) und vom artiste singulier (Rimbaud) und daß der erste stets zum Politischen dränge. Daß der zweite zum Religiösen drängt, sagt er nicht. Aber wenn man dafür den Jungschen extravertierten und introvertierten Menschen[2] setzt, so stimmt es schon. Und auch *Sie* sind ein Beweis hiefür, allerdings Ihrer so seltsamen und eigentümlichen (Ihnen eigentümlichen) und wertvollen Mischung von pluriel und singulier entsprechend, in einer Synthese des Politischen und des Religiösen: schon der angeblich so unpolitische Erasmus – ein Buch, das ich über alle Maßen liebe – ist in diesem Sinne zu verstehen, und so wundert es mich

durchaus nicht, daß der Calvin[3] diese Linie weiter verfolgt, und ich freue mich darüber und darauf ganz besonders.

Und wahrscheinlich wird auch Ihr Candide-Gringoire-Plan[4] sich am Ende in dieser Richtung bewegen, trotz Kreuzworträtsel. Man kann da auf die Realitätsnähe Ihrer pluriel-Komponente vertrauen, die ein absolut sicheres Gefühl für den Menschen hat und weiß, was er braucht und brauchen kann. Eine getreue Übertragung des französischen Schemas ins Deutsche wird es sicherlich nicht werden. Die Stellung des Deutschen zum Lesen ist ja auch eine ganz andere als die des Lateiners. Vielleicht, freilich nur sehr vielleicht, denn solche aperçus stimmen nie, ist dies auf den »wohnhaften« Typus des Deutschen und den »essenden« Typus des Lateiners zurückzuführen: der deutsche Bauer wohnt wie ein Fürst (das deutsche Dorf) und frißt wie ein Schwein, der Lateiner wohnt wie ein Schwein (bis ins Bürgerliche hinauf) und ißt wie ein Fürst; und so führt sich dieser auch geistige Genüsse ein, während jener auch in einem geistigen »Raum« oder so was ähnlichem »aufgehen« will, wozu ihm freilich eine »Bewegung« samt zugehörigem Hitler am besten taugt. Aber wie dem auch sei, Ihr Projekt ist wunderschön, und ich wünsche, hoffe, rechne bestimmt darauf, daß es sich gedeihlich weiter entwickle.

Daß es ein Plan ist, der weit über jede *Silberboot*-Ausgestaltung hinausreicht, ist natürlich einleuchtend. (Von der jetzigen Silberbootbauart, die weder schnittig, noch tragfähig ist, gar nicht zu reden.) Ebenso ist es klar, daß eine solche Zeitung auf ganz anderen ökonomischen Füßen stünde – auch daran erweist sich ihre soziale Funktion – als jede literarisch-philosophische Zeitschrift, die heute, soferne sie kein reiner Mäzenatenspaß sein soll, wahrscheinlich nur unter Aufteilung des Risikos auf eine ganze Verlegergruppe herausgebracht werden könnte; daher mein Vorschlag. Daß ich ihn überhaupt machte, ist lediglich auf das wahrscheinliche Eingehen der Rundschau zurückzuführen, die eine – wenn auch bourgeoise – Lücke hinterlassen wird. Ihre Konzeption sprengt dagegen diese bourgeoisen Grenzen. Das ist Existenzlegitimation. Und das wurde mir auch sofort deutlich, als mein alter Freund Ernst Polak mir kürzlich eine erste Andeutung von Ihrem Projekt machte. Im übrigen habe ich mich sehr gefreut, daß Sie mit ihm in Kontakt getreten sind; er ist – ich weiß nicht, ob Ihre Unterhaltung mit ihm über das rein Geschäftliche hinausgegangen ist – ein durchaus produktiver, wenn auch (leider) wenig produzierender Mensch, ein konstruktiv scharfer Kopf, in allen geistigen Dingen von treffsicherstem Urteil, und ich könnte mir schon vorstellen, daß er einen Pfeiler eines Candide-Unternehmens abgeben würde (allerdings nicht an der journalistischen Fassade, sondern am literarischen Hoftrakt). An ihn habe ich auch vornehmlich bei dem Zeitschriftenprojekt gedacht.

Von der Rundschau habe ich übrigens nichts mehr gehört. Bermann hatte mich für März zu einer Besprechung in die Schweiz eingeladen, dürfte aber seine Reisepläne seit der Rheinverlagsgeschichte wieder verschoben haben. Für mich ist die Sache nicht dringend: der Rheinverlag hat die Option, die er auf den Roman besaß, ausgeübt, und wenn auch zwischen ihm und S. Fischer es prinzipiell abgesprochen war, eine Kooperation bezüglich meiner Gesamtproduktion einzurichten, was mir angesichts des zu kleinen Verkaufsapparates des Rheinverlags anfänglich sehr günstig erschienen ist, so sind diese Vorteile jetzt doch weitgehend geschwunden[5]. Ob Reichner an Stelle Fischers in eine solche Kombination einzusetzen wäre, ist mir bei all dem Für und Wider undurchsichtig, es würde ja auch vom Rheinverlag abhängen, aber im Grunde meine ich, daß die Aussichten für den deutschen Buchvertrieb sich so sehr mit jedem Tag vermindern, daß es sich kaum verlohnt, irgendwelche größere Aktionen zu unternehmen, sondern ruhig abwarten soll und kann. Wichtiger ist zweifelsohne England-Amerika, und da hoffe ich, daß Huebsch das Buch, auf das er ja Option hat, auch nehmen wird. Leider hat er abgelehnt, das Joyce-Heft zu bringen, u. z. mit der sicherlich richtigen Begründung, daß Amerika für Broschüren kein Markt sei und daß außerdem der Joyce-Geburtstag zu weit zurückliege, um noch als aktueller Anlaß dienen zu können. Nichtsdestoweniger bedauere ich dies, denn gerade für diese Arbeit wäre mir die englische Ausgabe wichtig; sie gehört immerhin nach England. Ich will es jetzt zuerst einmal bei Collins (dem Herausgeber meiner »Unknown Quantity«) und secundo loco bei Faber & Faber versuchen, da diese eine passende Broschürenserie herausbringen und mich auch schon im »Criterion« gedruckt haben[6].

Natürlich wäre es auch hiefür besser, schon in England zu sein. Doch ich bin ein Mensch mit einem erschreckend langsamen Lebenstempo; von rechtswegen müßten mir etwa 300-400 Jahre zugemessen werden. Und ich bin überzeugt, sie nicht zu bekommen. Trotzdem rechne ich darauf, Sie noch vor Ablauf solchen Termins in London zu sehen, und inzwischen bin ich mit allen guten Wünschen und Gedanken und mit nochmaligem Dank

Ihr herzlich ergebener
Hermann Broch

[SZ A]

1 Jean Cocteau (1889-1963). Vgl. J. C., »Le Mystère Laïc«, in: *Œuvres Complètes de Jean Cocteau,* Vol. X (Paris: Marguerat, 1951), S. 21.

2 C. G. Jung, Gesammelte Werke Band 6: *Psychologische Typen* (Zürich-Stuttgart: Rascher, 1960), S. 360-443.

3 Stefan Zweig, *Castellio gegen Calvin. Ein Gewissen gegen die Gewalt* (1936).

4 *Candide* und *Gringoire* waren in Paris erscheinende kulturelle Halbmonatsschriften. *Candide* erschien zwischen 1924 und 1940, *Gringoire* zwischen 1928 und 1939. Zweig plante eine ähnliche Zeitschrift auf Deutsch, die ein Organ der emigrierten Schriftsteller werden sollte. Vgl. auch Zweigs Briefe über das Projekt an Klaus Mann vom 24. 1. und vom 7. 2. 1936 in: Stefan Zweig, *Briefe an Freunde,* hrsg. v. Richard Friedenthal (Frankfurt/M.: S. Fischer, 1978), S. 270-272. Der Plan wurde nicht realisiert.

5 Vgl. Brochs Brief vom 14. 1. 1936, Fußnote 1.

6 Zu einer Publikation der Joyce-Studie in England kam es damals nicht.

218. An Alice Schmutzer

19. 4. 36

Liebes Liesilein, Du bist eine durchaus grausliche Person: möchte es Dir was schaden, einmal ein Wort zu schreiben? man kann sich diese Vernachlässigung bloß mit einem wüsten Liebesleben erklären; wenn es aber so ist, so ist alles verziehen, und ich freue mich. Denn ich entwickle mich immer mehr zu einem alten wohlwollenden Onkel.

Anbei der umgearbeitete Joyce-Vortrag. Leider nicht wirklich umgearbeitet, sondern bloß ein wenig gebügelt und mit einem (allerdings sehr guten) neuen Vorwort versehen. Es war mir unmöglich mehr zu tun. Literarische Probleme erscheinen mir angesichts der Zeit *zu* unwichtig. Und wenn es auch die bisher beste Joyce-Studie ist.

Ich habe übrigens eine Idee für Dich, freilich nur eine kolibrihaft kleine: die N. F. Pr.[1] hat bisher noch nie Notiz von Joyce genommen, was ja merkwürdig ist. Wenn Du also dort ein Feuilleton über Joyce (nicht über mich) placieren wolltest, so wäre dies beinahe angebracht. In diesem Fall laß Dir vom Rhein Verlag den Joyce und den Kommentar von Stuart Gilbert schicken. Vorausgesetzt natürlich, daß Du inzwischen die Harding[2] gemacht hast. (Hast du sie gemacht? dann bin ich tief beleidigt, daß Du sie mir nicht geschickt hast). Aber im Zusammenhang einer umfassenden Joycebetrachtung könntest, dürftest, müßtest Du auch auf diesen Vortrag hinweisen.

Daß der neue Fischer-Verlag nach Wien kommt, dürftest Du wissen. Auch Thomas Mann denkt daran, nach Wien zu übersiedeln. Vorerst aber kommt Bermann. Und da erscheint es mir nicht unmöglich, daß er eine Villa benötigt. Sollte dies für Dich von Interesse sein, so ist er für Dich leicht erreichbar, denn er wohnt bei Heini Schnitzler[3]. Angeblich soll er in den nächsten Tagen eintreffen. (Meine Informationen stammen von Ernst Polak.)

Ich bin jetzt bei der dritten Umarbeitung des Buches. Die Einsicht in die vollkommene Überflüssigkeit dieser Tätigkeit hemmt mich entsetzlich. Dabei kann ich dies nicht einmal bedauern. Die Welt ist, wie sie ist, und man muß den Mut haben, mit überlebten Werten zu brechen. Tragisch ist bloß, daß man nichts anderes tun kann (und andererseits nicht fähig ist, sich Scheuklappen aufzusetzen).

Also schreibe doch einmal eine Karte! zwei Worte genügen, aber etwas möchte ich doch hören! Und nimm viel liebe Gedanken von Deinem alten

H.

[DÖL]

1 *Neue Freie Presse* (Wien).
2 Broch hatte Alice Schmutzer gebeten, eine Rezension des Buches *Der Weg der Frau* von Esther M. Harding für die *Neue Freie Presse* zu schreiben. Vgl. Brief vom 15. 12. 1935.
3 Heinrich Schnitzler (geb. 1902), Sohn Arthur Schnitzlers, Schauspieler, Regisseur, Literaturprofessor. Die Schnitzlers waren Nachbarn der Schmutzers in der Sternwartestraße in Wien.

219. An Herbert Burgmüller

Mösern, 20. April 1936

Lieber H. B.
Ich freue mich, daß das zweite Heft des »S. B.«[1] so gut ausgefallen ist, trotz meines Beitrages (mit dem ich mich übrigens etwas ausgesöhnt habe), und ich freue mich des guten Anklanges der Zeitschrift. Ich habe die beiden Hefte, die ich bekommen habe, aus Propagandagründen weitergegeben (Abonnentenwerbung), und so brauche ich entweder von Ihnen oder vom Schönwiese zwei andere, auch um Ihren Aufsatz[2], den ich bloß durchflogen habe, richtig zu lesen: daß Sie Ihre Ausführungen auf Joyce-Musil-Broch abstimmen, freut mich natürlich, aber ich erwarte eine Fortsetzung, denn nicht nur, daß die Disparatheit dieser drei Namen zu einem weiteren Funktionsvergleich drängt, es ist doch auch noch der ganze russische, der ganze französische, und jetzt vor allem auch noch der neue amerikanische Roman zu berücksichtigen. (Eine große Untersuchung über den Roman ist jetzt erschienen: Wladimir Weidlé »Les Abeilles d'Aristiée«, Desclée De Brouwer & Co, Paris VII, Rue des Saints-Pères, 76)[3].

Und um gleich bei den Amerikanern zu bleiben: lesen Sie doch den Faulkner und den Thomas Wolfe!! Da das Silberboot Teilstücke abgedruckt hat, dürfte Schönwiese wohl die Exemplare von Rowohlt erhalten haben[4]! Gerade unser Problem der Unmittelbarkeit ist daran zu exemplifizieren, mag auch der Faulkner verengt sein in Grausamkeit und der Thomas Wolfe vor Eindrücken manchmal ersaufen, es ist doch etwas Großartiges in beiden. Könnten Sie halbwegs dorthin gelangen, so wären Sie gesund. Schauen Sie sich auch den ersten Band Wolfe an, »Schau heimwärts, Engel«[5], überschäumend bis zur Langeweile, aber doch ein richtiger Knabenroman. Was aber den Gabor[6] anlangt: der Hauptfehler des Buches ist – auf der obersten Oberfläche gesehen – seine gewandte Unpersönlichkeit, der Mangel jeglicher eigenen Note (daß es ein Verstecken ist, gehört nicht hierher), und wenn es Ihnen nicht gelingt, dies abzustellen, ist jede Mühe umsonst. Wenn man Ihnen ein Stück Gewandtheit und Routiniertheit und Belesenheit wegnehmen könnte, so wäre dies ein Glück. Aber ich kann nur immer dasselbe wiederholen: machen Sie zehn Seiten Umarbeitung und schicken Sie sie mir; dann wollen wir weiter darüber reden. Das ist schließlich keine so arge Arbeit. Begeben Sie sich auf die dunkle Kahnfahrt! Und kontrollieren Sie sich nicht!! auf die Gefahr hin, daß es scheinbar ein Schund wird. Hinterher ist es keiner.

Mit den Gedichten bin ich – durchaus subjektiv, das sei wiederholt, ebenso, daß ich als Fünfzigjähriger die Gedichte der neuen Generation vielleicht nicht mehr verstehe – noch lange nicht einverstanden. Im Vorfrühlingsmittag spielt Ihnen Ihr einfühlendes unbewußtes Gedächtnis arge Streiche, da spuken Ihnen fremde Gedichtsphrasen wie Gassenhauer im Kopf herum, und zu beiden ist zu sagen, daß hier ein zu kleiner Inhalt hinaufpathetisiert wird. Das sind Inhalte, die m. E. eigentlich nur mehr durch den Reim legitimiert werden. Und irgendwie spüre ich, daß Ihnen – eben im Unbewußten – auch so etwas vorgeschwebt hat, sonst würden sich mir beim Lesen nicht zwanglos die Reime wie zugehörig dazu einstellen. Ich will nicht behaupten, daß das, was ich jetzt aufschreibe ein Gedicht ist, aber *das* empfinde ich als ursprünglichen gedanklichen und formalen Kern *Ihres* Gedichtes. Nichts für ungut, ich schreibe es, wie es mir in die Maschine gerät:

Wiederschein vom müden Tage
sind die Fenster bleich entglommen
und mit einem Flügelschlage
ist die Dämmerung gekommen.
Weich und grau wird schon die Straße
strauchverdunkelt ist der Zaun,

aber alle Himmelsmassen
träumen türkisgrünen Traum
blassen zu den Trauerfernen
weißumwolkt des Mondes Stein:
und die trüben Gaslaternen
surren mild den Abend ein.

Es ist sicherlich nur ein Witz. Aber es sind *Ihre* Bilder, jeglichen Pathos entkleidet, ohne »wie« und ohne »gleich« (denn der *Ver*gleich muß *in* sich ruhen), und weil es an sich dichterische Bilder sind, so ergeben sie, wenn sie in eine *logische* Folge gebracht sind (Ihr Gedicht ermangelt der inneren Logik), schließlich eben ein Gedicht oder etwas, das fast den Anspruch hätte, ein solches zu sein.

Schluß für heute. Ich dürfte *überhaupt* keine Briefe mehr schreiben. Anbei der Joyce.

Herzlichst Ihr
HB
[GW 8]

1 *das silberboot*. Vgl. Brief vom 2. 3. 1936, Fußnote 3.
2 Vgl. Brief vom 17. 1. 1936, Fußnote 4.
3 Wladimir Weidlé, *Les Abeilles d'Aristiée. Essai sur le destin des lettres et des arts* (Paris: Desclée de Brouwer, 1936), S. 21 f.
4 Vgl. William Faulkner, »An diesem Tage ward ich zum Mann«, in: *das silberboot,* 1/1 (Okt. 1935), S. 33-38. Es handelt sich um ein Kapitel aus dem Roman *Licht im August* (= *Light in August,* 1932), der 1935 auf Deutsch bei Rowohlt in Berlin erschienen war. Vgl. Thomas Wolfe, »Das war der Ben«, in: *das silberboot,* 2. Heft (1935-36), S. 83-86; Vorabdruck aus dem Roman *Von Strom und Zeit* (Berlin: Rowohlt, 1936) (= *Of Time and the River,* 1935).
5 Thomas Wolfe (1900-1938), amerikanischer Erzähler. Vgl. T. W., *Schau heimwärts, Engel! Geschichte vom begrabnen Leben,* übersetzt von Hans Schiebelhuth (Rowohlt; Berlin, 1932) (= *Look Homeward, Angel,* 1929).
6 Unveröffentlichter Roman Burgmüllers.

220. An Egon Vietta

Mösern, 20. 4. 36

Lieber Freund Vietta,
es ist nicht nur eine Freude, einen Brief von Ihnen zu bekommen, sondern auch das philosophische Credo, zu dem Sie mich herausfordern, ist – wie immer die Ablegung eines Glaubensbekenntnisses – ein Vergnügen; man kommt ja so selten dazu. Und so ist zu sagen: Sie irren; denn ich vermag in unseren Grundhaltungen keinerlei Differenz zu sehen. Wenn es für mich ein philosophisches »Erlebnis« gibt, und ich glaube behaupten zu dürfen, daß ich es gehabt habe und eigentlich fortwährend unter seinem Einfluß stehe (wie ich mir ja im Grunde gar nicht vorstellen kann, daß ein Mensch anders zu leben vermag, obwohl ich weiß, daß es die meisten vermögen), so liegt dieses philosophische Erlebnis im Primat des Logos, also eben in jener objektiven Sphäre, die Sie zu einem Differenzpunkt zwischen uns erheben, während sie zweifelsohne unsere gemeinsame Basis darstellt. Um dies zu stützen, brauche ich bloß auf die geschichtsphilosophischen Exkurse in den Schlafwandlern hinzuweisen, die ohne Hegel undenkbar wären. Der »Totalitäts«-Begriff, wie ich ihn meine und wie ich ihn – vielleicht zu Unrecht – Goethe unterschiebe, steht doch dieser Grundhaltung nicht entgegen! Die Erkenntnisfunktion des Kunstwerkes ist nun einmal eine andere als der unendliche Regressus der Wissenschaft, und die Propagierung der »Idee«, wie sie von Schiller–Hölderlin geübt wurde, ist m. E. lediglich ein Problem künstlerischer Thematik, hat aber prinzipiell mit dem »Wesen« des Kunstwerkes, mit dessen totalitätsverhaftetem Wesen nichts zu tun. Nun könnten Sie zwar den Gegeneinwand erheben, daß die Differenz zwischen Wissenschaft und Kunst eben in der Thematik läge: daß die Wissenschaft – und dies sei ihr unendlicher Regressus – bloß dem Konkreten zugewendet sei und so zur Idee sich vortaste, während die Kunst unmittelbar eben an die Idee sich wende. Demgegenüber aber muß konstatiert werden, daß es der Kunst – und nicht einmal Hölderlin vermochte dies – noch niemals vergönnt gewesen ist, ihre naturalistische Basis zu verlassen, sondern daß sie nur in

einer Wesensschau des Seins zur Darstellung der Allgemeinbegriffe gelangte. Und dies eben kehrt zur Totalität zurück. [. . .]

[GW 8]

221. An Carl Seelig[1]

Mösern b. Seefeld, 20. 4. 36

Lieber Herr Seelig,
Ihre so lieben Zeilen waren mir eine aufrichtige Freude; daß ich sie nicht schon früher beantwortet habe, ist auf den Verleger Reichner zurückzuführen, der mit Rezensions-Exemplaren eine etwas sonderbare Politik betreibt: mit Müh und Not habe ich jetzt ein Exemplar von ihm erhalten; allerdings habe ich jetzt wenigstens das Vergnügen, es Ihnen widmen zu können. Daß ich gegen die Schrift einige Einwände habe, habe ich ja schon kürzlich gesagt; da aber darin doch manches ausgesagt ist, was meines Wissens in den bisherigen – und mir allesamt so ziemlich bekannten – Joyce-Kommentaren nicht berücksichtigt worden ist, und da die neue Einleitung ein paar immerhin nicht unwichtige geschichtsphilosophische Fakta enthält (die ich jetzt zu einer größeren Arbeit[2] über Epochen-Symbole ausweite), so übergebe ich Ihnen die Studie mit nicht ganz schlechtem Gewissen.

Ich glaube es schon neulich erwähnt zu haben, daß die Einsicht in die Überflüssigkeit alles Literarischen und aller spezifischen Literaturprobleme, ihre tiefe Unzeitgemäßheit in dieser Grauen-Zeit, mich abgehalten hat, den Joyce-Aufsatz als solchen noch weiter auszubauen, und ebendeswegen stimme ich Ihnen und Ihrer Ansicht über die Lebensmöglichkeit und Lebenslegitimation von literarischen Zeitschriften vollkommen bei. Was mir anläßlich des Joyce-Geburtstages vor drei Jahren noch teilweise theoretische Erkenntnis war, das ist heute vielfach eine recht schmerzliche Wirklichkeit und ein praktisches persönliches Erlebnis geworden: die künstlerische Gestaltung der Welt, ihre Erfassung und rein erkenntnismäßige Durchdringung wird uns von Tag zu Tag gleichgültiger. Und so weit ich es überblicken kann, lebt das künstlerische Temperament innerhalb der jüngeren Generation heute nur mehr im Absteigen und siedelt sich in jenen Sphären an, von denen die von Ihnen erwähnte des E. Canetti bloß eine von vielen ist. (Es scheint mir übrigens – entgegen Ihrer Diagnose – dieses Buch[3] wenig mit der Psychoanalyse zu tun zu haben; wohl aber steckt ein analytischer Fall, nämlich der einer extremen seelischen Aufspaltung zweifelsohne dahinter.) Und wenn man bedenkt, daß das »Krankhafte und Verbrecherische stets uninteressant ist« – ich glaube, dies stammt von Shaw –, so sieht es mit Gegenwart und Zukunft der Kunst trübe aus. Damit aber muß man sich abfinden; es hat keinen Sinn, gewesenen Werten nachzutrauern. Freilich glaube ich auch nicht, daß diese Symptome ausreichen, um bereits den Kulturtod zu prophezeien, obwohl es für diesen noch andere und stärkere Symptome gäbe, und erfreulicher ist es jedenfalls, das positive Neue aufzuspüren; so sehe ich bei den jungen Amerikanern manche Ansätze hiezu.

Ob es mir selber gelingen wird, mich in das positiv Neue einzureihen, kann ich natürlich nicht sagen. Mit den »Schlafwandlern« glaube ich einen ersten Versuch gewagt zu haben, und mit dem neuen Buch, das wesentlich weniger analytisch als die »Schlafwandler« sein wird, sein soll, hoffe ich, einen synthetischen Aufbau zu finden, der gleichzeitig eine Weiterentwicklung der Romanform darstellt. Es ist ein Buch religiöser Thematik und wird neuerdings einige Bände umfassen, da der Kreis in einem einzigen nicht abzuschreiten ist. Aber es ist eine verflucht harte Arbeit – eben in dieser Zeit – und sie ist eigentlich bloß in dieser völligen Abgeschlossenheit zu leisten. Das Buch erscheint gleich meinem ersten wieder im Rhein-Verlag, der jetzt in die Schweiz rückübersiedelt (er war ursprünglich ein Schweizer Unternehmen). Und vielen Dank für Ihren Hinweis auf Menzel[4].

Ich hoffe, im Mai so weit zu sein, um nach Zürich kommen zu können. Inzwischen Dank für Ihre so guten Wünsche und einen herzlichen Gruß Ihres ergebenen

H. Broch

[GW 8]

1 Carl Seelig (1894-1962), schweizerischer Schriftsteller, schrieb Bücher über Albert Einstein, Robert Walser, Hans Ganz; war Herausgeber von Werken Georg Büchners, Robert Walsers, Novalis' und Georg Heyms. Seelig schrieb eine Rezension über Brochs Joyce-Studie: »James Joyce und die Gegenwart«, in: *Maß und Wert* 1/4 (März/April 1938), S. 632-634.
2 Ein nicht ausgeführter Plan.
3 Elias Canetti, *Die Blendung* (1935).
4 Simon Menzel war seit 1935 Leiter des Humanitas Verlages in Zürich.

222. An Ruth Norden

20. 4. 36 Mösern b. Seefeld, Tirol, Haus Klotz

Haben Sie Dank, liebe Miss Ruth, für Ihren Brief, besondern Dank für Ihre Bereitwilligkeit, meinem Freunde Franz Hecht[1] zu helfen. Ich schreibe ihm also, daß er sich an Sie wenden, resp. Ihnen eines seiner Aquarelle senden soll.

Und im übrigen möchte ich Ihnen gerne englisch schreiben. Aber nicht nur, daß ich mich des Resultates errötend schämen würde, ich würde zu einem englischen Brief eine Zeit brauchen, die ich mir nicht leisten darf. Ich bringe ja mein Leben ohnehin kaum mehr zustande. Aber das Englische ist eben auch der Grund, der mich zuerst einmal nach Schottland treibt: ich werde dort eine zeitlang bei den Muirs (meinen Übersetzern) wohnen und mich erst einmal »hineinsprechen«, ehe ich offiziell nach London gehe. Daß ich dann nach Cambridge komme, ist nicht unwahrscheinlich; Ihre Empfehlungen werde ich mit Dank annehmen, und gar zu einem Mathematiker. (Ich habe übrigens hier meine logisch-mathematischen Untersuchungen wieder aufgenommen; die reine Dichterei halte ich nicht aus). Vorderhand aber mache ich überhaupt keine Pläne; ich schreibe jetzt dieses Buch zum drittenmal und beginne langsam zu verzweifeln, sowohl an der Arbeit selber, als an ihrer Unzeitgemäßheit. Dabei wird es etwas ganz Anständiges; ob es für Amerika taugt, erscheint mir nicht sicher. Der Unterschied zur jungen amerikanischen Literatur – Faulkner bewundere ich sehr, aber auch Wolfe, trotz seiner verbalen Unmäßigkeit – ist ungeheuer; Schwarz und Weiß.

Huebsch will auch meinen Joyce-Aufsatz nicht bringen. Ich kann es ihm nicht verdenken. Aber Ihnen schicke ich ihn anbei. Er sagt immerhin manches über Joyce, das in keinem der vielen Kommentare (und ich kenne sie so ziemlich) gesehen worden ist; außerdem erhält die neue Einleitung ein paar geschichtsphilosophische Fakta von Belang (ich erweitere sie jetzt zu einem großen Aufsatz über Epoche-Symbole). Natürlich tut es mir, bei aller Abneigung gegen literarische Problematik, recht leid, daß die Sache nicht in Amerika herauskommt. Ich habe sie jetzt Collins angeboten. Hoffentlich mit mehr Glück.

Außerdem lege ich eine Schrift von Klatzkin[2] bei, die Sie wegen der Einsteinschen Einleitung interessieren dürfte. Wenn Sie im Living Age etwas über Klatzkin bringen wollen, so benützen Sie bitte das gleichfalls beiliegende Referat, wobei es Ihnen freisteht, es nach Belieben zu ändern oder zu kürzen. Das philosophische Buch Klatzkins ist eine durchaus temperamentvolle Angelegenheit (ich habe es in der Revue Philosophique[3] rezensiert; falls Sie Näheres darüber wissen wollen, schicke ich Ihnen den Artikel).Den eventuellen Abdruck erbitte ich ohne Nennung meines Namens; so lange der Rheinverlag nicht übersiedelt ist, muß ich Rücksicht üben, und K. ist natürlich heute ein rotes Tuch. Und weil wir schon bei jüdischen Angelegenheiten sind, sende ich Ihnen auch ein Heft einer sonderbar jüdisch-katholischen Zeitschrift, die in Wien unter Patronanz des Kardinals erscheint[4]. Wenn Sie wollen, schicke ich Ihnen auch gerne die früheren Hefte.

Die Sache Th. Mann-Korrodi[5] ist mir natürlich bekannt. Korrodi war nicht eben brillant. Bermann übersiedelt, das dürften Sie wissen, definitiv nach Wien. Ob es zu der geplanten Zusammenarbeit mit dem Rheinverlag kommen wird, steht noch dahin. Das sind lauter Dinge, die angesichts der ständigen Kriegsdrohung, die auf den Seelen lastet, weitgehend nebensächlich erscheinen.

Für heute mit vielen guten Wünschen, in Herzlichkeit Ihr ergebener

H. B.

[DLA]

1 Den Landschaftsmaler und Holzschneider Franz Hecht hatte Broch über die Brodys kennengelernt.

2 Jacob Klatzkin (1882-1948), russischer Philosoph des Zionismus; ging mit achtzehn Jahren nach Deutschland, studierte bei Hermann Cohen in Marburg, war von 1909-1911 Herausgeber der Zeitschrift *Die Welt*, des Organs des Zionismus. Von 1912 bis 1915 edierte er die *Freien Zionistischen Blätter*. 1924 begann er mit Nahum Goldmann die *Encyclopaedia Judaica* zu begründen, wovon bis 1934 zehn Bände erschienen waren. Er ging über die Schweiz ins amerikanische Exil. Broch bezieht sich auf Klatzkins Buch *Die Judenfrage der Gegenwart. Mit einem Geleitwort von Albert Einstein* (Vevey/Schweiz: Edition Studio, 1935).

3 Die *Revue philosophique de la France et de l'étranger* (Paris) wurde damals von Lucien Lévy-Bruhl herausgegeben. Beiträger der Zeitschrift war seinerzeit auch Brochs Freund Paul Schrecker. Brochs Rezension erschien dort nicht; das Manuskript hat sich nicht erhalten. Die Besprechung wurde auch nicht im *Living Age* veröffentlicht.

4 *Die Erfüllung*. Vgl. den Brief vom 3. 11. 1935, Fußnote 6.

5 Thomas Mann, »Ein Brief von Thomas Mann«, in: *Neue Zürcher Zeitung* (3. 2. 1936). Es handelt sich um einen offenen Brief an Eduard Korrodi, dem seinerzeitigen Feuilletonchef der *Neuen Zürcher Zeitung*. Korrodi hatte mit dem Artikel »Deutsche Literatur im Emigrantenspiegel« vom 26. 1. 1936 in seinem Blatt Thomas Mann gegen Leopold Schwarzschild in Schutz nehmen wollen. Ausgangspunkt der Kontroverse war Schwarzschilds Warnung vor der Verlegung des S. Fischer-Verlags ins Ausland, weil er dessen Chef, Gottfried Bermann Fischer, als »Schutzjuden« der Nationalsozialisten verdächtigte und außerdem befürchtete, daß der neue Exilverlag die vorhandenen schädige. Korrodi griff die Exilliteratur heftig an, wollte von diesem Angriff aber Thomas Mann ausgenommen wissen. Thomas Mann bekannte sich in seinem Brief zur Internationalität der deutschen Literatur, wenn er auch selbst tiefer in der deutschen geistigen Überlieferung wurzele, »als diejenigen, die seit drei Jahren schwanken, ob sie es wagen sollen, mir vor aller Welt mein Deutschtum abzusprechen.« Als Thomas Mann am 2. 12. 1936 ausgebürgert wurde, nahm die offizielle Begründung der Ausbürgerung auf seine Antwort an Korrodi Bezug.

223. An Jolande Jacobi[1]

23. 4. 36 Mösern b. Seefeld, Tirol, Haus Klotz

Liebe verehrte Freundin, liebste Frau Jolan, daß Sie im Schatten von Orgelklängen an mich gedacht haben – hoffentlich geschah es bei der vox humana, der einzigen, die ich ein wenig für mich in Anspruch nehmen möchte –, ist sehr rührend von Ihnen, es ist etwas, was man ein Streicheln des Herzens nennen dürfte, und trotzdem rechne ich es *mir* als Verdienst an: denn man denkt nur an denjenigen, von dem man geliebt wird – das ist ja die Aufdringlichkeit jeglicher Liebe und gar jeder unglücklichen, die nicht den Liebenden, sondern die Geliebte unglücklich macht –, während man Menschen, von denen man nicht geliebt wird, mit Leichtigkeit aus seinen Gedanken verdrängen kann. Daß es nebenbei aber kein Verdienst ist, Sie zu lieben, sondern eine natürliche Funktion, das zeigt wieder Ihr Brief: Sie sind ja, neben all Ihren anderen Fähigkeiten, eine richtige Dichterin – wie viel Facetten haben Sie noch?! Es ist schwer, sich einen Reim auf Sie zu machen, dennoch ist mir einer eingefallen:

Deine Ordnung ist dein Tönen
orgelreich und sangverschattet
Mensch im Jubeln, Mensch im Stöhnen
bist du stets dem Sein vergattet:
denn am Anfang war dein Weinen
und am Ende ist dein Schweben,
da du selbst dich abgestattet
an die Vielfalt, die zu leben
dir bestimmt war, sie zu einen
unablässig unermattet
bis im letzten Orgeldröhnen
sich die Sterne dir versöhnen.

Doch dies ist bloß so niedergeschrieben, wie es gerade in die Tasten der Maschine geraten ist, also wohl ein Reim, aber noch kein Gedicht. Und die Maschine eignet sich auch nicht recht dazu, Ihnen Liebeserklärungen zu machen – wie schön und richtig war die Zeit vor 100 Jahren, da es zum anständigen Leben und zum Anstand gehörte, Gefühlsüberschwang ohne weiteres brieflich niederzulegen –, und so bleibt mir nichts anderes übrig, als den Ernst Polak zu beneiden, daß er mit Ihnen gemeinsam jammern durfte, denn dies [ist] ein Vorzug, den ich jetzt höchstens ersehnen kann: mit der letzten Überarbeitung des Buches[2] geht es schauderhaft langsam vorwärts, es ist ein Kampf nach zwanzig Fronten, ein Kampf mit dem großen Thema, ein Kampf mit der Sprache, ein Kampf mit der Zeit, die zu kurz wird, und mit der Zeit, die dieser Art Tätigkeit so feindlich gegenübersteht, daß ich immer nur die Wahl zwischen Zweifeln und Verzweifeln, also so richtig zwischen Regen und Traufe habe. Es würde mir ja einesteils eine ungeheuere Freude machen, Ihnen das Manuskript zu geben, denn Sie werden sicherlich einer der ganz wenigen Leser sein, für die diese Art der Weltbetrachtung ein bißchen etwas bedeuten könnte, aber andererseits ist es mir ebendeswegen auch wichtig, daß Sie erst die letzte Form zu Gesicht bekommen. So seien Sie, liebste verehrte Freundin, für heute bloß bedankt und nehmen Sie alle guten Gedanken Ihres

in Herzlichkeit ergebenen
H. B.

[DLA]

1 Jolande Jacobi (1890-1973), Psychotherapeutin. Sie promovierte 1938 bei Karl und Charlotte Bühler in Wien mit einer Arbeit über »Die Psychologie der Lebenswende«. Von 1928 bis 1938 war Jolande Jacobi Geschäftsführende Vizepräsidentin des Österreichischen Kulturbundes. Sie hatte Broch zu dem Vortrag »Geist und Zeitgeist« vom 18. 4. 1934 eingeladen. Nach ihrer Emigration von Wien nach Zürich im Jahre 1938 wurde sie enge Mitarbeiterin C. G. Jungs.

2 Broch schrieb an der zweiten (Fragment gebliebenen) Fassung seines Romans *Die Verzauberung,* für die er den Titel »Demeter oder die Verzauberung« vorgesehen hatte.

224. An Herbert Burgmüller

Mösern, 7. Mai 1936

Liebster H. B.
ich beglückwünsche Sie zu diesen 29 Seiten, die ich unverzüglich gelesen habe. Die sind freilich etwas ganz anderes als der Gabor[1]. Hier sind keine Schemen, sondern Menschen; jede Figur steht im Raum, der Raum selber ist vorhanden, zwar sicherlich noch durch eine Glasscheibe gesehen – das ist bei Ihnen nicht anders zu erwarten und wird wahrscheinlich auch noch lange so bleiben; da heißt es aus der Not eine Tugend machen! –, aber er ist nicht zu flächig, sondern dreidimensional gesehen, wie es sich gehört, kurzum, ich bin froh, daß es geglückt ist.

Soll ich Ihnen auch meine Einwände sagen?

1.) Was Sie da geschrieben haben, dürfte wahrscheinlich für Sie im Augenblick das Maximum an Realitätsnähe bedeuten, und trotzdem meine ich, daß Sie noch näher ran könnten: denn »geschmiert« ist das nicht, das ist durchaus literarisch gedacht und ausgeführt, und außerdem mit Ihrer Ihnen innewohnenden talentierten Gewandtheit, die der Teufel holen soll. Für Ihre seelische Situation scheint es mir aber notwendig, daß Sie sich noch viel mehr gehen ließen und kritiklos einfach als *Tagtraum,* sozusagen mit geschlossenen Augen, das niederschreiben, was Ihnen in den Sinn kommt, auch wenn es Ihnen im Augenblick als nacktester Unsinn erschiene. Das *müssen* Sie über sich bringen, obwohl es eben so schwer ist wie eine völlige Entspannung des Körpers.

2.) Eben dadurch geraten Sie in eine Schematisierung der Figuren und Situationen. Von Anlehnung ist daher nicht mehr die Rede. Und trotzdem sind Sie in Bekanntes hineingeraten: der grobfressende Vater, die gedrückte tyrannisierte Mutter, der feiner organisierte Sohn, der dicke sexuelle Mitschüler, das sind lauter Figuren, die man von irgendwoher kennt (ich wüßte es im Augenblick nicht anzugeben). Weit versprechender sind die Nebenfiguren, offenbar weil diese Ihnen weniger nahe stehen, weil Sie an diese weniger verdrängte Affekte hängen, also der Pfarrer, die Professoren: aus solch literarischem Schematismus müssen Sie natürlich heraus, und dies geschieht in dem Fall, wo Sie auch bei den Hauptfiguren Ihrer Verdrängungen Herr werden und eben erst einmal darauf losschmieren.

3.) Wie anzunehmen war, spielt in Ihrer Jugendproblematik der Sexualchok eine dominierende Rolle. Nun sind aber diese ganzen 29 Seiten darauf aufgebaut. Und auch da sehe ich eine rationalisierte Schematisierung. Sie *wissen,* daß dem so gewesen ist und steuern mit vollen Segeln darauf los. Aber auch in Ihrer Jugend hat es Millionen positiver, erlebnisstarker und zarter Züge gegeben, die Sie wegen der bisher sichtbaren bewußten Grundlinie total vernachlässigen. Wenn das so weiter ginge, ergäbe es einen Frühlingserwachen-Aufguß[2], der Ihnen schließlich seelisch gar nichts hülfe. Denn das Wesentliche in der Entwicklung liegt ja in den Millionen Nebenzügen: die Hauptlinie wird in den Nebenzügen sichtbar, sie wird *dort erlebt,* in einem Butterbrot, das man gegessen, in einer Wurzel, über die man gestolpert ist, in einem Spiel, das man gespielt hat –, nur darin projiziert sich das Wesentliche und dort muß es erfaßt werden. Alles andere ist doktrinär.

Dies soweit als dieses Roman-Schreiben in erster Linie Ihrer seelischen Entlastung dienen soll. Wenn aber daran gedacht werden soll, daraus noch überdies ein publikations- und erfolgreifes Buch zu machen, so projizieren sich genau dieselben Punkte auf die Leserschaft:

a.) von einem Autor in Ihrem Alter muß doch der Ansatz zu etwas Neuem ausgehen, zu etwas, das in ihm und in seiner Jugend begründet liegt – gerade in einer Zeit, die mit allem Überkommen so gründlich aufräumt – und dieses *Ihnen* eigentümlich Neue können Sie bloß in sich auffinden, wenn Sie sich völlig entspannen, d. h. Sie selber werden.

b.) mit Schematisierungen ist also nicht weiter zu kommen; wenn sich dieser Vater nicht aus seiner jetzigen Skizze herausentwickelt – und da er im Raum steht, könnte er es zweifelsohne –, wenn er nicht Mensch wird, der von seinen guten Anlagen genau so bewegt wird, wie von seinen schlechten, bliebe er uninteressant. Und das nämliche gilt von den übrigen Personen, sie bleiben uninteressant, wenn sie einseitig auf einer Linie festgehalten werden. (Der Bub vom Sexualchok bedingt etc.) Und da sich das nämliche von den

Charakteren auf ihre Beziehung überträgt: Beziehungen zwischen Menschen sind nicht nur auf Ressentiment begründet, und der Leser lehnt solche Einseitigkeiten ab. Menschlich ist der Gabor ein ausgesprochenes Ressentiment-Buch, nur sind die Ressentiments dort derart verdünnt, daß sie bereits unmenschlich geworden sind. Hier haben Sie 29 Seiten *menschliche* Ressentiments, sicherlich für Sie ein ungeheuer innerer Fortschritt, aber künstlerisch ungenügend: es ist wie ein Spiel auf einer einzigen Saite.

c.) und es besteht schließlich die *Gefahr* – ich weiß es nicht, wie die Sache weiter fortlaufen wird –, daß bei der jetzigen Anlage und dem vorderhand sichtbaren Arsenal die ganze Geschichte zu einem Scheitern dieses Schicksals wird, was wieder *uninteressant* wäre. Es ergäbe einen Krankheitsfall, und da Sie sich selber vielfach als solchen empfinden, ist eine solche Tendenz recht nahegerückt. Nun sind aber Krankheitsfälle eo ipso uninteressant, und das Zerbrechen eines Schicksals kann und darf sich nicht aus Wehleidigikeit vollziehen. Überdies: bei Ihnen selber hat sich eine ganze Menge positiv entwickelt und soll sich in dieser Richtung weiter entwickeln. Es liegt also kein Grund vor, Ihre Jugend in die negative Richtung abzubiegen. Daß es sich dabei um keinen rosa Optimismus handelt, wissen wir beide. Es handelt sich um die Herausstellung des »Typischen« (sehr zu unterscheiden vom »Schematischen«!), und inwieweit damit das Tragische verbunden ist, brauchen wir nicht zu diskutieren.

Wehe dem, der sich aber von solchen Erwägungen, wie sie hier in der zweiten Gruppe niedergelegt sind, bei seiner künstlerischen Arbeit leiten ließe. Denn die damit ergriffenen Verhältnisse sind »abgeleitet«, die sekundäre Funktion, die sind m. a. W. Ästhetik. Könnte man aus Ihrem Kopf alles Theoretische und alles ästhetische Wissen herausreißen, es wäre viel getan. Wichtig für Sie können und dürfen nur die Überlegungen der ersten Gruppe sein, und wenn man sie kurz zusammenfassen will, heißen sie immer wieder: entspannen Sie sich so sehr, daß Sie sich selbst vergessen, daß Sie die Arbeit vergessen und ausschließlich das Leben Ihrer Personen leben. Das ist die dunkle Fahrt. Das Steuerruder ist eine sekundäre Angelegenheit.

Nun habe ich dies absichtlich so kraß geschildert, und Sie

werden sich darüber nicht kränken. Denn ich weiß natürlich auch, daß es gewisse Schematismen gibt, über die kein Gott hinauskommt, genau so wie es nur eine abzählbare Menge von Theatersituationen gibt. (Ich weiß nicht mehr, wer das untersucht hat; er hat 68 herausgekriegt, aber auch wenn es 168 wären, wäre es nicht viel.) Und obwohl es gerade bei Ihnen gefährlich ist, Ihnen Bücher in die Hand zu geben, aber weil man Sie ja doch nicht von ihnen abhalten kann: lesen Sie den Wolfe – da werden Sie sehen was »schmieren« bedeutet, völlig kritiklos, so daß es manchmal unsagbar langweilig wird, aber trotzdem genial. Und lassen Sie sich von Schönwiese auch den Grab (»Stadtpark«) geben. Es ist das Beispiel einer klugen Selbstbescheidung. [. . .]

Daß Ihnen der Joyce gefällt, freut mich. Meine Auto-Autor-Einwände kennen Sie ja. Gut erachte ich jetzt nur die Einleitung, aus der ja ein großer Aufsatz entstehen wird. Machen Sie sich aber mit einer Besprechung keine allzu große Mühe. [. . .]

Auf die Berührungspunkte mit Ihren Ausführungen in der »Ästhetik des R.«[3] bin ich neugierig. Die Einleitung skizziert ja erst das Thema, und ich bin auf die Fortsetzung gespannt. Daß Sie darin so oft Broch zitiert haben, ist ehrend, aber ich finde, daß Joyce eine solche Ausnahmestellung einnimmt, daß man ihm Unrecht tut, ihn in solcher Weise paritätisch mit Musil und Broch zusammenzuspannen: er steht wesentlich darüber. [. . .]

[GW 8]

1 Vgl. Brief vom 2. 11. 1935, Fußnote 1 und vom 20. 4. 1936, Fußnote 6.
2 Frank Wedekind, *Frühlings Erwachen. Eine Kindertragödie* (1891).
3 Herbert Burgmüller, »Zur Ästhetik des modernen Romans«, in: *das silberboot,* I/5 (Dez. 1936), S. 257-258.

225. An Willa Muir

16. Mai 36, Mösern b. Seefeld/Tirol

Willa, Liebe,

[...] Ich arbeite bis zu schwerster Erschöpfung, um den Band[1] endlich fertig zu bekommen, der jetzt fertig werden *muß;* und wenn man einmal ein paar tausend Seiten Maschinenschrift hinter sich hat, erscheint einem *jeder* Brief als eine nicht übersteigbare Klippe. [...]

Daß ich nach St. Andrews komme, ist evident, ob nun mit oder ohne Krieg; wenn es für mich noch eine Zukunft gibt, so in England, und so fordern es schon existentiale und egoistische Gründe – ganz zu schweigen davon, daß ich Euch sehen will –, daß ich endlich einmal hinkomme. Wäre nicht diese nicht endenwollende Arbeit gewesen, so wäre ich schon dort. Jetzt muß ich freilich nach Abschluß des Buches zuerst einmal nach Wien, um meine Mutter zu sehen, aber auch meine finanziellen Dinge halbwegs in Ordnung zu bringen, denn ganz ohne Geld kann ich ja doch nicht bei Euch erscheinen.

Sohin als erstes Resultat, ich komme jedenfalls, allerdings nicht zu ganz bestimmbarem Termin, ich komme auch nicht ganz ohne Geld, doch wiederum nicht mit so viel, daß ich ein Haus allein bewirtschaften könnte.

Wenn ich also J. W. s. großzügiges Angebot annehmen wollte, so kann ich in dem Hause nicht allein wohnen. Daß Anja samt Mutter es mit mir teilten, ist freilich verlockend, hat aber trotzdem gleichfalls seine Spezialschwierigkeiten. Erstens wird sich Anjas Mutter nicht so leicht entschließen, zweitens ist Anja gerade im Begriffe, sich jenes Leben zusammenzuzimmern, das aus ihrem eigenen Sein und Ich entstehen soll, und drittens bin ich ja reichlich unsozial und muß auf meine optimalen Arbeitsbedingungen schauen: ob ich mir diese in einer solchen Kombination so leicht schaffen kann, vermag ich nicht vorauszusagen; mein Einsamkeitsbedürfnis ist ungeheuer groß, und wäre es nicht so, so würde ich nicht in Mösern sitzen. Etwas anderes wäre es natürlich, wenn Krieg wäre: dann müßten alle anderen Erwägungen zurücktreten, dann hätte einem Gott oder der Teufel die Entscheidung abgenommen, und vielleicht wäre man ihm dann sogar auch noch dankbar und wäre auf seine Art ein Kriegsgewinner.

Doch selbst dieser Fall ist nicht eindeutig: für Anja als tschechischer Staatsbürger wäre es vielleicht einfacher, auch finanziell, ich jedoch würde im Kriegsfall – soferne nicht das neue Buch in England und Amerika verkauft werden würde – ohne finanzielle Basis [sein], käme also wahrscheinlich als feindlicher und noch dazu mittelloser Ausländer ins Konzentrationslager. Wahrscheinlich würden sich natürlich Mittel finden, um dies zu verhüten, aber man muß jedenfalls auch dies ins Auge fassen. [. . .]

Hingegen bin ich eindeutig sehr glücklich, daß Ihnen der Joyce[2] gefällt. Meine Einwendungen dagegen habe ich Ihnen ja schon geschrieben. Aber die Schrift hat einen geradezu lächerlichen Erfolg; völlig unbekannte Leute schreiben mir spontane Dank- und Anerkennungsbriefe, als ob ich ihnen weißgott was für ein Heil verkündet hätte. Es ist sonderbar; denn die ganze Problematik liegt mir eigentlich so ferne, daß ich mich immer nur wundern kann, wenn sich andere dafür interessieren. [. . .]

[GW 10]

1 *Die Verzauberung* (2. Fassung).
2 *James Joyce und die Gegenwart*.

226. An Ruth Norden

21. 5. 36 Mösern b. Seefeld/Tirol, Haus Klotz

Nur ein rascher und herzlicher Dank, liebes Fräulein Ruth, für das soeben eingelangte Mai-Heft[1]; auch das letzte mit der von Ihnen übersetzten Novelle habe ich noch zu bestätigen, was schon längst nötig gewesen wäre, weil ich Sie höchlich bewundere, daß Sie dies zustandebringen und wahrscheinlich auch (denn so weit reicht mein Englisch nicht, um Qualitätsdifferenzen zu bemerken), *wie* Sie es zusammenbringen. Wenn man bedenkt, wie schwer Übersetzen in die Muttersprache schon ist, so kann man sich vorstellen, was das Gegenteil beheißt.

A propos Übersetzen: Sie kennen doch sicherlich Hans Reisiger[2]. Der hat sich auch hier in Seefeld angesiedelt, schreibt seinen Stuart-Roman, der wirklich schön zu werden verspricht, und übersetzt. Nachdem wir uns monatelang gemieden haben, haben wir uns jetzt gut angefreundet.

Mein Freund Hecht dürfte Ihnen ja wohl inzwischen schon geschrieben haben. Nochmals tausend Dank für Ihre Freundlichkeit!

Mr. Wladimir Weidlé in Paris hat ein Buch »Les Abeilles d'Aristiée«[3] geschrieben, eine geschichtsphilosophische Kunst- und vor allem Literaturbetrachtung, mit viel Sachkenntnis unterfüttert und einigermaßen zum geschichtsphilosophischen Gedankenkreis meiner verschiedenen Aufsätze gehörig. Ich spiele darin auch die Rolle einer der Ober-Abeilles. Doch nicht deshalb ließ ich es Ihnen schicken, sondern weil ich meinte, daß es Sie interessieren könnte, vielleicht auch für das Living Age. Am bemerkenswertesten an dem Buch erscheint mir der katholische Grundton.

Und eigentlich müßten Sie sich für Living Age die neue »Deutsche Physik« von Lenard[4] kommen lassen. Anbei eine Anzeige darüber. Einstein dürfte ja von dieser herrlichen Sache schon wissen, sonst müßten Sie es ihm mitteilen. Daß wir jetzt auch eine arische und jüdische Mathematik haben, dürften Sie vielleicht schon wissen? und daß man die jüdische Mengenlehre Cantors nur deshalb nicht von den Universitäten verbannen kann, weil sich schon eine Anzahl arischer Forscher auf sie spezialisiert hat. Dagegen tritt die Nachricht auf, daß Cantor eigentlich kein Jude gewesen sein soll, und wenn er es war, daß er die Lehre von Bolzano bezogen hat. Und hiezu: vor ein paar Monaten war ich in München und im Zoologischen. Dort ist auf einem Gitter eine Tafel: »Der deutsche Ur ersteht wieder.« Man ist nämlich darauf gekommen, daß man Rassen durch entsprechende Gegenauslese »zurückzüchten« kann, daß sie all ihre Kreuzungs- und sonstigen erworbenen Eigenschaften nach ein paar Generationen wieder verlieren können, wenn man nur tüchtig ist. Und tatsächlich, hinter dem Gitter ging so ein kleiner schwarzer kleiner Büffel spazieren, etwas sturen Ausdrucks und nicht wissend, was für ein feines symbolhaftes Tier er ist. Wenn Sie übrigens sehr gut informierte Nachrichten über Deutschland haben wollen, so müßten Sie sich auf die »Aero Press«, Internationale Nachrichtenagentur, Bernhard Koch, Prag II., abonnieren. Dürfte auch nicht viel kosten.

Und um Ihnen noch von mir zu berichten: die letzte Umarbeitung des Buches[5] geht nun langsam, sehr langsam ihrem Ende entgegen. Der Endspurt einer Schildkröte: Ich bin auch schon reichlich müde. Alles in allem meine ich, daß es gelungen ist. Es dürfte schon ein richtiges Kunstwerk sein. Doch was besagt dies schon in dieser Zeit?! keinesfalls besagt es etwas gegen die Zeit. Höchstens gegen das Kunstwerk und gegen seine Existenzlegitimation. Sonderbar ist nur, eben angesichts der Zeit, daß der Joyce ein Riesenerfolg geworden, d. h. mein Joycevortrag –, nur zu erklären mit der großen Anzahl der Abseitigen und leicht Närrischen, die es auf der Welt eben doch immer gibt. Ich selbst würde so etwas kaum lesen, wenn ich nicht müßte. Und Sie sollen es auch nicht tun: die Sendung, die ja inzwischen wohl bei Ihnen eingetroffen sein dürfte, ist bloß eine Huldigung und nicht zum Lesen bestimmt.

Mit vielen herzlichen Grüßen, stets Ihr

H. B.

Richtig, noch etwas! die beiden Filmexemplare[6] sind doch bei Ihnen? dürfte ich um sie bitten? Und verzeihen Sie die Behelligung. Und Dank im voraus!

[DLA]

1 Um welche Zeitschrift es sich handelt, konnte nicht eruiert werden. Es ging nicht um das *Living Age,* denn dort erschien keine von Ruth Norden übersetzte Novelle.
2 Hans Reisiger, *Ein Kind befreit die Königin. Nach dem Leben der Maria Stuart erzählt* (Berlin: Rowohlt, 1939).
3 Vgl. Brief vom 20. 4. 1936 an Herbert Burgmüller, Fußnote 3.
4 Philipp Lenard, *Deutsche Physik in vier Bänden* (München: J. F. Lehmanns Verlag, 1937). Die ersten beiden Bände über Mechanik, Akustik und Wärmelehre waren bereits 1936 erschienen.
5 *Die Verzauberung* (2. Fassung).
6 *Das Unbekannte X.*

227. An Stefan Zweig

Mösern
P. Seefeld/Tirol
Haus Klotz 7. Juni 36

Verehrter und lieber Freund,
nicht daß Sie Ihre Reihe schöner und großartiger Bücher wieder um eines vermehrt haben, ist erstaunlich und bewunderungswürdig, ja, dies auszusprechen würde ich gar nicht wagen, denn es gibt ein Stadium der Selbstverständlichkeit, das nur mehr als Ganzes, doch nicht mehr im Einzelwerk begrüßt und bewundert werden darf, sondern die wahrhaft meisterliche Sicherheit und Ruhe, mit der Sie erkannt haben, was heute nottut, und daß Sie Ihr Werk mit solcher Geradlinigkeit in den Dienst des Edukatorischen gestellt haben: was wir heute wohl alle fühlen und wir anderen bloß bejammern können, das Unzureichende des rein Künstlerischen und Geistigen, das haben Sie mit einem Schlage überwunden, indem Sie ihm die starke moralische und soziale Richtung gegeben haben, und darum muß Ihnen dieser »Calvin«[1] so besonders gedankt werden; in der Kategorie des Künstlerischen verbleibend, ist das Buch trotzdem über sie hinaus gewachsen und hat die Kategorie, sie sprengend, ins Lebensfähige zurückgehoben. Dies ist durchaus beglückend, und beglückend ist es auch, wie durch solch reine Zielsetzung gleichfalls eine absolut durchsichtige, rein einfache Form im Aufbau und im Stil bewirkt wird. Und so entspringt mein Dank an Sie ebensowohl diesen objektiven Tatbeständen, als auch der subjektiven Freude des Aufnehmens und Lesens und nicht zuletzt dem Besitz des Buches, jedoch über all das hinaus dem Optimismus, den es – als wahrhaft edukatorisches Werk – vermittelt: sonderbar genug ist es ja, daß wir, die wir an dem künftigen Wellenberg kaum mehr teilhaben werden, nur dann das bißchen Lebensmut, das wir zum Leben brauchen, aufbringen, wenn wir über eine Entwicklung beruhigt werden, die uns eigentlich gar nichts mehr angeht; daß der Jud für das Gehabte nichts gibt, ist verständlich, daß er aber für das, was er niemals haben wird, etwas gibt und daß ihm das sogar das Wichtigste ist, ist höchst

seltsam und wirklich ein Charakteristikum dieses seltsamen Volkes. Allein, es ist wohl das Charakteristikum des Humanen schlechthin.

Allerdings: Ihr Optimismus, der auch der meine ist, wird sich nur dann erfüllen, wenn die Welt sich wieder einmal »platonisch« organisiert haben wird. Denn all unsere Humanität, auch wenn sie sich freigeisterisch gebärdet, entsprang der platonischen Organisation der Kirche, dieser wundervollen, über ihr eigenes Ende hinauswirkenden Macht, mehr im Sterben bewirkend als während ihrer Herrschaft. Wird ihre Organisation nicht durch eine gleichwertige ersetzt, oder vermag sie nicht selber dies zu leisten – was freilich kaum anzunehmen ist –, dann ist ein Calvin kein Exempel für das Überwindbare und Vorübergehende, sondern ein Vorversuch für das Endgültige, also für den Kulturtod. Phantastisch übrigens die Hitlerähnlichkeit in Blick und Nase und Kopfform, während Castellio wie eine Photographie meines Freundes Schrecker wirkt, den Sie, kommen Sie nach Paris, eigentlich kennen lernen sollten; er war früher Sekretär der Preußischen Akademie der Wissenschaften und ist jetzt Professor an der Sorbonne und Herausgeber der neuen Malebranche-Ausgabe der Académie[2]. Und um die Parallele noch ein Stückchen weiter zu treiben: bedenken Sie, daß es damals noch um geistige Prinzipien ging, denn schließlich war Calvin ebenfalls Gelehrter und wurzelte im Geistigen, mag er sich auch davon entfernt haben, während heute die Trennungslinie viel eindeutiger und schreckenserregender verläuft. Doch dies läßt sich erst in hundert Jahren beurteilen, und von rechtswegen müßten wir mindestens so alt werden; wir sehen von diesem Kino bloß das Vorprogramm.

Im Grunde hatte ich damit gerechnet, Ihnen heute keine Briefe mehr zu schreiben, sondern Ihnen die Hand drücken zu dürfen. Ich sollte schon längst in England sein. Indes, noch immer sitze ich hier an diesem Buche, verhaftet der lebensunfähigen Kategorie des Ästhetischen und Artistischen – die zu durchbrechen eben nur Ihnen gegeben ist –, und wenn meine Tätigkeit überhaupt noch einen Schimmer von Sinn hat, so höchstens dort, wo sie sich bemüht, die Spuren der neuen Religiosität und ihre Fundierung im »irreligiösen« Menschen zu finden; beides aber nimmt grausam viel Zeit und Kraft in Anspruch. Dabei bin ich draufgekommen, daß das Einsamkeitszuchthaus, in das ich mich da begeben habe, nicht einmal die erhoffte optimale Arbeitsbedingung darstellt; gewiß war es eine Notwendigkeit für mich gewesen, aber jetzt habe ich schon reichlich genug davon, will jedoch nicht knapp vor Fertigstellung unterbrechen. Was haben Sie für Pläne? kommen Sie nach Österreich? dann lassen Sie es mich bitte wissen! Und wie steht es mit dem Zeitschriftenprojekt?

Für heute also nochmals Dank und sehr viel Herzliches Ihres

in Aufrichtigkeit ergebenen
H. Broch

[SZA]

1 Stefan Zweig, *Castellio gegen Calvin* (1936).
2 Paul Schrecker und Désiré Roustan waren Herausgeber der Ausgabe: *Œuvres complètes de Malebranche*. Édition critique, publiée sous les auspices de l'Académie française, de l'Académie des sciences, de l'Académie des sciences morales et politiques (Paris: Boivin, 1938).

228. An Alice Schmutzer

Mösern, 26. 6. 36

Liebste Liesl, hab Dank für Deinen lieben Brief. [. . .]
Was mit mir geschieht, weiß ich noch nicht. Das Buch[1] hat ungeheuere Schwierigkeiten. 9 Kapitel sind druckfertig, die drei letzten fehlen mir noch. Dabei ist all die Plage ein Irrsinn. Welcher Leser (wenn es überhaupt deren gibt) will sich mit den Problemen der Architektonik eines Buches plagen, welcher sich mit der Hintersinnigkeit beschäftigen?! Keiner. Interessieren tut nur, ob die Leute miteinander schlafen oder nicht. Ich lese doch Bücher auch nicht anders. Und nichtsdestoweniger plage ich mich weiter mit dieser ganzen Stilistik, Architektonik und weiß Gott noch was herum und brauche dazu eine übermenschliche Konzentration, die ich – so fürchte ich – in Baden nicht aufbringen werde. Hier kann ich

nun leider nicht bleiben, aber ich denke daran, mir am Arlberg[2] ein Arbeitsloch zu finden, bei Zürs oder sonstwo. Jedenfalls verlasse ich Montag hier das Lokal. Und was weiter mit mir geschieht, melde ich Dir. Sollte ich in Tirol verbleiben, so werden wir uns hier unbedingt irgendwo treffen, und ich freue mich darauf; es wäre mir wesentlich lieber als in Wien, wo es immer eine Hetze gibt. Überhaupt graut mir vor Wien.

Daß Du was aus dem Buch lesen willst, ist lieb von Dir. Leider ist noch alles in Fluß. Es werden Seiten ausgewechselt etc., so daß ich keine Abschrift aus der Hand geben kann. Aber bald.

Grüß das Mizzerl[3]. Und grüß die Künstlerin Susi[4]. Was soll jetzt wirklich mit ihr geschehen? das ist ein furchtbarer Beruf. Ich fürchte, sie wird auf mein Denkmal warten müssen. Und dabei ist der Judenplatz bereits besetzt. Und viele gute Wünsche für den Sommer! Stets Dein alter

H.

[DÖL]

1 *Die Verzauberung* (2. Fassung).
2 Alpenpaß an der Grenze zwischen Tirol und Vorarlberg. Broch zog nicht um nach Zürs, einem Ort in Vorarlberg.
3 Maria (Mizzerl) Schnabel (verheiratete Egger) war die Schwester Alice Schmutzers.
4 Vgl. Brief vom 7. 12. 1935, Fußnote 3.

229. An Daisy Brody

[Tarasp][1], 15. VII. 36

Ich bin durch den Garten Gottes gefahren, aber Gott hat es für gut befunden, seinen Garten mit Londoner Nebeln so dicht zu verhängen, daß man kaum etwas ahnen konnte. Dies sind seine symbolischen Witze. In herzlichen Gedanken

Ihr

H. B.

[GW 8]

1 Kurort im Unterengadin, Kanton Graubünden/Schweiz.

230. An Herbert Burgmüller

Nauders, Tirol, 30. Juli 1936

Lieber,
[. . .] Anbei der gewünschte Ausschnitt aus der Frkf[1]. Seine Bemühung um Sachlichkeit ist erfreulich, aber die Diskussion liegt auf einer falschen Ebene. Ich habe niemals bestritten, daß die Goethesche »Bildung« von 1820 eine andere ist als die von 1920, und ich habe selber darauf hingewiesen, daß das Simultaneitätsstreben Joyces (das ich übrigens, wie ich glaube, als erster herausgestellt habe, wie überhaupt diese merkwürdige »vergottete« Simultaneität des Kunstwerkes) ins Unverständliche führen muß. Und ebenso muß ich den ganzen Begriff des polyhistorischen Romans für meine Romantheorie in Anspruch nehmen. Hätte ich mehr Zeit und wäre es üblich, daß der Autor mit seinem Kritiker zu polemisieren beginnt, so gäbe es da eine Reihe von Punkten, über die ich mich mit Kraus auseinandersetzen müßte. Im Grunde täte ich es gerne, denn ein sachlicher Partner ließe eine ersprießliche Diskussion zu. [. . .]

[GW 8]

1 Fritz Kraus, »›Weltdarstellung‹ und Bildungsroman. Unwert und Wert im Epischen«, in: *Frankfurter Zeitung* (19. 7. 1936), S. 22.

231. An Emmy Ferand

Mösern, Sonntag 31. 7. 36

Ja, Liebste, Liebe – mich verfolgt der Anfang eines Gedichtes[1], das ich aber nicht weiter machen kann:

Wenn die Gespenster um dich stehen
wie Bäume
und in dein dunkles Fenster schauen – –

irgendwie entspricht das nämlich der augenblicklichen Situation, wenn auch nicht unter den Gespenstern die Sorgen, die mich umstehen, gemeint sind. Natürlich sind es gespenstische Sorgen – aber fast ist es schon wieder komisch, daß ich augenblicklich ohne einen Heller Geld hier sitze und warte, was jetzt eigentlich passieren wird. Daß ich nicht allein bin, daß ich – um das Maß voll zu machen – auch in dieser Richtung Katastrophen erwarte, gehört eigentlich dazu.

Dabei bin ich gar nicht so verzweifelt, als ich es sein müßte – ich war vollkommen fertig, so lange ich wie gelähmt nichts arbeiten konnte. Aber seit drei Tagen arbeite ich, wahrscheinlich sogar ganz gut, und so bin ich bei alldem gewissermaßen zufrieden. [. . .]

[GW 8]

1 Broch hatte das Gedicht bereits im September 1932 geschrieben und damals in sein Drama *Die Entsühnung* intregriert. Vgl. KW 7, S. 93. Das Gedicht beginnt dort mit den Zeilen: »Wenn die Gespenster/ gleich Bäumen um dich stehen/ und in dein dunkles Fenster schauen [. . .].

232. An Ludwig von Ficker

3. 10. 36 Alt Aussee Nr. 31 (Steiermark)

Lieber Herr v. Ficker,
ich wurde telegraphisch nach Aussee gerufen und hatte daher keine Möglichkeit mehr, mich von Ihnen zu verabschieden[1]. Allerdings glaubte ich auch, bald nach Mösern zurückzukehren. Nun aber haben mir Freunde hier ihr über den Winter leerstehendes Haus zur Verfügung gestellt, und wenn sich dessen Heizbarkeit erweisen sollte, so werde ich wohl auch bleiben. Außerhalb der Saison ist es ja im Salzkammergut ganz unsagbar schön.

Ich lege den Artikel der »Schöneren Zukunft«[2] bei, von dem ich Ihnen gesprochen hatte; er ist unglaublich niveaulos und ignorant. Österreicher[3] hat im letzten Heft der »Erfüllung« sehr richtig und bedeutsam dazu Stellung genommen.

Darf ich Ihnen bei dieser Gelegenheit sagen, daß es mir

eine ganz besondere Freude gewesen ist, Sie wiedergetroffen zu haben? Und ich hoffe sehr, daß sich über kurz oder lang doch wieder Gelegenheit geben wird, Sie begrüßen zu können. Inzwischen mit den besten Wünschen und einem herzlichen Gruß

Ihr ergebener
Hermann Broch
[Br A]

1 Broch hatte Ludwig von Ficker in Innsbruck besucht.
2 *Die schönere Zukunft,* Wiener Wochenzeitschrift, herausgegeben von Joseph Eberle (1884-1947).
3 Johannes Österreicher (geb. 1904), gründete 1934 in Wien das Pauluswerk, das sich für die jüdisch-christliche Verständigung einsetzte. Vgl. Brief vom 3. 11. 1935, Fußnote 6.

233. An Edit Rényi-Gyömroi

Alt Aussee Nr. 31, 8. X. 36

[. . .] Und es kommt mir oft vor, als ob ich hohe Kunst und diese Späße einfach betriebe, weil mein Talent für einen einfachen anständigen Roman nicht ausreicht. Hie und da lese ich einen Roman von der Vicky Baum[1] und staune, was diese Frau an sauberer Tatsächlichkeit alles kann, wie erfindungsreich sie ist, und wie bescheiden! sie tut das, was in einem Roman geschehen soll, sie läßt die Leute auf mehr oder minder großen Umwegen miteinander schlafen und macht kein Wesen aus ihrem Können. Man kann es auch anders ausdrücken: denn mit meiner zu kleinen Begabung stimmt es auch nicht, vielmehr ist diese sehr groß, aber die Verwirklichungskraft ist zu gering, und so gerate ich ins Bombastische. Kurz und gut, so oder so, es ist ein Ungleichgewicht vorhanden, und ich bin dadurch so benommen, und ich habe so viel damit zu tun, daß meine Tage auf das restloseste damit angefüllt sind; jeder Brief ist mir eine namenlose Anstrengung! auch dieser! Es ist eine unbehagliche Situation. Es ist eine Mischung von einer ungeheueren Skepsis gegen die Erkenntnis, gegen die Kunst, gegen den Geist, ja selbst gegen das Physische, unterfüttert mit einem ebenso ungeheuerlichen Willen zum Ausdruck und zur Erkenntnis und zur Formung. Ich möchte es Funktionsskepsis nennen, wenn Dir das etwas sagte; ich kann mir darunter etwas vorstellen, und obwohl es etwas sehr Unangenehmes ist, möchte ich es nicht missen.

Was wirklich daran wertvoll ist, wird sich ja in dem Buche[2] erweisen. Daneben treibe ich allerlei Logisches und Mathematisches, zwar auch unter dem gleichen Vorzeichen, dennoch mit einem sicheren Gefühl, Neuland aufgebrochen zu haben. Nur ist das etwas, was man nicht im Nebenamt besorgen kann. Mein Lebensgefühl wird dadurch nicht besser. [. . .]

[YUL]

1 Vicki Baum (1888-1960), österreichische Schriftstellerin. Vgl. V. B., *Stud. chem. Helene Wilfüer* (1929), *Passion* (1932), *Das große Einmaleins* (1935).
2 *Die Verzauberung* (2. Fassung).

234. An Willa Muir

22. 10. 36 Alt Aussee Nr. 31 (Steiermark)

Vor allem, Liebe, Liebste, etwas für die Übersetzerin: »mir ist bang *nach* Ihnen«, und das heißt nicht, daß ich um Sie besorgt bin, denn dann müßte es lauten »mir ist bang *um* Sie« – »*nach* jemandem bangen« heißt, *sich nach ihm sehnen,* und das *tue ich,* und zwar kräftig, und wäre ich nicht der Narr, der ich bin, so wäre ich schon längst bei Ihnen. Und die ärgste Narrheit ist wohl, daß ich eine so unsagbar große Arbeit in dieses Buch[1] hineinstecke, nämlich künstlerische Arbeit: ich habe mir eine inhaltliche und sprachliche Kontrapunktik zurechtgelegt und komme aus ihr nicht heraus, die mich schier erdrückt, obwohl ich weiß, daß der Roman eigentlich überhaupt wenig mit Kunst zu tun hat; der Roman operiert mit großen Wolkenmassen, er ist ein diffuses Gebilde, und die großen Romanciers waren Balzac, Zola, Dostojewski, die alle schlampert und unkünstlerisch gearbeitet haben, die alle wußten, daß es für den Roman bloß menschliche Vertiefung und Gesinnung gibt, und die deshalb heute ebenso gelten wie ehedem, während die »Künstler« wie Stendhal oder Flaubert nichts hinterlassen haben als die Empfindung eines unsäglichen Krampfes! Auch mit Joyce wird es so ergehen! Das Buch wird sicherlich ein richtiges Kunstwerk, aber abgesehen davon, daß die Fertigstellung doch bis in den nächsten Weltkrieg hineinreichen wird, fragt man sich unausgesetzt: wozu? warum? für wen?, und das macht die Arbeit im Grunde unmoralisch. Doch man kann weder aus seiner Haut, noch aus seiner Zeit heraus. [. . .]

Schließlich muß ich Ihnen sagen, daß ich in 8 Tagen fünfzig alt bin, nicht etwa, damit Sie mir gratulieren, sondern weil einem dieses Faktum sehr merkwürdige Gefühle erzeugt – von Vergänglichkeit, schlechter Biographie, Unfähigkeit, seine Begabungen auszunützen, usw. – und weil einen diese Gefühle so sehr auf das schlicht Menschliche hinverweisen, zu dem man einzukehren hat. Und deshalb denke ich an Sie. Und mit Dank. [. . .]

[GW 10]

1 *Die Verzauberung* (2. Fassung).

235. An Egon Vietta

Alt Aussee, 29. 10. 36

[. . .] Allerdings muß ich hier etwas hinzufügen, und das ist zwar auch nicht angenehm, aber es ist Selbsterkenntnis: daß die Verhältnisse so sind, ist nun einmal so und darf nicht beklagt werden, vielmehr ist man selber daran schuld – Schriftstellerei hat nämlich nichts mehr mit Kunst zu tun, weder mit der ästhetischen Problematik, noch mit der Kunsterzeugung, denn Schriftstellerei verlangt vor allem menschliche Festigung und Festigkeit, d. h. eine unerschütterliche

Gesinnung zur Herzensreinheit, und sonst gar nichts. Der Romancier, der seine Arbeit als »Kunst« betrachtet, ist zum Absterben verdammt; von Flaubert und Stendhal ist nichts als ein Krampf übrig geblieben, während die Unkünstler Zola und Dostojewski bestehen bleiben. Auch Joyce wird vor allem den Krampf hinterlassen. Und der Schriftsteller, der dieser so überaus einfachen menschlichen Forderung genügt, wird sich auch heute noch durchsetzen, ja, er wird vielleicht sogar sein Brot damit gewinnen können. Ich sage dies weniger auf Sie gerichtet, obwohl es auch Sie trifft, denn auf mich, der ich auch das neue Buch[1] noch viel zu kunstwerklich aufgebaut habe, was mir – eben während der Arbeit – immer klarer geworden ist und meine Arbeit bedeutend hemmt. [. . .]

[GW 8]

1 *Die Verzauberung* (2. Fassung).

236. An Daisy Brody

Alt Aussee, 9. 11. 36

Einen Brief von Ihnen, liebste Freundin, zwei Briefe von Dani, eine herrliche Mappe, ein Telegramm, bei dieser statistischen Ausbeute verlohnt es sich, fünfzig geworden zu sein! Wahrlich, es verlohnte sich, alljährlich fünfzig zu werden, wenn einem so viel Gutes und Trostreiches gesagt wird, wie es durch Sie beide geschehen ist, und angesichts der Mappe wäre es sogar notwendig: Dani deutet schön und poetisch an, daß sie zur Aufnahme des Manuskriptes[1] bestimmt sei – und dies würde etwa 10 bis 20 solcher Geburtstage und solcher Mappen benötigen –, oder soll damit gesagt worden sein, daß das Buch bis auf den Umfang einer einzigen Mappe zusammengestrichen werden muß? Das wäre natürlich furchtbar, denn vorderhand stehe ich auf dem Standpunkt, nicht einen einzigen Satz herzugeben, und wenn der Verleger mir mit einem derartigen Ansinnen kommt, und sei es noch so kostbar und poetisch verbrämt, werde ich wegen tiefer weltanschaulicher Divergenz jeden Verkehr mit ihm abbrechen müssen.

Und damit wären wir richtig auch schon bei dem Buch und bei der Arbeit, die – wie Sie ja so richtig schreiben – mit mir und meinem Ich leider so sehr verquickt ist, daß sie zu einer unteilbaren Einheit mit mir geworden ist: ich weiß nicht mehr genau, was ich in meinem letzten Brief geschrieben habe, sicher aber, daß es im Roman, wie im Schriftstellerischen überhaupt, viel intensiver auf eine menschliche Gesinnung, als auf das Kunstwerkliche ankommt, und wenn ich dazu Zola und Dostojewski angeführt habe, so war dies, von all ihren Zeitgebundenheiten abgesehen, schon richtig, denn sowohl die Wirkung wie die Zeitüberdauerung dieser Leute liegt ausschließlich in ihrer Gesinnung, wobei noch zu berücksichtigen ist, daß dies in einer noch weitgehend ästhetisierten und ästhetisierenden Epoche erfolgte, während die unsere dafür überhaupt nichts mehr übrig hat und aus ihrem tiefen Elend heraus mit Recht nach ganz anderen Dingen verlangt. In diesem Sinne sind »künstlerische« Schreiber, sei es nun Joyce oder Th. M., einfach Atavismen, viel mehr Plüschsofa, als man ihnen eigentlich zumutet, und leider muß ich mich ihnen gleichfalls zuzählen: daher meine wachsende Ungeduld gegen mich selbst, besonders da ich mich eben meines Alters (trotz des besseren Wissens) nicht entledigen kann, und das sogenannt Künstlerische mich einfach überwältigt; es kommt vor, daß ich tagelang an einem einzigen Satz oder an einem architektonischen Aufbau knete, freilich auch in der Überzeugung, daß jeder Ausdrucksmangel, sei er auch nur ein stilistischer, auf eine Unreinheit des Gedankens zurückzuführen ist.

Letztlich gehen also diese Schwierigkeiten über das künstlerisch Ästhetische hinaus und münden in dem Begriff der Erkenntnis, von der ich derart besessen bin, daß ich unausgesetzt mit dem Gedanken einer Rückkehr zur Wissenschaft (die, wie ich glaube, mein stärkstes Begabungsgebiet ist) mich beschäftige und in Ihren guten Wünschen eigentlich den, es möchte mir diese noch gelingen, vermisse. Allerdings ist dazu zu fragen – und damit haben wir angesichts der Verbundenheit der Erkenntnis mit dem künstlerischen Ausdruck wieder ein Argument gegen die rein ästhetische Form –, ob die heutige Menschheit überhaupt noch Erkenntnisse braucht, ob sie nicht mit Erkenntnissen übersättigt ist, m. a. W., ob nicht *über* der Erkenntnis eben jene schlicht menschliche Haltung und Gesinnung steht, deren Anstrebung mich im tiefsten Grund in die Dichterei getrieben hat, und die ich als oberstes Ziel der Dichtung, oder zumindest des Romans betrachte. Und je älter ich werde und je mehr ich mein eigenes Leben betrachte, desto klarer wird mir, daß das eigentlich Positive in dieser Schlichtheit und in dieser schlicht menschlichen Beziehung, sagen wir ruhig der des Herzens, liegt: daß ich dieses, gerade dieses, bei Ihnen, liebste Frau Daisy, und bei Dani gefunden habe, hat mich viel gelehrt und dafür habe ich Ihnen beiden sehr innig zu danken, ein Dank also, der über den Anlaß dieses Fünfzigsten weit hinausreicht. [. . .]

[GW 8]

1 *Die Verzauberung* (2. Fassung).

237. An Egon Vietta

Aussee, 10. 11. 36

Haben Sie Dank, lieber Freund, für Ihre guten Worte und Ihre zu gute Meinung: hätte ich schon jene Entschlossenheit, die Sie mir zumuten, so wäre ich sehr glücklich. Derartig introvertierte Menschen, wie Sie und ich es sind, haben es in Zeiten nach der Art der heutigen überaus schwer: unsere Grundtendenz ist auf Erkenntnis gerichtet, die Zeit jedoch ist der Erkenntnis abhold, sie ist mit Erkenntnis saturiert und verlangt vom Menschen eine Einstellung der Tat; so weit Erkenntnis in Frage kommt, begnügt sie sich mit Dogmen. Und ich muß zugeben, daß Erkenntnis in ihrer »ausdeutenden« Funktion überflüssig geworden ist: ob ich Geschichte nach dem Schema Berdjajews[1] oder nach dem Schema Diltheys oder nach dem Hegels oder auch nur nach dem eigenen ausdeute, ist völlig gleichgültig; das wird mehr und mehr Privatsache und ist im Grunde unverbindlich. Die tiefere

Ursache liegt zweifelsohne (doch damit sind wir auch schon wieder in der »Ausdeutung«) in der Erschöpfung der – eben immer ausdeutenden – Rationalität, die sich immer nur in Sprüngen und über Krisen und Revolutionen vorwärtsbewegt, weswegen ja auch rationale Gebilde wie die Wirtschaft stets eine Krisenentwicklung aufzeigen. Die Einsicht in diesen Sachverhalt hat mich aus der Ratio in die Irratio der Dichtung getrieben, die Hoffnung hier – wenigstens für mich – eine neue Fundierung zu finden: ich habe mir viel von diesem neuen Buche[2] versprochen, und vielleicht ist es die Enttäuschung, nicht so weit vorgestoßen zu sein, wie ich erhofft habe, die mich jetzt zu der Bilanz und vor neue Entscheidungen stellt: wahrscheinlich ist es die Selbsterkenntnis unzureichender dichterischer Gelöstheit, die mich dazu zwingt, denn immer noch ist das, was ich da gemacht habe und mache, zu sehr von rationaler Erkenntnis durchtränkt und gerät ins »Ausdeutende«. Es ist also kein Wunder, daß ich mich nach jenen Gebieten der Ratio zurücksehne, wo diese einwandfrei positiv aufbauend sind, also ins Mathematische, das ich überdies für meine stärkste Begabung halte und wo ich tatsächlich Neuland aufgebrochen hatte, nicht habe, da ja in den letzten Jahren die wissenschaftliche Entwicklung mich vermutlich schon überflügelt hat. Und so bin ich in ein Stadium unentschiedener Entscheidung geraten: dieses Buch muß natürlich fertig werden, aber auch der zweite Band verlangt danach, und auch dieser erfordert zwei volle Jahre. Ich habe aber nur mehr wenig Zeit vor mir, umsomehr als die Lernfähigkeit abnimmt, und ich wissenschaftlich viel nachzutragen hätte.

Jeder schließt von sich auf andere. Also deute ich Sie nach mir und sehe Paralleles (sogar in dem schönen aufschlußreichen Berdjajew), vor allem aber in dem Roman, den ich nochmals durchgelesen habe. Auch in ihm lebt die Tendenz zur Selbstauflösung der Erkenntnis, ja, auch in ihm webt eine gewisse Sehnsucht nach dem Dogmatischen, aber – wie ich schon neulich andeutete – auch er ist noch zu sehr dem Rationellen verhaftet. Daher die ironische Haltung, gegen die ich mich wehre: denn Ironie kann und darf nicht im Dienste der Erkenntnis stehen, sie ist ein rein ethisches Instrument und darf nur im Dienste der »Gesinnung« verwendet werden; eine introvertierte, eine rein »passive« Ironie, wie es die Ihres Helden ist, tendiert einerseits zum einfachen »Besserwissen«, andererseits zur Wehleidigkeit, sogar zu einer beleidigten Wehleidigkeit. Das ist ein bißchen kraß ausgedrückt, und man könnte dem die Gestalt des »Raisonneurs« entgegenhalten, der in so vielen Dramen ein berechtigtes Leben führt, doch bin ich überzeugt, daß dieses Leben nur in Zeiten von »Ratiokonflikten« sich behaupten kann, nicht aber in apokalyptischen. Legitim erscheint mir heute bloß die aktive Ironie, also die Kierkegaards usw. Und weil dem so ist, sehe ich in Ihnen die nämliche Problemlage wie bei mir.

Wie es mit dem Berdjajew unter diesem Aspekt steht, vermag ich nicht zu durchblicken. Ich kenne ihn zu wenig. Ich habe früher derartige Haltungen scharf abgelehnt: wahrscheinlich tue ich es auch heute noch, denn ich kann noch immer außerhalb der dichterischen Erschütterung keine neue Fundierung der Ratio sehen (natürlich ist damit auch die Glaubenserschütterung eingeschlossen); wo aber von biologischen, kurzum *außerplatonischen* Grundlagen gesprochen wird, wie z. B. bei Benn, wehre ich mich. Wenn Sie Bücher von Berdjajew besäßen, wäre ich Ihnen für eine kurze Überlassung sehr dankbar; ich müßte diese Bildungslücke einmal ausfüllen.

Hingegen dürfte Sie die beiliegende kurze Schrift[3] meines Freundes Schrecker interessieren. Er ist Professor an der Sorbonne, Herausgeber der neuen Malebranche-Ausgabe der französischen Akademie und rückt als mathematischer Philosoph jetzt in die erste Reihe; unsäglich gelehrt und von einem druchdringenden Verstand. Wenn er es gesundheitlich durchhält – das ist bei ihm der wunde Punkt –, ist von ihm noch außerordentlich viel zu erwarten. Ich weiß nicht, ob ich Ihnen schon von ihm gesprochen habe. [. . .]

[GW 8]

1 Nicolaj Berdjajew (1874-1948), russischer Philosoph. Vgl. N. B., *Der Mensch in dieser Zeit* (Luzern: Vita Nova, 1935).
2 *Die Verzauberung* (2. Fassung).
3 Gemeint ist wahrscheinlich: Paul Schrecker, *Leibniz. Ses idées sur l'organisation des relations internationales* (London 1937).

238. An Daniel Brody

4. 12. 36

Lieber,
[. . .] Mein Verhältnis zu Gott ist derzeit das des Lehrlings zu seinem Chef, der ihm sagt: »So, jetzt bist du bereits in allen Abteilungen gewesen, und morgen machen wir Pleite, damit du auch das lernst«. Hoffen wir, daß es dem Lehrling gelingt, die Pleite zu verhüten. In diesem Sinne sei umarmt von Deinem

H

[GW 8, BB]

239. An Egon Vietta

Wien, 30. 12. 36

Lieber Freund,
Wien hat mich vollkommen umgeworfen; daher meine verspätete Antwort. Ich bin von den verschiedensten Seiten mit den unangenehmsten Agenden derart überhäuft, daß ich seit meinem Eintreffen noch keine Zeile gearbeitet habe, und jetzt habe ich mich – es war der einzige Ausweg – unter Ausnützung der grassierenden Grippeepidemie in die Krankheit geflüchtet, durchaus ehrlich, denn vierzehn Tage lang habe ich tüchtig gefiebert. Trotzdem war es unpraktisch und es hat mir letztlich nichts genützt, da ich nun um so länger in Wien bleiben muß.

Daß es auch bei Ihnen Krankheit und äußerliche Abhaltungen gibt, tut mir leid. Ich wünsche Ihnen von ganzem Herzen, Sie könnten sich, gleich mir, einmal des ganzen städtischen Getriebes entledigen und sich aufs Land zurückziehen. Aber offenbar muß man dazu erst fünfzig werden.

Ich hoffe, spätestens zu Feberbeginn in die Berge zurückkehren zu können und einigermaßen wieder Ruhe zu finden. Hier konnte ich kaum etwas lesen; auch mit dem Rilkeaufsatz[1] kam ich bloß langsam vorwärts, nicht nur wegen des

Zeitmangels, sondern auch wegen meiner reduzierten Aufnahmefähigkeit. Doch so reduziert diese auch war oder noch ist, ich habe trotzdem begriffen, daß wohl noch niemand so tief wie Sie in die Rilkesche Struktur eingedrungen ist. Und wenn Sie sagen, daß Ihnen dieses Eindringen ein Trost gewesen ist, so begreife ich auch dieses, denn ich habe, dank Ihrer wirklich meisterhaften Auseinanderlegung, desgleichen ein Stück dieses Trostes gespürt.

Auch was Sie über Anna Livia[2] sagen – so flüchtig es ist –, ist vollkommen richtig. Ich gebe es an Brody weiter. Und werde Ihnen bald den engl. Originaltext schicken. Inzwischen übersende ich Ihnen der Einfachheit halber mein eigenes Exemplar des Canetti[3]. Ich brauche Ihr Urteil, u. zw. für mich: denn bei aller Anerkennung des Canettischen Talents kann ich eigentlich mit dem Buch nichts anfangen. [. . .]

Schließlich müssen die Abschattungen der Logik, von denen auch Sie sprechen, sich im Praktischen bemerkbar machen, und diese geringfügigen Veränderungen werden wohl – wo denn sonst? – in den Generationssprüngen sichtbar. Damit muß man sich abfinden. Freilich müssen wir dabei festhalten, daß es einen übergeordneten Logos gibt; doch seine Lokalisation ist wohl nur in der Selbsterfassung des Geistes vorzunehmen, in jener Sphäre des »Ich weiß, daß ich weiß«, die für uns die letzterreichbare ist und die uns im Praktischen eigentlich wenig nützt. Und doch ist dies auch die Sphäre des »Schöpferischen«. Deswegen bin ich nicht wenig auf Ihre Aufsätze hiezu gespannt.

Daß Sie daneben desgleichen dichterisch weitergehen, ist erfreulich. Lassen Sie sich von Suhrkamp nicht allzu viel Vorschreibungen machen! Er ist voll guten Willens, aber ich bin überzeugt, daß seine Vorschreibungen keine Verbesserungen sind. Ihre Selbstkritik genügt; sie dürfte ohnehin allzugroß sein.

Schwenk ist in den letzten Tagen nach Wien zurückgekehrt. Er ist im Begriff, den Roman zu lesen und wird Ihnen dann direkt berichten. Inzwischen bat er mich, Sie zu grüßen und Ihnen für die Überlassung des Ms. herzlich zu danken[4].

Von meinen Arbeiten ist natürlich unter den obwaltenden Umständen wenig zu berichten. Im Silberboot, das Sie wohl erhalten haben, ist ein Aufsatz[5], auf den ich einigen Wert lege; leider hat Schönwiese ihn mir auseinandergeschnitten, weil er durchaus auch noch die alte Novelle unterbringen wollte. Sie werden also erst nach Erscheinen der zweiten Hälfte sich ein richtiges Bild machen können. Ich glaube, daß ich ein paar ganz wichtige geschichtsphilosophische Fakta aufgedeckt habe (ich habe hierzu noch ziemlich viel Material; die Abhandlung ist bloß eine kursorische Abkürzung). Trotzdem bin ich mir über die Überflüssigkeit solcher Erwägungen einigermaßen klar. Wenn man bedenkt, wie gleichgültig uns heute Dilthey und dieser ganze Rest geworden ist, wächst die Abneigung, sich mit diesen Themen überhaupt zu befassen. All mein Bemühen, vielleicht sogar Verzweiflung (wenn man es pathetisch ausdrücken will) gilt der Suche des wahrhaft *wesentlichen* Arbeitsgebietes, mit dem man den Rest dieses Lebens noch befassen soll, muß, darf. Manchmal habe ich Hoffnungen. [. . .]

[GW 8]

1 Egon Vietta, *Über die Duineser Elegien,* erschienen in der Reihe »Das Gedicht. Blätter für die Dichtung«, Jg. 5, 5. Folge (1938/39) (Hamburg: Ellermann).

2 James Joyce, *Anna Livia Plurabelle. Fragment of ›Work in Progress‹* (London: Faber & Faber, 1930).

3 *Die Blendung*.

4 Wahrscheinlich handelt es sich um das Manuskript zu Viettas einzigem Roman: *Corydon. Geschichte eines Knaben* (Frankfurt/M.: Societäts-Verlag, 1943).

5 »Erwägungen zum Problem des Kulturtodes. Geschichtsmystik und künstlerisches Symbol«, in: *das silberboot,* 1/5 (Dez. 1936), S. 251-256. Vgl. KW 10/1, S. 59-66. Ferner: »Vorüberziehende Wolke. Novelle«, in: *das silberboot* 1/5 (Dez. 1936), S. 209-216. Vgl. KW 6, S. 144-154. Der zweite Teil des Essays ist nicht veröffentlicht worden und hat sich nicht erhalten.

1937

240. An Ruth Norden

Wien, 15. 2. 37

Liebes Fräulein Ruth,
also, um Sie zu zitieren, nicht ich halte Sie für treulos und vergeßlich, sondern Sie werden dies von mir halten, aber ich habe drei Entschuldigungsgründe für mich: erstens wollte ich das Eintreffen des avisierten Buches abwarten (für das ich Ihnen ganz besonders danke und das ich – Sie haben wohl nichts dagegen – Bermann zur Übersetzung vorgeschlagen habe, weil es wirklich ausgezeichnet ist), zweitens bin ich noch immer in Wien, wo ich überhaupt nicht zu Atem komme, und drittens bin ich mit einer Angelegenheit, die ich Ihnen gleich erzählen werde, über alle Maßen beschäftigt. Es handelt sich hiebei um jene Wendung zum Politischen, von der ich Ihnen bereits im Vorjahr schrieb, und die ich für den Schriftsteller, d. h. für den Menschen der Öffentlichkeit für *so* notwendig halte, daß er ohne sie eigentlich weder leben noch seine dichterische Arbeit besorgen kann. Sie fragten damals danach, und heute kann ich es Ihnen sagen, indem ich einfach anbei Abschrift zweier Dokumente beilege, nämlich eine Resolution[1], die von einer Gruppe wichtiger Leute beim Völkerbund eingereicht werden soll, und ein Einladungsbrief, welcher an die betreffenden Unterzeichner zu richten sein wird: ich habe diese Sache bereits im Sommer mit Thomas Mann in Zürich besprochen, doch war damals die Situation des Völkerbundes eine solche, daß jeder Schritt ziemlich hoffnungslos erschien; subjektiv wurde nun die Angelegenheit durch Th. Manns Ausbürgerung[2] aktuell, und objektiv haben sich die Verhältnisse beim Völkerbund insofern verbessert, als dieser nun selber an eine Neukonstruktion seiner Grundlagen schreiten will. Th. M. war vor 14 Tagen in Wien, und bei aller Skepsis, die jeder derartigen Aktion entgegen zu bringen ist, haben wir beschlossen, nunmehr den Versuch zu wagen. Die Resolution hat zwar noch nicht ihre endgültige Fassung (ich lege sie zugleich Th. M., sowie einigen Völkerrechtslehrern zwecks Redigierung und möglichster Kürzung noch vor), doch in den Grundzügen wird sie wohl bleiben, wie sie ist. Als Unterzeichner haben wir weniger an Literaten

als z. B. an das englische Episcopat sowie an wichtige Politiker und Wissenschaftler, z. B. an die bisherigen Nobel-Preis-Träger gedacht. Wenn Ihnen Ihrerseits einige führende Amerikaner einfielen, die dafür in Betracht kämen, so wäre ich Ihnen *sehr dankbar*. Bis auf weiteres bitte ich Sie jedoch, die Angelegenheit als höchst diskret zu behandeln.

Ich sagte schon, daß man die Aktion nur mit aller Skepsis anschauen darf und grade die Weltentwicklung der letzten Wochen scheint es schier unmöglich zu machen, daß irgendwie eine Stimme der Humanität, besonders wenn sie nicht von Kanonen unterstützt wird, gehört werden könnte. Auch der prachtvolle Brief Th. M.-s an den Bonner Dekan[3] ist wohl ein Schlag ins Wasser. Nichtsdestoweniger, mögen die Chancen selbst nur ein Tausendstel betragen, es wäre ein Verbrechen, sich einem untätigen Fatalismus hinzugeben und nicht eben für dieses Tausendstel mit aller Energie, aller Leidenschaft und allem Optimismus, dessen man fähig ist, einzutreten.

Mit meinem Buch[4] bin ich durch alldies natürlich wieder in Rückstand geraten; ich bedauere dies nicht, denn ich halte, wie gesagt, das Bücherschreiben in der heutigen Zeit für wenig wichtig, auf alle Fälle werde ich mich aber wohl im März zwecks Fertigstellung wieder nach Alt Aussee (Nr. 31) zurückziehen[5], und was dann erfolgt, werden wir ja sehen. Ansonsten weiß ich natürlich nicht viel von Literatur, obzwar ich natürlich mit den hiesigen Verlegern einigemale beisammen war, so auch mit Bermann, der sich ein reizendes Heim eingerichtet hat, sich hier sehr wohl befindet und desgleichen geschäftlich zufrieden ist.

Und Sie sind inzwischen wirklich 30 Jahre alt geworden? Natürlich ist dies ein Abschnitt, aber kein sehr einschneidender. Nehmen Sie viele gute Wünsche dazu; es ist schön, daß Sie mich als Freund betrachten, und ich denke mit Freundschaft und Herzlichkeit an Sie. Stets Ihr

H. B.

[DLA]

1 »Völkerbund-Resolution«, KW 11, S. 195-232.
2 Thomas Mann wurde am 2. 12. 1936 ausgebürgert.

3 Vgl. Thomas Mann, »Ein Briefwechsel«, in: *Neue Zürcher Zeitung* (24. 1. 1937). Es handelt sich um die Antwort auf die Mitteilung des Dekans der Philosophischen Fakultät der Universität Bonn (Karl Justus Obenauer) an Thomas Mann, daß ihm die Ehrendoktorwürde entzogen sei.
4 *Die Verzauberung* (2. Fassung).
5 Broch kehrte erst wieder Anfang November 1937 nach Alt Aussee zurück.

241. An Robert Neumann[1]

Wien I. Gonzagagasse 7 9. Mai 37

Lieber Freund Neumann,
ich war (leider nur für kurze Zeit) von Wien abwesend, und da scheint mit der ersten Anfrage, auf die Sie sich beziehen, irgend ein Malheur passiert zu sein; ich habe sie nicht bekommen, und Sie müssen also die verspätete Antwort entschuldigen.

Sie suchen also einen österreichischen Arbeitsplatz. Abgesehen von Aussee, von dem ich Ihnen nichts erzählen muß, kann ich Ihnen bloß meine vorjährigen Erfahrungen schildern:

Mösern ist für mich noch immer das Ideal. Die Unterkunft ist zumeist tadellos, nicht nur im Hause Klotz, in dem ich gewohnt habe, sondern auch in einigen anderen Häusern. Sommerpreise S 1.50.- pro Bett. Verteuert wird die Sache dadurch, daß viele der Vermieter im Sommer auf Verabreichung von Frühstück mit S 1.- pro Person bestehen. Nachteilig ist die Größe der Häuser; ein Haus allein ist nicht zu haben, sie enthalten alle 5 bis 10 Zimmer, und während der Sommermonate hat man auf Nachbarschaft zu rechnen. Weiters wird die Garagierung nicht leicht sein, denn darauf sind die Leute nicht eingerichtet, umsoweniger, als ja die Straße nach Seefeld nur gegen spezielle Erlaubnis autobefahrbar war (was aber angeblich aufgehoben werden soll). Sollten Sie Mösern ernstlich erwägen, so schreiben Sie bitte sofort an den jungen Schriftsteller Herbert Burgmüller, den ich im Hause Klotz untergebracht habe, daß er Ihnen genaueren Bericht gäbe, resp. für Sie miete.

Zu den Gasthauspreisen: volle Pension im Gasthof Neuner (sehr empfehlenswert) S 7 bis S 9.-, in den Nobelhäusern Menthof und Kasselhof zirka S 12.-.

Nauders gleichfalls herrlich gelegen, jedoch miserable Unterkünfte, sogar die Hotels! Bloß ein einziges Haus wäre empfehlenswert, nämlich beim Verwalter des Schlosses Nauders. (Kein W. C., nur ein Loch). Wundervolle Aussicht, wahrscheinlich sehr ungestört. Großartige Bergtouren. Garagierung reichlich vorhanden. Bettenpreis zwischen S 1.50 und S 2.-.

Gries im Sellraintal[2] Bloß der Gasthof »Grieser Hof« möglich. Pensionspreis S 9.-. Aufstieg ins Kühtai etc.

Pitztal Am Eingang des Tales der Ort Wenns[3]. Ich war bloß einen Tag dort, hatte aber den besten Eindruck. Gasthof »Post« wird sehr gelobt. Alles sehr sonnig, hell, ein ausgesprochener Arbeitsaufenthalt. Hingegen im oberen Pitztal, das sehr eng, etwas düster, aber wunderschön ist, fand ich den Gasthof »Wies«. Auch bei Bauern läßt sich dort im ganzen Tal wohnen, nur müßte man von Haus zu Haus suchen.

Igls[4] kennen Sie ohnehin. Ich habe mich dort, wie Sie wissen, nicht wohlgefühlt.

Stubaital Fulpmes, Telfes[5], etc. Wird sowohl von Reisiger, als auch von Schalit[6] sehr empfohlen. Ich war ein paar Tage dort, um zu rekognoszieren, war aber nicht begeistert. Es ist auch nicht sonderlich billig, zumindest nicht die Gasthöfe, die meistenteils »Post« heißen: hingegen höchst nazisch, was aber nichts besonderes ist. Privathäuser und Villen fast überall.

So weit meine persönlichen Erfahrungen.

Aber warum gehen Sie nach Österreich? warum nicht in das wesentlich billigere Jugoslawien; z. B. in die Gegend von Veldes. Oder nach Italien? d. h. in das italienische Tirol? um Klausen herum soll es großartig und höchst billig sein. Ebenso der Gardasee.

Ob nun aber so oder so; ich nehme an, daß Sie jedenfalls über Wien kommen, und daß ich Sie dann sehen werde. Es mag sein, daß ich für den Juni noch in das Geiringerhaus nach Aussee gehe. Doch sobald sich Aussee bevölkert und Wien sich evakuiert, werde ich hierher zurückkehren, um erst im September abzureisen. Ich muß mehr denn je auf Arbeitsruhe bedacht sein, denn ich hatte einen ganz miserablen Winter, ausgefüllt mit mischpochalen Unannehmlichkeiten, persönlichem Ungemach, sowohl in physischer wie in psychischer Beziehung und mit einem Minimum an Arbeit. Ich wünschte, daß es Ihnen besser ergangen wäre, und ich hoffe auf den Räuberhauptmann, d. h. ich erwarte ihn eigentlich schon stündlich. Oder sind Sie etwa auch nicht fertig? Daß Sie im Sommer sparen wollen, nehme ich nicht als übles Omen, sondern als Zeichen ökonomischer Prinzipien. Auf alle Fälle sehr gute Wünsche und sehr viel Herzliches Ihres

H. B.

[DÖW]

1 Robert Neumann (1897-1975), österreichischer Schriftsteller. Vgl. seine Parodie auf Brochs *Schlafwandler* in: R. N., *Die Parodien. Gesamtausgabe* (Wien, München: Desch, 1962), S. 261-262.
2 Stadt in Tirol, südlich von Innsbruck.
3 Stadt in Tirol, nordwestlich von Landeck.
4 Ortschaft in der Nähe (südlich) von Innsbruck.
5 Fulpmes und Telfes sind Nachbarstädte südwestlich von Innsbruck.
6 Leon Schalit (1884-1950), österreichischer Schrifsteller, emigrierte 1939 nach England. Er übersetzte die Werke John Galsworthys ins Deutsche und schrieb den Roman *Narrenparadies* (1932).

242. An Peter Suhrkamp

Wien I. Gonzagagasse 7 10. Juli 37

Verehrter Herr Dr. Suhrkamp,
mein letzter Brief blieb von Ihnen unbeantwortet; ich weiß, daß die Sache infolge der verschiedenen Devisenbestimmungen Schwierigkeiten hat, doch bitte ich Sie, sie im Auge zu behalten.

Bei dieser Gelegenheit möchte ich Sie auf einen neuen Autor aufmerksam machen, u. zw. auf Dr. George Saiko[1] in Wien (vom Beruf Kunsthistoriker), der einen überaus interessanten und merkwürdig reichen Roman geschrieben hat[2].

Ich habe ihn angeregt, Ihnen dieses Buch, welches knapp vor der Vollendung steht, vorzulegen und schicke ich Ihnen inzwischen ein Kapitel daraus, das sich vielleicht, allerdings in gekürzter Form, zum Abdruck in der Rundschau eignen könnte. Die Person Dr. Saikos entspricht den bei Ihnen gültigen Publikationsvorschriften.

Ich möchte nicht unerwähnt lassen, daß mich der Vorabdruck aus dem Kasackschen Roman im Maiheft sehr berührt hat[3]. Ich sehe dem Buch mit Spannung entgegen. Wird es bei Ihnen erscheinen?

Mit den besten Grüßen und Empfehlungen bin ich Ihr

ergebener
Hermann Broch
[SFV]

1 George Saiko (1892-1962), österreichischer Schriftsteller, von 1945 bis 1950 Leiter der Albertina in Wien.

2 Bei dem Manuskript handelte es sich um das Kapitel »Sainte Anne« aus Saikos erst 1948 erstmals publiziertem Roman *Auf dem Floß*. Das Kapitel wurde nicht zur Publikation in der *Neuen Rundschau* angenommen.

3 Hermann Kasack, »Geschichten um Alexander«, in: *Neue Rundschau* 48/1 (1937), S. 510-524.

243. An Robert Neumann

Wien I. Gonzagagasse 7 29. 8. 37

Liebster R. N.,
das war ein besonders netter Gedanke von Ihnen, mir diese Roman-Synopsis[1] zu schicken. Ich habe so oft an Sie gedacht, begierig zu erfahren, womit Sie sich beschäftigen und wie Ihre Pläne ausschauen, hoffte allerdings, dies mündlich von Ihnen zu erfahren, aber so ist der Wunsch wenigstens auf diese Weise erfüllt.

Daß ich dem Exposé nur beipflichten kann, versteht sich. Wissend, wie sehr Sie sich mit dem Problem der Romanform herumschlagen, und wissend, in welcher Richtung sich Ihre

Lösung bewegt (die Lösung des doppelten, dreifachen, vierfachen Bodens einer publikumsadäquaten Geschichte), und diese Lösung vollauf akzeptierend, freilich auch wissend, daß sie im Praktischen bloß Ihnen gelingt, finde ich, daß das skizzierte Buch geradezu eine Meisterleistung darstellt: es ist ein Maximum an äußerer Spannung und ein Maximum an sozialen und metaphysischen Perspektiven, und ebendeshalb wird das von Ihnen darin eingebettete Judenproblem paradigmatisch und allgemeingültig, umsomehr als der Jude – Sie erinnern sich vielleicht meiner parallel laufenden Hypothese – gerade durch seinen Extremismus, den Sie gleichfalls unterstreichen, zum Exponenten des modernen Menschen schlechthin geworden ist (was nicht zuletzt zum Antisemitismus gehört). Ich bin von Ihrem Plan ausgesprochen begeistert und bin voller Zuversicht, daß es eine Ihrer besten Arbeiten, also ein absolut gutes Buch werden wird.

Kommen Sie nicht vielleicht doch noch nach Wien? ob ich noch nach Aussee werde fahren können, und ob ich dort noch zeitgerecht einträfe, vermag ich heute noch nicht zu sagen. Irgendwie habe ich noch die Hoffnung, Ihnen zu begegnen. Sollte es aber nicht dazu kommen, so nehmen Sie hier alle guten Wünsche, herzlichst Ihr

H. B.

Noch etwas: kennen Sie »Murder in the Orient Express«[2] von Agatha Christie (Albatros)? ich habe eine dunkle Erinnerung, daß die Anfangsituation mit der Ihren eine gewisse Ähnlichkeit hat; späterhin wird es ein einfacher Kriminalroman; es stört also nicht.

Und von mir?: den Roman habe ich wegen einer staatsphilosophischen Sache, die mich sehr gebrannt hat, unterbrochen. Jetzt bin ich wieder am Roman. Mit aller Skepsis und aller zugehörigen Verzweiflung. Aber das gehört dazu. Das kennen Sie genau so.

[DÖW]

1 Robert Neumann schickte Broch das Manuskript seines 1939 erschienenen Romans *An den Wassern von Babylon*. Das Buch erschien zuerst auf Englisch: *By the Waters of Babylon* (London: Dent, 1939).

2 Der Roman erschien 1934.

244. An Jacques Maritain[1]

Alt Aussee Nr. 31
(Steiermark) 14. November 1937

Verehrter Herr Professor,
mit Schrecken sehe ich – und diesem Schrecken wollen Sie es auch zugute halten, daß ich nun rasch deutsch schreibe –, daß seit Eintreffen Ihres Briefes bereits vier Wochen verstrichen sind: Dazwischen lag nun aber nicht nur eine etwas unangenehme Erkrankung, sowie eine dringliche Reise nach Wien, sondern auch die so überaus liebenswürdige Übersendung des Buches von Mendizabal[2], und da ich annehmen konnte, daß Ihre Vorrede in einem gewissen Zusammenhang mit dem Thema meiner Resolution stehen würde, hieß es für mich vor allem, diese Lektüre einzuschalten, ehe ich Ihre Frage beantworten durfte; dies sind die Gründe für die Verzögerung meines Dankes, und ich bitte Sie daher sehr, diese Verspätung zu entschuldigen.

Nun wurde mir allerdings die Antwort erst recht schwer, denn alles, was ich mit meiner Arbeit und ihrer schwerfälligen Apparatur habe ausdrücken wollen, das ist lichtvoll und selbstverständlich in Ihrer Einleitung enthalten. Gewiß ist solche Übereinstimmung eine tröstliche Ermutigung für mich, aber sie zeigt mir auch zu offen die eigenen Mängel, um mir nicht klar zu machen, daß ich für meine Unternehmung letztlich nicht ausreiche. Das sind gewichtige und legitime Hemmungen, und wenn ich ihrer ungeachtet an die Beantwortung Ihrer Einwände herangehe, so empfinde ich dies beinahe als Wagnis; doch es sei unternommen:

ad 1. Philosophische Grundlagen. Sie beanstanden, wenn ich Sie recht verstehe, in erster Linie, daß ich die Absolutheit menschlichen Seins zum Ausgangspunkt der Deduktion wähle, anstatt alle Absolutheit dort zu basieren, wo allein sie ihren logischen Ort besitzt, nämlich im transzendenten Bereich. Dies geschah durchaus mit Bedacht, obwohl ich Ihr Bedenken gegen die Kantische (protestantische) Position teile und in einigen geschichtsphilosophischen Aufsätzen zu zeigen versucht habe, wie weit die in dieser Position mitschwingenden Elemente, eben als Elemente der Wertzersplitterung, konstitutiv für die heutige Weltlage sind[3].

Indes, ich glaube, diesem Bedenken genügend Rechnung getragen zu haben, indem ich immer wieder angedeutet habe, daß die Absolutheit der menschlichen Persönlichkeit lediglich als Spiegel einer höchsten Absolutheit, also nicht als Absolutheit des empirischen Menschen, sondern als Absolutheit der menschlichen Seele, verstanden zu werden hat: Der Seele und nur der Seele ist von Anbeginn an die Ahnung um das Absolute verliehen, die »Ahnung um das Absolute, das . . . wie ein unzerstörbarer gemeinsamer Nenner auf dem Boden alles Humanen und aller menschlichen Institution und aller Relativismen ruht« (S. 23)[4], und um dieser Ahnung willen, nur um ihretwillen muß das menschliche Individuum, das »Gefäß der Ebenbildhaftigkeit«, geschont und unter allen Umständen bewahrt werden, hat es Anspruch auf Würde, denn »Würde ist Repräsentanz« (S. 17)[5]. Weiter durfte ich als Nicht-Theologe nicht gehen, selbst wenn es am einfachsten gewesen wäre, »die religiösen Sachverhalte heranzuziehen, in welchen die Grundzüge aller seelischen und weltlichen Kultur eingezeichnet sind« (S. 10)[6].

Und nicht nur, daß ich mir selber die Befugnis abgesprochen habe, meine Begründungen bis in die Sphären des Glaubens weiterzuführen, ich hätte es auch als objektiv unrichtig befunden: Zweifelsohne ist das Manifest eine philosophische Arbeit, und dies dünkt mir, gleichgültig ob sie geglückt ist oder nicht, prinzipiell durchaus richtig, weil es keinen Sinn hat, in einer Welt, die mit Fanfarentönen übersättigt ist, nunmehr auch noch solche für den Frieden anzustimmen, vielmehr nichts so dringlich erscheint, als endlich wieder die Stimme der Ratio, ohne die es in einem höchsten Verstande keinen Glauben gibt, wieder ertönen zu lassen, aber eben weil dem so ist und weil hier mit rational philosophierenden Erwägungen an eine Welt appelliert wird, deren tiefstes Unglück es ist, jeglichen Glauben verloren zu haben, und deren Krämpfe sicherlich nichts anderes sind als Versuche, sich zum Glauben zurückzutasten, wäre es doppelt sinnlos, sich auf den Glauben zu berufen, sondern man muß in dem Ideenkreis desjenigen bleiben, der hören soll, ein Ideenkreis, den ich ohnehin schon weitgehend überspannt habe (besonders im Hinblick auf den Genfer Adressaten[7]). Ich bin durch meine industrielle Vergangenheit, die mich immer wieder in innigen Kontakt mit der Arbeiterschaft gebracht hat, lange genug im praktischen Leben gestanden, um zu wissen, daß eine Berufung auf den Glauben nur von dem gehört wird, der selber glaubt, jedoch nicht von dem, der nicht glaubt; für diesen wird die Berufung auf den Glauben zu einer öden Predigt, der er nichts anderes als Taubheit entgegen zu setzen hat. Wer zum Glauben zurückführen will, muß genetisch überzeugen, ja, er muß wahrscheinlich erst selber um die Überzeugung ringen, damit der Zweifler den Kampf miterleben kann, an dessen Ende – hoffentlich – der Glaube sich erhebt. So ist es in der Religions- und Geistesgeschichte immer gewesen; nur die Zweifler haben sich und andere zu überzeugen vermocht, besaßen die Fähigkeit, eine Gefolgschaft zu bilden. Ich maße mir solche Kräfte gewiß nicht an; wenn ich mich aber ausschließlich auf das Sein der Seele berufe und sie (freilich in ihrer Eigenschaft als Spiegelbild der wahren Absolutheit) zum Ausgangspunkt aller Folgerungen nehme, so verlasse ich damit nicht das Reich der Phänomene, das für jeden, auch für den Ungläubigsten, erreichbar und kontrollierbar ist, hingegen eben in diesem zentralen Punkte den Übergang zur »ethischen Kulturwirklichkeit« gestattet und damit die Möglichkeit einer religiösen Einkehr vielleicht eröffnen könnte, denn in dieser Zone der ethischen Kulturwirklichkeit »wird dem Absoluten der ständig klarer werdende Spiegel errichtet, das human-irdische, dennoch ewige Ebenbild der absoluten Würde«, die eben der Glaube ist (S. 21)[8].

Aus dieser Konzeption heraus, schien es mir richtig, ein »Allgemeinwohl« (womit ich hoffentlich Ihren Terminus vom »bien du tout« getreu übersetze) außer Spiel zu lassen; ich wollte die einfache Linie, die sich zwischen der wahren suprahumanen Absolutheit und der Absolutheit der menschlichen Seele spannt, an keiner Stelle brechen, dies umsoweniger, als nach meinem Dafürhalten immer noch das Gemeinwohl aus der ethischen Apriorität der Einzelseele, nicht aber umgekehrt, abzuleiten wäre. Hätte ich den Begriff des Allgemeinwohles oder eines Gemeinschaftswohles eingeführt, so wäre damit eine Konkretisierung des Suprahumanen aufgetaucht, was ich unbedingt vermeiden wollte, da wohl jede konkrete Plattform – und sei sie von noch so großem logischem Flächenmaß – die Gefahr des Abgleitens in Pseudoabsolutheiten, also hier in die der Volksabsolutheit, der Rassenabsolutheit, der Staatsabsolutheit, u. s. f. in sich birgt.

Damit komme ich zu Ihrer Hauptfrage, nämlich *ad 2. Souveränität des Völkerbundes*. Hiezu sei vorausgeschickt, daß die Adressierung an den Völkerbund nicht erfolgt ist, weil die Resolution eben einen Adressaten braucht und kein anderer passender aufzutreiben war, sondern auch aus gewichtigeren Gründen, die aus Nachstehendem hervorgehen:

Es ist Ihnen, verehrter Herr Professor, vollkommen beizupflichten, wenn Sie stipulieren, daß der Völkerbund vornehmlich die Aufgabe habe, der Gerechtigkeit in den zwischenstaatlichen Verhältnissen zur Geltung zu verhelfen und daß man sich mit der Erfüllung solcher Aufgabe bescheiden könne, ja, bescheiden müsse. Gerade diese These aber dürfte auch die Frage nach der Souveränität oder Nicht-Souveränität des Völkerbundes bereits zur Genüge klären können: wenn eine »juristische Person« aufgestellt wird – als solche darf die Völkerbundsinstitution immerhin aufgefaßt werden –, und wenn ihre Teilhaber, also die Mitgliedstaaten, sie zum Wächter über ihre (zwischenstaatlichen) Beziehungen einsetzten, so entäußert sich jeder von ihnen eines Teiles seines ungebundenen Rechtes, oder richtiger, verwandelt ungebundenes Unrecht in gebundenes Recht; m. a. W., er gibt mit dieser Selbstentäußerung einen Teil seiner Souveränität an die juristische Person ab, er stattet sie mit einem Teil seiner Souveränität aus, vielleicht mangelhaft, soferne er nicht hiezu auch einen Teil der materialen Machtmittel zwecks Verteidigung dieser Partialsouveränität mitabtritt, doch ist dies bloß ein technischer Mangel, der an dem Grundprinzipe nichts ändert. Aus diesem Grunde habe ich mir, m. E. mit Fug, gestattet, den Völkerbund als »Herrschaftsinstitution« zu bezeichnen: Auch der unabhängige Richter innerhalb eines Staates ist eine Herrschaftsinstitution, u. z. eine, der vom Staate die nötigen Machtmittel beigestellt werden, doch das Wesentliche scheint mir in dem Begriffe der »Unabhängigkeit« zu liegen, welche die erste Voraussetzung bildet, wenn es gilt, über die »Gerechtigkeit« zu wachen, eine radikale Unabhängigkeit, die eigentlich bloß dem Herrscher zukommen kann, so daß der Richter folgerichtigerweise »im Namen« des Herrschers sein Urteil zu fällen hat, d. h. effektive Herrschaft ausübt. Und nicht anders sieht es mit der Mission des Völkerbundes aus: Mit dem Augenblick, in welchem ihn die Mitgliedstaaten mit der Aufgabe betrauen, über die Gerechtigkeit in ihren zwischenstaatlichen Beziehungen zu wachen, wird er zu einer juristischen Person, die von ihren Mandataren mit Souveränitätsanteilen bedacht worden ist und in diesen Belangen von ihnen unabhängig wird; ob sich dereinst aus solcher Partialsouveränität schließlich ein internationaler Über-Staat oder eine besondere Art von Staatenliga entwickeln wird, ist beinahe von untergeordneter Bedeutung.

Man mag den Wilsonschen Gedanken der Völkerbundgründung[9] noch so lächerlich machen, wie dies immer wieder geschieht, das Konzept bleibt trotzdem groß: Es hat erstmalig das Problem der Souveränitätsabtretungen mit aller Schärfe herausgehoben, erkennend, daß das alte Prinzip der staatlichen Autonomien angesichts der Einheit der Welt, der Einheit der Kultur, der Einheit der Zivilisation nicht mehr aufrecht gehalten werden kann, kurzum daß die Herrschaftsbefugnisse schrittweise an zunehmend weiterausgreifende Institutionen abgegeben werden müssen, genau so wie das Hausrecht dem Stadtrecht, das Stadtrecht dem Landesrecht, das Landesrecht dem Reichsrecht zu weichen gehabt hat. Nicht um geographisch-imperialistische Gebietsvergrößerungen und Herrschaftsvereinheitlichungen handelt es sich hiebei, sondern um Auflassung von Partialautonomien zu Gunsten eines höheren, sozialeren, friedensverbürgenden, logosnäheren Prinzipes. Die Geschichte des Völkerbundes kann geradezu auf das Schema des Kampfes zwischen dem Prinzip der alten staatlichen Autonomie und ihrer sogenannten »Heiligkeit« und dem neuen Prinzip der »Souveränitätsabtretungen« gebracht werden. Mit diesem beinahe antinomischen Dilemma war der Völkerbund seit seiner Gründung belastet; die Bemühungen, zu einem Ausgleich zwischen den beiden feindlichen Prinzipien zu gelangen, waren von vorneherein zum Scheitern verdammt; die Abtretung von Souveränitätsteilen zur Wahrung des Friedens mußte auf dem Papier bleiben, weil niemand im Ernst daran gedacht hat, sie durch die hiezu notwendigen realen Machtmittel zu ergänzen, weil jeder Staat nur ängstlich darauf bedacht gewesen ist, die Autonomie seiner eigenen Entschließungen sorgsam zu hüten. Kurzum, der große Initialgedanke des Völkerbundes und damit dieser selbst wird aufgehoben, weil bisher noch jeder Staat sich gewehrt hat, daß eine Bresche in das alte Autonomieprinzip gelegt werde.

Und eben auf diese Bresche kommt es an. So lange sich die Staaten nicht entschließen können, ihre autonome Handlungsfreiheit unter eine gemeinsame Bindung zu stellen, also unter eine Bindung, welche das alte Autonomieprinzip durchbricht, so lange werden sie nicht imstande sein, eine Institution zu schaffen, welche der Gerechtigkeit im zwischenstaatlichen Verhältnis zum Siege verhelfen kann, m. a. W., so lange wird der Völkerbund nicht einmal seine Minimalaufgabe lösen können. Nichts wäre also demnach wichtiger, als daß der Völkerbund und die ihm angeschlossenen Staaten sich auf die strikte Einhaltung einer gemeinsamen Moral festlegten, eben auf jenes ethische Vertrags-Apriori, ohne das es keinerlei Paktfähigkeit gibt, und hiezu kann nur gelangt werden, wenn jeder der angeschlossenen Staaten sein ganzes inneres Leben auf dieses gemeinsame Ethos abstellt. Zwischenstaatliche Beziehung und innerstaatliche Verfassung sind untrennbar verbunden, sie bilden eine Einheit, und ein Staat ohne ethische Verfassung kann auch in keine überstaatliche ethische Verfassungsgemeinschaft eintreten: die Außerachtlassung dieser einfachsten Wahrheit hat den Völkerbund zu dem gemacht, was er heute ist, zu einem Nichts. Soll der Völkerbund, soll sein großer Initialgedanke gerettet werden, so gilt es vor allem, jene gemeinsame Moral zu finden, auf welche er und seine Mitgliedstaaten sich unverbrüchlich verpflichten können und um derentwillen die innerstaatlichen autonomen Moralen aufzugeben sind. Natürlich läge auch hier das Gute sehr nahe, natürlich könnte die christliche Moral ohneweiters als gemeinsames Ethos akzeptiert werden und wieder jene Funktion erhalten, die sie 2000 Jahre lang innegehabt hat, doch dies würde in logischer Folge notgedrungen den Völkerbund unter die Leitung des Heiligen Stuhles stellen, und dazu scheint weder der Völkerbund, noch die Welt heute geeignet. (Die Grundlinien des Kampfes zwischen Kaiser und Papst sind auch heute noch, wenngleich in anderen Dimensionen, deutlich sichtbar.) Die Resolution bemüht sich also, ein tunlichst weitmaschiges Ethos zu umreißen, hoffend, daß hiedurch die Akzeptierungsmöglichkeit für die Laienstaatlichkeiten gegeben und eine künftige gedeihliche Entwicklung zu höheren ethischen Formen angebahnt werde. Die vorsichtige Formulierung, deren ich mich bei den philosophischen Erwägungen befleißigt habe, war also auch unter diesem Aspekt notwendig. Denn das erste und wichtigste Ziel heißt: endliche Durchbrechung des unheilvollen Autonomieprinzipes.

Gegenüber dieser Hauptfrage ist Ihre nächste, nämlich die nach *ad 3. praktischer Durchführbarkeit, resp. Zwangsmaßnahmen,* von geringerer Tragweite. Denn so lange kein festes moralisches Gerüst aufgebaut ist, so lange kann und wird praktisch eben überhaupt nichts erfolgen. Nirgends ist der Mensch so widerstandsfähig wie in den Belangen seines praktischen und materialen Egoismus, und wenn sich die Staaten heute nicht entschließen können, wirklich und ehrlich Souveränitätsteile ihrer Autonomien zwecks Wahrung des Friedens an den Völkerbund abzutreten, so sind die Rohstoffprobleme ihre weitaus stärkste Argumentation für ihre Weigerung. Ja, sogar der Schein von Macht, den der Völkerbund einstmals besessen hat – und dies hat ihn in den Augen der außenstehenden Staaten nicht wenig diskreditiert –, beruhte darauf, daß er damals noch teilweise eine Vereinigung zur Verteidigung materialer Interessen für seine Mitglieder gewesen ist. Dies alles kann sich bloß ändern, wenn die geistige Grundlage geändert wird, d. h. wenn es gelänge, die ethische Frage, das Problem des gemeinsamen Ethos voranzustellen, kurzum, wenn das Schwergewicht auf die moralischen Ziele der Friedenserhaltung und auf die der hiezu nötigen ideellen Verfassung gelegt wird; erst aus dieser moralischen Grundhaltung kann das Praktische erfließen, da sonst die praktischen Egoismen immer wieder die ganze Konstruktion über den Haufen werfen müssen. So utopisch und weltfremd und kathedermäßig dies auch klingt, es dürfte der einzige gangbare Weg sein, denn nur im Ideellen ist der Mensch nachgiebig – besonders wenn die Nachgiebigkeit von der Furcht unterstützt wird, die zweifelsohne von der Drohung des vor der Türe stehenden Krieges unterstützt wird –, während die rein praktischen Egoismen von derart übermächtigen Trieben getragen werden, daß ihnen zuliebe sogar die Schrecknisse des Krieges in Kauf genommen werden.

Z. B.: Sie, verehrter Herr Professor, verlangen, daß die Kriegsindustrie, vornehmlich die Rohölproduktion unter die Kontrolle des Völkerbundes gestellt werde –, nun ließe sich freilich sagen, daß ich sogar schon mit meinen moralischen Forderungen den Bogen so sehr ins Utopische überspannt hätte, daß es nicht mehr darauf ankäme, wenn auch gleich die Forderungen nach Kontrolle der Rohöl-, der Gummi-, der Kupferproduktion angeschlossen werden würden. Ich bin nicht dieser Ansicht. Denn man darf dem Gegner – und man muß hier in der Person des Adressaten mit einem Gegner rechnen – nicht im vorhinein den Anlaß zu einer Ablehnung geben; das Maximum des gegenwärtig Erreichbaren wäre m. E. eine Diskussion im Völkerbundplenum, schon mit der Anbahnung einer solchen Diskussion wäre allerlei getan, und fast will es mir scheinen, als würde man die »Reinheit« dieser prinzipiellen Diskussion stören, wenn man sie mit allzuviel materialen Belangen belastete, die ohnehin abgelehnt werden müßten.

Gewiß, der erwünschte und vielleicht sogar erreichbare Idealzustand bestünde darin, daß
a) der Völkerbund, ohne Rücksicht auf irgendwelche materiale Interessen, befugt werde, strikte die Gerechtigkeit in den internationalen Beziehungen zu schützen;
b) der Völkerbund tatsächlich zu einem Bunde aller Staaten werde und daß diese die moralischen Grundprinzipien des Bundes unverbrüchlich in ihren Verfassungen verankerten;
c) der Völkerbund hiezu mit den nötigen materialen Machtmitteln ausgestattet werde, d. h. die internationale Polizeigewalt zur Verhütung bewaffneter Überfälle erhalte;
d) der Völkerbund mit der Kontrolle aller Rüstungsindustrien sowie der für den Krieg notwendigen Rohstoffproduktion betraut werde,

und gewiß müßte diese Punktation noch sehr weit fortgesetzt werden, denn nahezu sämtliche Probleme der Weltwirtschaft und der Weltfinanzen werden durch sie angeschnitten. Doch eben deswegen glaubte ich, mich in den »Prinzipien« und den »Desideraten« bloß auf die Punkte a) und b) beschränken zu müssen und konkrete Detaillierungen nur so weit aufnehmen zu dürfen, so weit sie zur Festlegung des moralischen Standpunktes erforderlich, ja, unumgänglich sind, wobei ich mich überdies bemüht habe, dies aus dem Völkerbundstatut selber zu entwickeln oder jene Ansätze hiezu zu verwenden, welche in den vor 1914 bereits bestandenen internationalen Vereinbarungen vorbereitet erscheinen; hingegen habe ich die Punkte c) und d) bloß andeutungsweise behandelt – was Ihnen ja auch aufgefallen ist –, doch meine ich, daß die von mir gewählten Formulierungen (S. 5, 7, 8, 9)[10] reichlich genügten, um sich zu jeder wünschbaren Konkretisierung entfalten zu lassen: Es besteht leider nur sehr wenig Hoffnung, daß die Desiderata in der vorliegenden Fassung überhaupt angenommen werden; geschähe es wider alles Erwarten dennoch, so könnte man mehr als zufrieden sein.

Was nun Ihre letzte Frage anlangt *ad 4. Berechtigung des Krieges überhaupt,* so darf sie hier wohl auf jene Konstellationen eingeschränkt werden, die sich aus den Völkerbundbeziehungen ergeben. Denn was außerhalb einer eigentlichen Friedensorganisation vor sich geht, das ist die Anarchie, und da kann es dem Angegriffenen nicht verboten werden, sich zu wehren, dies umsoweniger, als es innerhalb einer solchen Anarchie bekanntlich kein Mittel gibt, das denjenigen, welcher sich stärker dünkt, verhindern könnte, den vermeintlich Schwächeren anzugreifen. Ferner darf der hiezu polare Idealzustand ausgeschaltet werden, in welchem tatsächlich alle Staaten dem Völkerbund angeschlossen wären und dieser als Machthaber des internationalen Polizeiheeres und als Kontrolleur über alle erfaßbaren Kriegsmittel es leicht hätte, kleine lokale Aufstände – um mehr könnte es sich da nicht mehr handeln – niederzuhalten; es wäre der Idealzustand einer radikal zuverlässig arbeitenden Polizei, die den Paragraphen der »berechtigten Notwehr« als überflüssig aus dem Strafrecht verschwinden lassen würde. Doch dieser Idealzustand ist, wenn er überhaupt zu verwirklichen ist, noch lange nicht erreicht, und die Frage geht also dahin, was inzwischen geschehen kann und geschehen muß.

Und auch hier komme ich mit aller Beharrlichkeit auf meine Forderung zurück, welche besagt, daß jede Friedensorganisation, heiße sie nun Völkerbund oder sonstwie, sich vor allem ein moralisches paktfähiges, pakttragendes Statut zu geben hat, das rückhaltlos von allen Mitgliedstaaten anzunehmen ist. *Denn nur durch ein solches ethisches Statut wird eine reinliche Grenze zwischen den friedenswilligen und den kriegswilligen Völkern gezogen:* Wer sich dem Statut und seinem Friedensethos anschließt, ist friedenswillig; wer sich nicht anschließt, ist trotz aller gegenteiligen Beteuerungen kriegswillig und zieht die Machtanarchie jeder Friedensorganisation vor. Allerdings muß mit aller Energie an der moralischen Reinheit jenes Statuts festgehalten werden; geschähe dies nicht und diente die Friedensorganisation irgendwelchen materialen Zwecken der Mitgliedstaaten, wie dies ja beim Völkerbund leider der Fall gewesen ist, so würde einer Reihe von Staaten ein ebenso billiger wie berechtigter Vorwand zum Nichteintritt geliefert werden.

Ich sagte bereits, daß ich dieses Statut für die unerläßliche Vorbedingung halte, damit dem Völkerbund zur Erfüllung seiner Aufgabe nicht nur Scheinbefugnisse erteilt werden, sondern eben jene, die er in Gestalt von Sanktionen etc., wenn auch noch unvollkommen in seinen heute noch bestehenden Satzungen bereits vorgesehen hat. Und ich wage zu behaupten, daß auf Grund eines strengen moralischen Statutes, wie es eben die Resolution verlangt, sich kein solches Völkerbundfiasko mehr ergeben wird, wie es im Falle Abessinien[11] und manchen anderen Fällen zu Tage getreten ist. Wird einmal die Scheidung zwischen friedenswilligen und kriegswilligen Völkern wirklich mit aller Schärfe gezogen, dann sind die Grenzen eines jeden Mitgliedstaates tatsächlich auch die Völkerbundsgrenzen und die Friedensgrenzen, und dem Völkerbund steht es zu, sie militärisch zu verteidigen oder, ist ihm die militärische Gewalt noch nicht überantwortet, durch die Mitgliedstaaten verteidigen zu lassen. So lange aber die Mitgliedstaaten sich nicht auf das gemeinsame moralische, ja, weltanschauliche Statut geeinigt haben, so lange noch ein jeder von ihnen eine imperialistische reservatio für sich in Anspruch nimmt, so lange kann auch keine gemeinsame Völkerbundaktion in Gang gesetzt werden, ohne selber mit dem Odium der Amoralität behaftet zu sein. Von hier aus gesehen, haben Italien und Japan mit ihrem Standpunkt durchaus recht gehabt. Kurzum: unter dem Aspekt eines moralisch gesicherten Völkerbundes, der ausschließlich seiner Friedensaufgabe und der Würde des Menschen dient, ist ein Angriff auf ein Mitglied abzuwehren; dann ist ein solcher Krieg ein echter Verteidigungskrieg, d. h. ein solcher, welcher zur Bekämpfung der Machtanarchie und zur Sicherung des Friedens dient.

Bei alldem ist freilich etwas vorausgesetzt: nämlich, daß die im Völkerbund vereinigten, friedenswilligen Staaten stärker als die kriegswilligen seien. In dem Augenblick, in welchem dies nicht mehr der Fall sein sollte, ist die Rolle jeder Friedensorganisation ausgespielt; dann nützen die schönsten moralischen Statuten nichts mehr und der Völkerbund befände sich in der Lage eines Mannes, der sich mit den Prinzipien der Gerechtigkeit gegen eine Räuberhorde zur Wehr setzen soll. Und je kleiner ein im Völkerbund zusammengefaßter Friedensblock wird, je loser seine internen moralischen Bindungen werden, je mehr er an Mitgliederzahl und durch Verlust an Straffheit abbröckelt, desto größer wird die anarchische Gefahr, desto näher rückt die apokalyptische Vision eines Kampfes aller gegen alle. Gewiß ist diese verzweifelte Situation, mag sie auch jeden Tag hereinbrechen können, noch nicht eingetreten, gewiß ist jener gerechte, friedenswillige Mann noch nicht wehrlos den Räubern ausgeliefert, er hat noch Waffen, und er ist auch noch nicht vereinsamt, aber der Fluch des Fatalismus ist so groß, daß schließlich die Katastrophe unaufhaltsam werden wird. Heute mag noch Zeit zu einem Rettungsversuch sein, morgen nicht mehr. Und heute kann er noch unternommen werden, nicht zuletzt, weil die Kraft moralischer Haltungen nicht unterschätzt werden darf. Alles geht darum, den Völkerbund vor weiteren Abbröckelungen zu bewahren, ihm eine straffe moralische Konstitution zu geben und ihn zu stärken. Und eben deshalb habe ich in der Resolution so großen Wert auf eine intensive Völkerbundpropaganda gelegt, auf eine Propaganda, die der Stärkung und der Vergrößerung des Friedensblockes dienen soll, die aber nur dann wirksam sein kann, wenn eben ein einwandfreies moralisches Statut hinter ihr steht.

Ich bitte Sie, verehrter Herr Professor, zu entschuldigen, daß die Beantwortung Ihrer Fragen zu einem derart ausgedehnten Elaborat angewachsen ist. Aber sie griffen so sehr in meine Arbeit ein, in ihren Aufbau und in ihre Motivation, daß ich mich verpflichtet fühlte, Ihnen eben diese Momente darzulegen; ob ich damit recht habe, kann ich natürlich nicht ermessen, im Gegenteil, ich glaube durchaus, daß man es hätte besser machen können, aber die Grundzüge scheinen mir stichhältig zu sein. Daß ich die Aktion trotzdem mit aller Skepsis betrachte, muß ich nicht eigens betonen; fast will es mir scheinen, daß der Fortschritt wirklich nur durch Blut, Elend und Mord erkauft werden müßte, und daß jedes sanftere Mittel zum Versagen verdammt ist. Trotzdem, schätze ich, darf es nicht unversucht bleiben.

Soll nun die Resolution auch ein äußerliches Gewicht haben, so muß sie durch entsprechende Unterschriften gestützt werden. Nachdem ich über diesen Punkt lange mit Dr. Thomas Mann[12] korrespondiert habe, meine ich nun, daß die folgenden Organisationen[13] zur Unterschrift eingeladen werden sollten:

1. Carnegie Endowment for International Peace,
2. Englische Völkerbundliga unter Einbeziehung der übrigen Ligen,
3. Gesellschaft der Freunde,
4. Internationales Friedensamt, Genf,
5. Institut für internationales Recht, Genf,
6. Nobelpreiskomitee, Oslo,
7. Paneuropa Union, Wien,
8. Penklub-Zentrale, London,
9. Rassemblement universel pour la Paix, Paris,
10. Rotes Kreuz, Genf,
11. Zentrale der Ligen für Menschenrechte, Paris.

Diese Liste kann natürlich noch beliebig ergänzt werden. Außerdem denke ich daran, daß – im Sinne des ursprünglichen Planes – auch noch die Träger des Friedensnobelpreises zur persönlichen Signatur aufgefordert werden könnten.

Es mag sein, daß ich mich – wie schon erwähnt – mit manchem im Irrtum befinde, und es mag sein, daß ich für sehr vieles kurzerhand unzureichend bin, doch wenn trotzdem die Aktion in ihrer Ganzheit weiter verfolgt werden soll, wenn ich mich also im Prinzipiellen nicht im Irrtum befinde, so halte ich mich für legitimiert, Sie um Ihre Unterstützung zu bitten, insbesondere dann, wenn Sie Verbindung zu den in Aussicht genommenen Signataren haben sollten oder wenn Sie andere noch wüßten, welche für die Unterschrift in Betracht kämen. Wie förderlich jede Berufung auf Sie und auf Ihre Autorität für die Aktion wäre, wissen Sie ja selber.

Und so bitte ich Sie, nochmals meinen sehr herzlichen, sehr aufrichtigen Dank entgegen zu nehmen, hiezu verehrungsvolle Grüße,

Ihnen sehr ergeben
H. Broch

[VR]

1 Jacques Maritain (1882-1973), französischer Philosoph der neuthomistischen Richtung; lehrte von 1914 bis 1940 als Professor am Institut Catholique in Paris. Maritain war bemüht um die Verlebendigung der thomistischen Metaphysik und um eine zeitnahe, der kirchlichen Lehre entsprechende politische Sozialphilosophie. In den dreißiger Jahren publizierte er: *Religion et culture* (1930), *Distinguer pour unir ou Les degrés du savoir* (1932), *Humanisme intégral* (1936).

2 Alfred Mendizabal (= Alfredo Mendizábal Villalba), *Aux origines d'une tragédie: la politique espagnole de 1923 à 1936*. Préface de Jacques Maritain (Paris: Desclée de Brouwer, 1937).

3 Vgl. »Logik einer zerfallenden Welt«, KW 10/2, S. 156-172.

4 »Völkerbund-Resolution«, KW 11, S. 228.

5 Ibid, S. 219.

6 Ibid, S. 210.

7 Gemeint ist der Völkerbund.

8 »Völkerbund-Resolution«, KW 11, S. 225.

9 Vgl. »The Fourteen Points. President Wilson's Address to Congress, January 8, 1918«. Der vierzehnte Punkt lautet: »A general association of nations must be formed under specific covenants for the purpose of affording mutual guarantees of political independence and territorial integrity to great and small states alike [...].«

10 »Völkerbund-Resolution«, KW 11, S. 204-209.

11 Gemeint ist der Kolonialkrieg Italiens gegen Äthiopien von 1935/36.

12 Thomas Mann schrieb am 9. 8. 1937 aus Küsnacht-Zürich an Broch: »Mit herzlicher Bewunderung habe ich Ihr großes Exposé gelesen und möchte Ihnen vor allem danken für diese imposante Bemühung und Sie dazu beglückwünschen. Bisher habe ich allein meinen Sohn Golo daran teilnehmen lassen, und wir haben viel darüber diskutiert. [. . .] Ich und auch mein Sohn, der eine gewisse assistierende Rolle bei unserer jungen oder kaum geborenen Zeitschrift spielt, haben den Gedanken viel erwogen, diese Kundgebung an die Spitze eines unserer Hefte zu setzen.« (Zitiert nach Hermann Broch, *Menschenrecht und Demokratie,* hrsg. v. Paul Michael Lützeler [Frankfurt am Main: Suhrkamp, 1978], S. 10.) Mit der neuen Zeitschrift, von der Thomas Mann spricht, ist *Maß und Wert* gemeint. Zu einer Publikation der »Völkerbund-Resolution« dort kam es nicht. Noch in einem Brief Thomas Manns an Broch vom 18. 11. 1945 heißt es: »Sie wissen, mit welcher unbedingten Zustimmung ich vor zehn Jahren Ihr großes Exposé über den Völkerbund aufgenommen habe.« (Zitiert nach Hermann Broch, *Völkerbund-Resolution,* hrsg. v. Paul Michael Lützeler [Salzburg: Otto Müller, 1973], S. 100.)

13 Vgl. »Völkerbund-Resolution«, KW 11, S. 231-232, Fußnoten 1 bis 6.

245. An Gräfin Listowel[1]

Alt Aussee Nr. 31 (Steiermark) 17. November 37

Gnädigste Gräfin,
mit besonderer Freude folge ich der Aufforderung unserer Freundin, Frau Jacobi[2], Ihnen über die Ziele der Resolution, welche sie Ihnen für die Herzogin von Atholl[3] gesandt hat, weitere Aufschlüsse zu geben. Die Freude ist eine doppelte, sie liegt einerseits in der Erlaubnis, mich an Sie wenden zu dürfen, andererseits in der Hoffnung auf eine entscheidende Förderung der Aktion, deren Durchführung mir Herzens- und Gewissenssache ist.

Gestatten Sie, daß ich genetisch verfahre und an einem sehr subjektiven Ausgangspunkt beginne: wer es mit seinem künstlerischen oder geistigen Beruf ernst meint, dem kann heute die entsetzensvolle Erkenntnis nicht erspart bleiben, daß es ein Beruf ist, welcher angesichts des uns allenthalben umgebenden ungeheueren und blutigen Elendes überflüssig, ja geradezu unmoralisch geworden ist, und diese Erkenntnis drängt notwendig zu dem Bestreben, das Überflüssige sein zu lassen und statt dessen den Versuch zu unternehmen, in irgend einer Weise dem Elend steuern zu helfen. In dem Konglomerat der solcherart angestellten Versuche, die mehr oder minder praktisch, mehr oder minder papieren waren, ergab sich mir auch die Befassung mit dem Problem der Menschenrechte und dem ihrer (leider eben nur theoretischen) Weitergeltung. Und da zeigte sich alsbald, daß das Menschenrechtsproblem überhaupt nicht ohne eine Neuaufrollung des ethischen Gesamtkomplexes zu behandeln ist, da die Fragenverzweigung nicht nur, wie es sich von selbst versteht, in alle Gebiete der Staatsphilosophie (und mit ihr in die des Krieges) sowie der Rechtsphilosophie hineinreicht, sondern dahinter auch noch der ungeheuere Bereich der Religionsphilosophie aufgetan ist, u. z. mit einem Bedeutungsgehalt, der dem 18. Jahrhundert weitgehend hatte verschlossen bleiben müssen. Und ferner wurde mir sichtbar, daß in der geistigen Unterbauung der Humanitätspolitik – zumindest auf dem Kontinent – seit etwa hundert Jahren kaum mehr eine Entwicklung stattgefunden und sich ein Vakuum gebildet hat, das trotz seiner historischen Bedingtheit oder gerade ihrethalben an der heutigen Humanitätskrise mitschuldig ist. Dies alles wurde zu einer recht ausgedehnten und vielleicht nicht einmal unwichtigen Beschäftigung, denn sie zeitigte einige neue geschichts- und staatsphilosophische Aspekte, doch ihr Resultat war nicht erwünscht, es war nicht das gewünschte Abschwenken zur Tagesrealität, sondern – beinahe überraschend – das Material zu einem ganzen theoretisch-wissenschaftlichen Buch, dessen praktische Wirkung gleich Null sein dürfte, umsomehr als es Monate, wenn nicht Jahre zu seiner Fertigstellung brauchen würde.

Dies ist die Vorgeschichte, und sie mußte erwähnt werden, weil an ihr die vielleicht etwas befremdlich wirkende Anrufung einer so prekär gewordenen Institution, wie es der Völkerbund ist, und das nicht minder befremdliche Riesenformat der Eingabe einigermaßen verständlich werden. Und um es gleich vorwegzunehmen, weder das eine noch das andere ist befremdlich:

Der Völkerbund ist die einzige wahrhaft überstaatliche Institution, die auf außerkirchlichem Gebiet geschaffen wurde, die einzige, welche – wenigstens ihrer Initialidee nach – bestimmt gewesen ist, in das unheilvolle Prinzip der Staatsautonomien, die auch heute noch als heilig verehrt werden, [eine] Bresche zu legen und ihm gegenüber das Prinzip der Gemeinsamkeit, gegründet auf einem gemeinsamen Friedensethos, aufzurichten. Und eben deswegen wird seine gefährdete Friedensmission eins mit der Aufgabe, das Friedensethos, das zugleich das der Menschenrechte und der Menschenwürde ist, zu erkämpfen, zu pflegen, zu propagieren. Was ein Jahrhundert in dieser Hinsicht an geistiger Arbeit versäumt hat, das fällt nun dem Völkerbund als Aufgabe zu, als Aufgabe zur Wiedereinsetzung des geistigen Primates im Weltgeschehen, und es ist seine eigene Existenzaufgabe geworden, denn wenn er, wie es zu befürchten steht, nicht mehr in der Lage ist, sie zu übernehmen, so muß dies als Symptom eines Zusammenbruches gewertet werden, der mit dem Zusammenbruch der Kultur schlechthin voraussichtlich identisch werden wird. So scheint mir auch mein Versuch mehr zu sein als eine willkürliche Verkoppelung von Völkerbund und Menschenwürde; er erscheint mir eher als der längst fällige, leider verspätete, leider höchst mangelhafte Ansatz zur Formulierung des unbedingt notwendigen, allgemeinen, pakttragenden, paktfähigen Friedensethos, und um dieses Ethos willen wird der Bund aufgefordert, nicht nur das Faktum der Menschenwürde als solcher, nicht nur die zu ihrem Schutze geeigneten Maßnahmen, sondern auch die zu deren Begründung gehörigen Prinzipien in seine Struktur einzubauen. Gewiß, ein derartiges Ethos ist bereits seit 2000 Jahren vorhanden, gewiß hätte sich die Resolution mit noch besserem Fug auf den christlichen Gedanken beziehen können, gewiß hätte sie ihre philosophischen Erwägungen auf Glaubenssätze stützen können, und sie wäre hiedurch sogar um ein gutes Stück vereinfacht worden, doch da sie sich an eine wertzersplitterte, ungläubige, skeptische Welt wendet, zu der auch der Völkerbund gehört, und diese Welt trotz ihrer intellektuellen Skepsis keinerlei Skepsis gegen mystische Regungen kennt, so tut ihr nichts so not wie eine Rückkehr zur rationalen Vernunft, und auf diesen Boden hat sich demgemäß auch die Resolution zu stellen, hoffend, daß ihre Richtlinien sich dank ihrer innern rationalen Plausibilität durchsetzen werden; denn das Dogmatische ist für den, der es nicht akzeptiert, nur leeres Pathos, es bleibt wirkungslos und verschärft bloß die Gegensätze, die nur durch die Logik zu überbrücken sind, so ausschließlich, daß fast zu behaupten wäre, es werde die Welt nur im Wege der Ratio zum Glauben zurückfinden. Und so durfte ich mich weder auf das Dogmatische einer Fundierung im Glauben, noch auf das Pathetische eines bloßen Protestes gegen die Vergewaltigung der Menschenwürde beschränken, sondern mußte den ganzen Apparat der Menschenrechtsproblematik – wenn auch in äußerster Simplifikation, so doch noch immerhin umfangreich genug – in Bewegung setzen, um über eine leere Forderung nach dem Primat der Geistigkeit hinaus zeigen zu können, wie diese tatsächlich wirksam in das Geschehen eingreifen kann und soll.

In dem beiliegenden »Kommentar« zur Resolution ist das Gesagte etwas eingehender ausgeführt, und ebenso ist der weitere Vorgang, wie ich ihn mir denke, darin skizziert. Ich wäre froh, noch weitere Auskunft geben zu dürfen und bin mit respektvollem Handkuß

Ihr, gnädigste Gräfin, sehr
ergebener
Hermann Broch

[DLA]

1 Judith Hare, Countess of Listowel (geb. 1904) und ihr Mann William Francis Hare, Earl of Listowel (geb. 1906) waren engagierte Antifaschisten und aktiv in der Englischen Völkerbundliga. Vgl. sein Buch *The Brown Network. The Activities of the Nazis in Foreign Countries* (New York: Knights Publications, 1936) und ihre Schriften *This I have seen* (London: Faber & Faber, 1943), *Crusader in the Secret War* (London: C. Johnson, 1952).

2 Die Countess of Listowel war eine gebürtige Ungarin und seit ihrer in Budapest verbrachten Jugend mit Jolande Jacobi befreundet, die ebenfalls in Budapest aufgewachsen war.

3 Katherine Marjory Stewart-Murray, Duchess of Atholl (1874-1962) initiierte 1937 gemeinsam mit Robert Cecil gegen den Spa-

nischen Bürgerkrieg eine internationale Friedenskampagne. Vgl. dazu ihr Buch *Working partnership, being the lives of John George, 8th duke of Atholl and his wife Katherine Marjory Ramsey* (London: A. Barker, 1958), S. 216. Die Duchess of Atholl war auch – gemeinsam mit dem Archbishop of Canterbury und anderen Vertretern des britischen öffentlichen Lebens – Mitgründerin der 1937 ins Leben gerufenen und von Stanley Richardson geleiteten Arden Society for Artists and Writers exiled in England, einer Schwesterorganisation der von Hubertus Prinz zu Löwenstein 1935 gegründeten American Guild for German Cultural Freedom.

246. An Albert Einstein

Alt Aussee Nr. 31
(Steiermark) 18. November 1937

Hochzuverehrender Herr Professor,
angesichts der überragenden Geltung Ihrer Autorität in der Weltfriedensbewegung[1] ist es mir eine ehrenvolle Pflicht, Ihnen in der Anlage den Entwurf einer Eingabe an den Völkerbund zu überreichen, welche ich mit Dr. Thomas Mann besprochen habe und den Völkerbund auffordern soll, sich für den Schutz der Menschenwürde zu deklarieren.

Die Resolution ist keines der üblichen Manifeste; sie begnügt sich nicht damit, pathetisch festzustellen, daß Friede und Menschenwürde gut, hingegen Krieg und Vergewaltigung schlecht seien, sondern sie versucht, jene notwendigen und knapp hinreichenden Maßnahmen vorzuschlagen, welche geeignet sein könnten, eine paktunfähige Welt wieder zur Paktfähigkeit zurückzuführen. Die Maßnahmen sind solche, daß sie von jeder friedenswilligen Regierung, sei sie nun demokratisch oder sonstwie orientiert, angenommen werden könnten, m. a. W., Annahme oder Nicht-Annahme wären geradezu ein Prüfstein zur Scheidung der friedenswilligen von den kriegswilligen Staaten.

Da es sich um eine Stipulierung der Humanitätsprinzipien schlechthin handelt, bilden die im »Anhang«[2] der Resolution (ab S. 9) zusammengefaßten Begründungen notwendig einen integrierenden Bestandteil der vorhergehenden Forderungen. In dem der Resolution beiliegenden »Kommentar«[3] finden Sie noch eine nähere Erklärung ihrer Absichten, ebenso eine Liste der in Aussicht genommenen Signatare, mit deren Unterschriften die Resolution eingereicht werden soll.

Soferne Sie, wie ich von Herzen hoffe, die Aktion bejahen sollten, erbitte ich Ihre Erlaubnis, mich bei den Signatureinladungen auf Ihre Zustimmung berufen zu dürfen[4]. Ich wäre Ihnen ganz außerordentlich verbunden, wenn ich hierüber möglichst bald Ihren Bescheid, sei er nun positiv oder negativ, erwarten könnte. Inzwischen verbleibe ich mit dem Ausdruck respektvoller Verehrung

Ihnen, Herr Professor,
sehr ergeben
H. Broch

[VR]

1 Albert Einstein gehörte schon seit 1922 dem »Committee on Intellectual Cooperation« an, das die Sicherung des Friedens zu einer seiner drei Hauptaufgaben erklärt hatte, und das mit dem Völkerbund eng zusammenarbeitete.
2 »Völkerbund-Resolution«, KW 11, S. 209-231.
3 Ibid, S. 195-197.
4 Die Antwort Einsteins auf Brochs Brief hat sich nicht erhalten. Wie den Briefen Ruth Nordens an Broch aus diesen Monaten zu entnehmen ist, dürfte Einstein sich skeptisch zu den Erfolgsaussichten der Resolution geäußert haben (DLA). Ruth Norden war die Übersetzerin Einsteins.

247. An Ruth Norden

Alt Aussee Nr. 31 (Steiermark) 21. November 1937

Liebe Freundin Ruth N.,
erstens lassen wir den »*verehrten* Herrn B.« beiseite und drücken Sie sich fortab bitte freundschaftlicher aus, und zweitens dürfte Ihre Frage, ob ich Ihnen böse sei, wohl bedeuten, daß Sie es mir schon längst sind, u. z. mit Berechtigung, denn ich bin nicht böse, sondern bloß ungezogen. D. h., ich bin

nicht einmal ungezogen, obwohl es schmachvoll ist, daß ich Ihren Junibrief nicht prompt beantwortete. Allerdings muß zu meiner Ehre gesagt werden, daß offenbar ein Brief von mir verloren gegangen ist, denn Sie fragen an, ob ich Ihre entzückend hinterlistige Widmung gefunden hätte, während ich sofort nach deren freudiger Entdeckung dafür gedankt habe; jetzt habe ich noch hiezu nachzutragen, daß Bermann[1] abgelehnt hat. Und den Dank habe ich zu wiederholen.

Aber ich bin nicht ungezogen. Doch dies muß ich biographisch aufzäumen. Ich war zehn Monate in Wien, und diese Monate gehörten aus mannigfachen Gründen zu den bösesten Zeiten meines Lebens. Von den privaten Widerwärtigkeiten, die jedes erträgliche Maß überschritten haben und jeden Brief zu einem ungehörigen Seufzen verwandelt hätten, will ich schweigen, aber ich war, und nicht zuletzt eben deswegen, völlig steril: bedenken Sie, daß die politische Lage der Welt mich maßlos bedrückt hat (was sie freilich heute noch mehr tut), daß ich ihrethalben mein Dichtergewerbe kaum mehr ausüben konnte, daß ich – obwohl ich noch eine weitaus intensivere Umstellung vornehmen möchte – mich in diese Resolutionsangelegenheit begeben habe, daß ich nicht blind genug bin, um nicht zu wissen, daß ich da meine Kräfte an einem nicht lebensfähigem 11-Monatskind verschwende, weil man eben ohne einen Tank nicht mehr ins politische Geschehen eingreifen kann, und daß ich unter all diesen Belastungen solch hoffnungslose Arbeit mir aufgehalst habe. Und es war eine große Arbeit. Der erste Entwurf, den Sie erhalten haben, ist längst überholt; außer Ihnen hat ihn überhaupt kaum jemand bekommen, auch Th. Mann nicht, der also auch anläßlich seines New Yorker Aufenthaltes nichts davon erwähnen konnte. Dieser erste Entwurf war ein ausgesprochener Mißgriff, verursacht durch das Bemühen, mich einmal ausnahmsweise populär auszudrücken, ein Fehlbemühen, seinerseits verursacht durch mein fürchterliches Übelbefinden. Und da Sie unglückseligerweise bereits im Besitz jenes Mißgriffes waren, habe ich Ihnen mit meiner Antwort auch gleich die Rektifikation zusenden wollen. Dies aber hat sich Woche um Woche verschoben, denn was nun entstand, das war eine überaus gründliche Arbeit, das wurde etwas, wofür ich einstehen kann.

Nun kam aber noch eine weitere zweimonatliche Verzögerung, und die lag an Th. Mann. Denn ich wollte Ihnen gleich die realen Geschicke der Resolution mitteilen, rechnete aber nicht damit, daß nicht nur ich, sondern auch Th. M. mit Tempohemmungen zu tun hat; kurzum, er ist augenblicklich so sehr mit seiner neuen Zeitschrift[2] beschäftigt, daß er wenig Zeit für anderes hat, und überdies wurde er krank. So gab es erst eine Korrespondenz über die Publikation in »Maß und Wert«, also eigentlich über eine Nebenfrage, besonders da ich, gegen die Ansicht Th. M., absolut gegen eine Publikation unter meinem Namen bin, vielmehr unbedingt die Ansicht vertrete, daß mein Name gänzlich aus der Aktion zu verschwinden hat. Und so dauerte es einige Zeit, bis ich zu dem Vorschlag gelangt bin, die Resolution durch die großen Humanitätsorganisationen unterschreiben zu lassen und sie so dem Bunde einzureichen, die Publikationsfrage aber bis dahin zurückzustellen. *Daß ich dies mit aller gebührenden Skepsis tue,* obwohl ich die ganze Welt dafür in Bewegung setze, versteht sich von selbst.

Der Einfachheit halber, d. h. zu meiner Bequemlichkeit übergebe ich Ihnen anbei Kopie des Briefes von Th. Mann[3], weiters Kopie eines Briefes von mir an die Gräfin Listowel[4], die zusammen mit der Herzogin von Atholl eine führende Rolle in der englischen Friedensbewegung spielt, und aus diesen beiden Schriftstücken können Sie sich schon ein Bild machen. Und schließlich liegt ein »Kommentar« zur Resolution bei, während diese selber als Drucksache Ihnen zugeht.

Nun ist die Frage Einstein vorhanden! Ich glaube nicht, daß seiner Geistesart meine Art, solche Fragen zu behandeln, sonderlich entsprechen dürfte. So weit ich ihn beurteilen kann, liegt ihm dies nicht. Außerdem soll er sich, wie man mir sagte, überhaupt nur noch für rein jüdische Belange einsetzen wollen. Ich möchte das Problem Ihnen überlassen. Sollten Sie der Ansicht sein, daß man ihm das Projekt unterbreiten soll, so schicken Sie ihm bitte die Resolution samt Kommentar, sowie den Brief, den ich hier für ihn beilege[5].

Im Allgemeinen meine ich, daß man in Amerika schon etwas mit dem Text anfangen könnte. Ich schicke ihn meinerseits jetzt an Huxley[6], und wenn Sie Ihrerseits Gelegenheit hätten, für die Sache zu wirken, so bitte ich Sie, nichts zu unterlassen. Denn bei aller Skepsis, es geht uns ja doch alle an. Freilich müßte man für Amerika raschestens nun eine Übersetzung haben. Es ist zwar möglich, daß eine solche vom »Rassemblement pour la Paix« geliefert wird, doch vielleicht wüßten Sie Ihrerseits jemanden, der es aus Liebe für die Sache besorgte.

Huebsch ist in diesem Zusammenhang weniger wichtig. Er hat sich zwar für die Angelegenheit interessiert, als er in Wien mich besuchte, und wenn Sie ihn sehen, so erzählen Sie ihm bitte davon oder zeigen Sie ihm den Text; ich glaube nicht, daß ihm sehr darum zu tun ist, und nützen wird er wahrscheinlich auch nicht viel. Jedenfalls lasse ich ihn bitte herzlich grüßen. Und wenn Sie weitere Kopien brauchen, so bitte sagen Sie es mir; sie werden prompt geliefert.

Und zum Abschluß, und nochmals mit aller Skepsis bezüglich der augenblicklichen Wirkung, und ohne Selbstüberhebung: sollte der Krieg nicht mit uns und mit allem, was uns wertvoll ist, radikal Schluß machen, dann wird dieser Text länger seine Wirkung haben, als alles, was ich je geschrieben habe, denn er enthält wirklich eine, vielfach neue, Theorie der Humanität schlechthin. Bei den Staatswissenschaftlern und ähnlichen Leuten, die im Theoretischen leben, hat der Text *mehr* als Zustimmung gefunden.

So weit also diese Resolution. Für mich selber bedeutet sie nur eine Halblösung, denn sie ist – so radikal sie als geisteswissenschaftliche Arbeit aufgebaut ist – ja doch nur eine Halbwendung zur Realität hin. An sich ist sie doch Papier. Und das verabscheue ich täglich mehr. Und trotzdem muß man selbst das Halbe 100%ig tun; von der Riesenkorrespondenz, die damit zusammenhängt, werde ich geradezu aufgefressen, und das Richtigste wäre wohl, ich ginge selber nach London, wohin ich zu Vorträgen über das Thema eingeladen bin. Aber ich sitze hier mit *drei* angefangenen Büchern (erstens eben das staatsphilosophische über die Humanität[7], zweitens den beinahe vollendeten großen Roman[8], und drittens eine neue große Erzählung[9], die ich dazwischen geschaltet habe, eigentlich aus Verzweiflung, weil ich [mich] mit dem Roman zehn Monate nicht vom Fleck gerührt habe), und ich *muß* diese Bücher haben, nicht nur, weil man Angefangenes nicht liegen lassen darf, sondern auch aus finanziellen Gründen, da ich sonst genau so wie mit den Büchern, einfach mit meinem Leben stecken bleibe, geschweige an Übersiedlung nach England denken darf. Denn das Unheil dieses Jahres war zum Teil noch überdies ein ökonomisches. M. a. W.: wenn es irgendwo eine Schlange gibt, die sich vielfach in den Schwanz beißen könnte, so hier. Ihre Annahme, ich hätte mein Leben zum Besten eingerichtet, scheint mir nicht ganz zu stimmen.

Immerhin bin ich froh, Wien entronnen zu sein und in meine radikale Einsamkeit zurückgefunden zu haben. Es ist in mancher Beziehung nicht angenehm, dies als optimale Lebensform erkennen zu müssen, doch ich sage dies ohne sentimentales Selbstbedauern, denn man kann eben nicht von allem haben, die Lebensintensität ist begrenzt, und was auf der einen Seite fehlt, das bringt man auf der andern wieder ein; es gibt Ärgeres. Bedauerlicherweise mag ich die hiesige Gegend nicht; sie ist von einer unmoralischen Lieblichkeit, ich wollte, ich wäre schon wieder in Tirol, doch vorderhand kann ich mich nicht so weit von Wien wegbegeben, da ich gefaßt sein muß, zu einer Tagsatzung eines Prozesses dorthin gerufen zu werden. Vorderhand tue ich so, als gäbe es nichts in der Welt als meine Arbeit, ich lese keine Zeitung, will von Spanien[10], von China[11], und überhaupt von nichts wissen und bin aus dem gleichen Grunde kaum imstande, das L. A.[12] durchzuschauen (Tausend Dank!); ich habe mir eine etwas künstliche Ruhe hergestellt, aber jeder Hauch kann sie stören, und ich bin entsetzlich empfindlich, ja, geradezu hautlos geworden, was ich übrigens als Schande empfinde. Im übrigen bin ich da in der richtigen Umgebung: so etwas von Gleichgültigkeit gegen das Weltenelend ringsum ist wohl nur bei der hiesigen Bevölkerung zu finden. Übrigens war der Österreicher immer so.

Ich sehe, daß dieser Brief zu einer ganzen Biographie angewachsen ist. Und da ich wohl auf eine baldige Antwort von Ihnen rechnen kann, so brauche ich keine Fragen zu stellen: erzählen Sie mir etwas von Ihnen. Warum aber beklagen Sie sich jedesmal über Ihre eigenen Briefe? sie sind menschlich und entzückend –, was wollen Sie mehr? Seien Sie bedankt. Stets Ihr

Broch

[DLA]

1 Gottfried Bermann Fischer wollte Brochs *Die Verzauberung* nicht – wie vorher erwogen – gemeinsam mit dem Rhein-Verlag herausbringen. Vgl. Brief vom 14. 1. 1936, Fußnote 1.
2 *Maß und Wert*. Die im Oprecht Verlag in Zürich publizierte Exilzeitschrift erschien von 1937 bis 1940. Die Redaktion betrieb Ferdinand Lion, ab November/Dezember 1939 Golo Mann in Zusammenarbeit mit Emil Oprecht.
3 Vgl. Brief vom 14. 11. 1937, Fußnote 12.
4 Brief vom 17. 11. 1937.
5 Brief vom 18. 11. 1937.
6 Aldous Huxley hatte im Herbst 1932 die Muirsche Übersetzung der *Schlafwandler* gelesen und sich dem englischen Verlag Secker gegenüber sehr positiv über den Roman geäußert. (Vgl. BB 235 A). Die Resolutions-Korrespondenz mit Huxley ist nicht erhalten geblieben.
7 Ein damals nicht ausgeführter Plan Brochs. Gedacht war an eine Ausweitung der »Völkerbund-Resolution«. Vgl. dazu Brochs im Exil entstandenen politischen Schriften in KW 11.
8 *Die Verzauberung*.
9 »Die Heimkehr des Vergil«, Urfassung des späteren Romans *Der Tod des Vergil,* KW 6, S. 248-259.
10 Spanischer Bürgerkrieg (18. 7. 1936-28. 3. 1939).
11 Im Juli 1937 hatte der Japanisch-Chinesische Krieg begonnen.
12 *The Living Age*.

248. An Peter Suhrkamp

Alt Aussee Nr. 31
(Steiermark) 24. November 37

Verehrter Herr Dr. Suhrkamp,
mit Ihrem Briefe v. 15. Juli d. J. waren Sie so freundlich, mich zu benachrichtigen, daß Sie für mich bei der Devisenstelle eingereicht hätten, daß aber die Erledigungen sehr lange dauerten. Ich hoffe, daß die Genehmigung nun endlich herabgelangt ist und hoffe es umsomehr, als mir die Überweisung vor Weihnachten außerordentlich angenehm wäre. Ich bitte Sie, hiezu meine hiesige Adresse zu notieren.

Ich benütze die Gelegenheit, um Sie auf eine Publikation aufmerksam zu machen, die mir recht versprechend erscheint. Kürzlich wurde mir von einem Autor[1], der vorderhand anonym zu bleiben wünscht, eine Sammlung von »Hausinschriften«[2] mit der Bitte vorgelegt, ich möge mich für eine etwaige Veröffentlichung interessieren. Da es ausnahmsweise einmal etwas ist, für das man sich einsetzen kann, übersende ich Ihnen anbei eine Auslese dieser Gedichte. Es handelt sich um keine schwere Literatur, aber es ist in alldem eine durchaus sympathische, geradezu dichterisch anmutende Note festgehalten, und wenn eine nette Ausstattung dazu kommt (die hier allerdings eine ausschlaggebende Rolle zu spielen hätte), könnte es ein weitgehend verkaufsfähiges Produkt ergeben. Insgesamt dürften sich beiläufig 40 solcher Gedichte zusammstellen lassen; mehr sollten es auch kaum sein, weil die Sache sonst eintönig werden würde. Bitte teilen Sie mir mit, wie Sie darüber denken; im positiven Falle werde ich befugt werden, Ihnen die Personalien des Autors bekannt zu geben.

Mit den besten Empfehlungen begrüße ich Sie als Ihr stets

ergebener

H. Broch

[SFV]

1 Hans Vlasics (1897-1962), Lehrer in Bad Aussee, Lyriker und Dramatiker.

2 KW 8, S. 97-112, Vlasics veröffentlichte die meisten der »Hausinschriften« unter dem Pseudonym Hans Glahn in dem Band *Haussprüche* (Hamburg: H. Goverts, 1940). Broch hatte die Sprüche gemeinsam mit Vlasics verfaßt. Eine kleine Auswahl der Sprüche erschien unter der Autorschaft von Hans Vlasics mit dem Titel »Hausinschriften« in der *Neuen Rundschau* 49/7 (Juli 1938), S. 48-50.

249. An Frank Thiess

Alt Aussee, 26. 11. 37

Mein lieber Freund, liebster Frank,
um es gleich heraus zu sagen: ich glaube, daß der »Frühling«[1] ein durchaus geglücktes Experiment ist, jedenfalls eines, das in der Richtung des Erkenntnisfortschrittes liegt. Du nennst es ein »gewagtes Unternehmen«; sicherlich ist es ein Wagnis, aber noch lange keines, das Deine Kraft überstiege, im Gegenteil, ich habe das Gefühl, daß Du das Wagnis noch viel weiter getrieben hättest, wenn Paul Zsolnay nicht hinter Dir gestanden wäre, teils real, teils als Phantom, und Dich (leider) gezügelt hätte. Aber Du bist ein solcher Meister der doppelten und dreifachen Ebene geworden, daß irgend einer der vielen Hintergründe schon das Richtige ausdrückt. Denn Du hast völlig recht, daß sich das Heraberzählen einer erfundenen Fabel schlechterdings nicht mehr verlohnt; es ist eben angesichts der Zeit und ihres Grauens einfach unmoralisch geworden, und mag der Leser es auch verlangen, es ekelt einem zu sehr, sich zu solcher Unmoral herzugeben: wenn diese Dichterei überhaupt noch Lebensberechtigung haben soll, wenn sie imstande sein soll, z. B. neben dem Erkenntnisgebiet der Wissenschaft überhaupt noch zu bestehen, so muß sie sich ihrer eigenen Erkenntnispflicht erinnern, und die ist nicht »Ausdeutung« der realen Verhältnisse, und sie ist nicht Lösung von »Problemen« vermittels ausgedachter Geschehnisse, sondern es ist Aufspüren jener neuen Erkenntnisschichten und Ausdrucksschichten, die zweifelsohne jetzt im Aufbruch begriffen sind, wahrhaft in einem schmerzlichen Aufbruch, und für die nicht nur das äußere Weltgeschehen, sondern auch das geistige, wie z. B. das der wissenschaftlichen Grundlagenkrise bloß Symptom ist. Dieses Aufspüren ist das Wagnis, dem Du Dich unterzogen hast, und deshalb ist es ein Buch geworden, das auf dem richtigen Wege ist, trotz des so überaus komplizierten Eindringens ins kaum Erkennbare unentwegt bei einfachster Darstellung zu bleiben, ein technisches Kunststück, das weit über alles Technische hinaus geht, weil es eben nur vom wirklich Dichterischen her zu bewältigen ist. Du weißt, daß ich bei »Tsu-

shima«[2] mich nicht gescheut habe, meine Bedenken ungeschminkt auszusprechen, und mit der gleichen Offenheit bejahe ich dieses Buch uneingeschränkt, bewundere ich uneingeschränkt Deine Leistung, und ich liebe sie umsomehr, als ich seit der »Johanna«[3] Dich und Dein liebenswertes Wesen noch nie so klar in dem Geschaffenen ausgedrückt gefühlt habe. Quadratur des Zirkels? Gewiß, dazu ist der Dichter da.

Wie sehr ich Dir also für das Buch danke, brauche ich Dir wohl nicht mehr eigens zu sagen (nebenbei: gerade in dieses möchte ich Deinen Namen geschrieben haben, wenn Du wieder herkommst!), und eigentlich muß ich Dir auch nicht sagen, wie sehr ich Dir für Deinen Brief danke: es war schön, endlich wieder einmal Deine Schrift zu sehen. Daß wir so unausgesetzt aneinander vorbeireisen, ist geradezu schon zum Schicksal geworden – wird dies je anders werden? Angesichts der Weltlage, in der das Geschick eines jeden Einzelnen von den Geschehnissen auf den entlegensten Erdteilen abhängig ist, lassen sich ja überhaupt keine Pläne machen; ich sehe all dies sehr düster an und vermag doch nicht, mich darob zu beklagen, eben wegen jener Erkenntnisvielfalt, die dieser Zeit, mehr denn jeder früheren, auferlegt und geschenkt worden ist. Meine stete Angst gilt nur der Unfähigkeit, dies alles noch wahrhaft erfassen zu können, vom Festhalten will ich schon gar nicht mehr reden. Und aus eben diesem gleichen Grunde bedaure ich – im Gegensatz zu Dir – nicht meine Befassung mit der Staatsphilosophie[4], obwohl ich viele Monate daran gesetzt habe und noch immer in einer Weise davon in Anspruch genommen werde, daß es meine Kräfte wirklich übersteigt; aber ich mußte mir endlich über diesen Problemkreis gewissenhaft Rechenschaft ablegen, und wenn ich auch nicht weiß, ob ich das Buch, dessen Material langsam angewachsen ist und das wirklich neue geschichts- und rechtsphilosophische Aspekte ergäbe, noch werde schreiben können – mein Energievorrat geht nämlich langsam zu Ende –, so wäre es doch eines, das alle meine sonstigen Arbeiten überdauern würde, soferne es überhaupt noch Dauer geben wird, d. h. auf geisteswissenschaftlichem Gebiet. Auch mit meiner Logik hänge ich ja so auf Niemalsfertigwerden. Und das Ärgste bei alldem ist, daß das Menschliche so sehr zu kurz kommt; ich führe ein ausgesprochen grauenhaftes Leben, ein Leben, für das die absolute Einsamkeit noch die optimale Situation bedeutet, wie ich ja auch jetzt aufatme, der Wiener Qual entronnen zu sein.

Der Roman[5] ist durch den Wiener Aufenthalt und alle übrigen Ablenkungen und Abhaltungen völlig ins Stocken geraten; Du bedenkst ihn mit so guten Worten und mit einer viel zu guten Meinung, aber mir ist es als bezöge sich dies gar nicht auf meine Arbeit, so ferne ist sie mir geworden. Damit ich überhaupt wieder ins Romanschreiben gerate, habe ich nun eine große Erzählung[6] eingeschaltet, von der ich mir allerdings – zumindest solange ich daran schreibe – einiges erhoffe. Und sodann muß ich eben doch an den Roman heran. Wenn ich es halbwegs vermeiden kann, möchte ich keinesfalls nach Wien zurückkehren, doch da es vielleicht eben doch notwendig werden sollte, wenn auch nur für ein paar Tage, so will ich natürlich Yvonne[7] dort aufsuchen und bitte Dich daher um ihre Adresse. Wie geht es ihr denn gesundheitlich? Würde sie Ski laufen, so würde ich sie gerne auffordern, dies hier zu tun; andererseits, würde sie Ski laufen, so gibt es wesentlich bessere Terrains als hier, was für mich wieder ein Glück ist, da ich so den Schnee nicht mit so viel Neid wie in Tirol betrachten muß. [. . .]

[GW 8]

1 Frank Thiess, *Stürmischer Frühling* (Wien: Zsolnay, 1938).
2 Frank Thiess, *Tsushima. Die Geschichte eines Seekrieges* (Wien: Zsolnay, 1936),
3 Frank Thiess, *Johanna und Esther. Eine Chronik ländlicher Ereignisse* (1933).
4 »Völkerbund-Resolution«.
5 *Die Verzauberung* (2. Fassung).
6 »Die Heimkehr des Vergil«.
7 Ehefrau von Frank Thiess.

250. An Ludwig von Ficker

Alt Aussee Nr. 31
(Steiermark) 28. November 1937

Lieber Herr v. Ficker,
seit vielen Monaten – seit Ihrem letzten Briefe – habe ich die Absicht, Ihnen zu schreiben. Daß es nicht geschah, lag an der immer wieder verzögerten Fertigstellung einer Arbeit, die ich Ihnen schicken wollte. Nun bin ich so weit, und ich werde überdies von Ihrem sehr schönen, sehr eindrucksvollen, kurzum sehr wahren Aufsatz in der »Erfüllung«[1] (der – im Gegensatz zur Redaktion sei dies festgestellt – wohl streng, doch keineswegs schwerverständlich ist) zu meiner eigenen Freude gemahnt, mein Vorhaben auszuführen. Doppelt gemahnt, weil die Haltung der »Erfüllung« und ebenso Ihre Stellungnahme die Konstatierung eines Sachverhalts erheischen, der für mich bei der Grundlegung jener Arbeit von ausschlaggebender Bedeutung gewesen ist; gestatten Sie also, daß ich vorerst von dieser Arbeit spreche:

Überzeugt – und ich glaube mich hierin eines Sinnes mit Ihnen –, daß sich der gegenwärtige Weltzustand nicht zum Guten wenden kann, wenden wird, so lange die Menschheit nicht zum Primat des Ethischen, also letztlich zu dem einer (– ich drücke mich vorsichtig aus –) religiösen Haltung zurückfindet, und überzeugt, daß der Weltfrieden einschließlich seiner so wichtigen und doch überwerteten ökonomischen und finanziellen Komponenten weit mehr von der ethischen Paktfähigkeit des Menschen abhängig ist, als gemeiniglich angenommen wird, wurde es mir klar, daß der Völkerbund nie und nimmer seine Friedensaufgabe wird erfüllen können, daß sein Verfall, der jetzt so offenkundig geworden ist, bereits bei seiner Gründung besiegelt war, weil jede Friedensunternehmung lebensunfähig sein muß, wenn sie nicht von vorneherein auf ethischen Prinzipien ruht. Und da der Völkerbund, allerdings nur seiner Idee nach, heute die einzige übernationale Friedensinstitution darstellt und jede Bemühung um den Frieden oder auch nur um das humane Wohl schlechthin, gleichzeitig auch eine Bemühung um die Erhaltung des Völkerbundes zu sein hat, habe ich im ursprünglichen Einvernehmen mit Thomas Mann eine Eingabe an den Völkerbund verfaßt, u. z. eine, die nicht die Gestalt der üblichen pathetischen Proteste hat, sondern unter Abschreitung der einschlägigen rechts- und staatsphilosophischen Probleme versucht – inzwischen von mehreren Fachgelehrten überprüft –, die Grundzüge eines Völkerbundethos zu umreißen, wobei der Begriff der Menschenwürde in dessen Mittelpunkt gestellt wurde. Es war eine ziemlich schwierige Aufgabe, zumindest für meine Kräfte, und von den Ausführungsmängeln sind mir auch viele bekannt; trotzdem hoffe ich, daß mit der so zustandegekommenen »Resolution«, die ich Ihnen anbei mitsamt dem zugehörigen »Kommentar« übergebe, manches dringlich Notwendige ausgedrückt worden ist. Von den praktischen Erfolgen der im »Kommentar« angedeuteten Schritte verspreche ich mir natürlich blutwenig, aber es mußte einmal ein Anfang gemacht werden.

Nun werden Sie mit Recht einwenden: warum ein Völkerbundethos aufstellen, wenn es nur gälte, den christlichen Geist wieder in seinen Rang einzusetzen! Und Sie werden auch den nämlichen Einwand gegen die begründenden philosophischen Erwägungen erheben. Warum mit Menschenrechten operieren, wenn es um das Gottesrecht geht? Um mir die Sache einfacher zu machen, lege ich die Abschrift eines Briefes an Prof. Maritain[2] bei, der sich für das Unternehmen sehr interessiert hat, aber eben gleichfalls die genannten Einwendungen erhoben hat. Was ich aber in meiner Erwiderung und m. E. ausreichenden Widerlegung zu zeigen mich bemüht habe, das ist nichts anderes als gerade jene Konstatierung, die ich eingangs angedeutet habe: niemand ist durch eine ihm fremde Sprache zu überzeugen, und sinnlos wäre es, an jemanden, der wie der Völkerbund bloß rationale Argumente (und nicht einmal diese!) gelten läßt, mit einem Appell an Glaubenspositionen heranzutreten. Der Zweifel wird nicht durch den Glauben besiegt, sondern nur durch seine eigenen Argumente: sie müssen bloß wirklich zu Ende gedacht werden, denn gerade dies ist die unveräußerliche und ewige Gnadenaufgabe der Ratio. Alles andere muß zu einer Predigt (im guten Sinne) werden, die bloß vom Gläubigen gehört wird, ansonsten aber tauben Ohren begegnet.

Und sehen Sie: genau den gleichen Eindruck habe ich stets angesichts der »Erfüllung« und auch jetzt angesichts Ihres Aufsatzes. Ich weiß nicht, welch praktische Missionserfolge vom Pauluswerk[3] oder von der »Erfüllung« schon gezeitigt worden sind, doch beinahe möchte ich behaupten, daß kaum die Möglichkeit besteht, den wirklich wertvollen Teil der Judenschaft damit zu erfassen. Der wahrhaft gläubige Jude wird die antisemitische Welle stets als Prüfung betrachten, ihm auferlegt, daß er an der ihm verliehenen Wahrheit festhalte, ihm auferlegt als Pflicht zum Ausharren, als Pflicht eines auserwählten Märtyrertums, ja, er wird gerade deshalb im gegenwärtigen Augenblick jede noch so gütige christliche Ansprache als eine zusätzliche Versuchung auffassen, also als etwas Unkeusches, als eine Verführung unter Ausnützung seiner Schwäche, und dies umsomehr, als er – nur für den Juden nacherlebbar – alles, was außerhalb seiner engsten Glaubenssatzungen vor sich geht, schlechterdings als etwas Unkeusches empfindet; je kahler, je »puritanischer«, je strenger sich ein Kult präsentiert – daher das »Auslegungsbemühen« des gläubigen Juden, das stets ein Reinigungsbemühen ist –, desto befriedigter ist sein unersättliches Verlangen nach äußerster Keuschheit, und ebendeshalb ist er heute weniger als jemals geneigt oder auch nur imstande, das an ihn gerichtete Wort überhaupt aufzunehmen. Der ungläubige Jude jedoch hört das Wort eo ipso nicht; er ist darin dem ungläubigen Christen ohneweiters gleichzustellen, er bildet mit diesem zusammen den Träger des Bösen, mag ihn auch dieses vielleicht, in Rückwendung gegen den Träger, schwerer treffen als jenen. Und doch gilt es an jede Verstocktheit heranzukommen. Es ist also eine durchaus praktische Frage, die ich stelle, und sie muß im Praktischen gelöst werden. Klar ist mir, daß mit dem Vortrag eines Dogmas nichts erreicht werden kann; das Maximum des Erreichbaren liegt hier in einem Lippenbekenntnis, das für die Seele völlig wertlos, höchstens in der nächsten oder übernächsten Generation zum Wert heranreift, im Grunde aber widernatürlich ist, d. h. gegen die ebenbildhafte Natur des Menschen verstößt. Indes, gerade in dieser Ebenbildhaftigkeit ist auch praktische Möglichkeit beschlossen, ihn zu erwecken: keiner ist so verworfen, er kann es gar nicht sein, daß sein Herz und sein

Verstand nicht im letzten Grunde suprahuman, d. h. ebenbildhaft seien. Und daher meine ich, daß es eigentlich nichts anderes gibt, als immer wieder an die Ratio zu appellieren, und immer wieder den Versuch zu unternehmen, die unverlierbare Reinheit des Herzens aufklingen zu lassen.

Wenn ich hier meine eigene bescheidene Tätigkeit heranzuziehen erlaube, so tue ich es, weil ich mich in unseren Gesprächen vor zwei Jahren stets mit großer Skepsis über diese Tätigkeit geäußert habe. Gewiß, diese Skepsis ist nach wie vor vorhanden, allein sie betrifft gewissermaßen nur den ersten Plan des Erlebens, nämlich den der persönlichen Unzulänglichkeit, während dahinter, dort wo der Mensch maßlos ist, sich nicht unzulänglich fühlt und Ziele hat, ich mich bemühe, rational oder wissenschaftlich oder philosophisch oder wie man es sonst nennen will, die reine Überlegung möglichst zur Richtlinie zu machen, hingegen irrational, soferne man das dichterische Bestreben so bezeichnen will, alles auf das Aufklingen des Herzens zu richten. Gewiß ist dies noch lange nicht die Haltung reinen Glaubens, aber reiner Glauben muß sich auch nicht mehr um seinen Ausdruck bemühen; er kann und darf schweigen! All dies ist immer nur und immer noch bloß Aufbruch zum Glauben.

Wenn Sie das Resolutionsmaterial nicht mehr brauchen, so erbitte ich es zurück; ich habe immer zu wenig Exemplare. Und ich würde mich sehr freuen, von Ihnen zu hören. Was macht das Brenner-Jahrbuch? Inzwischen nehmen Sie bitte herzliche Gedanken und beste Grüße Ihres ergebenen

H. Broch

[VR]

1 Ludwig von Ficker, »Das Neue Gebot«, in: *Die Erfüllung*, Jg. 3 (1937), S. 115-123.

2 Brief vom 14. 11. 1937.

3 Vgl. den Brief vom 3. 10. 1936, Fußnote 3.

251. An AnneMarie Meier-Graefe Broch[1]

5. 12. 37

Natürlich wollte ich schon längst schreiben, aber ich wollte nicht bloß philosophieren, sondern Konkretes mitteilen: also, nach vielerlei Hin und Her und vielerlei Hemmungen glaube ich es einteilen zu können, daß ich etwa am 14. in Wien eintreffe (nach einem Vortrag, den ich in Graz halte) und bis längstens 20. dort bleibe. Natürlich wird Wien eine arge Hetzjagd werden, und ich werde wenig dort von Dir haben –, aber! läßt es sich nicht einteilen, daß wir zusammen wegführen?!

Philosophisch: natürlich muß man bei einem Menschen verstummen, der so entsetzlich mit seinen eigenen Angelegenheiten beschäftigt ist, angesichts eines Lebens, das so völlig auf Einsamkeit eingerichtet ist wie das meine. Und das macht ja die ganze Angelegenheit so überaus arg, ja, zu einer beinahe unlösbaren Antinomie. Wahrscheinlich gehört dies mit zu den ausschlaggebenden Gründen, die mich all die Monate schweigen ließen.

Ich arbeite auch jetzt wie besessen. Einesteils um vor der Unterbrechung möglichst viel hinter mich gebracht zu haben (was die sehr schwierige neuerliche Einarbeitung erleichtert), andernteils weil ich ja wirklich einfach von meiner Arbeit besessen bin. Aber daneben freue ich mich!

So wie ich nach Wien komme, rufe ich an. Und auch darauf freue ich mich.

[AMB]

1 AnneMarie Meier-Graefe, Malerin und Graphikerin, heiratete den Kunsthistoriker Julius Meier-Graefe (1867-1935). 1936 lernte sie Hermann Broch bei einem Empfang des Zsolnay-Verlages in Wien kennen. Sie heiratete in zweiter Ehe in New York Hermann Broch. AnneMarie Meier-Graefe Broch lebt heute in Saint-Cyr-sur-Mer (Frankreich).

1938
(Januar-Juli)

252. An Stefan Zweig

Alt Aussee Nr. 31 2. Jänner 1938

Lieber verehrter Freund,
Ihre beiden Bücher[1] waren mir in dem letzten Monat ein rechter Trost: ich mußte, als ich sie erhielt, gerade nach Wien, erwischte dort sofort eine fürchterliche Grippe, die mich für Wochen immobilisierte, und als ich, halbkrank noch, nach Aussee zurückkehrte, brach ich mir bei einem etwas unwürdigen, aber dafür bösen Sturz sofort zwei Rippen; ich war also sehr froh, meine Muße – arbeiten konnte ich ja nichts – in Ihrer Gesellschaft verbringen zu dürfen, denn eine bessere hätte ich mir nicht wünschen können, und ich war wieder einmal von der Kraft und Klarheit Ihrer Vergegenwärtigung begeistert, erstaunt, daß diese Qualität immer noch eine weitere und unnachahmliche Steigerung erfahren kann. Selten ist das Wesen der Genialität so tief und so durchsichtig erfaßt worden, wie Ihnen dies beim Magellan geglückt ist. Wie sehr ich angesichts solch großer Vorbereitung ganz besonders auf Ihren Roman[2] gespannt bin, ist leicht verstehbar, und ich hoffe bloß, daß er nicht mehr allzu lange auf sich wird warten lassen.

Die Verspätung meines Dankes werden Sie gewiß in Anbetracht der geschilderten Umstände entschuldigen. Hinter dieser Verspätung steht aber noch eine andere: schon anläßlich Ihres letzten Wiener Aufenthaltes (oder war es der vorletzte?), bei welchem ich Sie leider verpaßt hatte, schrieb ich Ihnen, daß ich Sie gerne gesprochen hätte, weil es mir besonders wichtig gewesen, Ihre Meinung zu einer Angelegenheit zu hören, die mich im letzten Jahr sehr beschäftigt hat und eine gewisse allgemeine Bedeutung besitzt. Darüber wollte ich Ihnen schon die längste Zeit schreiben, wurde jedoch durch die Entwicklung der Sache immer wieder aufgehalten; es handelt sich um Folgendes:

Es ist nahezu ein Jahr her, daß ich mit Thomas Mann vereinbart habe, eine Resolution für den Völkerbund vorzubereiten, in welcher der Bund aufgefordert werden soll, in sein Statut Bestimmungen zum Schutz der Menschenwürde einzubauen, m. a. W. in anderer Form eine Neudeklarierung der Menschenrechte vorzunehmen. Das Hauptmotiv für dieses Vorhaben liegt in der Überzeugung, daß Bücher, Druckwerke, usw., welche früher die Basis für die geistige Entwicklung der Welt gebildet hatten, heute immer wirkungsloser werden und daß die Antibarbarei endlich sich auch zum Propagandistischen wenden müsse, will sie nicht von der Propaganda der Barbarei definitiv und blutig überrannt werden; natürlich ist es dazu schon fast zu spät, natürlich gibt es nahezu unübersteigbare Hindernisse, natürlich ist die Weltlage geradezu verzweifelt, aber barer Selbstmord wäre es, sich deshalb einem untätigen Fatalismus hinzugeben.

Mein Elaborat verkleinert nicht diese Schwierigkeiten, sondern vergrößert sie. Leider. Es ist nach einem sehr eindringlichen Studium der juristischen und soziologischen Sachverhalte entstanden. Es wäre zweifelsohne einfacher gewesen, wenn hiebei nicht die Völkerbundstruktur (mitsamt der durch sie gebotenen Rücksichten) hätte einbezogen werden müssen, indes wir haben einfach keinen andern Adressaten; der Völkerbund ist hier ein faute de mieux. Sozusagen wissenschaftlich ist es eine immerhin recht anständige Arbeit geworden; sie enthält eine Reihe neuer Gesichtspunkte, die von den Fachleuten mit großer Zustimmung aufgenommen worden sind, und sie will ganz bewußt keine Fanfare sein, da die Welt mit Pathos übersättigt ist, sondern sie will die Ansätze zu einer allgemeinen, praktisch einmal brauchbaren, staatsphilosophischen Grundlegung geben. So weit wäre alles in Ordnung, wenn ich nur nicht an meine schwerfällige Diktion rettungslos gebunden wäre, die sich freilich hier auch aus dem Riesenthema und seine notwendige Zusammendrängung ergeben hat. Daß solcherart ein esoterisches Monstrum entstanden ist, macht mich recht unglücklich, denn die Sache wird hiedurch keineswegs gefördert, und es ist ein reines Wunder, daß sie sich trotzdem in Bewegung gesetzt hat.

Alles übrige wollen Sie aus dem Text selber und dem kleinen Kommentar, welchen ich gleichfalls beilege, entnehmen. Praktisch sind in England schon ein paar Leute daran interessiert, vor allem die Herzogin von Atholl und durch sie Lord Cecil[3]. (Am richtigsten wäre es wohl, in London ein paar Vorträge hierüber zu halten, zu welchen ich auch eingeladen worden bin, doch gerade dies ist für mich undurchführbar.) In Frankreich befaßt sich Maritain mit der Sache. Benesch[4] hat den Text vorliegen, und ebenso habe ich es der österreichischen Regierung intimiert. Von Einstein soll ich in diesen Tagen Bescheid bekommen, ob er in Amerika etwas tun kann; dort gilt es, das Carnegie-Institut zu gewinnen. So steht die Sache heute. Liegt es im Bereiche Ihrer Möglichkeiten, ihr Hilfe angedeihen zu lassen?

Gehemmt durch meine bereits gewohnten, üblichen familiären Sorgen, war ich kaum imstande, während des letzten Jahres neben diesen Belangen noch andere Arbeit zu leisten. Mein großer Roman[5] ist also noch immer nicht fertig, umsoweniger, als ich – sozusagen zur Wiederankurblung – noch einen zweiten, kleineren dazwischen geschoben habe[6]. Der Verlag drängt nun auf Fertigstellung beider Bücher, und dies ist nicht nur ein berechtigter Wunsch, sondern ist auch aus finanziellen Gründen für mich von dringlichster Wichtigkeit. Zusammen mit der überdimensionalen Korrespondenz, die sich aus der Resolutionsangelegenheit entwickelt hat, kann ich es schier nicht bewältigen; dazu gibt mir meine Physis eben leider unausgesetzt zu schaffen. Doch auch diese Überlastung gehört zum Charakteristikum unserer Zeit.

Ich wäre Ihnen dankbar, wenn Sie mir die Sendung wegen Ihres Inhaltes gleich mit einer Karte bestätigen wollten. Inzwischen nehmen Sie Glückwünsche entgegen, ebensowohl zu den Büchern, als auch zum Roman und damit desgleichen zum neuen Jahr. Und seien Sie nochmals bedankt, von ganzem Herzen und aufrichtigst. Ihr

H. Broch

[SZA]

1 *Magellan* (1937), *Begegnungen mit Menschen, Büchern und Städten* (1937).
2 Stefan Zweig, *Ungeduld des Herzens* (1938).
3 Lord Robert Cecil (1864-1958), englischer Politiker und Diplomat, von 1923 bis 1946 Präsident des Völkerbundes. 1938 stimmte er gegen das Münchner Abkommen. 1937 erhielt er den Friedensnobelpreis.
4 Eduard Benesch (1884-1948), tschechoslowakischer Staatsmann, 1935 bis 1938 Staatspräsident.
5 *Die Verzauberung* (2. Fassung).

6 *Der Tod des Vergil*. Vgl. die »Anmerkungen des Herausgebers«, KW 4, S. 509-522. Vgl. ferner die frühen Fassungen von Brochs Vergil-Roman in: Paul Michael Lützeler (Hrsg.), *Materialien zu Hermann Brochs ›Der Tod des Vergil‹* (Frankfurt/M.: Suhrkamp, 1976), S. 11-178. Anfang 1938 arbeitete Broch an der dritten Fassung des Romans, die den Titel »Erzählung vom Tode« trägt.

253. An Peter Suhrkamp

Alt Aussee Nr. 31 — 4. Jänner 1938

Verehrter Dr. Suhrkamp,
der anonyme Autor ist der Lehrer Hans Vlasics in Aussee[1]. Wie Sie aus seinem bisherigen Verhalten ersehen haben dürften, ist er ein etwas schrullenhafter Einschichtler, mit vielerlei Skrupeln beladen, sehr scheu gegen alles, was mit Öffentlichkeit zusammenhängt, und in einer verbissen-verspielten Art nur mit seinen Arbeiten beschäftigt, die er anfängt und wieder weglegt, ohne eigentlich an eine Publizierung zu denken. Dabei bin ich überzeugt, daß er unter diesem Verhalten leidet, denn er ist entschieden ein großes, wenn auch ein etwas abstruses Talent und hat im Grunde doch das Bedürfnis, mit dem, was er zu sagen hat, zu Menschen sprechen zu können. Weitaus seine stärkste Begabung dürfte im Dramatischen liegen; ich hoffe, ihn mit der Zeit doch so weit zu bringen, daß er Ihnen von seinen Szenen und Entwürfen, die er mir – freilich auch nur sehr zögernd – gezeigt hat, einiges vorlegen wird. Es gilt, durch eine entsprechend zielgerichtete Förderung langsam diese Eigenbrötlerei zu sprengen; ich glaube, daß dann manch Schönes zu erwarten wäre.

Ich habe also Herrn Vlasics schon von Wien aus geschrieben, wie die Sache mit Ihnen steht und ihn gebeten, noch eine Reihe Sprüche vorzubereiten. Und wie dies bei solchen Menschen fast immer der Fall ist: was sie über Auftrag arbeiten, wird besser als ihre freie Eigenproduktion, offenbar deshalb, weil sie mit ihrer Produktionsfreiheit nicht ganz zurecht kommen und leicht ins Abwegige geraten. In seinem Auftrage übermittle ich Ihnen diese zweite Serie; ich glaube, daß Sie gleich mir die erste übertroffen finden werden.

Herr Vlasics bemerkt nun hiezu:

1.) Die Gedichte der ersten Serie sind z. T. über Anregungen entstanden, die er von *realen* Hausinschriften empfangen hat. Er steht nun auf dem Standpunkt, daß Spruchpoesie überhaupt anonym zu bleiben hätte, denn Sprüche ähneln darin am ehesten den Volksliedern. Ich halte dies nicht für unberechtigt, obwohl bei ihm hiebei seine Öffentlichkeitsscheu mitspielt. Jedenfalls ist ihm zuzustimmen, wenn er mit Rücksicht auf jene Fremdanregungen das Bändchen nicht als Verfasser zeichnen will, sondern unter dem Titel: »Gesammelt und ergänzt von Hans Vlasics«.

2.) Für die gedachten Veröffentlichungen in der »N. R.«, bei welchen er wohl als Verfasser zeichnen muß, ersucht er, bloß Sprüche aus der *zweiten* Serie zu wählen, oder wenigstens hauptsächlich; wenn das eine oder andere aus der ersten mitgenommen wird, so verschlägt dies natürlich nichts.

Obwohl Herr Vlasics, wie ich ihn kenne, kaum zu irgendwelchen Entschlüssen kommen wird, ohne meinen Rat einzuholen, wäre es mir doch angenehm, wenn Sie ihm Ihre Vorschläge direkt zukommen ließen; seine Adresse lautet: Fachlehrer Hans Vlasics, *Bad* Aussee, Krammergasse 47.

Sie würden mir hiebei persönlich eine besondere Gefälligkeit erweisen, wenn Sie Ihre Entscheidung tunlichst bald träfen; die Gründe hiefür liegen auf der Hand. Aus dem gleichen Grunde bitte ich Sie, im Falle einer *negativen* Entscheidung nicht Herrn Vlasics direkt, sondern mich zu verständigen, resp. das Material an mich zu retournieren, denn ich habe ja für diesen Schritt in die Öffentlichkeit eine gewisse Verantwortung übernommen und hätte die unausbleibliche Enttäuschung entsprechend zu mildern. Im übrigen glaube ich, daß Sie mir ja auf alle Fälle Bescheid geben werden. Inzwischen begrüße ich Sie aufs beste als Ihr ergebener

Hermann Broch

[SFV]

1 Vgl. den Brief vom 24. 11. 1937.

254. An Joseph H. Bunzel[1]

Alt Aussee Nr. 31 9. 1. 38

Lieber H. J. B.,
Sie zwingen mich wieder zum Schreiben, und dies geht nicht, weil ich es eben einfach nicht leisten kann. Doch eines erscheint mir wichtig, nämlich Ihre Einschätzung der Impressionismus-Expressionismus-Theorie: das ist nämlich ein spezifischer Polaritätsbegriff, deren es unzählige gibt, warm-kalt, sein-haben, dynamisch-statisch, etc. etc., und ich mache mich erbötig, über jeden solchen Leisten eine Geschichtsbetrachtung zu schlagen, die mehr oder weniger passen wird, von der aber auch keine mehr hergeben wird, als ein einigermaßen treffendes Geschichts-Aperçu. Das *Inhaltliche* in den Geisteswissenschaften kann *niemals* über den Rang eines Aperçus hinausgreifen, mag es noch so gelungen sein, und alle Polaritätsaperçus verblassen vor dem wahrhaft Konstruktiven, wie es z. B. die Hegelsche Theorie der dialektischen These-Antithese darstellt, in die man alle inhaltlichen Polaritätsaperçus mühelos unterbringen kann. Außerdem verlangt alles Inhaltliche dieser Art nach einer sehr fundierten Typologie, zu welcher es nicht viel Ansätze gibt, am ergiebigsten offenbar noch die Jungsche. Ihre Theorie steht also an der Kreuzungsstelle von Dialektik und Typologie, ist aber weder in der einen, noch in der andern – zumindest geschah dies nicht im Vortrag – wahrhaft verankert: deswegen mangelt es offenbar auch an einer eingehenden Explikation der Begriffe Impressionismus-Expressionismus, die als beinahe fertige Vokabeln verwendet werden: ich kann also diesem ganzen Komplex bloß, wie gesagt, Aperçu-Wert beimessen, sicherlich tragend genug, um z. B. in einem Roman verwurstet zu werden, doch viel zu wenig, um sich mit solcher Gründlichkeit darauf zu setzen, wie Sie es tun. Aber wenn Sie gar die Absicht hätten, nun alle logischen, dialektischen, psychologischen, typologischen Stützen noch nachträglich anzubringen, so behaupte ich, daß sich dies schlechterdings nicht verlohnt; in der heutigen Zeit wäre dies eine potenzierte Überflüssigkeit, mögen Sie in dieses Aperçu noch so verliebt sein.

Weiters: gewiß ist das Lyrische das Grundmaß aller dichterischen Produktion. Deswegen glaube ich trotzdem, daß ich einen Roman schreiben kann, obschon ich vollkommen überzeugt bin, kein wirkliches lyrisches Gedicht zusammenzubringen. Weit eher wird der Vlasics ein Gedicht zusammenbringen als ich, aber zum Roman reicht es bei ihm doch nicht. Der logische Fehler, bei dem Sie mich zu ertappen glaubten, ist für mich nicht ersichtlich. Denn es geht doch nicht, wenn man so sagen darf, ums Aktual-Lyrische, sondern ums Potentiell-Lyrische. Und wie es bei Ihnen aussieht, weiß ich nicht – jedenfalls verwirrt, das weiß ich! Und jedenfalls habe ich das Gefühl, daß Sie sich mit Ihren Gedichten nutzlos abzappeln; wenn Sie kommen sollen, so werden sie kommen. Aber gerade beim Gedicht gibt es doch nur höchste Spitze oder lieber gar nicht: was haben Gedichte für einen Sinn, wie z. B. die von Lehmann in der letzten N. R.[2]? Könnte man wenigstens anständig Geld damit verdienen, so wäre es für mich begreiflich –, aber so? Und von dem lebt dein Sohn?

Kafka: natürlich entehrgeizt, natürlich Weisheitsskrupel um Weisheitsskrupel: die Hindernisse beim Passieren einer Straße sind nicht der Verkehr, nicht die Entfernung, nicht das Pflaster, nicht der Randstein, denn unmöglich ist es, bis zum Randstein zu gelangen, ja, ihn nur zu denken. Erschütternd seine Entwicklung zu solchem Chaos der sich selbst aufhebenden Weisheit. Natürlich kann man mit so etwas nicht leben, aber es ist großartig.

Schluß, und seien Sie gegrüßt
von Ihrem
H. B.

[YUL]

1 Joseph H. Bunzel (1907-1975), Schriftsteller und Soziologe. Broch lernte ihn 1937 in Bad Aussee kennen und begegnete ihm wieder im New Yorker Exil. In den USA studierte Bunzel Soziologie und war zuletzt Soziologieprofessor am State University College at Buffalo/N. Y. Bunzel schrieb über Broch den Artikel »Hermann Broch as a Teacher«, in: *Books Abroad* 26/1 (Frühjahr 1952), S. 31-33.

2 Wilhelm Lehmann (1882-1968), deutscher Lyriker. Vgl. W. L., »Widerspiel«, in: *Neue Rundschau,* Jg. 49 (Jan. 1938), S. 50-57.

255. An Rudolf Brunngraber[1]

Alt Aussee Nr. 31 15. 1. 38

Lieber R. B.,
haben Sie Dank. Ich freue mich über [. . .] Ihre guten Nachrichten. Von mir kann ich im Augenblick durchaus weniger Gutes berichten. Von drei gebrochenen Rippen, die ich mir bei einem etwas unwürdigen Sturz zerschmettert habe, ganz zu schweigen, komme ich mit der Arbeit aus vielerlei Gründen nicht vorwärts; ich habe das Gefühl, mich thematisch und formal einfach überhoben zu haben, und daß ich aus diesem Grunde mich verleiten ließ, ein zweites, angeblich leichteres Buch[2] einzuschieben, war auch nicht von Vorteil, denn dieses ist jetzt womöglich noch ärger als die Verzauberung. Unter diesen Umständen komme ich tunlichst nicht nach Wien: daß ich Ihren (also doch stattfindenden) Vortrag nicht einleiten kann, tut mir ganz aufrichtig leid. Nehmen Sie alle guten Gedanken Ihres Broch.

[DLA]

1 Rudolf Brunngraber (1901-1960), österreichischer Schriftsteller. Broch schätzte Brunngrabers 1933 im Frankfurter Sozietäts-Verlag erschienenen Roman *Karl und das XX. Jahrhundert*. Vgl. KW 9/1, S. 382-383.
2 Vergil-Roman.

256. An Ruth Norden

Alt Aussee Nr. 31 20. 1. 38

Liebste Freundin Ruth N.,
ja, jetzt imputieren Sie mir wieder einmal, daß ich zornig werde. Sie haben eine merkwürdige Vorstellung von mir. Darf ich mich Ihnen anbei schicken? erstens damit Sie sich von meiner Sanftheit überzeugen können, zweitens überhaupt und drittens als schwaches Zeichen eines Dankes.

Denn für die arge Arbeit, die Sie sich da gemacht haben,

bin ich Ihnen wahrhaft Dank schuldig. Und außerdem eine Antwort, die sowohl für Sie als auch für Einstein gilt, da Sie sich so liebenswürdig zum Briefträger gemacht haben. Der Einfachheit halber antworte ich in der Reihenfolge der Punkte, wie Sie sie in Ihrem Briefe aufzählen:

1) Daß Einstein für die Art, mit der ich das Problem behandle, wenig Sympathie haben kann, war mir von vorneherein klar; ich glaube, dies auch schon angedeutet zu haben: seine Genialität ist der realen und tunlichst exakten Wirklichkeit zugekehrt, er *muß* eine tiefe Abneigung gegen jegliche Wortspekulation haben, ja, sie muß ihm letztlich unehrlich erscheinen. Das entspricht nicht nur seiner Leistung, sondern geht auch aus all seinen Schriften hervor. Zudem ist es ein Standpunkt, den ich durchaus teile: ich betrachte alle spekulative Philosophie mit äußerstem Mißtrauen, wissend, wie ungelenk das Wort dem Gedanken folgt, wissend, daß nur exakte Dingebetrachtung zu einem exakten Ausdruck führt, wissend, daß die Spekulation voller Selbsttäuschungen steckt und ebendeshalb zu den ärgsten Mißbräuchen Anlaß gibt.

Nichtsdestoweniger kann und muß eingewendet werden (auch meinen eigenen Bedenken gegenüber): manchmal glückt es. Denn der Mensch ist ein philosophisches Tier, und überall dort, wo er zu einer Leistung gelangt, wird er von philosophisch-metaphysischen, ja, sogar theologischen Haltungen geleitet, von denen er zumeist überhaupt nichts weiß; irgendwo ist er immer sehr intensiv mit seinem Seelenheil befaßt, nur mag er davon nichts wissen. Wahrscheinlich ist auch die Einsteinsche Leistung von hier aus erklärbar, es kann sogar nicht anders sein –, man braucht bloß die Geschichte der großen mathematischen Entdeckungen zu betrachten, Descartes, Leibniz, um sehr bald zu erkennen, wie tief mathematisches und theologisches Denken ineinander wurzeln, ohne daß die Entdecker sich darüber im Klaren gewesen sind. Ganz zu schweigen von dem Einfluß des spekulativen Denkens auf die realen Weltereignisse: man kann weder dem spekulativen Christentum, noch der französischen Philosophie des XVIII. Jahrh. die reale Umgestaltung der Welt absprechen.

Ich habe mich also teils gegen, teils infolge besseren Wissens auf den Boden der Spekulation begeben, bestrebt, in sozusagen abgekürzten Verfahren das zu liefern, was die Philosophie des XVIII. Jahrh. für die Revolution geleistet hat.

2) Die Wendung zum Völkerbund ist ein faute de mieux. Würde ich jetzt ein spekulativ-theoretisches Buch »Theoretische Humanität« (zu dem ich freilich das ganze Material beisammen hätte) schreiben, so würde es erstlich in diesen Zeitläuften nicht gelesen werden, und läse man es, so würde meine Wirkung erst in 20 Jahren sichtbar werden; das gilt für jede derartige Publikation. Und dazu ist die Zeit heute schlechterdings zu kurz geworden. Was immer man heute in diesen Belangen tut, muß einen direkten Zugang zur Propaganda, d. h. zur Wiedererweckung des bon sens aus dem Massenwahn suchen. Gewiß ist mein Text kein Propagandainstrument, aber es war vor allem notwendig, die rationale Basis für eine solche Wirkung zu umreißen: bloß mit der Behauptung, daß Krieg schlecht und Frieden gut, daß Antisemitismus schlecht und Menschenachtung gut seien, wäre und ist nichts getan. Was also erreicht werden muß, ist die propagandistische Wirkung, die auf solcher Basis (– soferne sie nur wirklich eine wäre! –) aufgebaut werden soll. Und daher ist die visuelle Wendung an eine, an *irgend eine* Zentralstelle notwendig; leider sehe ich keine andere als den Völkerbund; der Papst wäre ein noch ungeeigneterer Adressat. Und ebendeswegen kommt es mir weit weniger auf den Adressaten als auf die in Aussicht genommenen Adressanten an.

Kein Zweifel, die Sache ist ein Zwitter; sie will zu viel auf einmal. Und doch, und doch! So absurd es klingt, gerade ihre Ausgefallenheit scheint mir noch einen Schimmer von Erfolgchancen zu verbürgen. Mit Aufrufen, mit praktischen Vorschlägen, etc. etc. ist die Welt übersättigt, und fast dünkt es mir, als müßte einmal die Stimme weltfremdester Unpraktischheit erklingen. Das ist eine mystische Ansicht, aber ich äußere sie nicht, weil ich mich an meinen Text klammere, sondern aus einem »Wenn-schon-denn-schon«: da alles Halbpraktische versagt, da es wirklich im Praktischen ausschließlich auf die Kanonen ankommt, so versuchen wir es eben einmal mit dem Allerunpraktischesten.

3) Aus dem Obigen geht schon hervor, welche Schwierigkeiten mit dem Problem der Umarbeitung verbunden sind. Wie weit meine Fähigkeit und meine Zeit hiezu ausreicht (beides ist ja leider begrenzt), will ich aus dem Spiel lassen, aber überdenken wir:
a) eine einfache Kürzung brächte bloß den banalen Kern »Krieg ist schlecht, Frieden ist gut« zutage; sonderbarerweise ist hier das Fleisch wichtiger als der Kern;
b) der Einwand gegen den unlesbaren Stil trifft zu und trifft leider auch die Brochschen Fähigkeitsgrenzen; trotzdem muß hiezu gesagt werden, daß in dem Elaborat eine Menge *neuer* Theorien eingebaut sind, und daß jede Lockerung der überkonzisen Darstellung statt einer Kürzung unweigerlich eine furchtbare Auseinanderlegung nach sich zöge, d. h. einfach das Buch über die Theorie der Humanität entstehen lassen würde;
c) der Einsteinsche Vorschlag, das Elaborat den zuständigen Fachwissenschaftlern vorzulegen, ist bereits befolgt; es haben sich eine ganze Reihe *höchst* namhafter Soziologen, Juristen, natürlich auch Philosophen mit dem Text befaßt – die Korrespondenz hierüber ist für mich kaum bewältigbar – und das Fazit ist, abgesehen von der durchgängigen Zustimmung für den theoretischen Inhalt, d. h. für seine wissenschaftliche Haltbarkeit und die eröffneten neuen theoretischen Aspekte, selbstverständlich eine Fülle von Zusatzanträgen, deren Befolgung zum Lexikonformat führen würde.

So *gerne* ich also alles täte, um die Erfolgchancen der Aktion zu verbessern, ich wüßte im Augenblick nicht, wie ich es anpacken sollte; es versteht sich, daß ich mich intensiv damit befasse, und wenn nicht zwischenzeitig die endgültige Weltkatastrophe eintritt, so wird mir schon noch etwas einfallen. Daß ich aber für die Einsteinschen Anregungen sehr dankbar bin und sie gleichfalls intensiv erwäge, brauche ich nicht eigens zu betonen.

4) Vielleicht wird die Übersetzungsfrage eine gewisse Klärung bringen; ein junger Soziologe in Chicago[1] befaßt sich jetzt damit, und vielleicht bekomme ich von dorther Formulierungsanregungen. Auch die französische Übersetzung ist eingeleitet.

5) Praktisch wird die Sache überhaupt erst akut werden,

bis diese Übersetzungsfrage gelöst sein wird. Von der Herzogin von Atholl erhielt ich die Nachricht, daß sie erst mit einem englischen Text operieren könne. Sobald sich hier oder anderswo irgendwelche Ergebnisse zeigen, benachrichtige ich Sie.

6) Für die Publikation kommt, bleibt es bei dem umfangreichen Text, bloß eine eigene Broschüre in Betracht. Und wenn sich tatsächlich eine oder mehrere der großen Organisationen für die Aktion einsetzen sollten, so stelle ich mir vor, daß auch von dort aus die Publikation erfolgen dürfte.

7) Schließlich noch Ihr Spezialeinwand des Individualismus. Ich halte ihn für einen unrichtigen und gefährlichen Einwand, denn er bildet eben einen Teil jener Geisteshaltung, welche bekämpft werden muß, weil sie zum heutigen Weltzustand und zum Massenwahn geführt hat. Hier sind dunkle Trugschlüsse am Werke, einesteils in der Sehnsucht nach Gemeinschaft begründet, anderenteils von den durchaus berechtigten ökonomisch-sozialistischen Gedankengängen unterstützt. Die Quelle des Irrtums liegt auch hier in den Absolutierungen, denen jede Begriffsbildung zustrebt, um schließlich zu einem vollkommen irrealen Überbau zu führen, der – ist er wirklich einmal in die Praxis gelangt und dort erstarrt – immer wieder zu revolutionären Sprengungen Anlaß geben muß: dies alles gehört in die Theorie der Revolution, aber auch zur Kritik des Marxismus usw., kann also nicht so rasch dargelegt werden. Ich habe viel darüber gearbeitet, glaube aber nicht, daß es sehr sinnvoll wäre, da noch viel Arbeitsenergie hineinzustecken. Das Wesentliche hingegen scheint mir immer die Besinnung auf die einfachen schlichten Grundsachverhalte, und die sind es ja auch, die sich im Praktischen stets aufs neue Luft machen: und diese Grundtatsache ist das Sein des Menschen an sich – alle Gemeinschaft, alles Kollektive, alle Organisation ergibt sich von diesem Punkt aus, nicht aber von Wahngebilden und deren Übersteigerung. Das Kollektive an sich ist eine Blase, die nirgends existiert – sichtbar ist bloß der Einzelmensch, und er ist ein armes, höchst klägliches Individuum, trotzdem »der Mensch«. Und wahrscheinlich wird man das jetzige Unheil erst zu Ende rasen lassen müssen, ehe der Mensch sich wieder gegen sich selbst empört.

An diesem pessimistischen Schluß mögen Sie nochmals sehen, mit welcher Skepsis ich die ganze Angelegenheit betrachte. Und sehen Sie: mit Papier ist überhaupt nichts getan; auch hier benötigt es des Einsatzes der menschlichen Persönlichkeit schlechthin. Es ist das Problem der persönlichen Aufopferung, das dahinter steht. Papier an sich ist zu ungefährlich; es wird wahrscheinlich erst dann wirkungsvoll, wenn es den Autor wahrhaft gefährdet. Und viele werden sich unter die Räder werfen müssen, bis es einem gelingen wird, den Zug aufzuhalten; freilich dauert es einige Zeit, bis die Bremsen angezogen sind. M. a. W., so wie die Dinge liegen, bedarf es heute offenbar des heilsbringerischen Märtyrers –, wenn Sie also von der Ganzwendung sprechen, die ich machen soll, so liegt allerlei Gefährliches darin; es geht eigentlich ums Letzte, und es handelt sich hiebei weit weniger um geistige oder schriftstellerische oder künstlerische oder wissenschaftliche Fähigkeiten, als um das Menschliche schlechthin.

Das also hat alles mit dem Elfenbeinturm, in dem ich sitze, wenig zu tun. Elfenbeinern ist hingegen das Künstlerische, mag es sich auch danach sehnen, unmittelbar zum Nebenmenschen sprechen zu können. Doch mehr denn je habe ich bei der künstlerischen Produktion den Geschmack des Todes auf der Zunge, das Wissen, mit dieser Fähigkeit nicht für das Jetzt vorhanden zu sein, auch nicht für das eigene Jetzt: fast möchte ich sagen, daß wirklich ehrliche Kunsterzeugung stets ein Stück über das eigene Verständnis hinausreichen muß, wie sehr also erst über das des Nebenmenschen. Ob das Verständnis später einmal, als Nachruhm oder sonstwie, einsetzen wird, das ist freilich eine bittere Frage, weil sie die Tätigkeit ins völlig Sinnlose verkehrt. Wenn ich es aber ganz paradox-ehrlich betrachte, so ist mir klar, daß alles, was ich oder andere an meiner Produktion für akzeptabel und verständlich finden, Konzession und Kitsch ist, während das Echte erst jenseits der Verständnisgrenze anfängt. Indes, dies war immer so und wird niemals anders sein. Und wahrscheinlich ist es auch der einzige wahre Sinn dessen, was wir Kunst nennen, und ihre einzige Lebensberechtigung.

Doch um von weltzugekehrteren Büchern zu sprechen: kennen Sie die Bücher des Spaniers Ramón J. Sender[2]? »War in

Spain«, »Seven Red Sundays«, »Mr. Witt among the Rebels«? Sie sind bei Faber & Faber erschienen, und Sie müßten sie unbedingt anschauen, denn sie sind von tiefster Anständigkeit, warm, ehrlich, kurzum menschlich. Und vielleicht sind sie es, weil der Mann eben zumindest eine Dreivierteiwendung zur Realität gemacht hat –, man kann eben nicht nur Märtyrer im Geiste sein; der Mensch bleibt ein körperliches Wesen, und wahrhaft getroffen wird er nur, wenn es ihn an den Körper geht, vielleicht noch dort, wo es sich um seine Kinder handelt und um das, was er ehrlich und schlicht menschlich liebt.

Das ist wieder ein Riesenbrief geworden, und mir tut es leid, daß Sie ihn lesen mußten. Doch jetzt sind Sie damit schon fertig und haben überstanden. Bitte teilen Sie daraus Prof. Einstein mit, was Sie für gut befinden und übermitteln Sie ihm verehrungsvolle Grüße. Und nehmen Sie alle guten Gedanken Ihres

H. Broch
[DLA]

1 Nicht ermittelt.
2 Ramón José Sender (geb. 1902), spanischer Schriftsteller. Broch lernte Senders Werk durch Anja Herzog kennen, die damals mit Sender befreundet war. Nach der Beendigung des Spanischen Bürgerkrieges ging Sender ins mexikanische Exil, und 1942 emigrierte er in die USA, wo er in der Folge an verschiedenen Universitäten spanische Literatur unterrichtete. Die von Broch genannten Romane *The War in Spain. A Personal Narrative* (1937), *Seven Red Sundays* (1936) und *Mr. Witt Among the Rebels* (1937) wurden sämtlich übersetzt von Sir Peter Chalmers Mitchell und erschienen in London bei Faber & Faber.

257. An Stefan Zweig

Alt Aussee Nr. 31 30. 1. 38

Aus Ihren Zeilen, verehrter lieber Freund, spricht eine so menschliche gute Zustimmung, daß ich sie weit weniger auf meinen Versuch und weit mehr auf mich selber beziehe: ich danke Ihnen hiefür ganz besonders herzlich. Was Sie – von jener Generalzustimmung abgesehen – aber zu dem Elaborat sachlich sagen, ist weitaus das Treffendste von allem ,was ich dazu gehört habe; es wäre mir daher überaus wichtig, mich mit Ihnen nach Ihrer Rückkunft noch darüber unterhalten zu können, bis dahin werde ich ja wohl auch einiges über den praktischen Fortgang zu berichten haben. Inzwischen also nur diesen eiligen Dank und sehr viele gute Wünsche für Ihre Reise. In aufrichtiger Herzlichkeit

Ihr H. Broch

[SZA]

258. An Joseph H. Bunzel

15. 2. 38

Ich kann nur rasch sagen, daß ich Ihnen danke, Lieber! zu mehr reicht es nicht. Denn vorderhand hänge ich ja noch am Seil. Wie weit es schon aufgesplissen ist, vermag ich natürlich nicht zu sagen, aber da Sie nach der Resolution fragen: hier ist die Aufspleißung bereits vollzogen, denn daß da heute nichts mehr zu machen ist, das ist klar. Ja, noch vor drei Jahren. Und wahrscheinlich wird auch dem Vergil solches Zuspätkommen blühen. Ich suche es zu verhüten (warum?), und so pumpe ich tatsächlich letzte Kräfte aus mir heraus, was angesichts dieser Schreibtischtätigkeit und des Papierresultates zwar eine befremdliche, dennoch richtige Behauptung ist. Und so kann ich bloß jedermann und so auch Ihnen nur empfehlen, die Hände von diesem fürchterlichsten aller Gewerbe zu lassen. In diesem Sinne und mit der Versicherung, daß die beiden vermißten Hofmannsthäler niemals bei mir waren,

alle guten Gedanken Ihres
H. B.

[YUL]

259. An Joseph H. Bunzel

10. 3. 38 Alt Aussee Nr. 31

Lieber H. J. B., ich habe diesmal mit der Antwort gewartet, auf daß Sie mir nicht wieder sagen, ich wollte Ihren Brief aus dem Kopf haben. Aber im Ernst: Briefschreiben ist unmöglich, und wenn einer dazu noch seiltanzt, so kann man ihm wirklich keine Korrespondenz abverlangen, wobei freilich zu fragen ist, ob das Seiltanzen gar so notwendig ist: nun, für den Augenblick ist es für mich notwendig, besonders, da Zeit und Seil immer kürzer werden, was freilich auch für Sie gilt. Außerdem aber habe ich über einen Punkt Ihres Briefes nachdenken müssen, u. z. nicht über Schrödinger[1], den ich beneide, weil er ehrliche Arbeit leistet, und nicht über Liebert[2], den ich aber schon gar nicht beneide, wohl aber über Ihre Pariser Idee. Denn welche und wessen Schuhe sollen Sie in Paris putzen, außer den eigenen? Es mag sein, daß Sie ein besserer französischer als ein deutscher Schriftsteller sein könnten, weil die Geilheit der deutschen Sprache allen Ihren Untugenden zuhilfe kommt, während Ihnen die französische wahrscheinlicherweise Zucht und Sitte verliehe, aber vorderhand können Sie noch nicht genug Französisch: dazu braucht es zweier Jahre im Lande. Was dazwischen? Und da komme ich auf meinen ersten Eindruck zurück, den ich von Ihnen hatte: Sie gehören in ein bewegtes Leben, und dieses bedeutet im Künstlerischen Regie, im Ethischen aber Politik, u. z. jüdische Politik. Das Dichten kann und soll für Sie stets sekundär bleiben. Und sohin: trachten Sie doch, durch den Onkel Wallerstein[3] und seine Freunde Anschluß an die ausländische Filmbranche zu bekommen, während ich mir über das Politische, u. z. überhaupt und nicht nur Ihrethalben, weiter den Kopf zerbrechen werde, hoffend übrigens, daß wir über diesen Sonntag glücklich hinwegkommen werden[4].

Wohingegen ich an Sie eine Bitte nämlichen Kopfzerbrechens habe: soferne Sie irgend einen philologischen Freund hätten, so fragen Sie ihn doch über wichtige Vergil-Literatur[5] aus; ich halte mich für verpflichtet, nun das sehr vernachlässigte Quellenstudium noch nachträglich zu verbreitern. Weiters benötige ich einen Nationalökonomen, welcher mir den

Wert der Sesterze zur Zeit Augustus sagte, kurzum, wie hoch ist sie damals in Zürich gestanden? [. . .]

[YUL]

1 Erwin Schrödinger (1887-1961), österreichischer Physiker. 1933 erhielt er den Nobelpreis für Physik. Im gleichen Jahr emigrierte er nach England. 1938 gehörte er zu den Mitbegründern des Institute for Advanced Studies in Dublin. Vgl. E. Sch., *Über Indeterminismus in der Physik* (Leipzig: Barth, 1932).
2 Arthur Liebert (1878-1946), deutscher Philosoph des Neukantianismus. Vgl. Brochs Rezension über zwei Liebert-Bücher in KW 9/1, S. 257-263.
3 Vgl. Fußnote 4 zum Brief vom 16. 12. 1940.
4 Drei Tage später wurde Broch beim »Anschluß« Österreichs an Hitler-Deutschland in Alt Aussee verhaftet und ins Bezirksgefängnis Bad Aussee gebracht, wo man ihn bis zum 31. 3. 1938 gefangen hielt. Die Verhaftung ging auf eine Denunziation des Briefträgers in Alt Aussee zurück, der Broch als Kommunisten eingeschätzt hatte, da er aus Moskau die Emigrantenzeitschrift *Das Wort* bezog.
5 Für seine Arbeit an der »Erzählung vom Tode«, der dritten Fassung seines entstehenden Vergil-Romans. Nach seiner Verhaftung schrieb Broch an dieser Erzählung weiter. Es entstanden damals die Vorformen der späteren »Schicksalselegien«. Vgl. *Materialienband zum ›Tod des Vergil‹*, a.a.O., S. 160-169.

260. An AnneMarie Meier-Graefe Broch

Bad Aussee, 26. III. 38

L. hab Dank für Deine Karte. Ich bin durch die Ereignisse so in Anspruch genommen, daß ich in meiner Korrespondenz etwas gehemmt bin und auch nicht weiß, wann ich nach Wien werde fahren können. Deshalb bitte ich Dich, einiges für mich zu erledigen, nämlich:

1. mit Huxleys Angelegenheiten[1], am allerwenigsten mit Übersetzungen kann ich mich weiter befassen; bitte teile ihm das gleich mit, damit er mich nicht wieder mit Briefen bombardiert – (da ich nicht wußte, wo er sich befindet, hatte ich ihm im Wege seines Verlages – Chetto u. Winders, St. Mar-

tins Lane, London, W. C. 2 – geschrieben, und eventuell wäre also auch der Verlag zu verständigen).

2. Folgenden Leuten sage bitte, daß ich dzt. nicht korrespondenzfähig bin und *später* schreiben werde[2]:
a) Mrs. Willa Muir, Castlelea, The Scores, St. Andrews, Fife, Schottland;
b) Dr. J. Klatzkin, Hôtel L'Homme joli, 237, R. de la Convention, Paris XVe;
c) Dr. Paul Schrecker, 27 Avenue de Lamballe, Paris XVIe;
d) Miss Ruth Norden, Knickerbocker Village, 10 Monroe Street, Apt. 7E10.

Sobald ich abreisen kann[3], melde ich es Dir, und ebenso werde ich Dir von Wien aus wegen Anni schreiben; vorderhand weiß ich nichts von ihr. Bis dahin hab etwas Geduld und viele liebe Gedanken von Deinem H

[AMB]

1 Broch schrieb diese Zeilen aus dem Gefängnis in Bad Aussee. Aldous Huxley hatte Broch um eine englische Übersetzung seiner »Völkerbund-Resolution« gebeten. Die Entdeckung dieser Resolution durch die Nationalsozialisten hätte für Broch lebensgefährlich werden können. Vgl. Brochs eigene Darstellung in KW 11, S. 237.

2 Broch war nach dem »Anschluß« eines der Opfer einer Verhaftungswelle größten Ausmaßes geworden. In diesen Märztagen wurden mehr als 70 000 Personen festgenommen, von denen in den folgenden Jahren etwa 60 000 Menschen, vornehmlich jüdischer Abstammung, in den Vernichtungslagern von Auschwitz, Lublin, Minsk, Riga, Theresienstadt – dort starb Brochs Mutter – und Treblinka ihr Leben verloren. Äußerlich betrachtet war die dreiwöchige Haft im Bezirksgericht Bad Aussee nicht so inhuman wie etwa in einem Konzentrationslager der Nationalsozialisten. Broch konnte sich mit seinem Wiener Rechtsanwalt Otto Kiebacher in Verbindung setzen. In dem Bauernehepaar Zand, das Broch während seines Aufenthaltes in Alt Aussee mit Lebensmitteln beliefert hatte, fand Broch während seiner Haft hilfsbereite Menschen, die ihn mit allem Nötigen versorgten. Ella Zand verhalf ihm auch zu dem Schreibpapier, das Broch zur Weiterarbeit an seinem Vergil-Roman benötigte. Das Papier war eingewickelt worden in Viehpässe, wie es die Bauern beim Bahnversand von Vieh benutzten. Vgl. KW 4, S. 512. Die Entlassung aus dem Gefängnis verdankte Broch vor allem der Fürsprache von Erich

Dumann. Dumann, bis zum »Anschluß« Bezirkshauptmann in Mürzzuschlag/Steiermark, war gegen Ende März 1938 zum Leiter der politischen Expositur in Bad Aussee bestellt worden. Er hatte damit die Polizeigewalt in Bad Aussee inne, die jedoch durch die Nationalsozialisten stark eingeschränkt war. Er überzeugte den Ortsgruppenleiter der NSDAP von der politischen »Harmlosigkeit« Brochs und setzte seine Freilassung durch.

Brochs Zellengenosse in Bad Aussee war der junge Salinenarbeiter Josef Khälss aus Alt-Aussee, der inhaftiert wurde, weil er Mitglied der österreichischen »Vaterländischen Front« war. Zu Khälss Namenstag am 19. 3. 1938 schenkte Broch ihm sein Bild mit der Widmung »Zum Namenstag in einer Zelle / Dem Seppl Khälss sein Haftgeselle / Hermann Broch.« Nach der Haftentlassung schickte Broch Khälss aus Wien seinen Steireranzug mit den Worten, daß er ihn nun nicht mehr tragen könne. Khälss ist heute Altbürgermeister in Alt-Aussee. Vgl. dazu die Interviews von Viktor Suchy mit Dumann und Khälss, die sich als Tonbandaufzeichnungen befinden in der Dokumentationsstelle für neuere österreichische Literatur in Wien.

261. An AnneMarie Meier-Graefe Broch

Child Spital
Wien IX. Pelikangasse 15 3. IV. 38

Dank für die Karte – ich bin in Wien; allerdings werde ich für ein paar Tage ins Child-Spital[1], IX, Pelikangasse 15, mich legen müssen, weil es mir miserabel geht. Meine Rek. hast Du hoffentlich erhalten. Bitte um eine kurze Nachricht nach Wien, nur eine Bestätigung. Bald mehr – in Eile H.

Wenn Anni[2] bei Dir sein sollte, lasse ich sie grüßen!

[AMB]

1 In der Haft hatte Broch sich eine schwere Colitis zugezogen. In Wien ekelte ihn derart vor den Pöbelszenen der Nationalsozialisten, daß er sich ständig erbrechen mußte.

2 Anna Justina Mahler (geb. 1904), Tochter Gustav und Alma Mahlers, Freundin AnneMarie Meier-Graefes.

262. An AnneMarie Meier-Graefe Broch

Wien, 21. IV. 38

Ich freue mich über jede Zeile – also sei bedankt! Von mir kann ich leider noch nichts Entscheidendes melden –, ich bin zwar aus dem Spital entlassen und jetzt in der mütterlichen Wohnung[1] untergebracht, aber lange werde ich diese Wohnungsverhältnisse nicht aushalten, umsoweniger als ich mich noch keineswegs wohl fühle. Vielleicht werde ich sogar nochmals hier kurze Zeit ins Spital zurückkehren, doch erreicht mich Post immer unter der Wohnungsadresse. Außerdem gebe ich jeweilig Bescheid. Alles Liebe an Anni. Und sehr viel Gedanken. Und bitte um Nachricht!

[AMB]

1 Gonzagagasse 7. Broch wechselte in der Zeit nach seiner Haftentlassung (31. 3.) und seiner Flucht nach England (29. 7. 1938) so häufig wie möglich innerhalb Wiens seinen Wohnsitz. Er verbarg sich bei Freunden und Bekannten, da er eine erneute Verhaftung befürchtete. Diese Befürchtungen waren nur zu begründet, denn im Mai und Juni 1938 begannen weitere Verhaftungen von Juden, Festnahmen, die darauf abzielten, die übrige jüdische Bevölkerung zur Emigration zu zwingen.

263. An AnneMarie Meier-Graefe Broch

Wien, 27. V. 38

Freilich läßt sich nicht viel Neues berichten, und wenn ich nicht schreibe, so hat dies eben den nämlichen Grund. Aber ich hoffe, daß meine Angelegenheiten[1] jetzt doch endlich in Fluß kommen, und dann werde ich wohl Erfreulicheres und Erfreuliches zu berichten haben. Bis dahin alle Gedanken, sehr sehr viel Liebes und Herzliches

H

[AMB]

1 Broch bemühte sich fieberhaft darum, eine Ausreisebewilligung aus Österreich und Visen nach Frankreich, England und in die USA zu bekommen. Vgl. Brief vom 9. 7. 1938, Fußnote 1.

264. An Ruth Norden

Wien, 8. VI. 38

Ich bin Ihnen für alles tief dankbar[1]. Seien Sie mir nicht böse, wenn ich trotzdem so wenig schreibe: obwohl wieder genesen, bin ich noch immer schwer müde und habe dabei eine solche Fülle von Sorgen und Obliegenheiten zu bewältigen, daß ich davon eben überwältigt werde. Aber ich hoffe sehr, daß ich auch dies noch werde schaffen können, und dann mehr und Ausführlicheres. Bitte danken Sie auch Mr. B. und grüßen Sie ihn sehr herzlich von mir: und er möge nicht glauben, daß er von mir jemals mißbraucht werden wird. Ich denke in Herzlichkeit an Sie, stets Ihr

H. B.

[DLA]

1 Ruth Norden besorgte damals bei Albert Einstein und Thomas Mann Affidavits zur Erlangung eines USA-Visums für Broch. In Einsteins Brief vom 15. 5. 1938 an den amerikanischen Generalkonsul in Wien heißt es: »Die Menschenpflicht, unschuldig Verfolgten Zuflucht zu bieten, ist von den Vereinigten Staaten stets hoch gehalten worden. Ein doppelter Antrieb zur Hilfe liegt aber vor, wenn es sich um unschuldig Verfolgte handelt, die sich durch ihr Wirken und ihre Leistungen als besonders wertvoll erwiesen haben. Dieser Fall liegt unzweifelhaft bei dem Schriftsteller Hermann Broch vor. Deshalb erlaube ich mir, die Bitte auszusprechen, daß sein Einwanderungs-Gesuch mit besonderem Wohlwollen behandelt werde.« (DLA) Am gleichen Tag schrieb Thomas Mann an dieselbe Adresse: »I have known Mr. Broch intimately for many years, and in my opinion he is one of the finest living German writers; nor is this my opinion alone. His works, the product of a rich and wise personality, have been unanimously acclaimed by critics as among the outstanding contributions to modern literature. [. . .] So far as Mr. Broch's contemplated emigration to the United States is concerned, I am convinced that Austria's loss will be America's gain.« (DLA) Am 1. 7. 1938 erhielt Broch in Wien vom amerikanischen Generalkonsulat den Bescheid, daß sein Visumsantrag aufgrund dieser Affidavits bearbeitet werde und Aussicht auf Genehmigung bestehe. Broch wartete das Eintreffen des amerikanischen Visums nicht mehr ab, als er Ende Juli 1938 das englische Visum erhielt, das ihm die sofortige Emigration nach Großbritannien ermöglichte.

265. An AnneMarie Meier-Graefe Broch

Wien, 9. VII. 38

Ich schreibe nicht mehr, weil ich einfach überwartet[1] bin; man wird dadurch so gelähmt, daß man nicht mehr im eigenen Selbst ist: man verliert sogar die Beziehung zu sich selbst. Aber ich nehme an, daß sich dies ändern wird, und das melde ich dann sofort. Inzwischen stets das Nämliche!! H

Ist Alma[2] bei Dir? Dann alles Herzliche an sie. Nochmals H

[AMB]

1 Broch wartete auf ein dänisches, ein schweizerisches, ein englisches, ein französisches und ein amerikanisches Visum. In Dänemark setzte sich die Schriftstellerin Karin Michaëlis für ihn ein, die Broch in Wien im Hause von Eugenie und Hermann Schwarzwald kennengelernt hatte. In der Schweiz bemühte sich Carl Seelig um ein Visum. Beide Versuche blieben erfolglos. In Paris hatten Anja Herzog und Paul Schrecker sich seiner Sache angenommen, und in London setzten sich seine Übersetzer Edwin und Willa Muir, die auch Aldous Huxley und Herbert Read mobilisierten, sowie Robert Neumann und Franz Werfel – damals Chefs des österreichischen Exil-PEN – für ihn ein. Vgl. Robert Neumann, *Vielleicht das Heitere. Tagebuch aus einem andern Jahr* (Wien, München, Basel: Desch, 1968), S. 499. Vgl. Ferner: *Selected Letters of Edwin Muir* (London: Hogarth, 1974), S. 99-100. In erster Linie war Broch an einem Visum nach Frankreich interessiert. Am 13. 5. 1938 stellte er sein »Gesuch um Einreiseerlaubnis nach Frankreich« beim französischen Konsulat in Wien, wobei er als Reisezweck angab: »Etudes aux bibliothèques Parisiennes«, eine Aufenthaltsdauer von vier Monaten wünschte und als vorgesehenes Einreisedatum »Ende Mai 1938« eintrug. (Vgl. die Akten des Emergency Rescue Committees in New York.) In Paris wandte sich Anja Herzog um Hilfe an James Joyce. Am 16. 6. 1938 schrieb Joyce aus Paris an Daniel Brody: »Glad also to be able to tell [. . .] that last evening my friend in the French F. O. rang up to say that permission for H. Broch to enter France had been telegraphed to French C. G. in Vienna.« Zitiert nach *Letters of James Joyce,* edited by Richard Ellmann (New York: Viking Press, 1966), vol. III, S. 424. Joyce konnte als Ire nicht direkt behilflich sein, doch setzte er sich mit dem befreundeten französischen Schriftsteller Benjamin Cré-

mieux in Verbindung, der innerhalb von zehn Tagen das Visum für Broch beschaffte. Der französische Konsul in Wien aber konnte Broch das Visum nicht aushändigen, da sein Reisepaß beim Wiener Paßamt lag. Der Paß konnte nicht bis zur Genehmigung der Ausreise durch die deutschen Behörden an Broch zurückgegeben werden. Als Broch dann am 27. 6. 1938 nach der Intervention seines Rechtsanwaltes Otto Kiebacher die Ausreisegenehmigung erteilt bekam und den Paß zurück erhielt, hatte sich die Politik der französischen Regierung gegenüber den deutschen Flüchtlingen weiter verschärft, und das französische Konsulat in Wien weigerte sich, das Visum an Broch weiterzuleiten. Als Joyce davon erfuhr, gab er Brochs Freunden den Rat, sich sofort um ein englisches Visum zu bemühen. Als Ire konnte Joyce auch in diesem Falle nicht direkt helfen, doch nahm er Kontakt zu Stephen Hudson auf, mit dem auch die Muirs schon in Verbindung waren. Hudsons Initiative beim britischen Home Office hat entscheidend dazu beigetragen, daß Broch das englische Visum erhielt. Ende Juni wurde es vom Britischen Konsulat in Wien ausgestellt. Allerdings glaubte dieses Konsulat Broch bereits in Paris und schickte das Visum dorthin, und zwar an die Adresse von Anja Herzog. Es verging ein weiterer Monat, bis es schließlich Broch in Wien erreichte. Am 29. 7. 1938 flog Broch vom Flughafen Aspern bei Wien – Zwischenlandung in Rotterdam – nach London, wo er noch am gleichen Tage eintraf.

2 Alma Mahler-Werfel.

Quellenangaben

AMB: Privatbesitz AnneMarie Meier-Graefe Broch, Saint-Cyr-sur-Mer, Frankreich.

BB: *Hermann Broch – Daniel Brody. Briefwechsel 1930 bis 1951,* hrsg. v. Bertold Hack und Marietta Kleiß (Frankfurt/M.: Buchhändler-Vereinigung, 1971). (Originale im DLA.)

BMT: Broch-Museum, Teesdorf bei Wien, Österreich.

BrA: Brenner-Archiv, Universität Innsbruck, Innsbruck, Österreich.

DLA: Deutsches Literaturarchiv, Marbach/Neckar.

DÖL: Dokumentationsstelle für neuere österreichische Literatur, Wien, Österreich.

DÖW: Dokumentationsarchiv des österreichischen Widerstandes, Wien, Österreich.

DP: *Die Pestsäule* (1972), S. 207-210. (Original in YUL.)

DWW: *Dichter wider Willen: Hermann Broch,* hrsg. v. Erich von Kahler (Zürich: Rhein-Verlag, 1958). (Originale in YUL.)

FB: Offener Brief an Franz Blei »Die Straße«, in: *Die Rettung,* Jg. 1, Nr. 3 (20. 12. 1918), S. 25-26. (Original in YUL.)

GP: Hermann Broch, *Gedanken zur Politik,* hrsg. v. Dieter Hildebrandt (Frankfurt/M.: Suhrkamp, 1970).

GW 8: Hermann Broch, *Briefe von 1929 bis 1951,* Gesammelte Werke Band 8, hrsg. v. Robert Pick (Zürich: Rhein-Verlag, 1957). (Originale in YUL.)

GW 10: Hermann Broch, *Die Unbekannte Größe und frühe Schriften mit den Briefen an Willa Muir,* Gesammelte Werke Band 10, hrsg. v. Ernst Schönwiese und Eric W. Herd (Zürich: Rhein-Verlag, 1961). (Originale in Privatbesitz Muir.)

KW: Kommentierte Werkausgabe Hermann Broch, Bände 1-13, hrsg. v. Paul Michael Lützeler (Frankfurt/M.: Suhrkamp, 1974-1981).

MSC: *Materialien zu Hermann Brochs ›Die Schlafwandler‹,* hrsg. v. Gisela Brude-Firnau (Frankfurt/M.: Suhrkamp, 1972). (Originale im DLA.)

ÖNB: Österreichische Nationalbibliothek (Musiksammlung), Wien, Österreich.
SFV: S. Fischer Verlag, Archiv, Frankfurt/M.
SZA: Stefan Zweig Archiv, London, England.
VR: Hermann Broch, *Völkerbund-Resolution,* hrsg. v. Paul Michael Lützeler (Salzburg: Otto Müller, 1973). (Originale im BrA.)
WSB: Wiener Stadt- und Landesbibliothek, Wien, Österreich.
YUL: Yale University Library, Beinecke Rare Book Library, Broch-Archiv, New Haven, Connecticut, USA.

Editorischer Hinweis

Die »Anmerkungen des Herausgebers« – Auswahlbibliographie zur Sekundärliteratur, Verzeichnis der Briefempfänger, Personenregister, Werkregister, Zeittafel und Editorisches Nachwort – finden sich am Schluß des dritten Briefbandes dieser Ausgabe.